PAUSANIAS

III

PAUSANIAS
DESCRIPTION OF GREECE

WITH AN ENGLISH TRANSLATION BY
W. H. S. JONES, Litt.D.
ST. CATHARINE'S COLLEGE, CAMBRIDGE

IN FOUR VOLUMES
WITH A COMPANION VOLUME CONTAINING
MAPS, PLANS AND INDICES

III

BOOKS VI—VIII (I—XXI)

CAMBRIDGE, MASSACHUSETTS
HARVARD UNIVERSITY PRESS
LONDON
WILLIAM HEINEMANN LTD
MCMXXXIX

First printed 1935
Reprinted 1939

PRINTED IN GREAT BRITAIN

CONTENTS

PAUSANIAS

DESCRIPTION OF GREECE

BOOK VI—ELIS II

ΠΑΥΣΑΝΙΟΥ

ΕΛΛΑΔΟΣ ΠΕΡΙΗΓΗΣΕΩΣ

ϛ

ΗΛΙΑΚΩΝ Β

I. Ἕπεται δέ μοι τῷ λόγῳ τῷ ἐς τὰ ἀναθή-
ματα τὸ μετὰ τοῦτο ἤδη ποιήσασθαι καὶ ἵππων
ἀγωνιστῶν μνήμην καὶ ἀνδρῶν ἀθλητῶν τε καὶ
ἰδιωτῶν ὁμοίως. τῶν δὲ νικησάντων Ὀλυμπίασιν
οὐχ ἁπάντων εἰσὶν ἑστηκότες ἀνδριάντες, ἀλλὰ
καὶ ἀποδειξάμενοι λαμπρὰ ἐς τὸν ἀγῶνα, οἱ δὲ
καὶ ἐπὶ ἄλλοις ἔργοις, ὅμως οὐ τετυχήκασιν
2 εἰκόνων· τούτους ἐκέλευσεν ἀφεῖναί με ὁ λόγος,
ὅτι οὐ κατάλογός ἐστιν ἀθλητῶν ὁπόσοις γεγό-
νασιν Ὀλυμπικαὶ νῖκαι, ἀναθημάτων δὲ ἄλλων
τε καὶ εἰκόνων συγγραφή. οὐδὲ ὁπόσων ἑστή-
κασιν ἀνδριάντες, οὐδὲ τούτοις πᾶσιν ἐπέξειμι,
ἐπιστάμενος ὅσοι τῷ παραλόγῳ τοῦ κλήρου καὶ
οὐχ ὑπὸ ἰσχύος ἀνείλοντο ἤδη τὸν κότινον·
ὁπόσοις δὲ ἢ αὐτοῖς τι εἶχεν ἐς δόξαν ἢ καὶ τοῖς
ἀνδριᾶσιν ὑπῆρχεν ἄμεινον ἑτέρων πεποιῆσθαι,
τοσαῦτα καὶ αὐτὸς μνησθήσομαι.

PAUSANIAS

DESCRIPTION OF GREECE

BOOK VI

ELIS II

I. After my description of the votive offerings I must now go on to mention the statues of race-horses and those of men, whether athletes or ordinary folk. Not all the Olympic victors have had their statues erected; some, in fact, who have distinguished themselves, either at the games or by other exploits, have had no statue. These I am forced to omit by the nature of my work, which is not a list of athletes who have won Olympic victories, but an account of statues and of votive offerings generally. I shall not even record all those whose statues have been set up, as I know how many have before now won the crown of wild olive not by strength but by the chance of the lot.[1] Those only will be mentioned who themselves gained some distinction, or whose statues happened to be better made than others.

[1] A competitor might be lucky, or unlucky, in the antagonists with whom he was paired for the various heats. He might even draw a bye, and so start fresher than his opponent.

3 Ἔστιν ἐν δεξιᾷ τοῦ ναοῦ τῆς Ἥρας ἀνδρὸς
εἰκὼν παλαιστοῦ, γένος δὲ ἦν Ἠλεῖος, Σύμμαχος
Αἰσχύλου· παρὰ δὲ αὐτὸν ἐκ Φενεοῦ τῆς
Ἀρκάδων Νεολαΐδας Προξένου, πυγμῆς ἐν παισὶν
ἀνῃρημένος νίκην· ἐφεξῆς δὲ Ἀρχέδαμος Ξενίου,
καταβαλὼν καὶ οὗτος παλαιστὰς παῖδας, γένος
καὶ αὐτὸς Ἠλεῖος. τούτων τῶν κατειλεγμένων
εἰργάσατο Ἄλυπος τὰς εἰκόνας Σικυώνιος, Ναυ-
4 κύδους τοῦ Ἀργείου μαθητής. Κλεογένην δὲ
Σιληνοῦ τὸ ἐπίγραμμα τὸ ἐπ' αὐτῷ φησιν εἶναι
τῶν ἐπιχωρίων, ἐκ δὲ ἀγέλης αὐτὸν οἰκείας ἵππῳ
κρατῆσαι κέλητι. πλησίον δὲ τοῦ Κλεογένους
Δεινόλοχός τε κεῖται Πύρρου καὶ Τρωΐλος
Ἀλκίνου. τούτοις γένος μὲν καὶ αὐτοῖς ἐστιν
ἐξ Ἤλιδος, γεγόνασι δέ σφισιν οὐ κατὰ ταὐτὰ
αἱ νῖκαι· ἀλλὰ τῷ μὲν ἑλλανοδικεῖν τε ὁμοῦ καὶ
ἵππων ὑπῆρξεν ἀνελέσθαι νίκας τῷ Τρωΐλῳ
τελείᾳ τε συνωρίδι καὶ πώλων ἅρματι—ὀλυμπι-
άδι δὲ ἐκράτει δευτέρᾳ πρὸς ταῖς ἑκατόν, ἀπὸ
5 τούτου δὲ καὶ νόμος ἐγένετο Ἠλείοις μηδὲ ἵππους
τοῦ λοιποῦ τῶν ἑλλανοδικούντων καθιέναι μηδένα
—τούτου μὲν δὴ τὸν ἀνδριάντα ἐποίησε Λύσιππος·
ἡ δὲ τοῦ Δεινολόχου μήτηρ εἶδεν ὄψιν ὀνείρατος
ὡς ἔχοιτο τοῦ παιδὸς ἐν τοῖς κόλποις ἐστεφανω-
μένου, καὶ τοῦδε ἕνεκα ἐς τὸν ἀγῶνα ὁ Δεινόλοχος
ἠσκήθη καὶ τοὺς παῖδας παρέθει τρέχων.
6 Σικυωνίου δὲ Κλεωνός ἐστιν ἡ εἰκών. ἐς δὲ τὴν
Ἀρχιδάμου Κυνίσκαν, ἐς τὸ γένος τε αὐτῆς καὶ
ἐπὶ ταῖς Ὀλυμπικαῖς νίκαις, πρότερον ἔτι
ἐδήλωσα ἐν τοῖς λόγοις οἳ ἐς τοὺς βασιλέας
τοὺς Λακεδαιμονίων ἔχουσι· πεποίηται δὲ ἐν
Ὀλυμπίᾳ παρὰ τὸν ἀνδριάντα τοῦ Τρωΐλου

4

On the right of the temple of Hera is the statue of a wrestler, Symmachus the son of Aeschylus. He was an Elean by birth. Beside him is Neolaïdas, son of Proxenus, from Pheneüs in Arcadia, who won a victory in the boys' boxing-match. Next comes Archedamus, son of Xenius, another Elean by birth, who like Symmachus overthrew wrestlers in the contest for boys. The statues of the athletes mentioned above were made by Alypus of Sicyon, pupil of Naucydes of Argos. The inscription on Cleogenes the son of Silenus declares that he was a native, and that he won a prize with a riding-horse from his own private stable. Hard by Cleogenes are set up Deinolochus, son of Pyrrhus, and Troïlus, son of Alcinoüs. These also were both Eleans by birth, though their victories were not the same. Troïlus, at the time that he was umpire, succeeded in winning victories in the chariot-races, one for a chariot drawn by a full-grown pair and another for a chariot drawn by foals. The date of his victories was the 372 B.C. hundred and second Festival. After this the Eleans passed a law that in future no umpire was to compete in the chariot-races. The statue of Troïlus was made by Lysippus. The mother of Deinolochus had a dream, in which she thought that the son she clasped in her bosom had a crown on his head. For this reason Deinolochus was trained to compete in the games and outran the boys. The artist was Cleon of Sicyon. As for Cynisca, daughter of Archidamus, her ancestry and Olympic victories, I have given an account thereof in my history of the Lacedaemonian kings.[1] By the side of the statue of Troïlus at Olympia has been made a basement of

[1] See Book III. ch. viii.

λίθου κρηπὶς καὶ ἅρμα τε ἵππων καὶ ἀνὴρ
ἡνίοχος καὶ αὐτῆς Κυνίσκας εἰκών, Ἀπελλοῦ
τέχνη, γέγραπται δὲ καὶ ἐπιγράμματα ἐς τὴν
7 Κυνίσκαν ἔχοντα. εἰσὶ δὲ Λακεδαιμόνιοι καὶ
ἐφεξῆς ἀνακείμενοι τῇ Κυνίσκᾳ, ἵππων νῖκαι
γεγόνασιν αὐτοῖς· Ἀνάξανδρος μὲν ἅρματι
ἀνηγορεύθη πρῶτος, τὸ δὲ ἐπίγραμμά φησι τὸ
ἐπ᾽ αὐτῷ τοῦ πατρὸς τοῦ Ἀναξάνδρου πρότερον
ἔτι στεφανωθῆναι τὸν πατέρα πεντάθλῳ. οὗτος
μὲν δὴ ἔοικεν εὐχόμενος τῷ θεῷ, Πολυκλῆς δὲ
ἐπίκλησιν λαβὼν Πολύχαλκος τεθρίππῳ μὲν
καὶ οὗτος ἐκράτησεν, ἡ δὲ εἰκὼν ἐπὶ τῇ χειρὶ
ἔχει οἱ τῇ δεξιᾷ ταινίαν· παρὰ δὲ αὐτῷ παιδία
δύο τὸ μὲν τροχὸν κατέχει, τὸ δὲ αἰτεῖ τὴν
ταινίαν. ἐνίκησε δὲ ὁ Πολυκλῆς ἵπποις, ὡς τὸ
ἐπίγραμμα τὸ ἐπ᾽ αὐτῷ λέγει, καὶ Πυθοῖ καὶ
Ἰσθμοῖ τε καὶ Νεμέᾳ.

II. Παγκρατιαστοῦ δὲ ἀνδρὸς τὸν μὲν ἀνδριάντα
εἰργάσατο Λύσιππος· ὁ δὲ ἀνὴρ οὗτος ἀνείλετο
ἐπὶ παγκρατίῳ νίκην τῶν ἄλλων τε Ἀκαρνάνων
καὶ τῶν ἐξ αὐτῆς Στράτου πρῶτος Ξέναρκης τε
ἐκαλεῖτο Φιλανδρίδου. Λακεδαιμόνιοι δὲ ἄρα
μετὰ τὴν ἐπιστρατείαν τοῦ Μήδου διετέθησαν
πάντων φιλοτιμότατα Ἑλλήνων πρὸς ἵππων
τροφάς. χωρὶς γὰρ ἢ ὅσους αὐτῶν κατέλεξα
ἤδη, τοσοίδε ἄλλοι τῶν ἐκ Σπάρτης ἱπποτρόφων
μετὰ τὴν εἰκόνα ἀνάκεινται τοῦ Ἀκαρνᾶνος
ἀθλητοῦ, Ξέναρκης καὶ Λυκῖνος Ἀρκεσίλαός τε
2 καὶ ὁ παῖς τοῦ Ἀρκεσιλάου Λίχας. Ξενάρκει
μὲν δὴ καὶ ἐν Δελφοῖς καὶ ἐν Ἄργει τε ὑπῆρξε
καὶ ἐν Κορίνθῳ προσανελέσθαι νίκας· Λυκῖνος
δὲ ἀγαγὼν ἐς Ὀλυμπίαν πώλους, καὶ οὐ δοκι-
6

stone, whereon are a chariot and horses, a charioteer, and a statue of Cynisca herself, made by Apelles; there are also inscriptions relating to Cynisca. Next to her also have been erected statues of Lacedaemonians. They gained victories in chariot-races. Anaxander was the first of his family to be proclaimed victor with a chariot, but the inscription on him declares that previously his paternal grandfather received the crown for the pentathlum. Anaxander is represented in an attitude of prayer to the god, while Polycles, who gained the surname of Polychalcus, likewise won a victory with a four-horse chariot, and his statue holds a ribbon in the right hand. Beside him are two children; one holds a wheel and the other is asking for the ribbon. Polycles, as the inscription on him says, also won the chariot-race at Pytho, the Isthmus and Nemea.

II. The statue of a pancratiast was made by Lysippus. The athlete was the first to win the pancratium not only from Stratus itself but from the whole of Acarnania, and his name was Xenarces the son of Philandrides. Now after the Persian invasion the Lacedaemonians became keener breeders of horses than any other Greeks. For beside those I have already mentioned, the following horse-breeders from Sparta have their statues set up after that of the Acarnanian athlete: Xenarces,[1] Lycinus, Arcesilaüs, and Lichas his son. Xenarces succeeded in winning other victories, at Delphi, at Argos and at Corinth. Lycinus brought foals to Olympia, and

---

[1] Xenarces has already appeared in the first sentence of this chapter as the name of the Acarnanian. The repetition of the name within a few lines suggests that in the first sentence the word Ξενάρκης has displaced some other name, now lost to us.

μασθέντος ἑνὸς ἐξ αὐτῶν, καθῆκεν ἐς τῶν ἵππων
τὸν δρόμον τῶν τελείων τοὺς πώλους καὶ ἐνίκα
δι᾽ αὐτῶν, ἀνέθηκε δὲ καὶ[1] ἀνδριάντας δύο ἐς
Ὀλυμπίαν, Μύρωνος τοῦ Ἀθηναίου ποιήματα.
τῷ δὲ Ἀρκεσιλάῳ καὶ Λίχᾳ τῷ παιδί, τᾷ μὲν
αὐτῶν γεγόνασι δύο Ὀλυμπικαὶ νῖκαι, Λίχας δὲ
εἰργομένων τηνικαῦτα τοῦ ἀγῶνος Λακεδαιμονίων
καθῆκεν ἐπὶ ὀνόματι τοῦ Θηβαίων δήμου τὸ
ἅρμα, τὸν δὲ ἡνίοχον νικήσαντα ἀνέδησεν αὐτὸς
ταινίᾳ· καὶ ἐπὶ τούτῳ μαστιγοῦσιν αὐτὸν οἱ
3 Ἑλλανοδίκαι, καὶ διὰ τὸν Λίχαν τοῦτον ἡ κατὰ
Ἄγιν βασιλέα ἐπιστρατεία Λακεδαιμονίων
ἐγένετο ἐπὶ Ἠλείους καὶ ἐντὸς τῆς Ἄλτεως
μάχη. καταπαυσθέντος δὲ τοῦ πολέμου τὴν μὲν
εἰκόνα ἐνταῦθα ἔστησε, τὰ δὲ Ἠλείων ἐς τοὺς
ὀλυμπιονίκας γράμματα οὐ Λίχαν, Θηβαίων δὲ
τὸν δῆμον ἔχει νενικηκότα.

4 Τοῦ δὲ Λίχα πλησίον μάντις ἔστηκεν Ἠλεῖος
Θρασύβουλος Αἰνέου τῶν Ἰαμιδῶν, ὃς καὶ
Μαντινεῦσιν ἐμαντεύσατο ἐναντία Λακεδαιμονίων
καὶ Ἄγιδος τοῦ Εὐδαμίδου βασιλέως· ἃ δὴ καὶ
ἐς πλέον ἐν τᾷ λόγῳ τῷ ἐς Ἀρκάδας ἐπέξειμι.
τοῦ Θρασυβούλου δὲ τῇ εἰκόνι γαλεώτης πρὸς τὸν
ὦμον προσέρπων ἐστὶ τὸν δεξιόν, καὶ κύων
ἱερεῖον δὴ παρ᾽ αὐτῷ κεῖται διατετμημένος τε
5 δίχα καὶ φαίνων τὸ ἧπαρ. μαντικὴ δὲ ἡ μὲν
δι᾽ ἐρίφων καὶ ἀρνῶν τε καὶ μόσχων ἐκ παλαιοῦ
δήλη καθεστῶσά ἐστιν ἀνθρώποις, Κύπριοι δὲ
† ὡς καὶ ὑσὶν ἐπεξευρόντες ἔστι † μαντεύεσθαι,[2]

---

[1] It has been proposed to add Ἀρκεσίλαος after καί.
[2] The text is uncertain, though the meaning is clear. One
MS. has εἰσὶ (erasing ὡς). Καὶ ὑσὶν ἐπεξεῦρον ὡς ἔστι has been
suggested.

when one of them was disqualified, entered his foals
for the race for full-grown horses, winning with
them. He also dedicated two statues at Olympia,
works of Myron[1] the Athenian. As for Arcesilaüs
and his son Lichas, the father won two Olympic
victories; his son, because in his time the Lacedae-
monians were excluded from the games, entered his
chariot in the name of the Theban people, and with
his own hands bound the victorious charioteer with
a ribbon. For this offence he was scourged by the
umpires, and on account of this Lichas the Lacedae-
monians invaded Elis in the reign of King Agis,
when a battle took place within the Altis. When
the war was over Lichas set up the statue in this
place, but the Elean records of Olympic victors give
as the name of the victor, not Lichas, but the Theban
people.

Near Lichas stands an Elean diviner, Thrasybulus,
son of Aeneas of the Iamid family, who divined for
the Mantineans in their struggle against the Lace-
daemonians under Agis, son of Eudamidas, their king.
I shall have more to say about this in my account
of the Arcadians.[2] On the statue of Thrasybulus
is a spotted lizard crawling towards his right shoulder,
and by his side lies a dog, obviously a sacrificial
victim, cut open and with his liver exposed. Divina-
tion by kids, lambs or calves has, we all know, been
established among men from ancient times, and the
Cyprians have even discovered how to practise the
art by means of pigs ; but no peoples are wont to

---

[1] Myron flourished about 460 B.C., and the race for foals
was not introduced till 384 B.C. Hence, either the Greek
text must be emended, or some other Myron, and not the
earlier sculptor of that name, must be referred to here.

[2] See Book VIII. ch. x. § 5.

κυσὶ δὲ οὐδένες ἐπί γε μαντικῆς νομίζουσιν οὐδὲν
χρῆσθαι· ἔοικεν οὖν ἰδίαν τινὰ ὁ Θρασύβουλος
ἐπὶ σπλάγχνων μαντικὴν κυνείων καταστήσασθαι.
οἱ δ᾽ Ἰαμίδαι καλούμενοι μάντεις γεγόνασιν ἀπὸ
Ἰάμου· τὸν δὲ εἶναι παῖδα Ἀπόλλωνος καὶ
λαβεῖν μαντικὴν φησιν ἐν ᾄσματι Πίνδαρος.

6   Παρὰ δὲ τοῦ Θρασυβούλου τὴν εἰκόνα Τιμοσ-
θένης τε Ἠλεῖος ἔστηκε σταδίου νίκην ἐν παισὶν
εἰληφὼς καὶ Μιλήσιος Ἀντίπατρος Κλεινο-
πάτρου παῖδας κατειργασμένος πύκτας. Συρα-
κοσίων δὲ ἄνδρες, ἄγοντες ἐς Ὀλυμπίαν παρὰ
Διονυσίου θυσίαν, τὸν πατέρα τοῦ Ἀντιπάτρου
χρήμασιν ἀναπείθουσιν ἀναγορευθῆναί οἱ τὸν
παῖδα ἐκ Συρακουσῶν· Ἀντίπατρος δὲ ἐν οὐδενὶ
τοῦ τυράννου τὰ δῶρα ἡγούμενος ἀνεῖπεν αὑτὸν
Μιλήσιον καὶ ἀνέγραψε τῇ εἰκόνι ὡς γένος τε
εἴη Μιλήσιος καὶ Ἰώνων ἀναθείη πρῶτος ἐς
7 Ὀλυμπίαν εἰκόνα. τούτου μὲν δὴ Πολύκλειτος
τὸν ἀνδριάντα εἰργάσατο, τὸν δὲ Τιμοσθένην
Εὐτυχίδης Σικυώνιος παρὰ Λυσίππῳ δεδιδαγ-
μένος· ὁ δὲ Εὐτυχίδης οὗτος καὶ Σύροις τοῖς ἐπὶ
Ὀρόντῃ Τύχης ἐποίησεν ἄγαλμα, μεγάλας παρὰ
τῶν ἐπιχωρίων ἔχον τιμάς.

8   Ἐν δὲ τῇ Ἄλτει παρὰ τὸν τοῦ Τιμοσθένους
ἀνδριάντα ἀνάκειται Τίμων καὶ ὁ παῖς τοῦ
Τίμωνος Αἴσυπος, παιδίον ἐπὶ ἵππῳ καθήμενον·
ἔστι γὰρ δὴ καὶ ἡ νίκη τῷ παιδὶ ἵππου κέλητος,
ὁ Τίμων δὲ ἐπὶ ἅρματι ἀνηγορεύθη. τῷ δὲ
Τίμωνι εἰργάσατο καὶ τῷ παιδὶ τὰς εἰκόνας
Δαίδαλος Σικυώνιος, ὃς καὶ ἐπὶ τῇ Λακωνικῇ
νίκῃ τὸ ἐν τῇ Ἄλτει τρόπαιον ἐποίησεν Ἠλείοις·
9 ἐπίγραμμα δὲ τὸ ἐπὶ τῷ Σαμίῳ πύκτῃ τὸν ἀνα-

10

make any use of dogs in divining. So Thrasybulus apparently established a method of divination peculiar to himself, by means of the entrails of dogs. The diviners called Iamidae are descended from Iamus, who, Pindar says in an ode,[1] was a son of Apollo and received the gift of divination from him.

By the statue of Thrasybulus stands Timosthenes of Elis, winner of the foot-race for boys, and Antipater of Miletus, son of Cleinopater, conqueror of the boy boxers. Men of Syracuse, who were bringing a sacrifice from Dionysius to Olympia, tried to bribe the father of Antipater to have his son proclaimed as a Syracusan. But Antipater, thinking naught of the tyrant's gifts, proclaimed himself a Milesian and wrote upon his statue that he was of Milesian descent and the first Ionian to dedicate his statue at Olympia. The artist who made this statue was Polycleitus, while that of Timosthenes was made by Eutychides of Sicyon, a pupil of Lysippus. This Eutychides made for the Syrians on the Orontes an image of Fortune, which is highly valued by the natives.

In the Altis by the side of Timosthenes are statues of Timon and of his son Aesypus, who is represented as a child seated on a horse. In fact the boy won the horse-race, while Timon was proclaimed victor in the chariot-race. The statues of Timon and of his son were made by Daedalus of Sicyon, who also made for the Eleans the trophy in the Altis commemorating the victory over the Spartans. The inscription on the Samian boxer says

[1] Pindar, *Olympians*, vi. 43 foll.

θέντα μὲν ὅτι ὁ παιδοτρίβης εἴη Μύκων καὶ ὅτι
Σάμιοι τὰ ἐς ἀθλητὰς καὶ ἐπὶ ναυμαχίαις εἰσὶν
Ἰώνων ἄριστοι, τάδε μὲν λέγει τὸ ἐπίγραμμα,
10 ἐς δὲ αὐτὸν τὸν πύκτην ἐσήμαινεν οὐδέν. παρὰ
δὲ Μεσσηνίος Δαμίσκος, ὃς δύο γεγονὼς ἔτη καὶ
δέκα ἐνίκησεν ἐν Ὀλυμπίᾳ. θαῦμα δὲ εἴπερ ἄλλο
τι καὶ τόδε ἐποιησάμην· Μεσσηνίους γὰρ ἐκ Πελο-
ποννήσου φεύγοντας ἐπέλιπεν ἡ περὶ τὸν ἀγῶνα
τύχη τὸν Ὀλυμπικόν. ὅτι γὰρ μὴ Λεοντίσκος
καὶ Σύμμαχος τῶν ἐπὶ πορθμῷ Μεσσηνίων,
ἄλλος γε οὐδεὶς Μεσσήνιος οὔτε Σικελιώτης οὔτ'
ἐκ Ναυπάκτου δῆλός ἐστιν Ὀλυμπίασιν ἀνῃρη-
μένος νίκην· εἶναι δὲ οἱ Σικελιῶται καὶ τούτους
τῶν ἀρχαίων Ζαγκλαίων καὶ οὐ Μεσσηνίους
11 φασί. συγκατῆλθε μέντοι Μεσσηνίοις ἐς Πελο-
πόννησον καὶ ἡ περὶ τὸν ἀγῶνα τύχη τὸν
Ὀλυμπικόν· ἐνιαυτῷ γὰρ ὕστερον τοῦ οἰκισμοῦ
τοῦ Μεσσήνης ἀγόντων Ὀλύμπια Ἠλείων ἐνίκα
στάδιον παῖδας ὁ Δαμίσκος οὗτος, καί οἱ καὶ
πενταθλήσαντι ὕστερον ἐγένοντο ἐν Νεμέᾳ τε
νῖκαι καὶ Ἰσθμοῖ.

III. Δαμίσκου δὲ ἐγγύτατα ἔστηκεν ἀνὴρ
ὅστις δή, τὸ γὰρ ὄνομα οὐ λέγουσιν ἐπ' αὐτῷ,
Πτολεμαίου δὲ ἀνάθημά ἐστι τοῦ Λάγου·
Μακεδόνα δὲ αὐτὸν ὁ Πτολεμαῖος ἐν τῷ ἐπιγράμ-
ματι ἐκάλεσε, βασιλεύων ὅμως Αἰγύπτου.
Χαιρέᾳ δὲ Σικυωνίῳ πύκτῃ παιδὶ ἐπίγραμμά
ἐστιν ὡς νικήσειεν ἡλικίαν νέος καὶ ὡς πατρὸς
εἴη Χαιρήμονος, γέγραπται δὲ καὶ ὁ τὸν ἀν-
δριάντα εἰργασμένος Ἀστερίων Αἰσχύλου.
2 μετὰ δὲ τὸν Χαιρέαν Μεσσηνιός τε παῖς Σόφιος
καὶ ἀνὴρ Ἠλεῖος ἀνάκειται Στόμιος, καὶ τῷ

that his trainer Mycon dedicated the statue and that
the Samians are best among the Ionians for athletes
and at naval warfare; this is what the inscription
says, but it tells us nothing at all about the boxer
himself. Beside this is the Messenian Damiscus,
who won an Olympic victory at the age of twelve.
I was exceedingly surprised to learn that while the
Messenians were in exile from the Peloponnesus,
their luck at the Olympic games failed. For with
the exception of Leontiscus and Symmachus, who
came from Messene on the Strait, we know of no
Messenian, either from Sicily or from Naupactus,
who won a victory at Olympia. Even these two are
said by the Sicilians to have been not Messenians
but of old Zanclean blood. However, when the
Messenians came back to the Peloponnesus their
luck in the Olympic games came with them. For
at the festival celebrated by the Eleans in the year
after the settlement of Messene, the foot-race for
boys was won by this Damiscus, who afterwards won
in the pentathlum both at Nemea and at the
Isthmus.

III. Nearest to Damiscus stands a statue of some-
body; they do not give his name, but it was Ptolemy
son of Lagus who set up the offering. In the inscrip-
tion Ptolemy calls himself a Macedonian, though he
was king of Egypt. On Chaereas of Sicyon, a boy
boxer, is an inscription that he won a victory when a
young man, and that his father was Chaeremon; the
name of the artist who made the statue is also writ-
ten, Asterion son of Aeschylus. After Chaereas are
statues of a Messenian boy Sophius and of Stomius,
a man of Elis. Sophius outran his boy competitors,

μὲν τοὺς συνθέοντας τῶν παίδων παρελθεῖν,
Στομίῳ δὲ πενταθλοῦντι ἐν Ὀλυμπίᾳ καὶ Νε-
μείων τρεῖς ὑπῆρξεν ἀνελέσθαι νίκας. τὸ δὲ
ἐπίγραμμα τὸ ἐπ᾽ αὐτῷ καὶ τάδε ἐπιλέγει, τῆς
ἵππου τε Ἠλείοις αὐτὸν ἡγούμενον ἀναστῆσαι
τρόπαια καὶ ἄνδρα τοῖς πολεμίοις στρατηγοῦντα
ἀποθανεῖν ὑπὸ τοῦ Στομίου, μονομαχήσαντά οἱ
3 κατὰ πρόκλησιν· εἶναι δὲ αὐτὸν ἐκ Σικυῶνος
οἱ Ἠλεῖοί φασι καὶ ἄρχειν Σικυωνίων, στρα-
τεῦσαι δὲ ἐπὶ Σικυῶνα αὐτοὶ φιλίᾳ Θηβαίων
ὁμοῦ τῇ ἐκ Βοιωτίας δυνάμει. φαίνοιτο ἂν οὖν
ἡ ἐπὶ Σικυῶνα Ἠλείων καὶ Θηβαίων στρατεία
γεγενῆσθαι μετὰ τὸ ἀτύχημα Λακεδαιμονίων
τὸ ἐν Λεύκτροις.

4 Ἐφεξῆς δὲ ἀνάκειται μὲν πύκτης ἐκ Λεπρέου
τοῦ Ἠλείων, Λάβαξ Εὔφρονος, ἀνάκειται δὲ
καὶ ἐξ αὐτῆς Ἤλιδος παλαιστὴς ἀνὴρ Ἀριστό-
δημος Θράσιδος· γεγόνασι δὲ αὐτῷ καὶ Πυθοῖ
δύο νῖκαι, ἡ δὲ εἰκών ἐστι τοῦ Ἀριστοδήμου
τέχνη Δαιδάλου τοῦ Σικυωνίου, μαθητοῦ καὶ
5 παιδὸς [1] Πατροκλέους. Ἵππον δὲ Ἠλεῖον πυγμῇ
παῖδας κρατήσαντα ἐποίησε Δαμόκριτος Σικυ-
ώνιος, ὃς ἐς πέμπτον διδάσκαλον ἀνῄει τὸν
Ἀττικὸν Κριτίαν· Πτόλιχος μὲν γὰρ ἔμαθεν ὁ
Κορκυραῖος παρ᾽ αὐτῷ Κριτίᾳ, Πτολίχου δὲ
ἦν μαθητὴς Ἀμφίων, Πίσων δὲ ἀνὴρ ἐκ Καλαυ-
ρείας ἐδιδάχθη παρ᾽ Ἀμφίονι, ὁ δὲ παρὰ τῷ
6 Πίσωνι Δαμόκριτος. Κρατῖνος δὲ ἐξ Αἰγείρας
τῆς Ἀχαιῶν τότε ἐγένετο κάλλιστος τῶν ἐφ᾽
ἑαυτοῦ καὶ σὺν τέχνῃ μάλιστα ἐπάλαισε, κατα-
παλαίσαντι δὲ αὐτῷ τοὺς παῖδας προσαναστῆσαι
καὶ τὸν παιδοτρίβην ὑπὸ Ἠλείων ἐδόθη· τὸν

and Stomius won a victory in the pentathlum at Olympia and three at the Nemean games. The inscription on his statue adds that, when commander of the Elean cavalry, he set up trophies and killed in single combat the general of the enemy, who had challenged him. The Eleans say that the dead general was a native of Sicyon in command of Sicyonian troops, and that they themselves with the force from Boeotia attacked Sicyon out of friendship to the Thebans. So the attack of the Eleans and Thebans against Sicyon apparently took place after the Lacedaemonian disaster at Leuctra.

Next stands the statue of a boxer from Lepreüs in Elis, whose name was Labax son of Euphron, and also that of Aristodemus, son of Thrasis, a boxer from Elis itself, who also won two victories at Pytho. The statue of Aristodemus is the work of Daedalus of Sicyon, the pupil and son of Patrocles. The statue of Hippus of Elis, who won the boys' boxing-match, was made by Damocritus of Sicyon, of the school of Attic Critias, being removed from him by four generations of teachers. For Critias himself taught Ptolichus of Corcyra, Amphion was the pupil of Ptolichus, and taught Pison of Calaureia, who was the teacher of Damocritus. Cratinus of Aegeira in Achaia was the most handsome man of his time and the most skilful wrestler, and when he won the wrestling-match for boys the Eleans allowed him to set up a statue of his trainer as well. The

---

¹ The MSS. have πατρός, which is evidently a repetition of the first two syllables of the next word.

δὲ ἀνδριάντα ἐποίησε Σικυώνιος Κάνθαρος,
Ἀλέξιδος μὲν πατρός, διδασκάλου δὲ ὢν
Εὐτυχίδου.

7 Εὐπολέμου δὲ Ἠλείου τὴν μὲν εἰκόνα Σικυ-
ώνιος εἴργασται Δαίδαλος· τὸ δὲ ἐπίγραμμα τὸ
ἐπ' αὐτῷ μηνύει σταδίου μὲν ἀνδρῶν Ὀλυμπίασι
νίκην ἀνελέσθαι τὸν Εὐπόλεμον, εἶναι δὲ καὶ
δύο Πυθικοὺς αὐτῷ πεντάθλου στεφάνους καὶ
ἄλλον Νεμείων. λέγεται δὲ ἐπὶ τῷ Εὐπολέμῳ
καὶ τάδε, ὡς ἐφεστήκοιεν τρεῖς ἐπὶ τῷ δρόμῳ
[τῷ πέρατι] Ἑλλανοδίκαι, νικᾶν δὲ τῷ μὲν
Εὐπολέμῳ δύο ἐξ αὐτῶν δοῖεν, ὁ τρίτος δὲ
Ἀμβρακιώτῃ Λέοντι, καὶ ὡς χρημάτων κατα-
δικάσαιτο ὁ Λέων ἐπὶ τῆς Ὀλυμπικῆς βουλῆς
ἑκατέρου τῶν Ἑλλανοδικῶν οἳ νικᾶν τὸν Εὐπό-
λεμον ἔγνωσαν.

8 Οἰβώτα δὲ τὸν μὲν ἀνδριάντα Ἀχαιοὶ κατὰ
πρόσταγμα ἀνέθεσαν τοῦ ἐν Δελφοῖς Ἀπόλλωνος
ἐπὶ ὀλυμπιάδος ὀγδοηκοστῆς· ἡ δὲ τοῦ σταδίου
νίκη τῷ Οἰβώτᾳ γέγονεν ὀλυμπιάδι ἕκτῃ. πῶς
ἂν οὖν τήν γε ἐν Πλαταιαῖς μάχην μεμαχημένος
ὁ Οἰβώτας εἴη μετὰ Ἑλλήνων; πέμπτῃ γὰρ
ἐπὶ τῇ ἑβδομηκοστῇ ὀλυμπιάδι τὸ πταῖσμα
ἐγένετο τὸ ἐν Πλαταιαῖς Μαρδονίῳ καὶ Μήδοις.
ἐμοὶ μὲν οὖν λέγειν μὲν τὰ ὑπὸ Ἑλλήνων λεγό-
μενα ἀνάγκη, πείθεσθαι δὲ πᾶσιν οὐκέτι ἀνάγκη.
τὰ δὲ ἄλλα ὁποῖα τὰ συμβάντα ἦν ἐς τὸν
Οἰβώταν, τῇ ἐς Ἀχαιοὺς προσέσται μοι
συγγραφῇ.

9 Ἀντιόχου δὲ ἀνδριάντα ἐποίησε μὲν Νικό-
δαμος, γένος δὲ ὁ Ἀντίοχος ἦν ἐκ Λεπρέου·
παγκρατίῳ δὲ ἄνδρας ἐν Ὀλυμπίᾳ μὲν ἐκρά-
16

statue was made by Cantharus of Sicyon, whose father was Alexis, while his teacher was Eutychides.

The statue of Eupolemus of Elis was made by Daedalus of Sicyon. The inscription on it informs us that Eupolemus won the foot-race for men at Olympia, and that he also received two Pythian crowns for the pentathlum and another at the Nemean games. It is also said of Eupolemus that three umpires stood on the course, of whom two gave their verdict in favour of Eupolemus and one declared the winner to be Leon the Ambraciot. Leon, they say, got the Olympic Council to fine each of the umpires who had decided in favour of Eupolemus.

The statue of Oebotas was set up by the Achaeans by the command of the Delphic Apollo in the eightieth 460 B.C. Olympiad, but Oebotas won his victory in the foot- 756 B.C. race at the sixth Festival. How, therefore, could Oebotas have taken part in the Greek victory at Plataea? For it was in the seventy-fifth Olympiad 479 B.C. that the Persians under Mardonius suffered their disaster at Plataea. Now I am obliged to report the statements made by the Greeks, though I am not obliged to believe them all. The other incidents in the life of Oebotas I will add to my history of Achaia.[1]

The statue of Antiochus was made by Nicodamus. A native of Lepreüs, Antiochus won once at Olympia the pancratium for men, and the pentathlum twice

---

[1] See Book VII. ch. xvii. § 6.

τησεν ἅπαξ, ἐν Ἰσθμῷ δὲ καὶ Νεμέᾳ δὶς
πεντάθλῳ ἐν ἑκατέρῳ τῷ ἀγῶνι. οὐ γάρ τι
Ἰσθμίων Λεπρεάταις δεῖμα ὥσπερ γε αὐτοῖς
ἐστιν Ἠλείοις, ἐπεὶ Ὑσμωνὶ γε τῷ Ἠλείῳ—
πλησίον δὲ τοῦ Ἀντιόχου καὶ Ὑσμων οὗτος
ἕστηκε—τούτῳ τῷ ἀνδρὶ ἀθλήσαντι πένταθλον
ἥ τε Ὀλυμπικὴ νίκη καὶ Νεμείων γέγονεν ἡ
ἑτέρα, Ἰσθμίων δὲ δῆλα ὡς καὶ οὗτος κατὰ
10 ταὐτὰ Ἠλείοις τοῖς ἄλλοις εἴργετο. λέγεται
δὲ παιδὶ ἔτι ὄντι τῷ Ὑσμωνι κατασκῆψαι
ῥεῦμα ἐς τὰ νεῦρα, καὶ αὐτὸν ἐπὶ τούτῳ μελε-
τῆσαι πένταθλον, ἵνα δὴ ἐκ τῶν πόνων ὑγιής
τε καὶ ἄνοσος ἀνὴρ εἴη· τῷ δὲ ἄρα τὸ μάθημα
καὶ νίκας ἔμελλεν ἐπιφανεῖς οὕτω παρασκευά-
σειν. ὁ δὲ ἀνδριὰς αὐτῷ Κλέωνος μέν ἐστιν
11 ἔργον, ἔχει δὲ ἁλτῆρας ἀρχαίους. μετὰ δὲ
Ὑσμωνα παλαιστὴς παῖς ἐξ Ἡραίας ἀνάκειται
τῆς Ἀρκάδων, Νικόστρατος Ξενοκλείδου· Παν-
τίας δὲ αὐτῷ τὴν εἰκόνα ἐποίησεν, ὃς ἀπὸ
Ἀριστοκλέους τοῦ Σικυωνίου καταριθμουμένῳ
τοὺς διδαχθέντας ἕβδομος ἀπὸ τούτου ἦν[1]
μαθητής.

Δίκων δὲ ὁ Καλλιβρότου πέντε μὲν Πυθοῖ
δρόμου νίκας, τρεῖς δὲ ἀνείλετο Ἰσθμίων, τέσ-
σαρας δὲ ἐν Νεμέᾳ, καὶ Ὀλυμπικὰς μίαν μὲν
ἐν παισί, δύο δὲ ἄλλας ἀνδρῶν· καί οἱ καὶ
ἀνδριάντες ἴσοι ταῖς νίκαις εἰσὶν ἐν Ὀλυμπίᾳ.
παιδὶ μὲν δὴ ὄντι αὐτῷ Καυλωνιάτῃ, καθάπερ
γε καὶ ἦν, ὑπῆρξεν ἀναγορευθῆναι· τὸ δὲ ἀπὸ
τούτου Συρακούσιον αὐτὸν ἀνηγόρευσεν ἐπὶ
12 χρήμασι. Καυλωνία δὲ ἀπῳκίσθη μὲν ἐς
Ἰταλίαν ὑπὸ Ἀχαιῶν, οἰκιστὴς δὲ ἐγένετο
18

at the Isthmian games and twice at the Nemean.
For the Lepreans are not afraid of the Isthmian
games as the Eleans themselves are. For example,
Hysmon of Elis, whose statue stands near that of
Antiochus, competed successfully in the pentathlum
both at Olympia and at Nemea, but clearly kept away,
just like other Eleans, from the Isthmian games. It
is said that when Hysmon was still a boy he was
attacked by a flux in his muscles, and it was in order
that by hard exercise he might be a healthy man
free from disease that he practised the pentathlum.
So his training was also to make him win famous
victories in the games. His statue is the work of
Cleon, and he holds jumping-weights of old pattern.
After Hysmon comes the statue of a boy wrestler
from Heraea in Arcadia, Nicostratus the son of
Xenocleides. Pantias was the artist, and if you
count the teachers you will find five between him
and Aristocles of Sicyon.

Dicon, the son of Callibrotus, won five foot-
races at Pytho, three at the Isthmian games, four
at Nemea, one at Olympia in the race for boys
besides two in the men's race. Statues of him have
been set up at Olympia equal in number to the races
he won. When he was a boy he was proclaimed a
native of Caulonia, as in fact he was. But after-
wards he was bribed to proclaim himself a Syracusan.
Caulonia was a colony in Italy founded by Achaeans,

---

[1] ἦν is not in the MSS. but was added by Frazer.

αὐτῆς Τύφων Αἰγιεύς· Πύρρου δὲ τοῦ Αἰακίδου
καὶ Ταραντίνων ἐς τὸν πρὸς Ῥωμαίους πόλε-
μον καταστάντων ἄλλαι τε τῶν ἐν Ἰταλίᾳ
πόλεων ἐγένοντο αἱ μὲν ὑπὸ Ῥωμαίων, αἱ δὲ
ὑπὸ τῶν Ἠπειρωτῶν ἀνάστατοι, κατέλαβε δὲ
ἐς ἅπαν ἐρημωθῆναι καὶ τὴν Καυλωνίαν ἁλοῦσαν
ὑπὸ Καμπανῶν, οἳ Ῥωμαίοις μεγίστη τοῦ συμ-
μαχικοῦ μοῖρα ἦσαν.

13 Ἐπὶ δὲ τῷ Δίκωνι ἀνάκειται μὲν Ξενοφῶν
Μενεφύλου παγκρατιαστὴς ἀνὴρ ἐξ Αἰγίου τῆς
Ἀχαιῶν, ἀνάκειται δὲ Πυριλάμπης Ἐφέσιος
λαβὼν δολίχου νίκην. τοῦ μὲν δὴ τὴν εἰκόνα
ἐποίησεν Ὄλυμπος, Πυριλάμπει δὲ ὁμώνυμος
καὶ ὁ πλάστης, γένος δὲ οὐ Σικυώνιος, ἀλλὰ
ἐκ Μεσσήνης τῆς ὑπὸ τῇ Ἰθώμῃ.

14 Λύσανδρον δὲ τὸν Ἀριστοκρίτου Σπαρτιάτην
ἀνέθεσαν ἐν Ὀλυμπίᾳ Σάμιοι, καὶ αὐτοῖς τὸ μὲν
πρότερον τῶν ἐπιγραμμάτων ἐστὶν

ἐν πολυθαήτῳ τεμένει Διὸς ὑψιμέδοντος
ἕστηκ' ἀνθέντων δημοσίᾳ Σαμίων·

τοῦτο μὲν δὴ τοὺς τὸ ἀνάθημα ἀναθέντας μηνύει,
τὸ δ' ἐφεξῆς ἐς αὐτὸν ἔπαινός ἐστι Λύσανδρον.

ἀθάνατον πάτρᾳ καὶ Ἀριστοκρίτῳ κλέος
ἔργων,
Λύσανδρ', ἐκτελέσας δόξαν ἔχεις ἀρετᾶς.

15 δῆλοι οὖν εἰσιν οἵ τε Σάμιοι καὶ οἱ ἄλλοι Ἴωνες,
κατὰ τὸ λεγόμενον ὑπ' αὐτῶν Ἰώνων, τοὺς τοί-
χους τοὺς δύο ἐπαλείφοντες. Ἀλκιβιάδου μέν
γε τριήρεσιν Ἀθηναίων περὶ Ἰωνίαν ἰσχύοντος

and its founder was Typhon of Aegium. When
Pyrrhus son of Aeacides and the Tarentines were
at war with the Romans, several cities in Italy were
destroyed, either by the Romans or by the Epeirots,
and these included Caulonia, whose fate it was to
be utterly laid waste, having been taken by the
Campanians, who formed the largest contingent of
allies on the Roman side.

Close to Dicon is a statue of Xenophon, the son
of Menephylus, a pancratiast of Aegium in Achaia,
and likewise one of Pyrilampes of Ephesus after
winning the long foot-race. Olympus made the
statue of Xenophon; that of Pyrilampes was made
by a sculptor of the same name, a native, not of
Sicyon, but of Messene beneath Ithome.

A statue of Lysander, son of Aristocritus, a Spartan,
was dedicated in Olympia by the Samians, and the
first of their inscriptions runs :—

> In the much-seen precinct of Zeus, ruler on
> high,
> > I stand, dedicated at public expense by the
> > Samians.

So this inscription informs us who dedicated the
statue ; the next is in praise of Lysander himself :—

> Deathless glory by thy achievements, for father-
> land and for Aristocritus,
> > Lysander, hast thou won, and art famed for
> > valour.

So plainly "the Samians and the rest of the Ionians,"
as the Ionians themselves phrase it, painted both the
walls. For when Alcibiades had a strong fleet of
Athenian triremes along the coast of Ionia, most

ἐθεράπευον αὐτὸν Ἰώνων οἱ πολλοί, καὶ εἰκὼν
Ἀλκιβιάδου χαλκῆ παρὰ τῇ Ἥρᾳ[1] Σαμίων
ἐστὶν ἀνάθημα· ὡς δὲ ἐν Αἰγὸς ποταμοῖς
ἑάλωσαν αἱ ναῦς αἱ Ἀττικαί, Σάμιοι μὲν ἐς
Ὀλυμπίαν τὸν Λύσανδρον, Ἐφέσιοι δὲ ἐς τὸ
ἱερὸν ἀνετίθεσαν τῆς Ἀρτέμιδος Λύσανδρόν τε
αὐτὸν καὶ Ἐτεόνικον καὶ Φάρακα καὶ ἄλλους
Σπαρτιατῶν ἥκιστα ἔς γε τὸ Ἑλληνικὸν γνωρί-
16 μους. μεταπεσόντων δὲ αὖθις τῶν πραγμάτων
καὶ Κόνωνος κεκρατηκότος τῇ ναυμαχίᾳ περὶ
Κνίδον καὶ ὄρος τὸ Δώριον ὀνομαζόμενον, οὕτω
μετεβάλλοντο οἱ Ἴωνες, καὶ Κόνωνα ἀνακεί-
μενον χαλκοῦν καὶ Τιμόθεον ἐν Σάμῳ τε ἔστιν
ἰδεῖν παρὰ τῇ Ἥρᾳ καὶ ὡσαύτως ἐν Ἐφέσῳ
παρὰ τῇ Ἐφεσίᾳ θεῷ. ταῦτα μέν ἐστιν ἔχοντα
οὕτω τὸν ἀεὶ χρόνον, καὶ Ἴωσιν ὡσαύτως οἱ
πάντες ἄνθρωποι θεραπεύουσι τὰ ὑπερέχοντα
τῇ ἰσχύι.

IV. Ἔχεται δὲ τοῦ Λυσάνδρου τῆς εἰκόνος
Ἐφέσιός τε πύκτης τοὺς ἐλθόντας κρατήσας
τῶν παίδων—ὄνομα δέ οἱ ἦν Ἀθήναιος—καὶ
Σικυώνιος Σώστρατος παγκρατιαστὴς ἀνήρ,
ἐπίκλησις δὲ ἦν Ἀκροχερσίτης αὐτῷ· παρα-
λαμβανόμενος γὰρ ἄκρων τοῦ ἀνταγωνιζομένου
τῶν χειρῶν ἔκλα, καὶ οὐ πρότερον ἀνίει πρὶν
2 ἢ αἴσθοιτο ἀπαγορεύσαντος. γεγόνασι δὲ αὐτῷ
Νεμείων μὲν νῖκαι καὶ Ἰσθμίων ἀναμὶξ δυόδεκα,
Ὀλυμπίασι δὲ καὶ Πυθοῖ, τῇ μὲν δύο, τρεῖς
δὲ ἐν Ὀλυμπίᾳ. τὴν τετάρτην δὲ ὀλυμπιάδα
ἐπὶ ταῖς ἑκατόν—πρώτην γὰρ δὴ ἐνίκησεν ὁ
Σώστρατος ταύτην—οὐκ ἀναγράφουσιν οἱ Ἠλεῖοι,

[1] Before Σαμίων the MSS. have τῇ.

of the Ionians paid court to him, and there is a bronze statue of Alcibiades dedicated by the Samians in the temple of Hera. But when the Attic ships were 405 B.C. captured at Aegospotami, the Samians set up a statue of Lysander at Olympia, and the Ephesians set up in the sanctuary of Artemis not only a statue of Lysander himself but also statues of Eteonicus, Pharax and other Spartans quite unknown to the Greek world generally. But when fortune changed again, and Conon had won the naval action off Cnidus and the 394 B.C. mountain called Dorium, the Ionians likewise changed their views, and there are to be seen statues in bronze of Conon and of Timotheus both in the sanctuary of Hera in Samos and also in the sanctuary of the Ephesian goddess at Ephesus. It is always the same; the Ionians merely follow the example of all the world in paying court to strength.

IV. Next to the statue of Lysander is an Ephesian boxer who beat the other boys, his competitors—his name was Athenaeus,—and also a man of Sicyon who was a pancratiast, Sostratus surnamed Acrochersites. For he used to grip his antagonist by the fingers[1] and bend them, and would not let go until he saw that his opponent had given in. He won at the Nemean and Isthmian games combined twelve victories, three victories at Olympia and two at Pytho. The hundred and fourth Festival, when Sostratus won his first victory, is not reckoned by the Eleans, because the

---

[1] In Greek αἱ ἄκραι χεῖρες. Hence Acrochersites, "the fingerer."

διότι μὴ αὐτοὶ τὸν ἀγῶνα ἀλλὰ Πισαῖοι καὶ
3 Ἀρκάδες ἔθεσαν ἀντ' αὐτῶν. παρὰ δὲ τὸν Σώσ-
τρατον παλαιστὴς ἀνὴρ πεποίηται Λεοντίσκος, ἐκ
Σικελίας τε ὢν γένος καὶ ἀπὸ τῆς ἐν τῷ πορθμῷ
Μεσσήνης· στεφανωθῆναι δὲ ὑπό τε Ἀμφικτυό-
νων καὶ δὶς ὑπὸ Ἠλείων, εἶναι δὲ αὐτῷ λέγεται
τὴν πάλην καθὰ δὴ καὶ τὸ παγκράτιον τῷ
Σικυωνίῳ Σωστράτῳ· καὶ γὰρ τὸν Λεοντίσκον
καταβαλεῖν μὲν οὐκ ἐπίστασθαι τοὺς παλαί-
οντας, νικᾶν δὲ αὐτὸν κλῶντα τοὺς δακτύλους.
4 τὸν δὲ ἀνδριάντα Πυθαγόρας ἐποίησεν ὁ Ῥηγῖνος,
εἴπερ τις καὶ ἄλλος ἀγαθὸς τὰ ἐς πλαστικήν.
διδαχθῆναι δὲ παρὰ Κλεάρχῳ φασὶν αὐτόν,
Ῥηγίνῳ μὲν καὶ αὐτῷ, μαθητῇ δὲ Εὐχείρου·
τὸν δὲ Εὔχειρον εἶναι Κορίνθιον, φοιτῆσαι δὲ
ὡς Συάδραν τε καὶ Χάρταν Σπαρτιάτας.
5   Ὁ δὲ παῖς ὁ ἀναδούμενος ταινίᾳ τὴν κεφαλὴν
ἐπεισήχθω μοι καὶ οὗτος ἐς τὸν λόγον Φειδίου
τε ἕνεκα καὶ τῆς ἐς τὰ ἀγάλματα τοῦ Φειδίου
σοφίας, ἐπεὶ ἄλλως γε οὐκ ἴσμεν ὅτου τὴν
εἰκόνα ὁ Φειδίας ἐποίησε. Σάτυρος δὲ Ἠλεῖος
Λυσιάνακτος πατρός, γένους δὲ τοῦ Ἰαμιδῶν,
ἐν Νεμέᾳ πεντάκις ἐνίκησε πυκτεύων καὶ Πυθοῖ
τε δὶς καὶ δὶς ἐν Ὀλυμπίᾳ· τέχνη δὲ Ἀθηναίου
Σιλανίωνος ὁ ἀνδριάς ἐστι. πλάστης δὲ ἄλλος
τῶν Ἀττικῶν Πολυκλῆς, Σταδιέως μαθητὴς
Ἀθηναίου, πεποίηκε παῖδα Ἐφέσιον παγκρα-
τιαστήν, Ἀμύνταν Ἑλλανίκου.
6   Χίλωνι δὲ Ἀχαιῷ Πατρεῖ δύο μὲν Ὀλυμπικαὶ
νῖκαι πάλης ἀνδρῶν, μία δὲ ἐγένετο ἐν Δελφοῖς,
τέσσαρες δὲ ἐν Ἰσθμῷ καὶ Νεμείων τρεῖς· ἐτάφη
δὲ ὑπὸ τοῦ κοινοῦ τῶν Ἀχαιῶν, καί οἱ καὶ τοῦ

24

games were held by the Pisans and Arcadians and
not by themselves. Beside Sostratus is a statue of
Leontiscus, a man wrestler, a native of Sicily from
Messene on the Strait. He was crowned, they say,
by the Amphictyons and twice by the Eleans, and
his mode of wrestling was similar to the pancratium
of Sostratus the Sicyonian. For they say that
Leontiscus did not know how to throw his oppo-
nents, but won by bending their fingers. The statue
was made by Pythagoras of Rhegium, an excellent
sculptor if ever there was one. They say that he
studied under Clearchus, who was likewise a native
of Rhegium, and a pupil of Eucheirus. Eucheirus,
it is said, was a Corinthian, and attended the school
of Syadras and Chartas, men of Sparta.

The boy who is binding his head with a fillet must
be mentioned in my account because of Pheidias and
his great skill as a sculptor, but we do not know
whose portrait the statue is that Pheidias made.
Satyrus of Elis, son of Lysianax, of the clan of the
Iamidae, won five victories at Nemea for boxing,
two at Pytho, and two at Olympia. The artist
who made the statue was Silanion, an Athenian.
Polycles, another sculptor of the Attic school, a
pupil of Stadieus the Athenian, has made the statue
of an Ephesian boy pancratiast, Amyntas the son of
Hellanicus.

Chilon, an Achaean of Patrae, won two prizes for
men wrestlers at Olympia, one at Delphi, four at
the Isthmus and three at the Nemean games. He
was buried at the public expense by the Achaeans,

25

βίου συνέπεσεν ἐν[1] πολέμῳ τὴν τελευτὴν γε-
νέσθαι. μαρτυρεῖ δέ μοι καὶ τὸ ἐπίγραμμα τὸ
ἐν Ὀλυμπίᾳ·

μουνοπάλης νικῶ δὶς Ὀλύμπια Πύθιά τ᾽
ἄνδρας,
τρὶς Νεμέᾳ, τετράκις δ᾽ Ἰσθμῷ ἐν ἀγχιάλῳ,
Χίλων[2] Χίλωνος Πατρεύς, ὃν λαὸς Ἀχαιῶν
ἐν πολέμῳ φθίμενον θάψ᾽ ἀρετῆς ἕνεκεν.

7 τὸ μὲν δὴ ἐπίγραμμα ἐπὶ τοσοῦτο ἐδήλωσεν·
εἰ δὲ Λυσίππου τοῦ ποιήσαντος τὴν εἰκόνα
τεκμαιρόμενον τῇ ἡλικίᾳ συμβαλέσθαι δεῖ με
τὸν πόλεμον ἔνθα ὁ Χίλων ἔπεσεν, ἤτοι ἐς
Χαιρώνειαν Ἀχαιοῖς τοῖς πᾶσιν ὁμοῦ στρα-
τεύσασθαι ἢ ἰδίᾳ κατ᾽ ἀρετήν τε καὶ τόλμαν
Ἀχαιῶν μόνος Ἀντιπάτρου μοι καὶ Μακεδόνων
ἐναντία ἀγωνίσασθαι περὶ Λαμίαν φαίνεται τὴν
ἐν Θεσσαλίᾳ.

8   Ἐφεξῆς δὲ τοῦ Χίλωνος δύο ἀνάκεινται· τῷ
μὲν Μολπίων ἐστὶν ὄνομα, στεφανωθῆναι δὲ τὸ
ἐπίγραμμά φησιν αὐτὸν ὑπὸ Ἠλείων· τὸν δὲ
ἕτερον, ὅτῳ μηδέν ἐστιν ἐπίγραμμα, μνημονεύ-
ουσιν ὡς Ἀριστοτέλης ἐστὶν ὁ ἐκ τῶν Θρᾳκίων
Σταγείρων, καὶ αὐτὸν ἤτοι μαθητὴς ἢ καὶ στρα-
τιωτικὸς ἀνέθηκεν ἀνὴρ ἅτε παρὰ Ἀντιπάτρῳ
καὶ πρότερον ἰσχύσαντα παρὰ Ἀλεξάνδρῳ.
Σωδάμας δὲ ἐξ Ἀσσοῦ τῆς ἐν τῇ Τρῳάδι,
9 κειμένης δὲ ὑπὸ τῇ Ἴδῃ, πρῶτος Αἰολέων τῶν
ταύτῃ στάδιον Ὀλυμπίασιν ἐνίκησεν ἐν παισίν.

---

[1] ἐν is not in the MSS.
[2] The MSS. have χίλων ὃς πατρεὺς ὢν λαὸς. The text is
Porson's.

and his fate it was to lose his life on the field of battle. My statement is borne out by the inscription at Olympia :—

> In wrestling only I alone conquered twice the
>   men at Olympia and at Pytho,
> Thrice at Nemea, and four times at the Isthmus
>   near the sea ;
> Chilon of Patrae, son of Chilon, whom the
>   Achaean folk
> Buried for my valour when I died in battle.

Thus much is plain from the inscription. But the date of Lysippus, who made the statue, leads me to infer about the war in which Chilon fell, that plainly either he marched to Chaeroneia with the whole of the Achaeans, or else his personal courage and daring 338 B.C. led him alone of the Achaeans to fight against the Macedonians under Antipater at the battle of Lamia 323 B.C. in Thessaly.

Next to Chilon two statues have been set up. One is that of a man named Molpion, who, says the inscription, was crowned by the Eleans. The other statue bears no inscription, but tradition says that it represents Aristotle from Stageira in Thrace, and that it was set up either by a pupil or else by some soldier aware of Aristotle's influence with Antipater and at an earlier date with Alexander. Sodamas from Assos in the Troad, a city at the foot of Ida, was the first of the Aeolians in this district to win at Olympia the foot-race for boys. By the

27

παρὰ δὲ Σωδάμαν Ἀρχίδαμος ἔστηκεν ὁ Ἀγη-
σιλάου, Λακεδαιμονίων βασιλεύς. πρὸ δὲ τοῦ
Ἀρχιδάμου τούτου βασιλέως εἰκόνα οὐδενὸς
ἔν γε τῇ ὑπερορίᾳ Λακεδαιμονίους ἀναθέντας
εὕρισκον· Ἀρχιδάμου δὲ ἄλλων τε καὶ τῆς
τελευτῆς ἐμοὶ δοκεῖν ἕνεκα ἀνδριάντα ἐς Ὀλυμ-
πίαν ἀπέστειλαν, ὅτι ἐν βαρβάρῳ τε ἐπέλαβεν
αὐτὸν τὸ χρεὼν καὶ βασιλέων μόνος τῶν ἐν
10 Σπάρτῃ δῆλός ἐστιν ἁμαρτὼν τάφου. ταῦτα
μὲν δὴ καὶ ἐν τοῖς Σπαρτιατικοῖς λόγοις ἐς
πλέον ἡμῖν δεδήλωται· Εὐάνθει δὲ Κυζικηνῷ
γεγόνασι πυγμῆς νῖκαι, μία μὲν ἐν ἀνδράσιν
Ὀλυμπική, Νεμείων δὲ ἐν παισὶ καὶ Ἰσθμίων.
πεποίηται δὲ παρὰ τὸν Εὐάνθην ἀνήρ τε ἱππο-
τρόφος καὶ τὸ ἅρμα, ἀναβεβηκυῖα δὲ ἐπὶ τὸ
ἅρμα παῖς παρθένος· ὄνομα μὲν Λάμπος τῷ
ἀνδρί, πατρὶς δὲ ἦν αὐτῷ νεωτάτη τῶν ἐν
Μακεδονίᾳ πόλεων, καλουμένη δὲ ἀπὸ τοῦ
11 οἰκιστοῦ Φιλίππου τοῦ Ἀμύντου. Κυνίσκῳ
δὲ τῷ ἐκ Μαντινείας πύκτῃ παιδὶ ἐποίησε
Πολύκλειτος τὴν εἰκόνα. Ἐργοτέλης δὲ ὁ
Φιλάνορος δολίχου δύο ἐν Ὀλυμπίᾳ νίκας,
τοσαύτας δὲ ἄλλας Πυθοῖ καὶ ἐν Ἰσθμῷ τε
καὶ Νεμείων ἀνῃρημένος, οὐχ Ἱμεραῖος εἶναι τὸ
ἐξ ἀρχῆς, καθάπερ γε τὸ ἐπίγραμμα τὸ ἐπ'
αὐτῷ φησι, Κρὴς δὲ εἶναι λέγεται Κνώσσιος·
ἐκπεσὼν δὲ ὑπὸ στασιωτῶν ἐκ Κνωσσοῦ καὶ
ἐς Ἱμέραν ἀφικόμενος πολιτείας τ' ἔτυχε καὶ
πολλὰ εὕρετο ἄλλα ἐς τιμήν. ἔμελλεν οὖν ὡς
τὸ εἰκὸς Ἱμεραῖος ἐν τοῖς ἀγῶσιν ἀναγορευθή-
σεσθαι.

V. Ὁ δὲ ἐπὶ τῷ βάθρῳ τῷ ὑψηλῷ Λυσίππου

side of Sodamas stands Archidamus, son of Agesilaus,
king of the Lacedaemonians. Before this Archi-
damus no king, so far as I could learn, had his
statue set up by the Lacedaemonians, at least out-
side the boundaries of the country. They sent the
statue of Archidamus to Olympia chiefly, in my
opinion, on account of his death, because he met
his end in a foreign land, and is the only king in
Sparta who is known to have missed burial. I have
spoken at greater length on this matter in my
account of Sparta.[1] Euanthes of Cyzicus won prizes
for boxing, one among the men at Olympia, and
also among the boys at the Nemean and at the
Isthmian games. By the side of Euanthes is the
statue of a horse-breeder and his chariot; mounted
on the chariot is a young maid. The man's name
is Lampus, and his native city was the last to be
founded in Macedonia, named after its founder
Philip, son of Amyntas. The statue of Cyniscus,
the boy boxer from Mantinea, was made by Poly-
cleitus. Ergoteles, the son of Philanor, won two
victories in the long foot-race at Olympia, and two
at Pytho, the Isthmus and Nemea. The inscription
on the statue states that he came originally from
Himera; but it is said that this is incorrect, and
that he was a Cretan from Cnossus. Expelled from
Cnossus by a political party he came to Himera,
was given citizenship and won many honours be-
sides. It was accordingly natural for him to be
proclaimed at the games as a native of Himera.

V. The statue on the high pedestal is the work

---

[1] See Book III. ch. x. § 5.

μέν ἐστιν ἔργον, μέγιστος δὲ ἁπάντων ἐγένετο
ἀνθρώπων πλὴν τῶν ἡρώων καλουμένων καὶ
εἰ δή τι ἄλλο ἦν πρὸ τῶν ἡρώων θνητὸν γένος·
ἀνθρώπων δὲ τῶν καθ᾽ ἡμᾶς οὗτός ἐστιν ὁ
2 μέγιστος Πουλυδάμας Νικίου. Σκοτοῦσσα δὲ
ἡ τοῦ Πουλυδάμαντας πατρὶς οὐκ ᾠκεῖτο ἔτι
ἐφ᾽ ἡμῶν· Ἀλέξανδρος γὰρ τὴν πόλιν ὁ Φεραίων
τυραννήσας κατέλαβεν ἐν σπονδαῖς, καὶ Σκο-
τουσσαίων τούς τε ἐς τὸ θέατρον συνειλεγμένους
—ἔτυχε γάρ σφισι καὶ ἐκκλησία τηνικαῦτα οὖσα
—τούτους τε ἅπαντας κατηκόντισε, πελτασταῖς
ἐν κύκλῳ περισχὼν καὶ τοξόταις, καὶ τὸ ἄλλο ὅσον
ἐν ἡλικίᾳ κατεφόνευσε, γυναῖκας δὲ ἀπέδοτο καὶ
παῖδας, μισθὸν εἶναι τὰ χρήματα τοῖς ξένοις.
3 αὕτη Σκοτουσσαίοις ἡ συμφορὰ Φρασικλείδου
μὲν Ἀθήνησιν ἐγένετο ἄρχοντος, δευτέρᾳ δὲ
ὀλυμπιάδι ἐπὶ ταῖς ἑκατόν, ἣν Δάμων Θούριος
ἐνίκα τὸ δεύτερον, ταύτης ἔτει δευτέρῳ τῆς
ὀλυμπιάδος. καὶ ὀλίγον τε ἔμενε τὸ διαφυγὸν
τῶν Σκοτουσσαίων καὶ αὖθις ὑπὸ ἀσθενείας
ἐξέλιπον καὶ οὗτοι τὴν πόλιν, ὅτε καὶ τοῖς πᾶσιν
Ἕλλησι προσπταῖσαι δεύτερα ἐν τῷ πρὸς Μακε-
δόνας πολέμῳ παρεσκεύασεν ὁ δαίμων.
4   Παγκρατίου μὲν δὴ καὶ ἄλλοις ἤδη γεγόνασιν
ἐπιφανεῖς νῖκαι· Πουλυδάμαντι δὲ τάδε ἀλλοῖα
παρὰ τοὺς ἐπὶ τῷ παγκρατίῳ στεφάνους ὑπάρ-
χοντά ἐστιν. ἡ ὀρεινὴ τῆς Θρᾴκης, ἡ ἔνδον
Νέστου ποταμοῦ τοῦ ῥέοντος διὰ τῆς Ἀβδηριτῶν,
καὶ ἄλλα θηρία, ἐν δὲ αὐτοῖς παρέχεται καὶ
λέοντας, οἳ καὶ τῷ στρατῷ ποτε ἐπιθέμενοι τῷ
Ξέρξου τὰς ἀγούσας καμήλους τὰ σιτία ἐλυμή-
5 ναντο. οὗτοι πολλάκις οἱ λέοντες καὶ ἐς τὴν

of Lysippus, and it represents the tallest of all men
except those called heroes and any other mortal
race that may have existed before the heroes. But
this man, Pulydamas the son of Nicias, is the tallest
of our own era. Scotussa, the native city of
Pulydamas, has now no inhabitants, for Alexander
the tyrant of Pherae seized it in time of truce. It
happened that an assembly of the citizens was
being held, and those who were assembled in the
theatre the tyrant surrounded with targeteers and
archers, and shot them all down; all the other
grown men he massacred, selling the women and
children as slaves in order to pay his mercenaries.
This disaster befell Scotussa when Phrasicleides 371 B.C.
was archon at Athens, in the hundred and second
Olympiad, when Damon of Thurii was victor for
the second time, and in the second year of this
Olympiad. The people that escaped remained but
for a while, for later they too were forced by their
destitution to leave the city, when Heaven brought
a second calamity in the war with Macedonia.

Others have won glorious victories in the pan-
cratium, but Pulydamas, besides his prizes for the
pancratium, has to his credit the following exploits of
a different kind. The mountainous part of Thrace, on
this side the river Nestus, which runs through the
land of Abdera, breeds among other wild beasts
lions, which once attacked the army of Xerxes, and
mauled the camels carrying his supplies. These
lions often roam right into the land around Mount

περὶ τὸν Ὄλυμπον πλανῶνται χώραν· τούτου
δὲ τοῦ ὄρους ἡ μὲν ἐς Μακεδονίαν πλευρά, ἡ
δὲ ἐπὶ Θεσσαλοὺς καὶ τὸν ποταμὸν τέτραπται
τὸν Πηνειόν· ἐνταῦθα ὁ Πουλυδάμας λέοντα ἐν
τῷ Ὀλύμπῳ, μέγα καὶ ἄλκιμον θηρίον, κατειρ-
γάσατο οὐδενὶ ἐσκευασμένος ὅπλῳ. προήχθη δὲ
ἐς τὸ τόλμημα φιλοτιμίᾳ πρὸς τὰ Ἡρακλέους
ἔργα, ὅτι καὶ Ἡρακλέα ἔχει λόγος κρατῆσαι
6 τοῦ ἐν Νεμέᾳ λέοντος. ἕτερον δὲ ἐπὶ τούτῳ
θαῦμα ὑπελίπετο ὁ Πουλυδάμας ἐς μνήμην· ἐς
ἀγέλην ἐσελθὼν βοῶν τὸν μέγιστον καὶ ἀγριώτα-
τον ταῦρον λαβὼν τοῦ ἑτέρου τῶν ὄπισθεν
ποδῶν τὰς χηλὰς κατεῖχεν ἄκρας, καὶ πηδῶντα
καὶ ἐπειγόμενον οὐκ ἀνίει, πρίν γε δὴ ὁ ταῦρος
ὀψέ ποτε καὶ ἐς ἅπαν ἀφικόμενος βίας ἀπέφυγεν
ἀφεὶς ταύτῃ τῷ Πουλυδάμαντι τὰς χηλάς.
λέγεται δὲ καὶ ὡς ἄνδρα ἡνίοχον ἐλαύνοντα
σπουδῇ τὸ ἅρμα ἐπέσχε τοῦ πρόσω· λαβόμενος
γὰρ τῇ ἑτέρᾳ τῶν χειρῶν ὄπισθε τοῦ ἅρματος,
ὁμοῦ καὶ τοὺς ἵππους πεδήσας καὶ τὸν ἡνίοχον
7 εἶχε. Δαρεῖος δὲ Ἀρταξέρξου παῖς νόθος, ὃς
ὁμοῦ τῷ Περσῶν δήμῳ Σόγδιον καταπαύσας
παῖδα Ἀρταξέρξου γνήσιον ἔσχεν ἀντ᾽ ἐκείνου
τὴν ἀρχήν, οὗτος ὡς ἐβασίλευσεν ὁ Δαρεῖος—
ἐπυνθάνετο γὰρ τοῦ Πουλυδάμαντος τὰ ἔργα—,
πέμπων ἀγγέλους ὑπισχνούμενος δῶρα ἀνέπεισεν
αὐτὸν ἐς Σοῦσά τε καὶ ἐς ὄψιν ἀφικέσθαι τὴν
αὑτοῦ. ἔνθα δὴ κατὰ πρόκλησιν Περσῶν
ἄνδρας τῶν καλουμένων ἀθανάτων ἀριθμὸν τρεῖς
ἀθρόους οἱ μονομαχήσαντες ἀπέκτεινεν. ἔργων
δὲ τῶν κατειλεγμένων οἱ τὰ μὲν ἐπὶ τῷ βάθρῳ
τοῦ ἀνδριάντος ἐν Ὀλυμπίᾳ, τὰ δὲ καὶ δηλούμενά

Olympus, one side of which is turned towards Macedonia, and the other towards Thessaly and the river Peneius. Here on Mount Olympus Pulydamas slew a lion, a huge and powerful beast, without the help of any weapon. To this exploit he was impelled by an ambition to rival the labours of Heracles, because Heracles also, legend says, overthrew the lion at Nemea. In addition to this, Pulydamas is remembered for another wonderful performance. He went among a herd of cattle and seized the biggest and fiercest bull by one of its hind feet, holding fast the hoof in spite of the bull's leaps and struggles, until at last it put forth all its strength and escaped, leaving the hoof in the grasp of Pulydamas. It is also said of him that he stopped a charioteer who was driving his chariot onwards at a great speed. Seizing with one hand the back of the chariot he kept a tight hold on both horses and driver. Dareius, the bastard son of Artaxerxes, who with the support of the Persian common people put down Sogdius, the legitimate son of Artaxerxes, and ascended the throne in his stead, learning when he was king of the exploits of Pulydamas, sent messengers with the promise of gifts and persuaded him to come before his presence at Susa. There he challenged three of the Persians called Immortals to fight him—one against three— and killed them. Of his exploits enumerated, some are represented on the pedestal of the statue at Olympia, and others are set forth in the inscription.

8 ἐστιν ὑπὸ τοῦ ἐπιγράμματος. ἔμελλε δὲ ἄρα
τὸ ὑπὸ Ὁμήρου προθεσπισθὲν ἄλλους τε τῶν
φρονησάντων ἐπὶ ἰσχύι καὶ Πουλυδάμαντα ἐπι-
λήψεσθαι, καὶ ὑπὸ τῆς αὑτοῦ ῥώμης ἔμελλεν
ἀπολεῖσθαι καὶ οὗτος. ἐς σπήλαιον γὰρ οἵ τε
ἄλλοι τῶν συμποτῶν καὶ ὁ Πουλυδάμας ἐσῆλθεν
ὥρᾳ θέρους, καί πως οὐ κατά τινα ἀγαθὸν
δαίμονα ἡ κορυφὴ τηνικαῦτα τοῦ σπηλαίου
κατερρήγνυτο, καὶ δῆλα ἦν ὡς αὐτίκα ἐμπεσεῖσθαι
καὶ χρόνον οὐκ ἐπὶ πολὺν ἔμελλεν ἀνθέξειν·
9 γενομένης δὲ αἰσθήσεως τοῦ ἐπιόντος κακοῦ καὶ
τρεπομένων ἐς φυγὴν τῶν λοιπῶν παρέστη
καταμεῖναι τῷ Πουλυδάμαντι, καὶ ἀνέσχε τὰς
χεῖρας ὡς ἐπιπίπτοντι ἀνθέξων τῷ σπηλαίῳ
καὶ οὐ βιασθησόμενος ὑπὸ τοῦ ὄρους. VI. Τού-
τῳ μὲν ἐνταῦθα ἐγένετο ἡ τελευτή· ἐν δὲ
Ὀλυμπίᾳ παρὰ τοῦ Πουλυδάμαντος τὸν ἀν-
δριάντα δύο τε ἐκ τῆς Ἀρκάδων καὶ Ἀττικὸς
ὁ τρίτος ἔστηκεν ἀθλητής. τὸν μὲν δὴ Μαντινέα
Πρωτόλαον Διαλκοῦς πυγμῇ παῖδας κρατήσαντα
ὁ Ῥηγῖνος Πυθαγόρας, Ναρυκίδαν δὲ τὸν Δαμα-
ρέτου παλαιστὴν ἄνδρα ἐκ Φιγαλίας Σικυώνιος
Δαίδαλος, Καλλίᾳ δὲ Ἀθηναίῳ παγκρατιαστῇ
τὸν ἀνδριάντα ἀνὴρ Ἀθηναῖος Μίκων ἐποίησεν
ὁ ζωγράφος. Νικοδάμου δὲ ἔργον τοῦ Μαιναλίου
παγκρατιαστής ἐστι ἐκ Μαινάλου, δύο νίκας
ἐν ἀνδράσιν ἀνελόμενος, Ἀνδροσθένης Λοχαίου.
2 ἐπὶ δὲ τούτοις Εὐκλῆς ἀνάκειται Καλλιάνακτος,
γένος μὲν Ῥόδιος, οἴκου δὲ τοῦ Διαγοριδῶν·
θυγατρὸς γὰρ Διαγόρου παῖς ἦν, ἐν δὲ ἀνδράσι
πυγμῆς ἔσχεν Ὀλυμπικὴν νίκην. τούτου μὲν δὴ
ἡ εἰκὼν Ναυκύδους ἐστὶν ἔργον· Πολύκλειτος δὲ

But after all, the prophecy of Homer [1] respecting those who glory in their strength was to be fulfilled also in the case of Pulydamas, and he too was fated to perish through his own might. For Pulydamas entered a cave with the rest of his boon companions. It was summer-time, and, as ill-luck would have it, the roof of the cave began to crack. It was obvious that it would quickly fall in, and could not hold out much longer. Realising the disaster that was coming, the others turned and ran away; but Pulydamas resolved to remain, holding up his hands in the belief that he could prevent the falling in of the cave and would not be crushed by the mountain. Here Pulydamas met his end. VI. Beside the statue of Pulydamas at Olympia stand two Arcadians and one Attic athlete. The statue of the Mantinean, Protolaüs the son of Dialces, who won the boxing-match for boys, was made by Pythagoras of Rhegium; that of Narycidas, son of Damaretus, a wrestler from Phigalia, was made by Daedalus of Sicyon; that of the Athenian Callias, a pancratiast, is by the Athenian painter Micon. Nicodamus the Maenalian made the statue of the Maenalian pancratiast Androsthenes, the son of Lochaeüs, who won two victories among the men. By these is set up a statue of Eucles, son of Callianax, a native of Rhodes and of the family of the Diagoridae. For he was the son of the daughter of Diagoras, and won an Olympic victory in the boxing-match for men. His statue is by Naucydes.

[1] *Iliad*, vi. 407.

Ἀργεῖος, οὐχ ὁ τῆς Ἥρας τὸ ἄγαλμα ποιήσας,
μαθητὴς δὲ Ναυκύδους, παλαιστὴν παῖδα εἰργά-
σατο Θηβαῖον Ἀγήνορα. ἀνετέθη δὲ ἡ εἰκὼν
ὑπὸ τοῦ Φωκέων κοινοῦ· Θεόπομπος γὰρ ὁ πατὴρ
τοῦ Ἀγήνορος πρόξενος τοῦ ἔθνους ἦν αὐτῶν.

3 Νικόδαμος δὲ ὁ πλάστης ὁ ἐκ Μαινάλου Δαμο-
ξενίδαν ἄνδρα πύκτην ἐποίησεν ἐκ Μαινάλου.
ἕστηκε δὲ καὶ Λαστρατίδα παιδὸς εἰκὼν Ἠλείου,
πάλης ἀνελομένου στέφανον· ἐγένετο δὲ αὐτῷ
καὶ Νεμείων ἔν τε παισὶ καὶ ἀγενείων ἑτέρα
νίκη. Παραβάλλοντι δὲ τῷ Λαστρατίδα πατρὶ
ὑπῆρξε μὲν διαύλου παρελθεῖν δρόμῳ, ὑπελίπετο
δὲ καὶ ἐς τοὺς ἔπειτα φιλοτιμίαν, τῶν νικησάντων
Ὀλυμπίασι τὰ ὀνόματα ἀναγράψας ἐν τῷ γυμ-
νασίῳ τῷ ἐν Ὀλυμπίᾳ.

4   Τὰ μὲν δὴ ἐς τούτους εἶχεν οὕτω· τὰ δὲ ἐς
Εὔθυμον τὸν πύκτην, οὕ με εἰκὸς ὑπερβαίνειν
ἦν τά ἐς τὰς νίκας αὐτῷ καὶ τά ἐς δόξαν ὑπάρ-
χοντα τὴν ἄλλην. γένος μὲν δὴ ἦν ὁ Εὔθυμος
ἐκ τῶν ἐν Ἰταλίᾳ Λοκρῶν, οἳ χώραν τὴν πρὸς
τῷ Ζεφυρίῳ τῇ ἄκρᾳ νέμονται, πατρὸς δὲ ἐκαλεῖτο
Ἀστυκλέους· εἶναι δὲ αὐτὸν οὐ τούτου, ποταμοῦ
δὲ οἱ ἐπιχώριοι τοῦ Καικίνου φασίν, ὃς τὴν
Λοκρίδα καὶ Ῥηγίνην ὁρίζων τὸ ἐς τοὺς τέττι-
γας παρέχεται θαῦμα. οἱ μὲν γὰρ τέττιγες οἱ
ἐντὸς τῆς Λοκρίδος ἄχρι τοῦ Καικίνου κατὰ τὰ
αὐτὰ τοῖς ἄλλοις τέττιξιν ᾄδουσι· διαβάντων δὲ
τὸν Καικίνην οὐδεμίαν ἔτι οἱ ἐν τῇ Ῥηγίνῃ
5 τέττιγες ἀφιᾶσι[1] φωνήν. τούτου μὲν δὴ παῖδα
εἶναι λέγεται τὸν Εὔθυμον· ἀνελομένῳ δέ οἱ
πυγμῆς ἐν Ὀλυμπίᾳ νίκην τετάρτῃ πρὸς ταῖς

_____

[1] Here the MSS. have τὴν which Porson deleted

36

Polycleitus of Argos, not the artist who made the image of Hera, but a pupil of Naucydes, made the statue of a boy wrestler, Agenor of Thebes. The statue was dedicated by the Phocian Commonwealth, for Theopompus, the father of Agenor, was a state friend[1] of their nation. Nicodamus, the sculptor from Maenalus, made the statue of the boxer Damoxenidas of Maenalus. There stands also the statue of the Elean boy Lastratidas, who won the crown for wrestling. He won a victory at Nemea also among the boys, and another among the beardless striplings. Paraballon, the father of Lastratidas, was first in the double foot-race, and he left to those coming after an object of ambition, by writing up in the gymnasium at Olympia the names of those who won Olympic victories.

So much for these. But it would not be right for me to pass over the boxer Euthymus, his victories and his other glories. Euthymus was by birth one of the Italian Locrians, who dwell in the region near the headland called the West Point, and he was called son of Astycles. Local legend, however, makes him the son, not of this man, but of the river Caecinus, which divides Locris from the land of Rhegium and produces the marvel of the grass-hoppers. For the grasshoppers within Locris as far as the Caecinus sing just like others, but across the Caecinus in the territory of Rhegium they do not utter a sound. This river then, according to tradition, was the father of Euthymus, who, though he won the prize for boxing at the seventy-fourth Olympic 484 B.C.

---

[1] *Proxenos*: that is, he was a Theban who had under his care the interests of Phocians in Thebes.

ἑβδομήκοντα ὀλυμπιάδι οὐ κατὰ τὰ αὐτὰ ἐς τὴν
ἐπιοῦσαν ὀλυμπιάδα ἔμελλε χωρήσειν· Θεαγένης
γὰρ ὁ Θάσιος ὀλυμπιάδι ἐθέλων τῇ αὐτῇ πυγμῆς
τε ἀνελέσθαι καὶ παγκρατίου νίκας ὑπερεβάλετο
πυκτεύων τὸν Εὔθυμον, οὐ μὴν οὐδὲ ὁ Θεαγένης
ἐπὶ τῷ παγκρατίῳ λαβεῖν ἐδυνήθη τὸν κότινον
ἅτε προκατεργασθεὶς τῇ μάχῃ πρὸς τὸν Εὔ-
6 θυμον. ἐπὶ τούτῳ δὲ ἐπιβάλλουσιν οἱ Ἑλλανο-
δίκαι τῷ Θεαγένει τάλαντον μὲν ἱερὰν ἐς τὸν
θεὸν ζημίαν, τάλαντον δὲ βλάβης τῆς ἐς
Εὔθυμον, ὅτι ἐπηρείᾳ τῇ ἐς ἐκεῖνον ἐδόκει σφίσιν
ἐπανελέσθαι τὸ ἀγώνισμα τῆς πυγμῆς· τούτων
ἕνεκα καταδικάζουσιν αὐτὸν ἐκτῖσαι καὶ ἰδίᾳ τῷ
Εὐθύμῳ χρήματα. ἕκτῃ δὲ ὀλυμπιάδι ἐπὶ ταῖς
ἑβδομήκοντα τὸ μὲν τῷ θεῷ τοῦ ἀργυρίου γινό-
μενον ἐξέτισεν ὁ Θεαγένης, * *[1] καὶ ἀμειβόμενος
αὐτὸν οὐκ ἐσῆλθεν ἐπὶ τὴν πυγμήν· καὶ ἐπ'
ἐκείνης τε αὐτῆς καὶ ἐπὶ τῆς μετ' ἐκείνην ὀλυμ-
πιάδος τὸν ἐπὶ πυγμῇ στέφανον ἀνείλετο ὁ
Εὔθυμος. ὁ δέ οἱ ἀνδριὰς τέχνη τέ ἐστι
Πυθαγόρου καὶ θέας ἐς τὰ μάλιστα ἄξιος.
7 ἐπανήκων δὲ ἐς Ἰταλίαν τότε δὴ ἐμαχέσατο
πρὸς τὸν Ἥρω· τὰ δὲ ἐς αὐτὸν εἶχεν οὕτως.
Ὀδυσσέα πλανώμενον μετὰ ἅλωσιν τὴν Ἰλίου
κατενεχθῆναί φασιν ὑπὸ ἀνέμων ἔς τε ἄλλας
τῶν ἐν Ἰταλίᾳ καὶ Σικελίᾳ πόλεων, ἀφικέσθαι
δὲ καὶ ἐς Τεμέσαν ὁμοῦ ναυσί· μεθυσθέντα οὖν
ἐνταῦθα ἕνα τῶν ναυτῶν παρθένον βιάσασθαι
καὶ ὑπὸ τῶν ἐπιχωρίων ἀντὶ τούτου καταλευσ-
8 θῆναι τοῦ ἀδικήματος. Ὀδυσσέα μὲν δὴ ἐν
οὐδενὶ λόγῳ θέμενον αὐτοῦ τὴν ἀπώλειαν ἀπο-
πλέοντα οἴχεσθαι, τοῦ καταλευσθέντος δὲ

Festival, was not to be so successful at the next.
For Theagenes of Thasos, wishing to win the prizes
for boxing and for the pancratium at the same
Festival, overcame Euthymus at boxing, though he
had not the strength to gain the wild olive in the
pancratium, because he was already exhausted in his
fight with Euthymus. Thereupon the umpires fined
Theagenes a talent, to be sacred to the god, and a
talent for the harm done to Euthymus, holding that
it was merely to spite him that he entered for the
boxing competition. For this reason they condemned
him to pay an extra fine privately to Euthymus. At
the seventy-sixth Festival Theagenes paid in full the
money owed to the god, . . . and as compensation to
Euthymus did not enter for the boxing-match. At
this Festival, and also at the next following, Euthy-
mus won the crown for boxing. His statue is the
handiwork of Pythagoras, and is very well worth
seeing. On his return to Italy Euthymus fought
against the Hero, the story about whom is as follows.
Odysseus, so they say, in his wanderings after the
capture of Troy was carried down by gales to various
cities of Italy and Sicily, and among them he came
with his ships to Temesa. Here one of his sailors
got drunk and violated a maiden, for which offence
he was stoned to death by the natives. Now
Odysseus, it is said, cared nothing about his loss and
sailed away. But the ghost of the stoned man

---

[1] There is probably a gap in the text here.

ἀνθρώπου τὸν δαίμονα οὐδένα ἀνιέναι καιρὸν
ἀποκτείνοντά τε ὁμοίως τοὺς ἐν τῇ Τεμέσῃ
καὶ ἐπεξερχόμενον ἐπὶ πᾶσαν ἡλικίαν, ἐς ὃ ἡ
Πυθία τὸ παράπαν ἐξ Ἰταλίας ὡρμημένους
φεύγειν Τεμέσαν μὲν ἐκλιπεῖν οὐκ εἴα, τὸν δὲ
Ἥρω σφᾶς ἐκέλευσεν ἱλάσκεσθαι τέμενός τε
ἀποτεμομένους οἰκοδομήσασθαι ναόν, διδόναι δὲ
κατὰ ἔτος αὐτῷ γυναῖκα τῶν ἐν Τεμέσῃ παρθένων
9 τὴν καλλίστην. τοῖς μὲν δὴ τὰ ὑπὸ τοῦ θεοῦ
προστεταγμένα ὑπουργοῦσι δεῖμα ἀπὸ τοῦ δαί-
μονος ἐς τἄλλα ἦν οὐδέν· Εὔθυμος δὲ—ἀφίκετο
γὰρ ἐς τὴν Τεμέσαν, καί πως τηνικαῦτα τὸ ἔθος
ἐποιεῖτο τῷ δαίμονι—πυνθάνεται τὰ παρόντα
σφίσι, καὶ ἐσελθεῖν τε ἐπεθύμησεν ἐς τὸν ναὸν
καὶ τὴν παρθένον ἐσελθὼν θεάσασθαι. ὡς δὲ
εἶδε, τὰ μὲν πρῶτα ἐς οἶκτον, δεύτερα δὲ ἀφίκετο
καὶ ἐς ἔρωτα αὐτῆς· καὶ ἡ παῖς τε συνοικήσειν
κατώμνυτο αὐτῷ σώσαντι αὐτὴν καὶ ὁ Εὔθυμος
ἐνεσκευασμένος ἔμενε τὴν ἔφοδον τοῦ δαίμονος.
10 ἐνίκα τε δὴ τῇ μάχῃ καὶ—ἐξηλαύνετο γὰρ ἐκ
τῆς γῆς—ὁ Ἥρως ἀφανίζεταί τε καταδὺς ἐς
θάλασσαν καὶ γάμος τε ἐπιφανὴς Εὐθύμῳ καὶ
ἀνθρώποις τοῖς ἐνταῦθα ἐλευθερία τοῦ λοιποῦ
σφισιν ἦν ἀπὸ τοῦ δαίμονος. ἤκουσα δὲ καὶ τοιόνδε
ἔτι ἐς τὸν Εὔθυμον, ὡς γήρως τε ἐπὶ μακρότατον
ἀφίκοιτο καὶ ὡς ἀποθανεῖν ἐκφυγὼν αὖθις ἕτερόν
τινα ἐξ ἀνθρώπων ἀπέλθοι τρόπον· οἰκεῖσθαι δὲ
τὴν Τεμέσαν καὶ ἐς ἐμὲ ἀνδρὸς ἤκουσα πλεύ-
11 σαντος κατὰ ἐμπορίαν. τόδε μὲν ἤκουσα, γραφῇ
δὲ τοιάδε ἐπιτυχὼν οἶδα· ἦν δὲ αὕτη γραφῆς
μίμημα ἀρχαίας. νεανίσκος Σύβαρις καὶ Κά-
λαβρός τε ποταμὸς καὶ Λύκα πηγή, πρὸς δὲ
40

never ceased killing without distinction the people
of Temesa, attacking both old and young, until,
when the inhabitants had resolved to flee from Italy
for good, the Pythian priestess forbad them to leave
Temesa, and ordered them to propitiate the Hero,
setting him a sanctuary apart and building a temple,
and to give him every year as wife the fairest maiden
in Temesa. So they performed the commands of
the god and suffered no more terrors from the ghost.
But Euthymus happened to come to Temesa just at
the time when the ghost was being propitiated in
the usual way; learning what was going on he had
a strong desire to enter the temple, and not only to
enter it but also to look at the maiden. When he
saw her he first felt pity and afterwards love for her.
The girl swore to marry him if he saved her, and so
Euthymus with his armour on awaited the onslaught
of the ghost. He won the fight, and the Hero was
driven out of the land and disappeared, sinking into
the depth of the sea. Euthymus had a distinguished
wedding, and the inhabitants were freed from the
ghost for ever. I heard another story also about
Euthymus, how that he reached extreme old age,
and escaping again from death departed from among
men in another way. Temesa is still inhabited, as I
heard from a man who sailed there as a merchant.
This I heard, and I also saw by chance a picture
dealing with the subject. It was a copy of an
ancient picture. There were a stripling, Sybaris, a
river, Calabrus, and a spring, Lyca. Besides, there

ἡρῷόν τε καὶ Τεμέσα ἦν ἡ πόλις, ἐν δέ σφισι
καὶ δαίμων ὅντινα ἐξέβαλεν ὁ Εὔθυμος, χρόαν τε
δεινῶς μέλας καὶ τὸ εἶδος ἅπαν ἐς τὰ μάλιστα
φοβερός, λύκου δὲ ἀμπίσχετο δέρμα ἐσθῆτα·
ἐτίθετο δὲ καὶ ὄνομα Λύκαν τὰ ἐπὶ τῇ γραφῇ
γράμματα.

VII. Ταῦτα μὲν δὴ ἐς τοσοῦτο εἰρήσθω· μετὰ
δὲ τὸν ἀνδριάντα τοῦ Εὐθύμου Πύθαρχός τε
ἔστηκε Μαντινεὺς σταδιοδρόμος καὶ πύκτης
Ἠλεῖος Χαρμίδης, λαβόντες νίκας ἐπὶ παισί.
θεασάμενος δὲ καὶ τούτους ἐπὶ τῶν Ῥοδίων
ἀθλητῶν ἀφίξῃ τὰς εἰκόνας, Διαγόραν καὶ τὸ
ἐκείνου γένος· οἱ δὲ συνεχεῖς τε ἀλλήλοις καὶ
ἐν κόσμῳ τοιῷδε ἀνέκειντο, Ἀκουσίλαος μὲν
λαβὼν πυγμῆς ἐν ἀνδράσι στέφανον, Δωριεὺς
δὲ ὁ νεώτατος παγκρατίῳ νικήσας ὀλυμπιάσιν
ἐφεξῆς τρισί. πρότερον δὲ ἔτι τοῦ Δωριέως
ἐκράτησε καὶ Δαμάγητος τοὺς ἐσελθόντας ἐς τὸ
2 παγκράτιον. οὗτοι μὲν ἀδελφοί τέ εἰσι καὶ
Διαγόρου παῖδες, ἐπὶ δὲ αὐτοῖς κεῖται καὶ ὁ
Διαγόρας, πυγμῆς ἐν ἀνδράσιν ἀνελόμενος νίκην·
τοῦ Διαγόρου δὲ τὴν εἰκόνα Μεγαρεὺς εἰργάσατο
Καλλικλῆς Θεοκόσμου τοῦ ποιήσαντος τὸ ἄγαλμα
ἐν Μεγάροις τοῦ Διός. Διαγόρου δὲ καὶ οἱ τῶν
θυγατέρων παῖδες πύξ τε ἤσκησαν καὶ ἔσχον
Ὀλυμπικὰς νίκας, ἐν μὲν ἀνδράσιν Εὐκλῆς
Καλλιάνακτός τε ὢν καὶ Καλλιπατείρας τῆς
Διαγόρου, Πεισίροδος δὲ ἐν παισίν, ὃν ἡ μήτηρ
ἀνδρὸς ἐπιθεμένη γυμναστοῦ σχῆμα ἐπὶ τῶν
3 Ὀλυμπίων αὐτὴ τὸν ἀγῶνα ἤγαγεν· οὗτος δὲ ὁ
Πεισίροδος καὶ ἐν τῇ Ἄλτει παρὰ τῆς μητρὸς
τὸν πατέρα ἔστηκε. Διαγόραν δὲ καὶ ὁμοῦ τοῖς

were a hero-shrine and the city of Temesa, and in the midst was the ghost that Euthymus cast out. Horribly black in colour, and exceedingly dreadful in all his appearance, he had a wolf's skin thrown round him as a garment. The letters on the picture gave his name as Lycas.

VII. So much for the story of Euthymus. After his statue stands a runner in the foot-race, Pytharchus of Mantinea, and a boxer, Charmides of Elis, both of whom won prizes in the contests for boys. When you have looked at these also you will reach the statues of the Rhodian athletes, Diagoras and his family. These were dedicated one after the other in the following order. Acusilaüs, who received a crown for boxing in the men's class; Dorieus, the youngest, who won the pancratium at Olympia on three successive occasions. Even before Dorieus, Damagetus beat all those who had entered for the pancratium. These were brothers, being sons of Diagoras, and by them is set up also a statue of Diagoras himself, who won a victory for boxing in the men's class. The statue of Diagoras was made by the Megarian Callicles, the son of the Theocosmus who made the image of Zeus at Megara. The sons too of the daughters of Diagoras practised boxing and won Olympic victories: in the men's class Eucles, son of Callianax and Callipateira, daughter of Diagoras; in the boys' class Peisirodus, whose mother dressed herself as a man and a trainer, and took her son herself to the Olympic games. This Peisirodus is one of the statues in the Altis, and stands by the father of his mother. The story goes that Diagoras came to Olympia in the company of

παισὶν Ἀκουσιλάῳ καὶ Δαμαγήτῳ λέγουσιν ἐς
Ὀλυμπίαν ἐλθεῖν· νικήσαντες δὲ οἱ νεανίσκοι
διὰ τῆς πανηγύρεως τὸν πατέρα ἔφερον βαλλό-
μενόν τε ὑπὸ τῶν Ἑλλήνων ἄνθεσι καὶ εὐδαίμονα
ἐπὶ τοῖς παισὶ καλούμενον. γένος δὲ ὁ Διαγόρας
τὸ ἐξ ἀρχῆς Μεσσήνιος πρὸς γυναικῶν ἦν καὶ
4 ἀπὸ τῆς Ἀριστομένους ἐγεγόνει θυγατρός. Δωριεῖ
δὲ τῷ Διαγόρου παρὲξ ἢ[1] Ὀλυμπίασιν Ἰσθμίων
μὲν γεγόνασιν ὀκτὼ νῖκαι, Νεμείων δὲ ἀποδέουσαι
μιᾶς ἐς τὰς ὀκτώ· λέγεται δὲ καὶ ὡς Πύθια
ἀνέλοιτο ἀκονιτί. ἀνηγορεύοντο δὲ οὗτός τε καὶ
ὁ Πεισίροδος Θούριοι, διωχθέντες ὑπὸ τῶν ἀντι-
στασιωτῶν ἐκ τῆς Ῥόδου καὶ ἐς Ἰταλίαν παρὰ
Θουρίους ἀπελθόντες. χρόνῳ δὲ ὕστερον κατῆλ-
θεν ὁ Δωριεὺς ἐς Ῥόδον· καὶ φανερώτατα δὴ
ἁπάντων ἀνὴρ εἷς φρονήσας οὗτος τὰ Λακεδαι-
μονίων φαίνεται, ὥστε καὶ ἐναυμάχησεν ἐναντία
Ἀθηναίων ναυσὶν οἰκείαις, ἐς ὃ τριήρων ἁλοὺς
5 Ἀττικῶν ἀνήχθη ζῶν παρὰ Ἀθηναίους. οἱ δὲ
Ἀθηναῖοι πρὶν μὲν ἢ Δωριέα παρὰ σφᾶς ἀναχ-
θῆναι θυμῷ τε ἐς αὐτὸν καὶ ἀπειλαῖς ἐχρῶντο·
ὡς δὲ ἐς ἐκκλησίαν συνελθόντες ἄνδρα οὕτω
μέγαν καὶ δόξης ἐς τοσοῦτο ἥκοντα ἐθεάσαντο
ἐν σχήματι αἰχμαλώτου, μεταπίπτει σφίσιν ἐς
αὐτὸν ἡ γνώμη καὶ ἀπελθεῖν ἀφιᾶσιν οὐδὲ ἔργον
οὐδὲν ἄχαρι ἐργάζονται, παρόν σφισι πολλά τε
6 καὶ σὺν τῷ δικαίῳ δρᾶσαι. τὰ δὲ ἐς τοῦ
Δωριέως τὴν τελευτὴν ἐστιν ἐν τῇ συγγραφῇ
τῇ Ἀτθίδι Ἀνδροτίωνι εἰρημένα, εἶναι μὲν τη-
νικαῦτα ἐν Καύνῳ τὸ βασιλέως ναυτικὸν καὶ
Κόνωνα ἐπ' αὐτῷ στρατηγόν, Ῥοδίων δὲ τὸν

----

[1] παρὲξ ἢ Bekker for MSS. παρεξῆς.

his sons Acusilaüs and Damagetus. The youths on defeating their father proceeded to carry him through the crowd, while the Greeks pelted him with flowers and congratulated him on his sons. The family of Diagoras was originally, through the female line, Messenian, as he was descended from the daughter of Aristomenes. Dorieus, son of Diagoras, besides his Olympian victories, won eight at the Isthmian and seven at the Nemean games. He is also said to have won a Pythian victory without a contest. He and Peisirodus were proclaimed by the herald as of Thurii, for they had been pursued by their political enemies from Rhodes to Thurii in Italy. Dorieus subsequently returned to Rhodes. Of all men he most obviously showed his friendship with Sparta, for he actually fought against the Athenians with his own ships, until he was taken prisoner by Attic men-of-war and brought alive to Athens. Before he was brought to them the Athenians were wroth with Dorieus and used threats against him; but when they met in the assembly and beheld a man so great and famous in the guise of a prisoner, their feeling towards him changed, and they let him go away without doing him any hurt, and that though they might with justice have punished him severely. The death of Dorieus is told by Androtion in his Attic history. He says that the great King's fleet was then at Caunus, with Conon in command, who persuaded the Rhodian people to leave the

δῆμον πεισθέντα ὑπὸ τοῦ Κόνωνος ἀπὸ Λακε-
δαιμονίων μεταβαλέσθαι σφᾶς ἐς τὴν βασιλέως
καὶ Ἀθηναίων συμμαχίαν, Δωριέα δὲ ἀποδημεῖν
μὲν τότε ἐκ Ῥόδου περὶ τὰ ἐντὸς[1] Πελοποννήσου
χωρία, συλληφθέντα δὲ ὑπὸ ἀνδρῶν Λακεδαι-
μονίων αὐτὸν καὶ ἀναχθέντα ἐς Σπάρτην ἀδικεῖν
τε ὑπὸ Λακεδαιμονίων καταγνωσθῆναι καὶ ἐπι-
7 βληθῆναί οἱ θάνατον ζημίαν. εἰ δὲ τὸν ὄντα
εἶπεν Ἀνδροτίων λόγον, ἐθέλειν μοι φαίνεται
Λακεδαιμονίους ἐς τὸ ἴσον ἔτι Ἀθηναίοις κατα-
στῆσαι, ὅτι καὶ Ἀθηναίοις ἐς Θράσυλλον καὶ
τοὺς ἐν Ἀργινούσαις ὁμοῦ τῷ Θρασύλλῳ στρατη-
γήσαντας προπετείας ἐστὶν ἔγκλημα.

Διαγόρας μὲν δὴ καὶ τὸ ἀπ' αὐτοῦ γένος δόξης
8 ἐς τοσοῦτο ἀφίκοντο· ἐγένοντο δὲ καὶ Ἀλκαινέτῳ
τῷ Θεάντου Λεπρεάτῃ καὶ αὐτῷ καὶ τοῖς παισὶν
Ὀλυμπικαὶ νῖκαι. αὐτὸς μέν γε πυκτεύων ὁ
Ἀλκαίνετος ἔν τε ἀνδράσι καὶ πρότερον ἔτι
ἐπεκράτησεν ἐν παισίν· Ἑλλάνικον δὲ τὸν
Ἀλκαινέτου καὶ Θέαντον ἐπὶ πυγμῇ παίδων
ἀναγορευθῆναι τὸν μὲν ἐνάτῃ πρὸς ταῖς ὀγδοή-
κοντα ὀλυμπιάδι, τὸν δὲ τῇ ἐφεξῆς ταύτῃ συνέβη
τὸν Θέαντον· καί σφισιν ἀνδριάντες ἅπασιν ἐν
9 Ὀλυμπίᾳ κεῖνται. ἐπὶ δὲ τοῦ Ἀλκαινέτου τοῖς
υἱοῖς Γνάθων τε Διπαιεὺς τῆς Μαιναλέων χώρας
καὶ Λυκῖνος ἕστηκεν Ἠλεῖος· κρατῆσαι δὲ Ὀλυμ-
πίασι πυγμῇ παῖδας ὑπῆρξε καὶ τούτοις. Γνάθωνα
δὲ καὶ ἐς τὰ μάλιστα, ὅτε ἐνίκησεν, εἶναι νέον
τὸ ἐπίγραμμα τὸ ἐπ' αὐτῷ φησί· Καλλικλέους
10 δὲ τοῦ Μεγαρέως ποίημα ὁ ἀνδριάς ἐστιν. ἀνὴρ
δὲ ἐκ Στυμφήλου Δρομεὺς ὄνομα, καὶ δὴ καὶ

[1] ἐκτὸς MSS. : ἐντὸς Dindorf.

Lacedaemonian alliance and to join the great King
and the Athenians. Dorieus, he goes on to say, was
at the time away from home in the interior of the
Peloponnesus, and having been caught by some
Lacedaemonians he was brought to Sparta, convicted
of treachery by the Lacedaemonians and sentenced
to death. If Androtion tells the truth, he appears
to me to wish to put the Lacedaemonians on a level
with the Athenians, because they too are open to
the charge of precipitous action in their treatment of
Thrasyllus and his fellow admirals at the battle of 406 B.C.
Arginusae.

Such was the fame won by Diagoras and his
family. Alcaenetus too, son of Theantus, a Leprean,
himself and his sons won Olympian victories.
Alcaenetus was successful in the boxing contest for
men, as at an earlier date he had been in the contest
for boys. His sons, Hellanicus and Theantus, were
proclaimed winners of the boys' boxing-match,
Hellanicus at the eighty-ninth Festival and Theantus 424 B.C.
at the next. All have their statues set up at
Olympia. Next to the sons of Alcaenetus stand
Gnathon, a Maenalian of Dipaea, and Lucinus of
Elis. These too succeeded in beating the boys at
boxing at Olympia. The inscription on his statue
says that Gnathon was very young indeed when he
won his victory. The artist who made the statue
was Callicles of Megara. A man from Stymphalus,
by name Dromeus (*Runner*), proved true to it in the

47

ἔργον τοῦτο ἐπὶ δολίχῳ παρεσχημένος, δύο μὲν
ἔσχεν ἐν Ὀλυμπίᾳ νίκας, τοσαύτας δὲ ἄλλας
Πυθοῖ καὶ Ἰσθμίων τε τρεῖς καὶ ἐν Νεμέᾳ πέντε.
λέγεται δὲ ὡς καὶ κρέας ἐσθίειν ἐπινοήσειε· τέως
δὲ τοῖς ἀθληταῖς σιτία τυρὸν ἐκ τῶν ταλάρων
εἶναι. τούτου μὲν δὴ Πυθαγόρας τὴν εἰκόνα, τὴν
δὲ ἐφεξῆς ταύτῃ, πένταθλον Ἠλεῖον Πυθοκλέα,
Πολύκλειτός ἐστιν εἰργασμένος.

VIII. Σωκράτους δὲ Πελληνέως δρόμου νίκην
ἐν παισὶν εἰληφότος καὶ Ἠλείου Ἀμέρτου κατα-
παλαίσαντος ἐν Ὀλυμπίᾳ παῖδας, καταπαλαί-
σαντος δὲ καὶ Πυθοῖ τοὺς ἐλθόντας τῶν ἀνδρῶν,
τοῦ μὲν τὸν ποιήσαντα τὴν εἰκόνα οὐ λέγουσι,
τὴν δὲ τοῦ Ἀμέρτου Φράδμων ἐποίησεν Ἀργεῖος.
Εὐανορίδα δὲ Ἠλείῳ πάλης ἐν παισὶν ὑπῆρξεν
ἔν τε Ὀλυμπίᾳ καὶ Νεμείων νίκη· γενόμενος δὲ
Ἑλλανοδίκης ἔγραψε καὶ οὗτος τὰ ὀνόματα ἐν
Ὀλυμπίᾳ τῶν νενικηκότων.

2   Ἐς δὲ πύκτην ἄνδρα, γένος μὲν Ἀρκάδα ἐκ
Παρρασίων, Δάμαρχον δὲ ὄνομα, οὔ μοι πιστὰ
ἦν πέρα γε τῆς ἐν Ὀλυμπίᾳ νίκης ὁπόσα
ἄλλα ἀνδρῶν ἀλαζόνων ἐστὶν εἰρημένα, ὡς ἐξ
ἀνθρώπου μεταβάλοι τὸ εἶδος ἐς λύκον ἐπὶ τῇ
θυσίᾳ τοῦ Λυκαίου Διός, καὶ ὡς ὕστερον τούτων
ἔτει δεκάτῳ γένοιτο αὖθις ἄνθρωπος. οὐ μὴν
οὐδὲ ὑπὸ τῶν Ἀρκάδων λέγεσθαί μοι τοῦτο
ἐφαίνετο ἐς αὐτόν, ἐλέγετο γὰρ ἂν καὶ ὑπὸ τοῦ
ἐπιγράμματος τοῦ ἐν Ὀλυμπίᾳ· ἔχει γὰρ δὴ
οὕτως·

   υἱὸς Δινύτα Δάμαρχος τάνδ' ἀνέθηκεν
      εἰκόν' ἀπ' Ἀρκαδίας Παρράσιος γενεάν.

long race, for he won two victories at Olympia, two
at Pytho, three at the Isthmus and five at Nemea.
He is said to have also conceived the idea of a flesh
diet; up to this time athletes had fed on cheese
from the basket. The statue of this athlete is by
Pythagoras; the one next to it, representing
Pythocles, a pentathlete of Elis, was made by
Polycleitus.

VIII. Socrates of Pellene won the boys' race, and
Amertes of Elis the wrestlers' match for boys at
Olympia, besides beating all competitors in the men's
wrestling match at Pytho. It is not said who made
the statue of Socrates, but that of Amertes is from
the hand of Phradmon of Argos. Euanoridas of Elis
won the boys' wrestling-match both at Olympia and
at Nemea. When he was made an umpire he joined
the ranks of those who have recorded at Olympia
the names of the victors.

As to the boxer, by name Damarchus, an Arcadian
of Parrhasia, I cannot believe (except, of course, his
Olympic victory) what romancers say about him,
how he changed his shape into that of a wolf at the
sacrifice of Lycaean (*Wolf*) Zeus, and how nine
years after he became a man again. Nor do I think
that the Arcadians either record this of him, other-
wise it would have been recorded as well in the
inscription at Olympia, which runs:—

> This statue was dedicated by Damarchus, son
> of Dinytas,
> A Parrhasian by birth from Arcadia.

3 τοῦτο μὲν δὴ ἐς τοσοῦτο πεποίηται· Εὐβώτας δὲ
ὁ Κυρηναῖος, ἅτε τὴν ἐσομένην οἱ δρόμου νίκην
ἐν Ὀλυμπίᾳ παρὰ τοῦ μαντείου τοῦ ἐν Λιβύῃ
προπεπυσμένος, τήν τε εἰκόνα ἐπεποίητο πρότερον
καὶ ἐπὶ ἡμέρας τῆς αὐτῆς ἀνηγορεύθη τε νικήσας
καὶ ἀνέθηκε τὴν εἰκόνα. λέγεται δὲ ὡς κρατήσειε
καὶ ἅρματι ἐπὶ ὀλυμπιάδος ταύτης ἢ λόγῳ τῷ
Ἠλείων ἐστὶ κίβδηλος τῶν ἀγωνοθετησάντων
Ἀρκάδων ἕνεκα.

4 Κλεωναίῳ δὲ Τιμάνθει παγκρατίου λαβόντι
ἐν ἀνδράσι στέφανον καὶ Τροιζηνίῳ Βαύκιδι
παλαιστὰς καταβαλόντι ἄνδρας, τῷ μὲν τοῦ
Ἀθηναίου Μύρωνος, Βαύκιδι δὲ Ναυκύδους ἐστὶν
ὁ ἀνδριὰς ἔργον. τῷ δὲ Τιμάνθει τὸ τέλος τοῦ
βίου συμβῆναί φασιν ἐπὶ αἰτίᾳ τοιᾷδε. πε-
παῦσθαι μὲν ἀθλοῦντα, ἀποπειρᾶσθαι δὲ ὅμως
αὐτὸν ἔτι τῆς ἰσχύος, τόξον μέγα ἐπὶ ἑκάστης
τείνοντα τῆς ἡμέρας, ἀποδημῆσαί τε δὴ αὐτὸν
καὶ ἐπὶ τῷ τόξῳ τηνικαῦτα ἐκλειφθῆναί οἱ τὴν
μελέτην· ὡς δὲ ἐπανήκων οὐχ οἷός τε ἔτι τεῖναι
τὸ τόξον ἐγίνετο, πῦρ ἀνακαύσας ἀφίησι ζῶντα
ἐς τὴν πυρὰν αὐτόν. ὁπόσα δὲ ἤδη τοιαῦτα
ἐγένετο ἐν ἀνθρώποις ἢ καὶ ὕστερόν ποτε ἔσται,
μανία μᾶλλον ἢ ἀνδρία νομίζοιτο ἂν κατά γε
ἐμὴν γνώμην.

5 Μετὰ δὲ τὸν Βαύκιδά εἰσιν ἀθλητῶν Ἀρκάδων
εἰκόνες, Εὐθυμένης τε ἐξ αὐτῆς Μαινάλου, νίκας
τὴν μὲν ἀνδρῶν πάλης, τὴν δ' ἔτι πρότερον ἐν
παισὶν εἰληφώς, καὶ Ἀζὰν ἐκ Πελλάνας Φίλιππος
κρατήσας πυγμῇ παῖδας, καὶ Κριτόδαμος ἐκ
Κλείτορος, ἐπὶ πυγμῇ καὶ οὗτος ἀναγορευθεὶς
παίδων· τὰς δέ σφισιν εἰκόνας, τὴν μὲν ἐν παισὶ
50

Here the inscription ends. Eubotas of Cyrene, when the Libyan oracle foretold to him his coming Olympic victory for running, had his portrait statue made beforehand, and so was proclaimed victor and dedicated the statue on the same day. He is also said to have won the chariot-race at that Festival which, according to the account of the Eleans, was not genuine because the Arcadians presided at it.

The statue of Timanthes of Cleonae, who won the crown in the pancratium for men, was made by Myron of Athens, but Naucydes made that of Baucis of Troezen, who overthrew the men wrestlers. Timanthes, they say, met his end through the following cause. On retiring from athletics he continued to test his strength by drawing a great bow every day. His practice with the bow was interrupted during a period when he was away from home. On his return, finding that he was no longer able to bend the bow, he lit a fire and threw himself alive on to it. In my view all such deeds, whether they have already occurred among men or will take place hereafter, ought to be regarded as acts of madness rather than of courage.

After Baucis are statues of Arcadian athletes: Euthymenes from Maenalus itself, who won the men's and previously the boys' wrestling-match; Philip, an Azanian from Pellana, who beat the boys at boxing, and Critodamus from Cleitor, who like Philip was proclaimed victor in the boys' boxing-

τοῦ Εὐθυμένους Ἄλυπος, τὴν δὲ τοῦ Δαμοκρίτου
Κλέων, Φιλίππου δὲ τοῦ Ἀζᾶνος Μύρων τὴν
εἰκόνα ἐποίησε. τὰ δὲ ἐς Πρόμαχον τὸν Δρύωνος
παγκρατιαστὴν Πελληνέα προσέσται μοι καὶ
6 ταῦτα τῷ ἐς Ἀχαιοὺς λόγῳ. Προμάχου δὲ οὐ
πόρρω Τιμασίθεος ἀνάκειται γένος Δελφός, Ἀγε-
λάδα μὲν ἔργον τοῦ Ἀργείου, παγκρατίου δὲ δύο
μὲν ἐν Ὀλυμπίᾳ νίκας, τρεῖς δὲ ἀνῃρημένος
Πυθοῖ. καὶ αὐτῷ καὶ ἐν πολέμοις ἐστὶν ἔργα
τῇ τε τόλμῃ λαμπρὰ καὶ οὐκ ἀποδέοντα τῇ
εὐτυχίᾳ, πλήν γε δὴ τοῦ τελευταίου· τοῦτο δὲ
αὐτῷ θάνατον τὸ ἐγχείρημα ἤνεγκεν. Ἰσαγόρᾳ
γὰρ τῷ Ἀθηναίῳ τὴν ἀκρόπολιν τὴν Ἀθηναίων
καταλαβόντι ἐπὶ τυραννίδι μετασχὼν τοῦ ἔργου
καὶ ὁ Τιμασίθεος—ἐγένετο γὰρ τῶν ἐγκατα-
ληφθέντων ἐν τῇ ἀκροπόλει—θάνατον ζημίαν
εὕρετο τοῦ ἀδικήματος παρὰ Ἀθηναίων.

IX. Θεογνήτῳ δὲ Αἰγινήτῃ πάλης μὲν στέφανον
λαβεῖν ὑπῆρξεν ἐν παισί, τὸν δὲ ἀνδριάντα οἱ
Πτόλιχος ἐποίησεν Αἰγινήτης. διδάσκαλοι δὲ
ἐγεγόνεσαν Πτολίχῳ μὲν Συννοῶν ὁ πατήρ,
ἐκείνῳ δὲ Ἀριστοκλῆς Σικυώνιος, ἀδελφός τε
Κανάχου καὶ οὐ πολύ τὰ ἐς δόξαν ἐλασσού-
μενος. ἐφ' ὅτῳ δὲ ὁ Θεόγνητος πίτυος τῆς γ'
ἡμέρου καὶ ῥοιᾶς φέρει καρπόν, ἐμοὶ μὲν οὐχ
οἷά τε ἦν συμβαλέσθαι, τάχα δ' ἂν Αἰγινήταις
2 τισὶν ἐπιχώριος ἐς αὐτὰ ἂν εἴη λόγος. μετὰ
δὲ τὴν εἰκόνα τοῦ ἀνδρὸς ὃν Ἠλεῖοί φασιν οὐ
γραφῆναι μετὰ τῶν ἄλλων, ὅτι ἐπὶ κάλπης ἀνη-
γορεύθη δρόμῳ, μετὰ τούτου τὴν εἰκόνα Ξενοκλῆς
τε Μαινάλιος ἔστηκε παλαιστὰς καταβαλὼν
παῖδας καὶ Ἄλκετος Ἀλκίνου κρατήσας πυγμῇ

match. The statue of Euthymenes for his victory
over the boys was made by Alypus; the statue of
Damocritus was made by Cleon, and that of Philip
the Azanian by Myron. The story of Promachus,
son of Dryon, a pancratiast of Pellene, will be in-
cluded in my account of the Achaeans.[1] Not far
from Promachus is set up the statue of Timasitheüs,
a Delphian by birth, the work of Ageladas of Argos.
This athlete won in the pancratium two victories at
Olympia and three at Pytho. His achievements in
war too are distinguished by their daring and by the
good luck which attended all but the last, which
caused his death. For when Isagoras the Athenian
captured the Acropolis of the Athenians with a view
to setting up a tyranny, Timasitheüs took part in the
affair, and, on being taken prisoner on the Acropolis,
was put to death by the Athenians for his sin against
them.

IX. Theognetus of Aegina succeeded in winning
the crown for the boys' wrestling-match, and
Ptolichus of Aegina made his statue. Ptolichus
was a pupil of his father Synnoön, and he of
Aristocles the Sicyonian, a brother of Canachus
and almost as famous an artist. Why Theognetus
carries a cone of the cultivated pine and a pome-
granate I could not conjecture; perhaps some of the
Aeginetans may have a local story about it. After
the statue of the man who the Eleans say had
not his name recorded with the others because he
was proclaimed winner of the trotting-race, stand
Xenocles of Maenalus, who overthrew the boys at
wrestling, and Alcetus, son of Alcinoüs, victor in the

[1] See Book VII. chap. xxvii. § 5.

παῖδας, Ἀρκὰς καὶ οὗτος ἐκ Κλείτορος· καὶ τοῦ
μὲν Κλέων, Ξενοκλέους δὲ τὸν ἀνδριάντα Πολύ-
3 κλειτός ἐστιν εἰργασμένος. Ἀριστεὺς δὲ Ἀργεῖος
δολίχου μὲν νίκην ἔσχεν αὐτός, πάλης δὲ ὁ πατὴρ
τοῦ Ἀριστέως Χείμων· ἑστήκασι μὲν δὴ ἐγγὺς
ἀλλήλων, ἐποίησε δὲ τὸν μὲν Παντίας Χῖος παρὰ
τῷ πατρὶ δεδιδαγμένος Σωστράτῳ, αἱ δὲ εἰκόνες
τοῦ Χείμωνος ἔργον ἐστὶν ἐμοὶ δοκεῖν τῶν δοκι-
μωτάτων Ναυκύδους, ἥ τε ἐν Ὀλυμπίᾳ καὶ ἡ
ἐς τὸ ἱερὸν τῆς Εἰρήνης τὸ ἐν Ῥώμῃ κομισθεῖσα
ἐξ Ἄργους. λέγεται δὲ ὡς Ταυροσθένην κατα-
παλαίσειεν ὁ Χείμων τὸν Αἰγινήτην καὶ ὡς
Ταυροσθένης τῇ ὀλυμπιάδι τῇ ἐφεξῆς καταβάλοι
τοὺς ἐσελθόντας ἐς τὴν πάλην καὶ ὡς ἐοικὸς
Ταυροσθένει φάσμα ἐπ᾽ ἐκείνης τῆς ἡμέρας ἐν
4 Αἰγίνῃ φανὲν ἀπαγγείλειε τὴν νίκην. Φίλλην
δὲ Ἠλεῖον κρατήσαντα παῖδας πάλῃ Σπαρτιάτης
Κρατῖνος ἐποίησε.

Τὰ δὲ ἐς τὸ ἅρμα τὸ Γέλωνος οὐ κατὰ ταὐτὰ
δοξάζειν ἐμοί τε παρίστατο καὶ τοῖς πρότερον
ἢ ἐγὼ τὰ ἐς αὐτὸ εἰρηκόσιν, οἳ Γέλωνος τοῦ ἐν
Σικελίᾳ τυραννήσαντός φασιν ἀνάθημα εἶναι τὸ
ἅρμα. ἐπίγραμμα μὲν δή ἐστιν αὐτῷ Γέλωνα
Δεινομένους ἀναθεῖναι Γελῷον, καὶ ὁ χρόνος
τούτῳ τῷ Γέλωνί ἐστι τῆς νίκης τρίτη πρὸς τὰς
5 ἑβδομήκοντα ὀλυμπιάδας· Γέλων δὲ ὁ Σικελίας
τυραννήσας Συρακούσας ἔσχεν Ὑβριλίδου μὲν
Ἀθήνησιν ἄρχοντος, δευτέρῳ δὲ ἔτει τῆς δευτέρας
καὶ ἑβδομηκοστῆς ὀλυμπιάδος, ἣν Τισικράτης
ἐνίκα Κροτωνιάτης στάδιον. δῆλα οὖν ὡς Συρα-
κούσιον ἤδη καὶ οὐ Γελῷον ἀναγορεύειν αὐτὸν
ἔμελλεν· ἀλλὰ γὰρ ἰδιώτης εἴη ἄν τις ὁ Γέλων

boys' boxing-match, who also was an Arcadian from Cleitor. Cleon made the statue of Alcetus; that of Xenocles is by Polycleitus. Aristeus of Argos himself won a victory in the long-race, while his father Cheimon won the wrestling-match. They stand near to each other, the statue of Aristeus being by Pantias of Chios, the pupil of his father Sostratus. Besides the statue of Cheimon at Olympia there is another in the temple of Peace at Rome, brought there from Argos. Both are in my opinion among the most glorious works of Naucydes. It is also told how Cheimon overthrew at wrestling Taurosthenes of Aegina, how Taurosthenes at the next Festival overthrew all who entered for the wrestling-match, and how a wraith like Taurosthenes appeared on that day in Aegina and announced the victory. The statue of Philles of Elis, who won the boys' wrestling-match, was made by the Spartan Cratinus.

As regards the chariot of Gelon, I did not come to the same opinion about it as my predecessors, who hold that the chariot is an offering of the Gelon who became tyrant in Sicily. Now there is an inscription on the chariot that it was dedicated by Gelon of Gela, son of Deinomenes, and the date of the victory of this Gelon is the seventy-third Festival. But the 488 B.C. Gelon who was tyrant of Sicily took possession of Syracuse when Hybrilides was archon at Athens, in the second year of the seventy-second Olympiad, 491 B.C. when Tisicrates of Croton won the foot-race. Plainly, therefore, he would have announced himself as of Syracuse, not Gela. The fact is that this Gelon must be a private person, of the same name

55

οὗτος, πατρός τε ὁμωνύμου τῷ τυράννῳ καὶ αὐτὸς
ὁμώνυμος. Γλαυκίας δὲ Αἰγινήτης τό τε ἅρμα
καὶ αὐτῷ τῷ Γέλωνι ἐποίησε τὴν εἰκόνα.

6 Τῇ δὲ ὀλυμπιάδι τῇ πρὸ ταύτης Κλεομήδην
φασὶν Ἀστυπαλαιέα ὡς Ἴκκῳ πυκτεύων ἀνδρὶ
Ἐπιδαυρίῳ τὸν Ἴκκον ἀποκτείνειεν ἐν τῇ μάχῃ,
καταγνωσθεὶς δὲ ὑπὸ τῶν Ἑλλανοδικῶν ἄδικα
εἰργάσθαι καὶ ἀφῃρημένος τὴν νίκην ἔκφρων
ἐγένετο ὑπὸ τῆς λύπης καὶ ἀνέστρεψε μὲν ἐς
Ἀστυπάλαιαν, διδασκαλείῳ δ᾽ ἐπιστὰς ἐνταῦθα
ὅσον ἑξήκοντα ἀριθμὸν παίδων ἀνατρέπει τὸν
7 κίονα ὃς τὸν ὄροφον ἀνεῖχεν. ἐμπεσόντος δὲ
τοῦ ὀρόφου τοῖς παισί, καταλιθούμενος ὑπὸ τῶν
ἀστῶν κατέφυγεν ἐς Ἀθηνᾶς ἱερόν· ἐσβάντος δὲ
ἐς κιβωτὸν κειμένην ἐν τῷ ἱερῷ καὶ ἐφελκυσα-
μένου τὸ ἐπίθημα, κάματον ἐς ἀνωφελὲς οἱ
Ἀστυπαλαιεῖς ἔκαμνον ἀνοίγειν τὴν κιβωτὸν
πειρώμενοι· τέλος δὲ τὰ ξύλα τῆς κιβωτοῦ
καταρρήξαντες, ὡς οὔτε ζῶντα Κλεομήδην οὔτε
τεθνεῶτα εὕρισκον, ἀποστέλλουσιν ἄνδρας ἐς
Δελφοὺς ἐρησομένους ὁποῖα ἐς Κλεομήδην τὰ
8 συμβάντα ἦν. τούτοις χρῆσαι τὴν Πυθίαν
φασίν.

ὕστατος ἡρώων Κλεομήδης Ἀστυπαλαιεύς,
ὃν θυσίαις τιμᾶ<θ᾽ ἅ>τε[1] μηκέτι θνητὸν ἐόντα.

Κλεομήδει μὲν οὖν Ἀστυπαλαιεῖς ἀπὸ τούτου
9 τιμὰς ὡς ἥρωι νέμουσι· παρὰ δὲ τοῦ Γέλωνος
τὸ ἅρμα ἀνάκειται Φίλων, τέχνη τοῦ Αἰγινήτου

---

[1] The letters in brackets are not in the MSS., but were
added by Porson.

as the tyrant, whose father had the same name as the tyrant's father. It was Glaucias of Aegina who made both the chariot and the portrait-statue of Gelon.

At the Festival previous to this it is said that Cleomedes of Astypalaea killed Iccus of Epidaurus during a boxing-match. On being convicted by the umpires of foul play and being deprived of the prize he became mad through grief and returned to Astypalaea. Attacking a school there of about sixty children he pulled down the pillar which held up the roof. This fell upon the children, and Cleomedes, pelted with stones by the citizens, took refuge in the sanctuary of Athena. He entered a chest standing in the sanctuary and drew down the lid. The Astypalaeans toiled in vain in their attempts to open the chest. At last, however, they broke open the boards of the chest, but found no Cleomedes, either alive or dead. So they sent envoys to Delphi to ask what had happened to Cleomedes. The response given by the Pythian priestess was, they say, as follows :—

Last of heroes is Cleomedes of Astypalaea;
Honour him with sacrifices as being no longer
    a mortal.

So from this time have the Astypalaeans paid honours to Cleomedes as to a hero. By the side of the chariot of Gelon is dedicated a statue of Philon, the work of the Aeginetan Glaucias. About this Philon

Γλαυκίου. τούτῳ τῷ Φίλωνι Σιμωνίδης ὁ Λεω-
πρέπους ἐλεγεῖον δεξιώτατον ἐποίησε·

πατρὶς μὲν Κόρκυρα, Φίλων δ' ὄνομ'· εἰμὶ δὲ
    Γλαύκου
υἱὸς καὶ νικῶ πὺξ δύ ὀλυμπιάδας.

ἀνάκειται καὶ Μαντινεὺς Ἀγαμήτωρ, κρατήσας
πυγμῇ παῖδας.

X. Ἐπὶ δὲ τοῖς κατειλεγμένοις ἔστηκεν ὁ
Καρύστιος Γλαῦκος· εἶναι δέ φασιν ἐξ Ἀνθη-
δόνος τῆς Βοιωτῶν τὸ ἄνωθεν αὐτὸν γένος ἀπὸ
Γλαύκου τοῦ ἐν θαλάσσῃ δαίμονος. πατρὸς δὲ
οὗτος ὁ Καρύστιος ἦν Δημύλου, καὶ γῆν φασιν
αὐτὸν κατ' ἀρχὰς ἐργάζεσθαι· ἐκπεσοῦσαν δὲ
ἐκ τοῦ ἀρότρου τὴν ὕνιν πρὸς τὸ ἄροτρον
καθήρμοσε τῇ χειρὶ ἀντὶ σφύρας χρώμενος,
2 καί πως ἐθεάσατο ὁ Δημύλος τὸ ὑπὸ τοῦ παιδὸς
ποιούμενον καὶ ἐπὶ τούτῳ πυκτεύσοντα ἐς
Ὀλυμπίαν αὐτὸν ἀνήγαγεν. ἔνθα δὴ ὁ Γλαῦκος
ἅτε οὐκ ἐμπείρως ἔχων τῆς μάχης ἐτιτρώσκετο
ὑπὸ τῶν ἀνταγωνιζομένων, καὶ ἡνίκα πρὸς τὸν
λειπόμενον ἐξ αὐτῶν ἐπύκτευεν, ἀπαγορεύειν
ὑπὸ πλήθους τῶν τραυμάτων ἐνομίζετο· καὶ οἱ
τὸν πατέρα βοῆσαί φασιν "ὦ παῖ, τὴν ἀπ'
ἀρότρου." οὕτω γε δὴ βιαιοτέραν ἐς τὸν
ἀνταγωνιζόμενον ἐνεγκὼν τὴν πληγὴν αὐτίκα
3 εἶχε τὴν νίκην. στεφάνους δὲ λέγεται καὶ
ἄλλους Πύθια μὲν δὶς λαβεῖν, Νεμείων δὲ καὶ
Ἰσθμίων ὀκτάκις ἐν ἑκατέρῳ ἀγῶνι. τοῦ Γλαύ-
κου δὲ τὴν εἰκόνα ἀνέθηκε μὲν ὁ παῖς αὐτοῦ,
Γλαυκίας δὲ Αἰγινήτης ἐποίησε· σκιαμαχοῦντος
δὲ ὁ ἀνδριὰς παρέχεται σχῆμα, ὅτι ὁ Γλαῦκος

Simonides the son of Leoprepes composed a very neat elegiac couplet:—

> My fatherland is Corcyra, and my name is
>   Philon; I am
>   The son of Glaucus, and I won two Olympic
>   victories for boxing.

There is also a statue of Agametor of Mantineia, who beat the boys at boxing.

X. Next to those that I have enumerated stands Glaucus of Carystus. Legend has it that he was by birth from Anthedon in Boeotia, being descended from Glaucus the sea-deity. This Carystian was a son of Demylus, and they say that to begin with he worked as a farmer. The ploughshare one day fell out of the plough, and he fitted it into its place, using his hand as a hammer; Demylus happened to be a spectator of his son's performance, and thereupon brought him to Olympia to box. There Glaucus, inexperienced in boxing, was wounded by his antagonists, and when he was boxing with the last of them he was thought to be fainting from the number of his wounds. Then they say that his father called out to him, "Son, the plough touch." So he dealt his opponent a more violent blow which forthwith brought him the victory. He is said to have won other crowns besides, two at Pytho, eight at the Nemean and eight at the Isthmian games. The statue of Glaucus was set up by his son, while Glaucias of Aegina made it. The statue represents a figure sparring, as Glaucus was the best exponent

ἦν ἐπιτηδειότατος τῶν κατ᾽ αὐτὸν χειρονομῆσαι πεφυκώς. ἀποθανόντα δὲ οἱ Καρύστιοι ταφῆναί φασιν αὐτὸν ἐν νήσῳ καλουμένῃ Γλαύκου καὶ ἐς ἡμᾶς ἔτι.

4 Δαμαρέτῳ δὲ Ἡραιεῖ υἱῷ τε τοῦ Δαμαρέτου καὶ υἱωνῷ δύο ἐν Ὀλυμπίᾳ γεγόνασιν ἑκάστῳ νῖκαι, Δαμαρέτῳ μὲν πέμπτῃ ἐπὶ ταῖς ἑξήκοντα ὀλυμπιάδι, ὅτε ἐνομίσθη πρῶτον ὁ τοῦ ὁπλίτου δρόμος, καὶ ὡσαύτως τῇ ἐφεξῆς—πεποίηται ὁ ἀνδριὰς ἀσπίδα τε κατὰ τὰ αὐτὰ ἔχων τοῖς ἐφ᾽ ἡμῶν καὶ κράνος ἐπὶ τῇ κεφαλῇ καὶ κνημῖδας ἐπὶ τοῖς ποσί· ταῦτα μὲν δὴ ἀνὰ χρόνον ὑπό τε Ἠλείων καὶ ὑπὸ Ἑλλήνων τῶν ἄλλων ἀφηρέθη τοῦ δρόμου—, Θεοπόμπῳ δὲ τῷ Δαμαρέτου καὶ αὖθις ἐκείνου παιδὶ ὁμωνύμῳ τῷ μὲν ἐπὶ[1] πεντάθλῳ, Θεοπόμπῳ δὲ τῷ δευτέρῳ πάλης
5 ἐγένοντο αἱ νῖκαι. τὴν δὲ εἰκόνα Θεοπόμπου μὲν τοῦ παλαίσαντος τὸν ποιήσαντα οὐκ ἴσμεν, τὰς δὲ τοῦ πατρὸς αὐτοῦ καὶ τοῦ πάππου φησὶ τὸ ἐπίγραμμα Εὐτελίδα τε εἶναι καὶ Χρυσοθέμιδος Ἀργείων· οὐ μὴν παρ᾽ ὅτῳ γε ἐδιδάχθησαν δεδήλωκεν, ἔχει γὰρ δὴ οὕτως·

Εὐτελίδας καὶ Χρυσόθεμις τάδε ἔργα τέλεσσαν
Ἀργεῖοι, τέχναν εἰδότες ἐκ προτέρων.

Ἴκκος δὲ ὁ Νικολαΐδα Ταραντῖνος τόν τε Ὀλυμπικὸν στέφανον ἔσχεν ἐπὶ πεντάθλῳ καὶ ὕστερον γυμναστὴς ἄριστος λέγεται τῶν ἐφ᾽
6 αὐτοῦ γενέσθαι· μετὰ δὲ Ἴκκον καταπαλαίσας παῖδας Παντάρκης ἔστηκεν Ἠλεῖος ὁ ἐρώμενος

---

[1] τῷ μὲν ἐπὶ added by Schubart.

of the art of all his contemporaries. When he died the Carystians, they say, buried him in the island still called the island of Glaucus.

Damaretus of Heraea, his son and his grandson, each won two victories at Olympia. Those of Damaretus were gained at the sixty-fifth Festival 520 B.C. (at which the race in full armour was instituted) and also at the one succeeding. His statue shows him, not only carrying the shield that modern competitors have, but also wearing a helmet on his head and greaves on his legs. In course of time the helmet and greaves were taken from the armour of competitors by both the Eleans and the Greeks generally. Theopompus, son of Damaretus, won his victories in the pentathlum, and his son Theopompus the second, named after his father, won his in the wrestling-match. Who made the statue of Theopompus the wrestler we do not know, but those of his father and grandfather are said by the inscription to be by Eutelidas and Chrysothemis, who were Argives. It does not, however, declare the name of their teacher, but runs as follows: —

Eutelidas and Chrysothemis made these works,
    Argives, who learnt their art from those who
    lived before.

Iccus the son of Nicolaïdas of Tarentum won the Olympic crown in the pentathlum, and afterwards is said to have become the best trainer of his day. After Iccus stands Pantarces the Elean,

Φειδίου. ἐπὶ δὲ τῷ Παντάρκει Κλεοσθένους
ἐστὶν ἅρμα ἀνδρὸς Ἐπιδαμνίου· τοῦτο ἔργον
μέν ἐστιν Ἀγελάδα, ἕστηκε δὲ ὄπισθεν τοῦ
Διὸς τοῦ ἀπὸ τῆς μάχης τῆς Πλαταιᾶσιν
ἀνατεθέντος ὑπὸ Ἑλλήνων. ἐνίκα μὲν δὴ τὴν
ἕκτην ὀλυμπιάδα καὶ ἑξηκοστὴν ὁ Κλεοσθένης,
ἀνέθηκε δὲ ὁμοῦ τοῖς ἵπποις αὑτοῦ τε εἰκόνα
7 καὶ τὸν ἡνίοχον. ἐπιγέγραπται δὲ καὶ τῶν
ἵππων τὰ ὀνόματα Φοῖνιξ καὶ Κόραξ, ἑκατέ-
ρωθεν δὲ οἱ παρὰ τὸ ζυγόν, κατὰ μὲν τὰ δεξιὰ
Κνακίας, ἐν δὲ τῇ ἀριστερᾷ Σάμος· καὶ ἐλεγεῖον
τόδε ἐστὶν ἐπὶ τῷ ἅρματι·

Κλεοσθένης μ' ἀνέθηκεν ὁ Πόντιος ἐξ Ἐπι-
δάμνου,
νικήσας ἵπποις καλὸν ἀγῶνα Διός.

8 τῶν δὲ ἱπποτροφησάντων ἐν Ἕλλησι πρῶτος ἐς
Ὀλυμπίαν εἰκόνα ἀνέθηκεν ὁ Κλεοσθένης οὗτος.
τὰ γὰρ Μιλτιάδου τοῦ Ἀθηναίου καὶ Εὐαγόρου
τοῦ Λάκωνος ἀναθήματα, τοῦ μὲν ἅρματά ἐστιν,
οὐ μὴν καὶ αὐτὸς ἐπὶ τοῖς ἅρμασιν Εὐαγόρας·
τὰ Μιλτιάδου δέ, ὁποῖα ἐς Ὀλυμπίαν ἀνέθηκεν,
ἑτέρωθι δὴ δηλώσω τοῦ λόγου. Ἐπιδάμνιοι δὲ
χώραν μὲν ἥνπερ καὶ ἐξ ἀρχῆς, πόλιν δὲ οὐ τὴν
ἀρχαίαν ἐπὶ ἡμῶν ἔχουσιν, ἐκείνης δὲ ἀφεστη-
κυῖαν ὀλίγον· ὄνομα δὲ τῇ πόλει τῇ νῦν Δυρρά-
χιον ἀπὸ τοῦ οἰκιστοῦ.
9 Λυκῖνον δὲ Ἡραιέα καὶ Ἐπικράδιον Μαντινέα
καὶ Τέλλωνα Ὀρεσθάσιον καὶ Ἡλεῖον Ἀγιάδαν
ἐν παισὶν ἀνελομένους νίκας, Λυκῖνον μὲν δρό-
μου, τοὺς δὲ ἐπ' αὐτῷ κατειλεγμένους πυγμῆς,

beloved of Pheidias, who beat the boys at wrestling. Next to Pantarces is the chariot of Cleosthenes, a man of Epidamnus. This is the work of Ageladas, and it stands behind the Zeus dedicated by the Greeks from the spoil of the battle of Plataea. Cleosthenes' victory occurred at the sixty-sixth Festival, and together with the statues of his horses he dedicated a statue of himself and one of his charioteer. There are inscribed the names of the horses, Phoenix and Corax, and on either side are the horses by the yoke, on the right Cnacias, on the left Samus. This inscription in elegiac verse is on the chariot:—

> Cleosthenes, son of Pontis, a native of Epidamnus, dedicated me
> After winning with his horses a victory in the glorious games of Zeus.

This Cleosthenes was the first of those who bred horses in Greece to dedicate his statue at Olympia. For the offering of Evagoras the Laconian consists of the chariot without a figure of Evagoras himself; the offerings of Miltiades the Athenian, which he dedicated at Olympia, I will describe in another part of my story.[1] The Epidamnians occupy the same territory to-day as they did at first, but the modern city is not the ancient one, being at a short distance from it. The modern city is called Dyrrhachium from its founder.

Lycinus of Heraea, Epicradius of Mantineia, Tellon of Oresthas, and Agiadas of Elis won victories in boys' matches; Lycinus for running, the rest of them for boxing. The artist who made the statue

---

[1] See Chap. xix. § 6 of this book.

Ἐπικράδιον μὲν καὶ Ἀγιάδαν, τὸν μὲν αὐτῶν
Πτόλιχος Αἰγινήτης ἐποίησε, τὸν δὲ Ἀγιάδαν
Σήραμβος, γένος καὶ οὗτος Αἰγινήτης· Λυκίνου
δέ ἐστιν ὁ ἀνδριὰς Κλέωνος τέχνη· τὸν δὲ Τέλ-
λωνα ὅστις εἰργάσατο, οὐ μνημονεύουσιν.

XI. Ἐφεξῆς τούτων ἀναθήματά ἐστιν Ἠλείων,
Φίλιππος ὁ Ἀμύντου καὶ Ἀλέξανδρος ὁ Φιλίπ-
που καὶ Σέλευκός τε καὶ Ἀντίγονος· τοῖς μὲν δὴ
ἐφ' ἵππων, Ἀντιγόνῳ δὲ ἀνὴρ πεζός ἐστιν ἡ
εἰκών.

2 Τῶν δὲ βασιλέων τῶν εἰρημένων ἕστηκεν οὐ
πόρρω Θεαγένης ὁ Τιμοσθένους Θάσιος· Θάσιοι
δὲ οὐ Τιμοσθένους παῖδα εἶναι Θεαγένην φασίν,
ἀλλὰ ἱερᾶσθαι μὲν Ἡρακλεῖ τὸν Τιμοσθένην
Θασίῳ, τοῦ Θεαγένους δὲ τῇ μητρὶ Ἡρακλέους
συγγενέσθαι φάσμα ἐοικὸς Τιμοσθένει. ἔνατόν
τε δὴ ἔτος εἶναι τῷ παιδὶ καὶ αὐτὸν ἀπὸ τῶν
διδασκάλων φασὶν ἐς τὴν οἰκίαν ἐρχόμενον
ἄγαλμα ὅτου δὴ θεῶν ἀνακείμενον ἐν τῇ ἀγορᾷ
χαλκοῦν—χαίρειν γὰρ τῷ ἀγάλματι αὐτόν—,
ἀνασπάσαι τε δὴ τὸ ἄγαλμα καὶ ἐπὶ τὸν ἕτερον
3 τῶν ὤμων ἀναθέμενον ἐνεγκεῖν παρ' αὑτόν.
ἐχόντων δὲ ὀργὴν ἐς αὐτὸν ἐπὶ τῷ πεποιημένῳ
τῶν πολιτῶν, ἀνήρ τις αὐτῶν δόκιμος καὶ ἡλικίᾳ
προήκων ἀποκτεῖναι μὲν σφᾶς τὸν παῖδα οὐκ ἐᾷ,
ἐκεῖνον δὲ ἐκέλευσεν ἐκ τῆς οἰκίας αὖθις κομίσαι
τὸ ἄγαλμα ἐς τὴν ἀγοράν· ὡς δὲ ἤνεγκε, μέγα αὐ-
τίκα ἦν κλέος τοῦ παιδὸς ἐπὶ ἰσχύι, καὶ τὸ ἔργον
4 ἀνὰ πᾶσαν ἐβεβόητο τὴν Ἑλλάδα. ὅσα μὲν δὴ
ἔργων τῶν Θεαγένους ἐς τὸν ἀγῶνα ἥκει τὸν
Ὀλυμπικόν, προεδήλωσεν ὁ λόγος ἤδη μοι τὰ
δοκιμώτατα ἐξ αὐτῶν, Εὔθυμόν τε ὡς κατε-

of Epicradius was Ptolichus of Aegina; that of Agiadas was made by Serambus, also a native of Aegina. The statue of Lycinus is the work of Cleon. Who made the statue of Tellon is not related.

XI. Next to these are offerings of Eleans, representing Philip the son of Amyntas, Alexander the son of Philip, Seleucus and Antigonus. Antigonus is on foot; the rest are on horseback.

Not far from the kings mentioned stands a Thasian, Theagenes the son of Timosthenes. The Thasians say that Timosthenes was not the father of Theagenes, but a priest of the Thasian Heracles, a phantom of whom in the likeness of Timosthenes had intercourse with the mother of Theagenes. In his ninth year, they say, as he was going home from school, he was attracted by a bronze image of some god or other in the market-place; so he caught up the image, placed it on one of his shoulders and carried it home. The citizens were enraged at what he had done, but one of them, a respected man of advanced years, bade them not to kill the lad, and ordered him to carry the image from his home back again to the market-place. This he did, and at once became famous for his strength, his feat being noised abroad throughout Greece. The achievements of Theagenes at the Olympian games have already—the most famous of them—been described[1] in my story, how he beat Euthymus the boxer, and how he was fined by the

---

[1] Chap. vi. § 5 of this book.

μαχέσατο τὸν πύκτην καὶ ὡς ὑπὸ Ἠλείων
ἐπεβλήθη τῷ Θεαγένει ζημία. τότε μὲν δὴ τοῦ
παγκρατίου τὴν νίκην ἀνὴρ ἐκ Μαντινείας
Δρομεὺς ὄνομα πρῶτος ὧν ἴσμεν ἀκονιτὶ λέγεται
λαβεῖν· τὴν δὲ ὀλυμπιάδα τὴν ἐπὶ ταύτῃ
5 παγκρατιάζων ὁ Θεαγένης ἐκράτει. γεγόνασι
δὲ αὐτῷ καὶ Πυθοῖ νῖκαι τρεῖς, αὗται μὲν ἐπὶ
πυγμῇ, Νεμείων δὲ ἐννέα καὶ Ἰσθμίων δέκα
παγκρατίου τε ἀναμὶξ καὶ πυγμῆς. ἐν Φθίᾳ
δὲ τῇ Θεσσαλῶν πυγμῆς μὲν ἢ παγκρατίου
παρῆκε τὴν σπουδήν, ἐφρόντιζε δὲ ὅπως καὶ
ἐπὶ δρόμῳ ἐμφανὴς ἐν Ἕλλησιν εἴη, καὶ τοὺς
ἐσελθόντας ἐς τὸν δόλιχον ἐκράτησεν· ἦν δέ οἱ
πρὸς Ἀχιλλέα ἐμοὶ δοκεῖν τὸ φιλοτίμημα, ἐν
πατρίδι τοῦ ὠκίστου τῶν καλουμένων ἡρώων
ἀνελέσθαι δρόμου νίκην. τοὺς δὲ σύμπαντας
στεφάνους τετρακοσίους τε ἔσχε καὶ χιλίους.
6 ὡς δὲ ἀπῆλθεν ἐξ ἀνθρώπων, ἀνὴρ τῶν τις
ἀπηχθημένων ζῶντι αὐτῷ παρεγίνετο ἀνὰ πᾶσαν
νύκτα ἐπὶ τοῦ Θεαγένους τὴν εἰκόνα καὶ ἐμασ-
τίγου τὸν χαλκὸν ἅτε αὐτῷ Θεαγένει λυμαινό-
μενος· καὶ τὸν μὲν ὁ ἀνδριὰς ἐμπεσὼν ὕβρεως
παύει, τοῦ ἀνθρώπου δὲ τοῦ ἀποθανόντος οἱ
παῖδες τῇ εἰκόνι ἐπεξῇεσαν φόνου. καὶ οἱ Θάσιοι
καταποντοῦσι τὴν εἰκόνα ἐπακολουθήσαντες
γνώμῃ τῇ Δράκοντος, ὃς Ἀθηναίοις θεσμοὺς
γράψας φονικοὺς ὑπερώρισε καὶ τὰ ἄψυχα, εἴγε
ἐμπεσόν τι ἐξ αὐτῶν ἀποκτείνειεν ἄνθρωπον.
7 ἀνὰ χρόνον δέ, ὡς τοῖς Θασίοις οὐδένα ἀπεδίδου
καρπὸν ἡ γῆ, θεωροὺς ἀποστέλλουσιν ἐς Δελφούς,
καὶ αὐτοῖς ἔχρησεν ὁ θεὸς καταδέχεσθαι τοὺς
δεδιωγμένους. καὶ οἱ μὲν ἐπὶ τῷ λόγῳ τούτῳ

Eleans. On this occasion the pancratium, it is said, was for the first time on record won without a contest, the victor being Dromeus of Mantineia. At the Festival following this, Theagenes was the winner in the pancratium. He also won three victories at Pytho. These were for boxing, while nine prizes at Nemea and ten at the Isthmus were won in some cases for the pancratium and in others for boxing. At Phthia in Thessaly he gave up training for boxing and the pancratium. He devoted himself to winning fame among the Greeks for his running also, and beat those who entered for the long race. His ambition was, I think, to rival Achilles by winning a prize for running in the fatherland of the swiftest of those who are called heroes. The total number of crowns that he won was one thousand four hundred. When he departed this life, one of those who were his enemies while he lived came every night to the statue of Theagenes and flogged the bronze as though he were ill-treating Theagenes himself. The statue put an end to the outrage by falling on him, but the sons of the dead man prosecuted the statue for murder. So the Thasians dropped the statue to the bottom of the sea, adopting the principle of Draco, who, when he framed for the Athenians laws to deal with homicide, inflicted banishment even on lifeless things, should one of them fall and kill a man. But in course of time, when the earth yielded no crop to the Thasians, they sent envoys to Delphi, and the god instructed them to receive back the exiles. At this command they received them back, but their

καταδεχθέντες οὐδὲν τῆς ἀκαρπίας παρείχοντο
ἴαμα· δεύτερα οὖν ἐπὶ τὴν Πυθίαν ἔρχονται,
λέγοντες ὡς καὶ ποιήσασιν αὐτοῖς τὰ χρησθέντα
8 διαμένοι τὸ ἐκ τῶν θεῶν μήνιμα. ἐνταῦθα
ἀπεκρίνατό σφισιν ἡ Πυθία·

Θεαγένην δ' ἄμνηστον ἀφήκατε τὸν μέγαν
ὑμέων.

ἀπορούντων δὲ αὐτῶν ὁποίᾳ μηχανῇ τοῦ Θεα-
γένους τὴν εἰκόνα ἀνασώσωνται, φασὶν ἁλιέας
ἀναχθέντας ἐς τὸ πέλαγος ἐπὶ ἰχθύων θήραν
περισχεῖν τῷ δικτύῳ τὴν εἰκόνα καὶ ἀνενεγκεῖν
αὖθις ἐς τὴν γῆν· Θάσιοι δὲ ἀναθέντες, ἔνθα
καὶ ἐξ ἀρχῆς ἔκειτο, νομίζουσιν ἅτε θεῷ θύειν.
9 πολλαχοῦ δὲ καὶ ἑτέρωθι ἔν τε Ἕλλησιν οἶδα
καὶ παρὰ βαρβάροις ἀγάλματα ἱδρυμένα Θεα-
γένους καὶ νοσήματά τε αὐτὸν ἰώμενον καὶ
ἔχοντα παρὰ τῶν ἐπιχωρίων τιμάς. ὁ δὲ ἀν-
δριὰς τοῦ Θεαγένους ἐστὶν ἐν τῇ Ἄλτει, τέχνη
τοῦ Αἰγινήτου Γλαυκίου.

XII. Πλησίον δὲ ἅρμα τέ ἐστι χαλκοῦν καὶ
ἀνὴρ ἀναβεβηκὼς ἐπ' αὐτό, κέλητες δὲ ἵπποι
παρὰ τὸ ἅρμα εἷς ἑκάτερωθεν ἕστηκε καὶ ἐπὶ
τῶν ἵππων καθέζονται παῖδες. ὑπομνήματα δὲ
ἐπὶ νίκαις Ὀλυμπικαῖς ἐστιν Ἱέρωνος τοῦ
Δεινομένους τυραννήσαντος Συρακουσίων μετὰ
τὸν ἀδελφὸν Γέλωνα. τὰ δὲ ἀναθήματα οὐχ
Ἱέρων ἀπέστειλεν, ἀλλ' ὁ μὲν ἀποδοὺς τῷ θεῷ
Δεινομένης ἐστὶν ὁ Ἱέρωνος, ἔργα δὲ τὸ μὲν
Ὀνάτα τοῦ Αἰγινήτου τὸ ἅρμα, Καλάμιδος δὲ
οἱ ἵπποι τε οἱ ἑκατέρωθεν καὶ ἐπ' αὐτῶν εἰσιν
οἱ παῖδες.

restoration brought no remedy of the famine. So for
the second time they went to the Pythian priestess,
saying that although they had obeyed her instructions
the wrath of the gods still abode with them.
Whereupon the Pythian priestess replied to them :—

But you have forgotten your great Theagenes.

And when they could not think of a contrivance to
recover the statue of Theagenes, fishermen, they
say, after putting out to sea for a catch of fish
caught the statue in their net and brought it back
to land. The Thasians set it up in its original
position, and are wont to sacrifice to him as to a
god. There are many other places that I know of,
both among Greeks and among barbarians, where
images of Theagenes have been set up, who cures
diseases and receives honours from the natives.
The statue of Theagenes is in the Altis, being the
work of Glaucias of Aegina.

XII. Hard by is a bronze chariot with a man
mounted upon it ; race-horses, one on each side,
stand beside the chariot, and on the horses are
seated boys. They are memorials of Olympic vic-
tories won by Hiero the son of Deinomenes, who
was tyrant of Syracuse after his brother Gelo. But
the offerings were not sent by Hiero ; it was Hiero's
son Deinomenes who gave them to the god, Onatas
the Aeginetan who made the chariot, and Calamis who
made the horses on either side and the boys on them.

2 Παρὰ δὲ τοῦ Ἱέρωνος τὸ ἅρμα ἀνήρ ἐστιν
ὁμώνυμός τε τῷ Δεινομένους καὶ ἐν Συρακούσαις
καὶ οὗτος τυραννήσας, Ἱέρων δὲ ἐκαλεῖτο
Ἱεροκλέους· μετὰ δὲ τὴν Ἀγαθοκλέους τοῦ
πρότερον τυραννήσαντος τελευτὴν Συρακουσίοις
αὖθις ἀναπεφύκει τύραννος ὁ Ἱέρων οὗτος, τὴν
δὲ ἀρχὴν ἔσχεν[1] ἔτει δευτέρῳ τῆς ἕκτης ὀλυμ-
πιάδος ἐπὶ ταῖς εἴκοσι καὶ ἑκατόν, ἣν Κυρηναῖος
3 στάδιον ἐνίκησεν Ἰδαῖος. οὗτος ὁ Ἱέρων ξενίαν
πρὸς Πύρρον τὸν Αἰακίδου καὶ ὁμοῦ τῇ ξενίᾳ
καὶ ἐπιγαμίαν ἐποιήσατο, Γέλωνι τῷ παιδὶ
Νηρηίδα ἀγαγόμενος τὴν Πύρρου. Ῥωμαίων δὲ
περὶ Σικελίας ἐς τὸν πρὸς Καρχηδονίους πόλεμον
καταστάντων εἶχον μὲν οἱ Καρχηδόνιοι τῆς
νήσου πλέον ἢ ἥμισυ, Ἱέρωνι δὲ συνιόντων
μὲν ἄρτι ἐς τὸν πόλεμον ἑλέσθαι τὰ Καρχηδο-
νίων ἤρεσε, μετὰ δὲ οὐ πολὺ δυνάμει τε εἶναι
νομίζων τὰ Ῥωμαίων ἐχυρώτερα καὶ βεβαιότερα
4 ἅμα ἐς φιλίαν μετεβάλετο ὡς τούτους. τοῦ δέ
οἱ βίου συνέβη γενέσθαι τὴν τελευτὴν ὑπὸ
Δεινομένους, γένος μὲν Συρακουσίου, δυσμενέσ-
τατα δὲ ἀνδρὸς ἐς τυραννίδα ἔχοντος, ὃς καὶ
ὕστερον τούτων Ἱπποκράτει τῷ ἀδελφῷ τῷ
Ἐπικύδους ἐξ Ἐρβησσοῦ παρεληλυθότι ἄρτι ἐς
Συρακούσας καὶ ἐς τὸ πλῆθος ποιεῖσθαι λόγους
ἀρχομένῳ ἐπέδραμεν ὡς ἀποκτενῶν τὸν Ἱππο-
κράτην· τοῦ δέ οἱ ἀντιστάντος, κρατήσαντες τῶν
δορυφόρων ἄλλοι διαφθείρουσι τὸν Δεινομένην.
τοὺς ἀνδριάντας δὲ τοῦ Ἱέρωνος ἐν Ὀλυμπίᾳ,
ἐφ᾽ ἵππου τὸν ἕτερον, τὸν δὲ αὐτῶν πεζόν,
ἀνέθεσαν μὲν τοῦ Ἱέρωνος οἱ παῖδες, ἐποίησε
δὲ Μίκων Νικηράτου Συρακούσιος.

By the chariot of Hiero is a man of the same name as the son of Deinomenes. He too was tyrant of Syracuse, and was called Hiero the son of Hierocles. After the death of Agathocles, a former tyrant, tyranny again sprung up at Syracuse in the person of this Hiero, who came to power in the second year of the hundred and twenty-sixth **275 B.C.** Olympiad, at which Festival Idaeus of Cyrene won the foot-race. This Hiero made an alliance with Pyrrhus the son of Aeacides, sealing it by the marriage of Gelo his son and Nereïs the daughter of Pyrrhus. When the Romans went to war with Carthage for the possession of Sicily, the Carthaginians held more than half the island, and Hiero sided with them at the beginning of the war. Shortly after, however, he changed over to the Romans, thinking that they were stronger, and firmer and more reliable friends. He met his end at the hands of Deinomenes, a Syracusan by birth and an inveterate enemy of tyranny, who afterwards, when Hippocrates the brother of Epicydes had just come from Erbessus to Syracuse and was beginning to harangue the multitude, rushed at him with intent to kill him. But Hippocrates withstood him, and certain of the bodyguard overpowered and slew Deinomenes. The statues of Hiero at Olympia, one on horseback and the other on foot, were dedicated by the sons of Hiero, the artist being Micon, a Syracusan, the son of Niceratus.

---

¹ εἶχεν MSS. : ἔσχεν Frazer.

5 Μετὰ δὲ τοῦ Ἱέρωνος τὰς εἰκόνας Ἀρεὺς ὁ
Ἀκροτάτου Λακεδαιμονίων βασιλεὺς καὶ Ἄρατος
ἕστηκεν ὁ Κλεινίου, καὶ αὖθις ἀναβεβηκώς ἐστιν
Ἀρεὺς ἵππον. ἀνάθημα δὲ ὁ μὲν Κορινθίων ὁ
Ἄρατος, Ἀρεὺς δὲ Ἠλείων ἐστί· καί μοι τοῦ
6 λόγου τὰ πρότερα οὔτε τῶν ἐς Ἄρατον οὔτε
τῶν ἐς Ἀρέα ἀμνημόνως ἔσχεν, Ἄρατος δὲ καὶ
ἅρματι ἀνηγορεύθη νικῶν ἐν Ὀλυμπίᾳ. Τίμωνι
δὲ τῷ Αἰσύπου[1] καθέντι ἐς Ὀλυμπίαν ἵππους
ἀνδρὶ Ἠλείῳ * * ἐστι τοῦτο χαλκοῦν, ἐπ'
αὐτὸν ἀναβέβηκε παρθένος, ἐμοὶ δοκεῖν Νίκη.
Κάλλωνα δὲ τὸν Ἁρμοδίου καὶ τὸν Μοσχίωνος
Ἱππόμαχον, γένος τε Ἠλείους καὶ πυγμῇ κρα-
τήσαντας ἐν παισί, τὸν μὲν αὐτῶν ἐποίησε
Δάιππος, Ἱππομάχου δὲ ὅστις μὲν τὸν ἀνδριάντα
εἰργάσατο οὐκ ἴσμεν, καταμαχέσασθαι δὲ τρεῖς
φασιν ἀνταγωνιστὰς αὐτὸν οὔτε πληγὴν ἀποδεξά-
7 μενον οὔτε τι τρωθέντα τοῦ σώματος. Θεόχρηστον
δὲ Κυρηναῖον ἱπποτροφήσαντα κατὰ τὸ ἐπι-
χώριον τοῖς Λίβυσι καὶ αὐτόν τε ἐν Ὀλυμπίᾳ
καὶ ἔτι πρότερον τὸν ὁμώνυμόν τε αὐτῷ καὶ
τοῦ πατρὸς πατέρα, τούτους μὲν ἐνταῦθα ἵππων
νίκας, ἐν δὲ Ἰσθμῷ τοῦ Θεοχρήστου λαβεῖν τὸν
πατέρα, τὸ ἐπίγραμμα δηλοῖ τὸ ἐπὶ τῷ ἅρματι.
8 Ἀγήσαρχον δὲ τὸν Αἱμοστράτου Τριταιέα
κρατῆσαι μὲν πύκτας ἄνδρας ἐν Ὀλυμπίᾳ καὶ
Νεμέᾳ τε καὶ Πυθοῖ καὶ ἐν Ἰσθμῷ μαρτυρεῖ
τὸ ἐλεγεῖον, Ἀρκάδας δὲ τοὺς Τριταιεῖς εἶναι
τοῦ ἐλεγείου λέγοντος οὐκ[2] ἀληθεύοντα εὕρισκον.
πόλεων γὰρ τῶν ἐν Ἀρκαδίᾳ ταῖς μὲν ἐπειλημ-

---

[1] So Krause.   The MSS. have Αἰγύπτου.
[2] οὐκ is not in the MSS.

After the likenesses of Hiero stand Areus the Lacedaemonian king, the son of Acrotatus, and Aratus the son of Cleinias, with another statue of Areus on horseback. The statue of Aratus was dedicated by the Corinthians, that of Areus by the people of Elis. I have already given some account of both Aratus and Areus,[1] and Aratus was also proclaimed at Olympia as victor in the chariot-race. Timon, an Elean, the son of Aesypus, entered a four-horse chariot for the Olympic races . . . this is of bronze, and on it is mounted a maiden, who, in my opinion, is Victory. Callon the son of Harmodius and Hippomachus the son of Moschion, Elean by race, were victors in the boys' boxing-match. The statue of Callon was made by Daïppus; who made that of Hippomachus I do not know, but it is said that he overcame three antagonists without receiving a blow or any physical injury. Theochrestus of Cyrene bred horses after the traditional Libyan manner; he himself and before him his paternal grandfather of the same name won victories at Olympia with the four-horse chariot, while the father of Theochrestus won a victory at the Isthmus. So declares the inscription on the chariot. The elegiac verses bear witness that Agesarchus of Triteia, the son of Haemostratus, won the boxing-match for men at Olympia, Nemea, Pytho and the Isthmus; they also declare that the Tritaeans are Arcadians, but I found this statement to be untrue. For the founders of the Arcadian cities that attained to fame

[1] Book II. chap. viii. § 2 foll., and III. vi. § 2 foll.

μέναις δόξης οὐδὲ τὰ ἐς τοὺς οἰκιστάς ἐστιν
ἄγνωστα, τὰς δὲ ἐξ ἀρχῆς τε ὑπὸ ἀσθενείας
ἀφανεστέρας καὶ δι' αὐτὸ ἀνοικισθείσας ἐς
Μεγάλην πόλιν, οὐ περιέχει σφᾶς γενόμενον
9 τότε ὑπὸ τοῦ Ἀρκάδων κοινοῦ δόγμα; οὐδέ
τινα ἔστιν ἐν Ἕλλησι Τρίτειαν πόλιν ἄλλην
γε ἢ τὴν Ἀχαιῶν εὑρεῖν. τηνικαῦτα γοῦν ἐς
Ἀρκάδας ἡγοῖτο ἄν τις συντελέσαι τοὺς Τρι-
ταιεῖς, καθὰ καὶ νῦν ἔτι Ἀρκάδων αὐτῶν εἰσιν
οἱ ἐς τὸ Ἀργολικὸν τελοῦντες. τοῦ Ἀγησάρχου
δέ ἐστιν ἡ εἰκὼν τέχνη τῶν Πολυκλέους παίδων.
τούτων μὲν δὴ ποιησόμεθα μνήμην καὶ ἐν τοῖς
ὑστέροις τοῦ λόγου.

XIII. Ἄστυλος δὲ Κροτωνιάτης Πυθαγόρου
μέν ἐστιν ἔργον, τρεῖς δὲ ἐφεξῆς Ὀλυμπίασι
σταδίου τε καὶ διαύλου νίκας ἔσχεν. ὅτι δὲ
ἐν δύο ταῖς ὑστέραις ἐς χάριν τὴν Ἱέρωνος τοῦ
Δεινομένους ἀνηγόρευσεν αὐτὸν Συρακούσιον,
τούτων ἕνεκα οἱ Κροτωνιᾶται τὴν οἰκίαν αὐτοῦ
δεσμωτήριον εἶναι κατέγνωσαν καὶ τὴν εἰκόνα
καθεῖλον παρὰ τῇ Ἥρᾳ τῇ Λακινίᾳ κειμένην.

2 Ἀνάκειται δὲ ἐν Ὀλυμπίᾳ καὶ στήλη λέγουσα
τοῦ Λακεδαιμονίου Χιόνιδος τὰς νίκας. εὐηθείας
μὲν δὴ μετέχουσι καὶ ὅσοι Χίονιν αὐτὸν ἀνα-
θεῖναι τὴν στήλην, ἀλλ' οὐ Λακεδαιμονίων
ἥγηνται τὸ δημόσιον· ἔστω γὰρ δήπου, ὡς ἐν
τῇ στήλῃ, οὐκ εἶναί πω τοῦ ὅπλου τὸν δρόμον·
πῶς ἂν οὖν ἐπίσταιτο ὁ Χίονις εἰ αὖθίς ποτε
προσνομοθετήσουσιν Ἠλεῖοι; τούτων δὲ ἔτι ἐς
πλέον ἥκουσιν εὐηθείας οἳ τὸν ἑστηκότα ἀν-
δριάντα παρὰ τῇ στήλῃ φασὶν εἰκόνα εἶναι
Χιόνιδος, ἔργον ὄντα τοῦ Ἀθηναίου Μύρωνος.

74

have well-known histories; while those that had all along been obscure because of their weakness were surely absorbed for this very reason into Megalopolis, being included in the decree then made by the Arcadian confederacy; no other city Triteia, except the one in Achaia, is to be found in Greece. However, one may assume that at the time of the inscription the Tritaeans were reckoned as Arcadians, just as nowadays too certain of the Arcadians themselves are reckoned as Argives. The statue of Agesarchus is the work of the sons of Polycles, of whom we shall give some account later on.[1]

XIII. The statue of Astylus of Crotona is the work of Pythagoras; this athlete won three successive victories at Olympia, in the short race and in the double race. But because on the two latter occasions he proclaimed himself a Syracusan, in order to please Hiero the son of Deinomenes, the people of Crotona for this condemned his house to be a prison, and pulled down his statue set up by the temple of Lacinian Hera.

There is also set up in Olympia a slab recording the victories of Chionis the Lacedaemonian. They show simplicity who have supposed that Chionis himself dedicated the slab, and not the Lacedaemonian people. Let us assume that, as the slab says, the race in armour had not yet been introduced; how could Chionis know whether the Eleans would at some future time add it to the list of events? But those are simpler still who say that the statue standing by the slab is a portrait of Chionis, it being the work of the Athenian Myron.

---

[1] See Book X. chap. xxxiv. § 8.

3 Ἐοικότα δὲ Χιόνιδι τὰ ἐς δόξαν καὶ ἀνὴρ
Λύκιος παρέσχετο Ἑρμογένης Ξάνθιος, ὃς τὸν
κότινον ἐν τρισὶν ὀλυμπιάσιν ἀνείλετο ὀκτάκις
ἐπίκλησίν τε ἔσχεν Ἵππος ὑπὸ Ἑλλήνων· ποιή-
σαιο δ᾽ ἂν καὶ Πολίτην ἐν μεγάλῳ θαύματι. ὁ
Πολίτης δ᾽ ἦν οὗτος ἐκ Κεράμου τῆς ἐν τῇ
Καρίᾳ, ἀνέφηνε δὲ ἀρετὴν ποδῶν ἐν Ὀλυμπίᾳ
πᾶσαν· ἀπὸ γὰρ τοῦ μηκίστου καὶ διαρκεστάτου δι᾽
ὀλιγίστου δὴ καιροῦ μεθηρμόσατο ἐπὶ τὸ βραχύ-
τατον ὁμοῦ καὶ ὤκιστον, καὶ δολίχου τε ἐν ἡμέρᾳ
τῇ αὐτῇ καὶ παραυτίκα σταδίου λαβὼν νίκην
4 προσέθηκε διαύλου σφίσι τὴν τρίτην. Πολίτης
μὲν δὴ ἐπὶ τῆς δευτέρας . . . καὶ τέσσαρας, ὡς
ἂν ἕκαστοι συνταχθῶσιν ὑπὸ τοῦ κλήρου, καὶ
οὐκ ἀθρόους ἀφιᾶσιν ἐς τὸν δρόμον· οἳ δ᾽ ἂν
ἐν ἑκάστῃ τάξει κρατήσωσιν, ὑπὲρ αὐτῶν αὖθις
θέουσι τῶν ἄθλων· καὶ οὕτω σταδίου δύο ὁ
στεφανούμενος ἀναιρήσεται νίκας. τὰ μέντοι
ἐπιφανέστατα ἐς δρόμον Λεωνίδᾳ Ῥοδίῳ ἐστίν·
ἐπὶ γὰρ τέσσαρας ὀλυμπιάδας ἀκμάζων τε τῇ
ὠκύτητι ἀντήρκεσε, καὶ γεγόνασιν αὐτῷ δρόμου
νῖκαι δύο ἀριθμὸν καὶ δέκα.
5 Χιόνιδος δὲ οὐ πόρρω τῆς ἐν Ὀλυμπίᾳ στήλης
Σκαῖος ἕστηκεν ὁ Δούριος Σάμιος, κρατήσας
πυγμῇ παῖδας· τέχνῃ δὲ ἡ εἰκών ἐστι μὲν Ἱππίου
τοῦ . ., τὸ δὲ ἐπίγραμμα δηλοῖ τὸ ἐπ᾽ αὐτῷ,
νικῆσαι Σκαῖον ἡνίκα ὁ Σαμίων δῆμος ἔφευγεν
ἐκ τῆς νήσου, τὸν δὲ καιρὸν . . . ἐπὶ τὰ οἰκεῖα
6 τὸν δῆμον. παρὰ δὲ τὸν τύραννον Δίαλλος ὁ
Πόλλιδος ἀνάκειται, γένος μὲν Σμυρναῖος, Ἰώνων
δὲ πρῶτος λαβεῖν ἐν Ὀλυμπίᾳ φησὶν οὗτος ὁ
Δίαλλος παγκρατίου στέφανον ἐν παισίν. Θερσί-

Similar in renown to Chionis was Hermogenes of Xanthus, a Lydian, who won the wild olive eight times at three Olympic festivals, and was surnamed Horse by the Greeks. Polites also you will consider a great marvel. This Polites was from Ceramus in Caria, and showed at Olympia every excellence in running. For from the longest race, demanding the greatest stamina, he changed, after the shortest interval, to the shortest and quickest, and after winning a victory in the long race and immediately afterwards in the short race, he added on the same day a third victory in the double course. Polites then in the second . . . and four, as they are grouped together by lot, and they do not start them all together for the race. The victors in each heat run again for the prize. So he who is crowned in the foot-race will be victorious twice. However, the most famous runner was Leonidas of Rhodes. He maintained his speed at its prime for four Olympiads, and won twelve victories for running.

Not far from the slab of Chionis at Olympia stands Scaeus, the son of Duris, a Samian, victor in the boys' boxing-match. The statue is the work of Hippias, the son of . . . and the inscription on it states that Scaeus won his victory at the time when the people of Samos were in exile from the island, but the occasion . . . the people to their own. By the side of the tyrant is a statue of Diallus the son of Pollis, a Smyrnean by descent, and this Diallus declares that he was the first Ionian to receive at Olympia a crown for the boys' pancratium. There

λοχον δὲ Κορκυραῖον καὶ ᾿Αριστίωνα Θεοφίλους
᾿Επιδαύριον, τὸν μὲν ἀνδρῶν πυγμῆς, Θερσίλοχον
δὲ λαβόντα ἐν παισὶ στέφανον, Πολύκλειτος
7 ἐποίησε σφᾶς ὁ ᾿Αργεῖος. Βύκελος δέ, ὃς Σικυω-
νίων πρῶτος πὺξ ἐκράτησεν ἐν παισίν, ἔστιν
ἔργον Σικυωνίου Κανάχου παρὰ τῷ ᾿Αργείῳ
Πολυκλείτῳ διδαχθέντος. παρὰ δὲ τὸν Βύκελον
ὁπλίτης ἀνὴρ ἐπίκλησιν Λίβυς Μνασέας Κυρη-
ναῖος ἕστηκε· Πυθαγόρας δὲ ὁ ῾Ρηγῖνος ἐποίησε
τὴν εἰκόνα. Κυζικηνῷ δὲ ᾿Αγεμάχῳ τῶν ἐκ τῆς
᾿Ασιανῆς ἠπείρου . . . γενέσθαι ἐν ῎Αργει τὸ
8 ἐπίγραμμα τὸ ἐπ᾿ αὐτῷ μηνύει. Νάξου δὲ οἰκισ-
θείσης ποτὲ ἐν Σικελίᾳ ὑπὸ Χαλκιδέων τῶν ἐπὶ
Εὐρίπῳ, τῆς πόλεως μὲν οὐδὲ ἐρείπια ἐλείπετο
ἐς ἡμᾶς ἔτι, ὄνομα δὲ καὶ ἐς τοὺς ἔπειτα εἶναι
τῆς Νάξου Τίσανδρος ὁ Κλεοκρίτου μάλιστα
αἰτίαν ἐχέτω· τετράκις γὰρ δὴ ἐν ἀνδράσι κατε-
μαχέσατο ὁ Τίσανδρος πύκτας ἐν ᾿Ολυμπίᾳ,
τοσαῦται δὲ καὶ Πυθοῖ γεγόνασιν αὐτῷ νῖκαι,
Κορινθίοις δὲ οὐκ ἦν πω τηνικαῦτα οὐδὲ ᾿Αργείοις
ἐς ἅπαντας ὑπομνήματα τοὺς Νέμεια καὶ ῎Ισθμια
νικήσαντας.
9 ῾Η δὲ ἵππος ἡ τοῦ Κορινθίου Φειδώλα ὄνομα
μὲν, ὡς οἱ Κορίνθιοι μνημονεύουσιν, ἔχει Αὔρα,
τὸν δὲ ἀναβάτην ἔτι ἀρχομένου τοῦ δρόμου συνέ-
πεσεν ἀποβαλεῖν αὐτήν· καὶ οὐδέν τι ἧσσον
θέουσα ἐν κόσμῳ περί τε τὴν νύσσαν ἐπέστρεφε,
καὶ ἐπεὶ τῆς σάλπιγγος ἤκουσεν, ἐπετάχυνεν ἐς
πλέον τὸν δρόμον, φθάνει τε δὴ ἐπὶ τοὺς ῾Ελλανο-
δίκας ἀφικομένη καὶ νικῶσα ἔγνω καὶ παύεται
τοῦ δρόμου. ᾿Ηλεῖοι δὲ ἀνηγόρευσαν ἐπὶ τῇ
νίκῃ τὸν Φειδώλαν καὶ ἀναθεῖναί οἱ τὴν ἵππον

are statues of Thersilochus of Corcyra and of Aristion of Epidaurus, the son of Theophiles, made by Polycleitus the Argive; Aristion won a crown for the men's boxing, Thersilochus for the boys'. Bycelus, the first Sicyonian to win the boys' boxing-match, had his statue made by Canachus of Sicyon, a pupil of the Argive Polycleitus. By the side of Bycelus stands the statue of a man-at-arms, Mnaseas of Cyrene, surnamed the Libyan; Pythagoras of Rhegium made the statue. To Agemachus of Cyzicus from the mainland of Asia . . . the inscription on it shows that he was born at Argos. Naxos was founded in Sicily by the Chalcidians on the Euripus. Of the city not even the ruins are now to be seen, and that the name of Naxos has survived to after ages must be attributed to Tisander, the son of Cleocritus. He won the men's boxing-match at Olympia four times; he had the same number of victories at Pytho, but at this time neither the Corinthians nor the Argives kept complete records of the victors at Nemea and the Isthmus.

The mare of the Corinthian Pheidolas was called, the Corinthians relate, Aura (*breeze*), and at the beginning of the race she chanced to throw her rider. But nevertheless she went on running properly, turned round the post, and, when she heard the trumpet, quickened her pace, reached the umpires first, realised that she had won and stopped running. The Eleans proclaimed Pheidolas the winner and allowed him to dedicate a statue of this

10 ταύτην ἐφιᾶσιν. ἐγένετο δὲ καὶ τοῦ Φειδώλα
τοῖς παισὶν ἐπὶ κέλητι ἵππῳ νίκη, καὶ ὅ τε ἵππος
ἐπὶ στήλῃ πεποιημένος καὶ ἐπίγραμμά ἐστιν ἐπ᾽
αὐτῷ·

> ὠκυδρόμας Λύκος Ἴσθμι᾽ ἅπαξ, δύο δ᾽ ἐνθάδε
> νίκαις
> Φειδώλα παίδων ἐστεφάνωσε δόμους.

οὐ μὴν τῷ γε ἐπιγράμματι καὶ τὰ Ἠλείων ἐς
τοὺς ὀλυμπιονίκας ὁμολογεῖ γράμματα· ὀγδόῃ
γὰρ ὀλυμπιάδι καὶ ἑξηκοστῇ καὶ οὐ πέρα ταύτης
ἐστὶν ἐν τοῖς Ἠλείων γράμμασιν ἡ νίκη τῶν
Φειδώλα παίδων· ταῦτα μὲν δὴ οὕτως ἔχοντα
11 ἴστω τις· Ἠλείοις δὲ ἀνδράσιν Ἀγαθίνῳ τε τῷ
Θρασυβούλου καὶ Τηλεμάχῳ, Τηλεμάχῳ μὲν
ἐπὶ ἵππων νίκῃ γέγονεν ἡ εἰκών, Ἀγαθῖνον δὲ
ἀνέθεσαν Ἀχαιοὶ Πελληνεῖς. ἀνέθηκε δὲ καὶ
ὁ Ἀθηναίων δῆμος Ἀριστοφῶντα Λυσίνου, παγ-
κρατιαστὰς ἐν τῷ ἀγῶνι τῷ ἐν Ὀλυμπίᾳ κρατή-
σαντα ἄνδρας.

XIV. Φερίας δὲ Αἰγινήτης—οὗτος γὰρ δὴ παρὰ
τὸν Ἀθηναῖον Ἀριστοφῶντα ἀνάκειται—ὀγδόῃ
μὲν πρὸς ταῖς ἑβδομήκοντα ὀλυμπιάδι κομιδῇ τε
ἔδοξεν εἶναι νέος καὶ οὐκ ἐπιτήδειός πω νομισθεὶς
παλαίειν ἀπηλάθη τοῦ ἀγῶνος, τῇ δὲ ἑξῆς—
κατεδέχθη γὰρ τηνικαῦτα ἐς τοὺς παῖδας—
ἐνίκα παλαίων. τῷ δὲ Φερίᾳ τούτῳ διάφορον
καὶ οὐδαμῶς ἐοικυῖαν ἔσχεν ἐν Ὀλυμπίᾳ τύχην
2 Νικάσυλος Ῥόδιος. ὄγδοον γὰρ ἐπὶ τοῖς δέκα
ἔτεσι γεγονὼς μὴ παλαῖσαι μὲν ἐν παισὶν ὑπὸ
Ἠλείων ἀπηλάθη, ἀνηγορεύθη δὲ ἐν ἀνδράσιν,
ὥσπερ γε καὶ ἐνίκησεν· ἀνηγορεύθη δὲ καὶ

mare. The sons also of Pheidolas were winners in the horse-race, and the horse is represented on a slab with this inscription :—

> The swift Lycus by one victory at the Isthmus
>   and two here
>   Crowned the house of the sons of Pheidolas.

But the inscription is at variance with the Elean records of Olympic victors. These records give a victory to the sons of Pheidolas at the sixty-eighth 508 B.C. Festival but at no other. You may take my statements as accurate. There are statues to Agathinus, son of Thrasybulus, and to Telemachus, both men of Elis. Telemachus won the race for four-horse chariots; the statue of Agathinus was dedicated by the Achaeans of Pellene. The Athenian people dedicated a statue of Aristophon, the son of Lysinus, who won the men's pancratium at Olympia.

XIV. Pherias of Aegina, whose statue stands by the side of Aristophon the Athenian, at the seventy- 468 B.C. eighth Festival was considered very young, and, being judged to be as yet unfit to wrestle, was debarred from the contest. But at the next Festival he was admitted to the boys' wrestling-match and won it. What happened to this Pherias was different, in fact the exact opposite of what happened at Olympia to Nicasylus of Rhodes. Being eighteen years of age he was not allowed by the Eleans to compete in the boys' wrestling-match, but won the men's match and was proclaimed victor. He was

81

ὕστερον Νεμέᾳ τε καὶ Ἰσθμῷ. γεγονότα δὲ
εἰκοσαετῆ τὸ χρεὼν ἐπιλαμβάνει, πρὶν ἢ ἐς
τὴν Ῥόδον αὐτὸν οἴκαδε ἀναστρέψαι. τὸ δὲ ἐν
Ὀλυμπίᾳ τοῦ Ῥοδίου παλαιστοῦ τόλμημα Ἀρ-
τεμίδωρος γένος Τραλλιανὸς ὑπερεβάλετο κατὰ
ἐμὴν δόξαν. Ἀρτεμιδώρῳ γὰρ ἁμαρτεῖν μὲν
Ὀλυμπίων συνέβη παγκρατιάζοντι ἐν παισίν,
αἰτία δέ οἱ ἐγένετο τῆς διαμαρτίας τὸ ἄγαν
3 νέον· ὡς δὲ ἀφίκετο ἀγῶνος καιρὸς ὃν Σμυρναῖοι
Ἰώνων ἄγουσιν, ἐς τοσοῦτο ἄρα αὐτῷ τὰ τῆς
ῥώμης ἐπηύξητο ὡς κρατῆσαι παγκρατιάζοντα
ἐπὶ ἡμέρας τῆς αὐτῆς τούς τε ἐξ Ὀλυμπίας
ἀνταγωνιστὰς καὶ ἐπὶ τοῖς παισὶν οὓς ἀγενείους
καλοῦσι καὶ τρίτα δὴ ὅ τι ἄριστον ἦν τῶν
ἀνδρῶν. γενέσθαι δέ οἱ τὴν ἅμιλλαν πρὸς
ἀγενείους τε καὶ ἄνδρας τὴν μὲν ἐκ γυμναστοῦ
παρακλήσεως φασι, τὴν δὲ ἐξ ἀνδρὸς παγκρα-
τιαστοῦ λοιδορίας. ἀνείλετο δὲ ἐν ἀνδράσιν ὁ
Ἀρτεμίδωρος Ὀλυμπικὴν νίκην δευτέρᾳ καὶ
4 δεκάτῃ πρὸς διακοσίαις ὀλυμπιάδι. Νικασύλου
δὲ τῆς εἰκόνος ἵππος τε οὐ μέγας ἔχεται χαλκοῦς,
ὃν Κρόκων Ἐρετριεὺς ἀνέθηκεν ἀνελόμενος
κέλητι ἵππῳ στέφανον, καὶ πλησίον τοῦ ἵππου
Τελέστας ἐστὶ Μεσσήνιος κρατήσας πυγμῇ
παῖδας· Σιλανίωνος δὲ ἔργον ἐστὶν ὁ Τελέστας.
5   Μίλωνα δὲ τὸν Διοτίμου πεποίηκε μὲν Δαμέας
ἐκ Κρότωνος καὶ οὗτος· ἐγένοντο δὲ τῷ Μίλωνι
ἓξ μὲν ἐν Ὀλυμπίᾳ πάλης νῖκαι, μία δὲ ἐν
παισὶν ἐξ αὐτῶν, Πυθοῖ δὲ ἕν τε ἀνδράσιν ἐξ
καὶ μία ἐνταῦθα ἐν παισίν. ἀφίκετο δὲ καὶ
ἕβδομον παλαίσων ἐς Ὀλυμπίαν· ἀλλὰ γὰρ
οὐκ ἐγένετο οἷός τε καταπαλαῖσαι Τιμασίθεον

afterwards proclaimed victor at Nemea also and at the Isthmus. But when he was twenty years old he met his death before he returned home to Rhodes. The feat of the Rhodian wrestler at Olympia was in my opinion surpassed by Artemidorus of Tralles. He failed in the boys' pancratium at Olympia, the reason of his failure being his extreme youth. When, however, the time arrived for the contest held by the Ionians of Smyrna, his strength had so increased that he beat in the pancratium on the same day those who had competed with him at Olympia, after the boys the beardless youths as they are called, and thirdly the pick of the men. His match with the beardless youths was the outcome, they say, of a trainer's encouragement; he fought the men because of the insult of a man pancratiast. Artemidorus won an Olympic victory among the men at the two hundred and twelfth Festival. Next to the statue of 68 A.D. Nicasylus is a small bronze horse, which Crocon of Eretria dedicated when he won a crown with a race-horse. Near the horse is Telestas of Messene, who won the boys' boxing-match. The artist who represented Telestas was Silanion.

The statue of Milo the son of Diotimus was made by Dameas, also a native of Crotona. Milo won six victories for wrestling at Olympia, one of them among the boys; at Pytho he won six among the men and one among the boys. He came to Olympia to wrestle for the seventh time, but did not succeed in mastering Timasitheüs, a fellow-citizen who was

83

πολίτην τε ὄντα αὐτῷ καὶ ἡλικίᾳ νέον, πρὸς
6 δὲ καὶ σύνεγγυς οὐκ ἐθέλοντα ἵστασθαι. λέ-
γεται δὲ καὶ ὡς ἐσκομίσειεν αὐτὸς αὑτοῦ τὸν
ἀνδριάντα ἐς τὴν Ἄλτιν ὁ Μίλων, λέγεται δὲ
ἐς αὐτὸν καὶ τὸ ἐπὶ τῇ ῥοιᾷ καὶ τὸ ἐπὶ τῷ
δίσκῳ· ῥοιὰν μὲν δὴ οὕτω κατεῖχεν ὡς μήτε ἄλλῳ
παρεῖναι βιαζομένῳ μήτε αὐτὸς λυμήνασθαι
πιέζων, ἱστάμενος δὲ ἐπὶ ἀληλιμμένῳ τῷ δίσκῳ
γέλωτα ἐποιεῖτο τοὺς ἐμπίπτοντάς τε καὶ
ὠθοῦντας ἀπὸ τοῦ δίσκου. παρείχετο δὲ καὶ
7 ἄλλα τοιάδε ἐς ἐπίδειξιν. περιέδει τῷ μετώπῳ
χορδὴν κατὰ ταῦτα δὴ καὶ εἰ ταινίαν περιθεῖτο
ἢ στέφανον· κατέχων δὲ ἐντὸς χειλῶν τὸ ἆσθμα
καὶ ἐμπιπλὰς αἵματος τὰς ἐν τῇ κεφαλῇ φλέβας,
διερρήγνυεν ὑπὸ ἰσχύος τῶν φλεβῶν τὴν χορδήν.
λέγεται δὲ καὶ ὡς τῆς δεξιᾶς χειρὸς τὸ μὲν ἐς
τὸν ἀγκῶνα ἐκ τοῦ ὤμου παρ' αὐτὴν καθίει τὴν
πλευράν, τὸ δὲ ἀπὸ τοῦ ἀγκῶνος ἔτεινεν ἐς εὐθύ,
τῶν δακτύλων τὸν μὲν αὐτῶν ἀναστρέφων τὸν
ἀντίχειρα ἐς τὸ ἄνω, τῶν λοιπῶν δὲ ἀλλήλοις
ἐπικειμένων κατὰ στοῖχον· τὸν ἐλάχιστον οὖν
τῶν δακτύλων κάτω γινόμενον οὐκ ἀπεκίνησεν
8 ἄν τις βιαζόμενος. ἀποθανεῖν δὲ ὑπὸ θηρίων
φασὶν αὐτόν· ἐπιτυχεῖν γὰρ αὐτὸν ἐν τῇ Κρο-
τωνιάτιδι αὐαινομένῳ ξύλῳ, σφῆνες δὲ ἐγκείμενοι
διίστασαν τὸ ξύλον· ὁ δὲ ὑπὸ φρονήματος ὁ
Μίλων καθίησι τὰς χεῖρας ἐς τὸ ξύλον, ὀλισ-
θάνουσί τε δὴ οἱ σφῆνες καὶ ἐχόμενος ὁ Μίλων
ὑπὸ τοῦ ξύλου λύκοις ἐγίνετο εὕρημα. μάλιστα
δέ πως τὸ θηρίον τοῦτο ἐν τῇ Κροτωνιάτιδι
πολύ τε νέμεται καὶ ἄφθονον.
9   Μίλωνι μὲν δὴ τοιόνδε τέλος ἐπηκολούθησε·

also a young man, and who refused, moreover, to come to close quarters with him. It is further stated that Milo carried his own statue into the Altis. His feats with the pomegranate and the quoit are also remembered by tradition. He would grasp a pomegranate so firmly that nobody could wrest it from him by force, and yet he did not damage it by pressure. He would stand upon a greased quoit, and make fools of those who charged him and tried to push him from the quoit. He used to perform also the following exhibition feats. He would tie a cord round his forehead as though it were a ribbon or a crown. Holding his breath and filling with blood the veins on his head, he would break the cord by the strength of these veins. It is said that he would let down by his side his right arm from the shoulder to the elbow, and stretch out straight the arm below the elbow, turning the thumb upwards, while the other fingers lay in a row. In this position, then, the little finger was lowest, but nobody could bend it back by pressure. They say that he was killed by wild beasts. The story has it that he came across in the land of Crotona a tree-trunk that was drying up ; wedges were inserted to keep the trunk apart. Milo in his pride thrust his hands into the trunk, the wedges slipped, and Milo was held fast by the trunk until the wolves—a beast that roves in vast packs in the land of Crotona—made him their prey.

Such was the fate that overtook Milo. Pyrrhus, the

Πύρρον δὲ τὸν Αἰακίδου βασιλεύσαντα ἐν τῇ
Θεσπρωτίδι ἠπείρῳ καὶ ἔργα πολλὰ ἐργασάμενον
καὶ ἄξια μνήμης, ἃ ἐν τῷ λόγῳ τῷ ἐς ᾿Αθηναίους
ἐδήλωσα, τοῦτον ἐς τὴν ῎Αλτιν ἀνέθηκε Θρασύ-
βουλος ᾿Ηλεῖος. παρὰ δὲ τὸν Πύρρον ἀνὴρ μικρὸς
αὐλοὺς ἔχων ἐστὶν ἐκτετυπωμένος ἐπὶ στήλῃ.
τούτῳ Πυθικαὶ νῖκαι γεγόνασι τῷ ἀνδρὶ δευτέρῳ
10 μετὰ Σακάδαν τὸν ᾿Αργεῖον· Σακάδας μὲν γὰρ
τὸν ἀγῶνα τὸν τεθέντα ὑπὸ ᾿Αμφικτυόνων οὐκ
ὄντα πω στεφανίτην καὶ ἐπ᾿ ἐκείνῳ στεφανίτας
δύο ἐνίκησε, Πυθόκριτος δὲ ὁ Σικυώνιος τὰς
ἐφεξῆς τούτων πυθιάδας ἕξ, μόνος δὴ οὗτος
αὐλητής· δῆλα δὲ ὅτι καὶ ἐν τῷ ἀγῶνι τῷ
᾿Ολυμπίασιν ἐπηύλησεν ἑξάκις[1] τῷ πεντάθλῳ.
Πυθοκρίτῳ μὲν γέγονεν ἀντὶ τούτων ἡ ἐν
᾿Ολυμπίᾳ στήλη καὶ ἐπίγραμμα ἐπ᾿ αὐτῇ,

Πυθοκρίτου
τοῦ Καλλινίκου μνᾶμα ταὐλητᾶ τόδε·

11 ἀνέθεσαν δὲ καὶ τὸ κοινὸν τὸ Αἰτωλῶν Κύλωνα,
ὃς ἀπὸ τῆς ᾿Αριστοτίμου τυραννίδος ἠλευθέρωσεν
᾿Ηλείους. Γόργον δὲ τὸν Εὐκλήτου Μεσσήνιον
ἀνελόμενον πεντάθλου νίκην καὶ Δαμάρετον καὶ
τοῦτον Μεσσήνιον κρατήσαντα πυγμῇ παῖδας,
τὸν μὲν αὐτῶν Βοιώτιος Θήρων, Δαμαρέτου δὲ
τὴν εἰκόνα ᾿Αθηναῖος Σιλανίων ἐποίησεν. ᾿Ανα-
αυχίδας δὲ ὁ Φίλινος ᾿Ηλεῖος πάλης ἔσχεν ἐν
παισὶ στέφανον καὶ ἐν ἀνδράσιν ὕστερον· τούτῳ
μὲν δὴ τὴν εἰκόνα ὅστις ὁ εἰργασμένος ἐστὶν οὐκ
ἴσμεν, ῎Ανοχος δὲ ὁ ᾿Αδαμάτα Ταραντῖνος, στα-
δίου λαβὼν καὶ διαύλου νίκην, ἐστὶν ᾿Αγελάδα

---

[1] Some editors would omit ἑξάκις.

son of Aeacides, who was king on the Thesprotian mainland and performed many remarkable deeds, as I have related in my account of the Athenians,[1] had his statue dedicated by Thrasybulus of Elis. Beside Pyrrhus is a little man holding flutes, carved in relief upon a slab. This man won Pythian victories next after Sacadas of Argos. For Sacadas won in the games introduced by the Amphictyons before a crown was awarded for success, and after this victory two others for which crowns were given; but at the next six Pythian Festivals Pythocritus of Sicyon was victor, being the only flute-player so to distinguish himself. It is also clear that at the Olympic Festival he fluted six times for the pentathlum. For these reasons the slab at Olympia was erected in honour of Pythocritus, with the inscription on it :—

> This is the monument of the flute-player
> Pythocritus, the son of Callinicus.

The Aetolian League dedicated a statue of Cylon, who delivered the Eleans from the tyranny of Aristotimus. The statue of Gorgus, the son of Eucletus, a Messenian who won a victory in the pentathlium, was made by the Boeotian Theron; that of Damaretus, another Messenian, who won the boys' boxing-match, was made by the Athenian Silanion. Anauchidas, the son of Philys, an Elean, won a crown in the boys' wrestling-match and afterwards in the match for men. Who made his statue is not known, but Ageladas of Argos made the statue of Anochus of Tarentum, the son of Adamatas,

---

[1] Book I. chap. xi.

87

12 τέχνη τοῦ Ἀργείου. παῖδα δὲ ἐφ' ἵππου καθή-
μενον καὶ ἑστηκότα ἄνδρα παρὰ τὸν ἵππον φησὶ
τὸ ἐπίγραμμα εἶναι Ξενόμβροτον ἐκ Κῶ τῆς
Μεροπίδος, ἐπὶ ἵππου νίκῃ κεκηρυγμένον, Ξενό-
δικον δὲ ἐπὶ πυγμῇ παίδων ἀναγορευθέντα· τὸν
μὲν Παντίας αὐτῶν, Ξενόμβροτον δὲ Φιλότιμος
Αἰγινήτης ἐποίησε. Πύθου δὲ τοῦ Ἀνδρομάχου,
γένος ἀνδρὸς ἐξ Ἀβδήρων, ἐποίησε μὲν Λύσιππος,
ἀνέθεσαν δὲ οἱ στρατιῶται δύο εἰκόνας· εἶναι δὲ
ἡγεμὼν τις ξένων ἢ καὶ ἄλλως τὰ πολεμικὰ
ἀγαθὸς ὁ Πύθης ἔοικε.

13 Κεῖνται δὲ καὶ ἐν παισὶν εἰληφότες δρόμου
νίκας Μενεπτόλεμος ἐξ Ἀπολλωνίας τῆς ἐν τῷ
Ἰονίῳ <κόλπῳ> καὶ Κορκυραῖος Φίλων, ἐπὶ
δὲ αὐτοῖς Ἱερώνυμος Ἄνδριος, ὃς τὸν Ἠλεῖον
Τισαμενὸν πενταθλοῦντα ἐν Ὀλυμπίᾳ κατε-
πάλαισε τὸν Ἕλλησιν ὕστερον τούτων ἐναντία
Μαρδονίου καὶ Μήδων Πλαταιᾶσι μαντευσά-
μενον. οὗτός τε δὴ ὁ Ἱερώνυμος ἀνάκειται καὶ
παρ' αὐτὸν παλαιστὴς παῖς, Ἄνδριος καὶ οὗτος,
Προκλῆς ὁ Λυκαστίδα· τοῖς πλάσταις δὲ οἳ τοὺς
ἀνδριάντας ἐποίησαν, τῷ μὲν Στόμιός ἐστιν
ὄνομα, τῷ δὲ τὸν Προκλέα εἰργασμένῳ Σῶμις.
Αἰσχίνῃ δὲ Ἠλείῳ νῖκαί τε δύο ἐγένοντο πεντάθ-
λου καὶ ἴσαι ταῖς νίκαις αἱ εἰκόνες.

XV. Ἀρχίππῳ δὲ Μιτυληναίῳ τοὺς ἐς τὴν
πυγμὴν ἐσελθόντας κρατήσαντι ἄνδρας ἄλλο
τοιόνδε προσποιοῦσιν οἱ Μιτυληναῖοι ἐς δόξαν,
ὡς καὶ τὸν ἐν Ὀλυμπίᾳ καὶ Πυθοῖ καὶ Νεμέᾳ
καὶ Ἰσθμῷ λάβοι στέφανον ἡλικίαν οὐ πρόσω
γεγονὼς ἐτῶν εἴκοσι. τὸν δὲ παῖδα σταδιοδρόμον
Ξένωνα Καλλιτέλους ἐκ Λεπρέου τοῦ ἐν τῇ

who won victories in the short and double foot-race.
A boy seated on a horse and a man standing by the
horse the inscription declares to be Xenombrotus of
Meropian Cos, who was proclaimed victor in the
horse-race, and Xenodicus, who was announced a
winner in the boys' boxing-match. The statue of
the latter is by Pantias, that of the former is by
Philotimus the Aeginetan. The two statues of
Pythes, the son of Andromachus, a native of
Abdera, were made by Lysippus, and were dedicated
by his soldiers. Pythes seems to have been a
captain of mercenaries or some sort of distinguished
soldier.

There are statues of winners of the boys' race,
namely, Meneptolemus of Apollonia on the Ionian
Gulf and Philo of Corcyra; also Hieronymus of
Andros, who defeated in the pentathlum at Olympia
Tisamenus of Elis, who afterwards served as
soothsayer in the Greek army that fought against
Mardonius and the Persians at Plataea. By the
side of this Hieronymus is a statue of a boy wrestler,
also of Andros, Procles, the son of Lycastidas. The
sculptor who made the statue of Lycastidas was
named Stomius, while Somis made the statue of
Procles. Aeschines of Elis won two victories in
the pentathlum, and his statues are also two in
number.

XV. Archippus of Mitylene overcame his com-
petitors in the men's boxing-match, and his fellow-
townsmen hold that he added to his fame by
winning the crown, when he was not more than
twenty years old, at Olympia, at Pytho, at Nemea
and at the Isthmus. The statue of the boy runner
Xenon, son of Calliteles from Lepreüs in Triphylia,

Τριφυλία Πυριλάμπης Μεσσήνιος, Κλεινόμαχον δὲ Ἠλεῖον ὅστις ὁ ποιήσας ἐστὶν οὐκ ἴσμεν· ἀνηγορεύθη δὲ ὁ Κλεινόμαχος ἐπὶ νίκῃ πεντάθ-

2 λου. Παντάρκην δὲ Ἠλεῖον Ἀχαιῶν ἀνάθημα εἶναι τὸ ἐπίγραμμα τὸ ἐπ' αὐτῷ φησιν· εἰρήνην τε γὰρ Ἀχαιοῖς ποιῆσαι καὶ Ἠλείοις αὐτόν, καὶ ὅσοι παρ' ἀμφοτέρων πολεμούντων ἑαλώκεσαν, ἄφεσιν καὶ τούτοις γενέσθαι δι' αὐτόν. οὗτος ἀνείλετο καὶ κέλητι ἵππῳ νίκην ὁ Παντάρκης, καί οἱ καὶ τῆς νίκης ὑπόμνημά ἐστιν ἐν Ὀλυμπίᾳ. Ὀλίδαν δὲ ἀνέθηκεν Ἠλεῖον τὸ ἔθνος τὸ Αἰτωλῶν, Χαρῖνος δὲ Ἠλεῖος ἐπὶ διαύλου τε ἀνάκειται καὶ ὅπλου νίκῃ· παρὰ δὲ αὐτὸν Ἀγέλης Χῖος κρατήσας πυγμῇ παῖδας, Θεομνήστου Σαρδιανοῦ τέχνῃ.

3 Κλειτομάχου δὲ Θηβαίου τὴν μὲν εἰκόνα ἀνέθηκεν Ἑρμοκράτης ὁ Κλειτομάχου πατήρ, τὰ δὲ οἱ ἐς δόξαν ἦν τοιάδε. ἐν Ἰσθμῷ παλαιστὰς κατεπάλαισεν ἄνδρας καὶ ἐπὶ ἡμέρας τῆς αὐτῆς τούς τε ἐς τὴν πυγμὴν καὶ τοὺς ἐς τὸ παγκράτιον ἐσελθόντας ἐκράτει τῇ μάχῃ· αἱ δὲ Πυθοῖ νῖκαι παγκρατίου μέν εἰσιν αὐτῷ πᾶσαι, τρεῖς δὲ ἀριθμόν· ἐν δὲ Ὀλυμπίᾳ δεύτερος ὁ Κλειτόμαχος οὗτος μετὰ τὸν Θάσιον Θεαγένην ἐπὶ παγκρατίῳ τε ἀνηγορεύθη καὶ πυγμῇ.

4 παγκρατίου μὲν οὖν μιᾷ πρὸς ταῖς τεσσαράκοντα καὶ ἑκατὸν ὀλυμπιάσιν ἔφθανεν ἀνῃρημένος νίκην· ἡ δὲ ὀλυμπιὰς ἡ ἐφεξῆς εἶχε μὲν τὸν Κλειτόμαχον τοῦτον παγκρατίου καὶ πυγμῆς ἀγωνιστήν, εἶχε δὲ καὶ Ἠλεῖον Κάπρον ἐπὶ ἡμέρας τῆς αὐτῆς παλαῖσαί τε ὁμοῦ καὶ παγκρα-

5 τιάσαι προθυμούμενον. γεγονυίας δὲ ἤδη τῷ

was made by Pyrilampes the Messenian; who made
the statue of Cleinomachus of Elis I do not know,
but Cleinomachus was proclaimed victor in the
pentathlum. The inscription on the statue of
Pantarces of Elis states that it was dedicated by
Achaeans, because he made peace between them
and the Eleans, and procured the release of those
who had been made prisoners by both sides during
the war. This Pantarces also won a victory with
a race-horse, and there is a memorial of his victory
also at Olympia. The statue of Olidas, of Elis,
was dedicated by the Aetolian nation, and Charinus
of Elis is represented in a statue dedicated for a
victory in the double race and in the race in armour.
By his side is Ageles of Chios, victorious in the
boys' boxing-match, the artist being Theomnestus of
Sardes.

The statue of Cleitomachus of Thebes was dedicated
by his father Hermocrates, and his famous deeds are
these. At the Isthmus he won the men's wrestling-
match, and on the same day he overcame all
competitors in the boxing-match and in the pan-
cratium. His victories at Pytho were all in the
pancratium, three in number. At Olympia this
Cleitomachus was the first after Theagenes of
Thasos to be proclaimed victor in both boxing and
the pancratium. He won his victory in the pancratium
at the hundred and forty-first Olympic Festival. The 216 B.C.
next Festival saw this Cleitomachus a competitor in
the pancratium and in boxing, while Caprus of Elis
was minded both to wrestle and to compete in the
pancratium on the same day. After Caprus had

Κάπρῳ νίκης ἐπὶ τῇ πάλῃ, ἀνεδίδασκεν ὁ
Κλειτόμαχος τοὺς Ἑλλανοδίκας γενήσεσθαι σὺν
τῷ δικαίῳ σφίσιν, εἰ τὸ παγκράτιον ἐσκαλέσαιντο
πρὶν ἢ πυκτεύσαντα αὐτὸν λαβεῖν τραύματα·
λέγει τε δὴ εἰκότα καὶ οὕτως ἐσκληθέντος τοῦ
παγκρατίου κρατηθεὶς ὑπὸ τοῦ Κάπρου ὅμως
ἐχρήσατο ἐς τοὺς πύκτας θυμῷ τε ἐρρωμένῳ
καὶ ἀκμῆτι τῷ σώματι.

6   Ἐρυθραῖοι δὲ οἱ Ἴωνες Ἐπιθέρσην τὸν Μη-
τροδώρου, δύο μὲν ἐν Ὀλυμπίᾳ πυγμῆς, δὶς δὲ
Πυθοῖ νίκας καὶ ἐν Νεμέᾳ τε καὶ ἐν Ἰσθμῷ
λαβόντα, οὗτοι μὲν τὸν Ἐπιθέρσην τοῦτον,
Συρακούσιοι δὲ δύο μὲν Ἱέρωνος εἰκόνας τὸ
δημόσιον, τρίτην δὲ ἀνέθεσαν οἱ τοῦ Ἱέρωνος
παῖδες· ἐδήλωσα δὲ ὀλίγῳ τι πρότερον ὡς
ὁμώνυμός τε τῷ Δεινομένους ὁ Ἱέρων οὗτος καὶ
Συρακουσῶν εἴη κατὰ ταὐτὰ ἐκείνῳ τύραννος.

7 ἀνέθεσαν δὲ καὶ Ἠλεῖον ἄνδρα Τιμόπτολιν
Λάμπιδος Παλεῖς, ἡ τετάρτη Κεφαλλήνων
μοῖρα· οὗτοι δὲ οἱ Παλεῖς ἐκαλοῦντο Δουλιχιεῖς
τὰ ἀρχαιότερα. ἀνάκειται δὲ καὶ Ἀρχίδαμος
ὁ Ἀγησιλάου καὶ ἀνὴρ ὅστις δὴ θηρεύοντος
παρεχόμενος σχῆμα. Δημήτριον δὲ τὸν ἐλάσαντα
ἐπὶ Σέλευκον στρατιᾷ καὶ ἁλόντα ἐν τῇ μάχῃ
καὶ τοῦ Δημητρίου τὸν παῖδα Ἀντίγονον ἀνα-

8 θήματα ἴστω τις Βυζαντίων ὄντας. Σπαρτιάτῃ
δὲ Εὐτελίδᾳ γεγόνασιν ἐν παισὶ νῖκαι δύο ἐπὶ
τῆς ὀγδόης καὶ τριακοστῆς ὀλυμπιάδος πάλης,
ἡ δὲ ἑτέρα πεντάθλου· πρῶτον γὰρ δὴ τότε οἱ
παῖδες καὶ ὕστατον πενταθλήσοντες ἐσεκλή-
θησαν· ἔστι δὲ ἥ τε εἰκὼν ἀρχαία τοῦ Εὐτελίδα,
καὶ τὰ ἐπὶ τῷ βάθρῳ γράμματα ἀμυδρὰ ὑπὸ

won in the wrestling-match, Cleitomachus put it
to the umpires that it would be fair if they were to
bring in the pancratium before he received wounds
in the boxing. His request seemed reasonable,
and so the pancratium was brought in. Although
Cleitomachus was defeated by Caprus he tackled the
boxers with sturdy spirit and unwearied vigour.

The Ionians of Erythrae dedicated a statue of
Epitherses, son of Metrodorus, who won two boxing
prizes at Olympia, two at Pytho, and also victories at
Nemea and the Isthmus; the Syracusans dedicated
two statues of Hiero at the public charge, while a
third is the gift of Hiero's sons. I pointed out
in a recent chapter[1] how this Hiero had the same
name as the son of Deinomenes, and, like him,
was despot of Syracuse. The Paleans, who form
one of the four divisions of the Cephallenians,
dedicated a statue of Timoptolis, an Elean, the
son of Lampis. These Paleans were of old called
Dulichians. There is also a statue set up of Archi-
damus the son of Agesilaüs, and of some man or
other representing a hunter. There is a statue
of Demetrius, who made an expedition against
Seleucus and was taken prisoner in the battle, and
one of Antigonus the son of Demetrius; they are
offerings, you may be sure, of the Byzantines. At
the thirty-eighth Festival Eutelidas the Spartan 628 B.C.
won two victories among the boys, one for wrestling
and one for the pentathlum, this being the first and
last occasion when boys were allowed to enter for the
pentathlum. The statue of Eutelidas is old, and the
letters on the pedestal are worn dim with age.

[1] Chap. xii. § 2.

9 τοῦ χρόνου. μετὰ δὲ τὸν Εὐτελίδαν Ἀρεύς τε
αὖθις ὁ Λακεδαιμονίων βασιλεὺς καὶ Ἠλεῖος
παρ' αὐτὸν ἀνάκειται Γόργος. μόνῳ δὲ ἀν-
θρώπων ἄχρι ἐμοῦ τῷ Γόργῳ τέσσαρες μὲν ἐν
Ὀλυμπίᾳ γεγόνασιν ἐπὶ πεντάθλῳ, διαύλου δὲ
καὶ ὅπλου μία ἐφ' ἑκατέρῳ νίκη.

10 Ὅτῳ δὲ παρεστήκασιν οἱ παῖδες, τοῦτον μὲν
Πτολεμαῖον τὸν Λάγου φασὶν εἶναι· παρὰ δὲ
αὐτὸν ἀνδριάντες δύο ἀνδρός εἰσιν Ἠλείου
Κάπρου τοῦ Πυθαγόρου, πάλης τε εἰληφότος
καὶ παγκρατίου στέφανον ἐπὶ ἡμέρας τῆς αὐτῆς·
πρώτῳ δὲ γεγόνασιν ἀνθρώπων αἱ δύο νῖκαι τῷ
Κάπρῳ τούτῳ. τὸν μὲν δὴ ἐπὶ τοῦ παγκρατίου
καταγωνισθέντα ὑπ' αὐτοῦ δεδήλωκεν ὁ λόγος
ἤδη μοι· παλαίων δὲ κατέβαλεν Ἠλεῖον Παιά-
νιον ὀλυμπιάδα πάλῃ τὴν προτέραν ἀνῃρημένον
καὶ Πύθια παίδων τε πυγμῇ καὶ αὖθις ἐν
ἀνδράσι πάλῃ τε καὶ πυγμῇ στεφανωθέντα ἐπὶ
ἡμέρας τῆς αὐτῆς.

XVI. Κάπρῳ μὲν δὴ οὐκ ἄνευ μεγάλων
πόνων καὶ ἰσχυρᾶς ταλαιπωρίας ἐγένοντο αἱ
νῖκαι· εἰσὶ δὲ εἰκόνες ἐν Ὀλυμπίᾳ καὶ Ἀναυχίδα
καὶ Φερενίκῳ, γένος μὲν Ἠλείοις, πάλης δὲ ἐν
παισὶν ἀνελομένοις στεφάνους. Πλείσταινον
δὲ τὸν Εὐρυδάμου τοῦ ἐναντία Γαλατῶν στρα-
τηγήσαντος Αἰτωλοῖς Θεσπιεῖς εἰσιν οἱ ἀνα-
2 θέντες. Τυδεὺς δὲ Ἠλεῖος Ἀντίγονόν τε τὸν
Δημητρίου πατέρα καὶ Σέλευκον ἀνέθηκε.
Σελεύκου δὲ ἐς ἅπαντας ἤρθη τὸ ὄνομα ἀνθρώπους
ἄλλων τε ἕνεκα καὶ διὰ τὴν Δημητρίου μάλιστα
ἅλωσιν. Τίμωνι δὲ ἀγώνων τε νῖκαι τῶν ἐν
Ἕλλησιν ὑπάρχουσιν ἐπὶ πεντάθλῳ πλὴν τοῦ

After Eutelidas is another statue of Areus the Lacedaemonian king, and beside it is a statue of Gorgus the Elean. Gorgus is the only man down to my time who has won four victories at Olympia for the pentathlum, beside a victory in the double race and a victory in the race in armour.

The man with the boys standing beside him they say is Ptolemy, son of Lagus. Beside him are two statues of the Elean Caprus, the son of Pythagoras, who received on the same day a crown for wrestling and a crown for the pancratium. This Caprus was the first man to win the two victories. His victim overcome in the pancratium I have already mentioned;[1] in wrestling the man he overcame was the Elean Paeanius, who at the previous Festival had won a victory for wrestling, while at the Pythian games he won a crown in the boys' boxing-match, and again in the men's wrestling-match and in the men's boxing-match on one and the same day.

XVI. The victories of Caprus were not achieved without great toils and strong effort. There are also at Olympia statues to Anauchidas and Phrenicus, Eleans by race who won crowns for wrestling among the boys. Pleistaenus, the son of the Eurydamus who commanded the Aetolians against the Gauls, had his statue dedicated by the Thespians. The statue of Antigonus the father of Demetrius and the statue of Seleucus were dedicated by Tydeus the Elean. The fame of Seleucus became great among all men especially because of the capture of Demetrius. Timon won victories for the pentathlum at all the Greek games except the Isthmian, at which he,

Reigned 323–285 B.C.

[1] Chap. xv. § 5.

Ἰσθμικοῦ—τούτου δὲ μὴ ἀγωνιστὴς γενέσθαι κατὰ τὰ αὐτὰ Ἠλείοις τοῖς ἄλλοις εἴργετο— καὶ τάδε ἄλλα φησὶ τὸ ἐς αὐτὸν ἐπίγραμμα, Αἰτωλοῖς αὐτὸν ἐπιστρατείας μετασχεῖν ἐπὶ Θεσσαλοὺς καὶ φρουρᾶς ἡγεμόνα ἐν Ναυπάκτῳ

3 φιλίᾳ γενέσθαι τῇ ἐς Αἰτωλούς. Τίμωνος δὲ οὐ πόρρω τῆς εἰκόνος Ἑλλάς τε δὴ καὶ Ἦλις παρὰ τὴν Ἑλλάδα, ἡ μὲν Ἀντίγονον τὸν ἐπι-τροπεύσαντα Φιλίππου τοῦ Δημητρίου, τῇ δὲ ἑτέρᾳ τῶν χειρῶν τὸν Φίλιππον στεφανοῦσα αὐτόν, ἡ δὲ Ἦλις Δημήτριον τὸν στρατεύσαντα ἐπὶ Σέλευκον καὶ Πτολεμαῖον τὸν Λάγου στεφα-νοῦσά ἐστιν.

4 Ἀριστείδῃ δὲ Ἠλείῳ γενέσθαι μὲν ὅπλου νίκην ἐν Ὀλυμπίᾳ, γενέσθαι δὲ καὶ διαύλου Πυθοῖ τὸ ἐπίγραμμα τὸ ἐπ᾽ αὐτῷ δηλοῖ Νεμείων τε ἐν παισὶν ἐπὶ τῷ ἱππίῳ δρόμῳ. δρόμου δέ εἰσι τοῦ ἱππίου μῆκος μὲν δίαυλοι δύο, ἐκλειφ-θέντα δὲ ἐκ Νεμείων τε καὶ Ἰσθμίων αὐτὸν βασιλεὺς Ἀδριανὸς ἐς Νεμείων ἀγῶνα τῶν χειμερινῶν ἀπέδωκεν Ἀργείοις.

5 Τοῦ δὲ Ἀριστείδου ἐγγύτατα Μενάλκης ἕστηκεν Ἠλεῖος, ἀναγορευθεὶς Ὀλυμπίασιν ἐπὶ πεντάθλῳ, καὶ Φιλωνίδης Ζώτου, γένος μὲν ἐκ Χερρονήσου τῆς Κρητῶν, Ἀλεξάνδρου δὲ ἡμεροδρόμος τοῦ Φιλίππου. μετὰ δὲ τοῦτον Βριμίας ἐστὶν Ἠλεῖος, κρατήσας ἄνδρας πυγμῇ, Λεωνίδας τε ἐκ Νάξου τῆς ἐν τῷ Αἰγαίῳ, Ψωφιδίων ἀνάθημα Ἀρκάδων, Ἀσάμωνός τε εἰκὼν ἐν ἀνδράσι πυγμῇ νενικηκότος, ἡ δὲ Νικάνδρου, διαύλου μὲν δύο ἐν Ὀλυμπίᾳ, Νεμείων δὲ[1] ἀναμὶξ ἐπὶ

[1] After δὲ Schubart adds καὶ Ἰσθμίων.

like other Eleans, abstained from competing. The inscription on his statue adds that he joined the Aetolians in their expedition against the Thessalians and became leader of the garrison at Naupactus because of his friendship with the Aetolians. Not far from the statue of Timon stands Hellas, and by Hellas stands Elis; Hellas is crowning with one hand Antigonus the guardian of Philip the son of Demetrius, with the other Philip himself; Elis is crowning Demetrius, who marched against Seleucus, and Ptolemy the son of Lagus.

Aristeides of Elis won at Olympia (so the inscription on his statue declares) a victory in the race run in armour, at Pytho a victory in the double race, and at Nemea in the race for boys in the horse-course. The length of the horse-course is twice that of the double course; the event had been omitted from the Nemean and Isthmian games, but was restored to the Argives for their winter Nemean games by the emperor Hadrian.

Quite close to the statue of Aristeides stands Menalces of Elis, proclaimed victor at Olympia in the pentathlum, along with Philonides son of Zotes, who was a native of Chersonesus in Crete, and a courier of Alexander the son of Philip. After him comes Brimias of Elis, victor in the men's boxing-match, Leonidas from Naxos in the Aegean, a statue dedicated by the Arcadians of Psophis, a statue of Asamon, victor in the men's boxing-match, and a statue of Nicander, who won two victories at Olympia in the double course and six victories in foot-races of various kinds at the Nemean games.[1] Asamon and

---

[1] With the reading of Schubart, "at the Nemean and Isthmian games."

δρόμῳ νίκας ἐξ ἀνῃρημένου. ὁ δὲ Ἀσάμων καὶ
ὁ Νίκανδρος Ἠλεῖοι μὲν ἦσαν, πεποίηκε δὲ τῷ
μὲν Δαίππος τὴν εἰκόνα, Ἀσάμωνι δὲ Πυρι-
6 λάμπης Μεσσήνιος. Εὐαλκίδᾳ δὲ Ἠλείῳ καὶ
Σελεάδᾳ Λακεδαιμονίῳ, τῷ μὲν ἐν παισὶν ἐγέ-
νοντο πυγμῆς νῖκαι, Σελεάδᾳ δὲ ἀνδρῶν πάλης.
ἐνταῦθα καὶ ἅρμα οὐ μέγα ἀνάκειται Πολυπεί-
θους Λάκωνος καὶ ἐπὶ στήλης τῆς αὐτῆς
Καλλιτέλης ὁ τοῦ Πολυπείθους πατήρ, παλαι-
στὴς ἀνήρ· νῖκαι δέ σφισι τῷ μὲν ἵπποις, Καλ-
7 λιτέλει δὲ παλαίσαντί εἰσιν. ἰδιώτας δὲ ἄνδρας
Ἠλείους Λάμπον Ἀρνίσκου καὶ . . . Ἀριστάρ-
χου Ψωφίδιοι προξένους ὄντας σφίσιν ἀνέθεσαν
ἢ καὶ ἄλλην τινὰ ἐς αὐτοὺς ἔχοντας εὔνοιαν·
μέσος δὲ ἕστηκεν αὐτῶν Λύσιππος Ἠλεῖος
καταπαλαίσας τοὺς ἐσελθόντας τῶν παίδων,
Ἀνδρέας δὲ Ἀργεῖος ἐποίησε τοῦ Λυσίππου
τὴν εἰκόνα.
8 Λακεδαιμονίῳ δὲ Δεινοσθένει σταδίου τε
ἐγένετο ἐν ἀνδράσιν Ὀλυμπικὴ νίκη καὶ στήλην
ἐν τῇ Ἄλτει παρὰ τὸν ἀνδριάντα ἀνέθηκεν ὁ
Δεινοσθένης· ὁδοῦ δὲ τῆς ἐς Λακεδαίμονα ἐξ
Ὀλυμπίας ἐπὶ ἑτέραν στήλην τὴν ἐν Λακεδαίμονι
μέτρα φησὶν[1] εἶναι σταδίους ἑξήκοντα καὶ
ἑξακοσίους. Θεόδωρον δὲ λαβόντα ἐπὶ πεντά-
θλῳ νίκην καὶ Πύτταλον Λάμπιδος πυγμῇ
παῖδας κρατήσαντα καὶ Νεολαΐδαν σταδίου τε
ἀνελόμενον καὶ ὅπλου στέφανον, Ἠλείους σφᾶς
ὄντας ἴστω τις· ἐπὶ δὲ τῷ Πυττάλῳ καὶ τάδε
ἔτι λέγουσιν, ὡς γενομένης πρὸς Ἀρκάδας
Ἠλείοις ἀμφισβητήσεως περὶ γῆς ὅρων εἶπεν

---

[1] φησὶν is not in the MSS.

Nicander were Eleans; the statue of the latter was made by Daïppus, that of Asamon by the Messenian Pyrilampes. Eualcidas of Elis won victories in the boys' boxing-match, Seleadas the Lacedaemonian in the men's wrestling-match. Here too is dedicated a small chariot of the Laconian Polypeithes, and on the same slab Calliteles, the father of Polypeithes, a wrestler. Polypeithes was victorious with his four-horse chariot, Calliteles in wrestling. There are private Eleans, Lampus the son of Arniscus and . . . of Aristarchus; these the Psophidians dedicated, either because they were their public friends or because they had shown them some good-will. Between them stands Lysippus of Elis, who beat his competitors in the boys' wrestling-match; his statue was made by Andreas of Argos.

Deinosthenes the Lacedaemonian won an Olympic victory in the men's foot-race, and he dedicated in the Altis a slab by the side of his statue. The inscription declares that the distance from Olympia to another slab at Lacedaemon is six hundred and sixty furlongs. Theodorus gained a victory in the pentathlum, Pyttalus the son of Lampis won the boys' boxing-match, and Neolaïdas received a crown for the foot-race and the race in armour; all were, I may tell you, Eleans. About Pyttalus it is further related that, when a dispute about boundaries occurred between the Arcadians and the Eleans, he delivered

οὗτος ὁ Πύτταλος τὴν δίκην· ὁ δέ οἱ ἀνδριὰς
9 ἔργον ἐστὶν Ὀλυνθίου Σθέννιδος. ἐφεξῆς δὲ
Πτολεμαῖός τέ ἐστιν ἀναβεβηκὼς ἵππον καὶ
παρ' αὐτὸν Ἠλεῖος ἀθλητὴς Παιάνιος ὁ Δαμα-
τρίου πάλης τε ἐν Ὀλυμπίᾳ καὶ τὰς δύο
Πυθικὰς ἀνῃρημένος νίκας. Κλεάρετός τέ ἐστιν
Ἠλεῖος πεντάθλου λαβὼν στέφανον καὶ ἅρμα
ἀνδρὸς Ἀθηναίου Γλαύκωνος τοῦ Ἐτεοκλέους·
ἀνηγορεύθη δὲ ὁ Γλαύκων οὗτος ἐπὶ ἅρματος
τελείου δρόμῳ.

XVII. Ταῦτα μὲν δὴ τὰ ἀξιολογώτατα ἀνδρὶ
ποιουμένῳ τὴν ἔφοδον ἐν τῇ Ἄλτει κατὰ τὰ
ἡμῖν εἰρημένα· εἰ δὲ ἀπὸ τοῦ Λεωνιδαίου πρὸς
τὸν βωμὸν τὸν μέγαν ἀφικέσθαι τῇ δεξιᾷ
θελήσειας, τοσάδε ἔστι σοι τῶν ἀνηκόντων
ἐς μνήμην. Δημοκράτης Τενέδιος καὶ Ἠλεῖος
Κριάννιος, οὗτος μὲν ὅπλου λαβὼν νίκην,
Δημοκράτης δὲ ἀνδρῶν πάλης· ἀνδριάντας δὲ
τοῦ μὲν Μιλήσιος Διονυσικλῆς, τοῦ δὲ Κριαν-
νίου Μακεδὼν Λυσός ἐστιν ὁ ἐργασάμενος.
2 Κλαζομενίου δὲ Ἡροδότου καὶ Φιλίνου τοῦ
Ἡγεπόλιδος Κώου ἀνέθεσαν τὰς εἰκόνας αἱ
πόλεις, Κλαζομένιοι μὲν ὅτι ἐν Ὀλυμπίᾳ
Κλαζομενίων πρῶτος ἀνηγορεύθη νικῶν Ἡρό-
δοτος, ἡ δέ οἱ νίκη σταδίου γέγονεν ἐν παισί,
Φιλῖνον δὲ οἱ Κῷοι δόξης ἕνεκα ἀνέθεσαν· ἐν
μέν γε Ὀλυμπίᾳ δρόμου γεγόνασιν αὐτῷ νῖκαι
πέντε, τέσσαρες δὲ Πυθοῖ καὶ ἴσαι Νεμείων,
3 ἐν δὲ Ἰσθμῷ μία ἐπὶ ταῖς δέκα. Πτολεμαῖον
δὲ τὸν Πτολεμαίου τοῦ Λάγου Ἀριστόλαος
ἀνέθηκε Μακεδὼν ἀνήρ. ἀνάκειται δὲ καὶ πύκ-
της κρατήσας ἐν παισὶ Βούτας Πολυνείκους

judgment on the matter. His statue is the work of Sthennis the Olynthian. Next is Ptolemy, mounted on a horse, and by his side is an Elean athlete, Paeanius the son of Damatrius, who won at Olympia a victory in wrestling besides two Pythian victories. There is also Clearetus of Elis, who received a crown in the pentathlum, and a chariot of an Athenian, Glaucon the son of Eteocles. This Glaucon was proclaimed victor in a chariot-race for full-grown horses.

XVII. These are the most remarkable sights that meet a man who goes over the Altis according to the instructions I have given. But if you will go to the right from the Leonidaeum to the great altar, you will come across the following notable objects. There is Democrates of Tenedos, who won the men's wrestling-match, and Criannius of Elis, who won a victory in the race in armour. The statue of Democrates was made by Dionysicles of Miletus, that of Criannius by Lysus of Macedonia. The statues of Herodotus of Clazomenae and of Philinus, son of Hegepolis, of Cos, were dedicated by their respective cities. The Clazomenians dedicated a statue of Herodotus because he was the first Clazomenian to be proclaimed victor at Olympia, his victory being in the boys' foot-race. The Coans dedicated a statue of Philinus because of his great renown, for he won at Olympia five victories in running, at Pytho four victories, at Nemea four, and at the Isthmus eleven. The statue of Ptolemy, the son of Ptolemy Lagus, was dedicated by Aristolaüs, a Macedonian. There is also dedicated a statue of a victorious boy boxer, Butas of Miletus, son of

Μιλήσιος, καὶ Καλλικράτης ἀπὸ τῆς ἐπὶ Ληθαίῳ Μαγνησίας ἐπὶ τῷ ὁπλίτῃ δρόμῳ στεφάνους δύο ἀνῃρημένος· Λυσίππου δὲ ἔργον ἡ
4 τοῦ Καλλικράτους ἐστὶν εἰκών. Ἐνατίωνι δὲ καὶ Ἀλεξιβίῳ, τῷ μὲν ἐν παισὶ σταδίου, Ἀλεξιβίῳ δὲ πεντάθλου γέγονε νίκη, καὶ Ἡραία τε Ἀρκάδων ἐστὶν αὐτῷ πατρὶς καὶ Ἀκέστωρ ὁ τὴν εἰκόνα εἰργασμένος· Ἐνατίωνα δὲ ἧστινος ἦν οὐ δηλοῖ τὸ ἐπίγραμμα, ὅτι δὲ τοῦ Ἀρκάδων ἦν ἔθνους δηλοῖ. Κολοφώνιοι δὲ Ἑρμησιάναξ Ἀγονέου καὶ Εἰκάσιος Λυκίνου τε ὢν καὶ τῆς Ἑρμησιάνακτος θυγατρὸς κατεπάλαισαν μὲν παῖδας ἀμφότεροι, Ἑρμησιάνακτι δὲ καὶ ἀπὸ τοῦ κοινοῦ τοῦ Κολοφωνίων ὑπῆρξεν ἀνατεθῆναι τὴν εἰκόνα.
5 Τούτων δέ εἰσιν Ἠλεῖοι πλησίον πυγμῇ παῖδας κρατήσαντες, ὁ μὲν Σθέννιδος ἔργον τοῦ Ὀλυνθίου Χοίριλος, Θεότιμος δὲ Δαιτώνδα Σικυωνίου· παῖς δὲ ὁ Θεότιμος ἦν Μοσχίωνος, Ἀλεξάνδρῳ τῷ Φιλίππου τῆς ἐπὶ Δαρεῖον καὶ Πέρσας στρατείας μετασχόντος. δύο δὲ αὖθις ἐξ Ἤλιδος, Ἀρχίδαμος τεθρίππῳ νενικηκὼς καὶ Ἐπέραστός
6 ἐστιν ὁ Θεογόνου ὅπλου νίκην ἀνῃρημένος· εἶναι δὲ καὶ μάντις ὁ Ἐπέραστος τοῦ Κλυτιδῶν γένους φησὶν ἐπὶ τοῦ ἐπιγράμματος τῇ τελευτῇ,

τῶν δ' ἱερογλώσσων Κλυτιδᾶν γένος εὔχομαι εἶναι
μάντις, ἀπ' ἰσοθέων αἷμα Μελαμποδιδᾶν.

Μελάμποδος γὰρ ἦν τοῦ Ἀμυθάονος Μάντιος, τοῦ δὲ Ὀϊκλῆς, Κλυτίος δὲ Ἀλκμαίωνος τοῦ

Polyneices; a statue too of Callicrates of Magnesia on the Lethaeüs, who received two crowns for victories in the race in armour. The statue of Callicrates is the work of Lysippus. Enation won a victory in the boys' foot-race, and Alexibius in the pentathlum. The native place of Alexibius was Heraea in Arcadia, and Acestor made his statue. The inscription on the statue of Enation does not state his native place, though it does state that he was of Arcadian descent. Two Colophonians, Hermesianax son of Agoneüs and Eicasius son of Lycinus and the daughter of Hermesianax, both won the boys' wrestling-match. The statue of Hermesianax was dedicated by the commonwealth of Colophon.

Near these are Eleans who beat the boys at boxing, Choerilus the work of Sthennis of Olynthus, and Theotimus the work of Daitondas of Sicyon. Theotimus was a son of Moschion, who took part in the expedition of Alexander the son of Philip against Dareius and the Persians. There are two more from Elis, Archidamus who was victorious with a four-horse chariot and Eperastus the son of Theogonus, victor in the race in armour. That he was the soothsayer of the clan of the Clytidae, Eperastus declares at the end of the inscription :—

Of the stock of the sacred-tongued Clytidae I
    boast to be,
Their soothsayer, the scion of the god-like
    Melampodidae.

For Mantius was a son of Melampus, the son of Amythaon, and he had a son Oïcles, while Clytius

103

Ἀμφιαράου τοῦ Ὀϊκλέους· ἐγεγόνει δὲ τῷ
Ἀλκμαίωνι ὁ Κλυτίος ἐκ τῆς Φηγέως θυγατρὸς
καὶ ἐς τὴν Ἦλιν μετῴκησε, τοῖς ἀδελφοῖς εἶναι
τῆς μητρὸς σύνοικος φεύγων, ἅτε τοῦ Ἀλκ-
μαίωνος ἐπιστάμενος σφᾶς εἰργασμένους τὸν
φόνον.

7 Ἀνδριάντας δὲ ἀναμεμιγμένους οὐκ ἐπιφα-
νέσιν ἄγαν ἀναθήμασιν Ἀλεξίνικόν τε Ἠλεῖον,
τέχνην τοῦ Σικυωνίου Κανθάρου, πάλης ἐν
παισὶν ἀνῃρημένον νίκην, καὶ τὸν Λεοντῖνον
Γοργίαν ἰδεῖν ἔστιν· ἀναθεῖναι δὲ τὴν εἰκόνα
ἐς Ὀλυμπίαν φησὶν Εὔμολπος ἀπόγονος τρίτος
Δηικράτους συνοικήσαντος ἀδελφῇ τῇ Γοργίου.

8 οὗτος ὁ Γοργίας πατρὸς μὲν ἦν Χαρμαντίδου,
λέγεται δὲ ἀνασώσασθαι μελέτην λόγων πρῶτος
ἠμελημένην τε ἐς ἅπαν καὶ ἐς λήθην ὀλίγου
δεῖν ἥκουσαν ἀνθρώποις· εὐδοκιμῆσαι δὲ Γοργίαν
λόγων ἕνεκα ἔν τε πανηγύρει τῇ Ὀλυμπικῇ
φασι καὶ ἀφικόμενον κατὰ πρεσβείαν ὁμοῦ
Τισίᾳ παρ' Ἀθηναίους. καίτοι ἄλλα τε Τισίας
ἐς λόγους ἐσηνέγκατο καὶ πιθανώτατα τῶν καθ'
αὑτὸν γυναικὶ Συρακουσίᾳ χρημάτων ἔγραψεν

9 ἀμφισβήτησιν· ἀλλά γε ἐκείνου τε ἐς πλέον
τιμῆς ἀφίκετο ὁ Γοργίας παρὰ Ἀθηναίοις, καὶ
Ἰάσων ἐν Θεσσαλίᾳ τυραννήσας Πολυκράτους,
οὐ τὰ ἔσχατα ἐνεγκαμένου διδασκαλείου τοῦ
Ἀθήνησι, τούτου τοῦ ἀνδρὸς ἐπίπροσθεν αὑτὸν
ὁ Ἰάσων ἐποιήσατο. βιῶναι δὲ ἔτη Γοργίαν
πέντε φασὶν ἐπὶ τοῖς ἑκατόν· Λεοντίνων δὲ
ἐρημωθεῖσάν ποτε ὑπὸ Συρακουσίων τὴν πόλιν
κατ' ἐμὲ αὖθις συνέβαινεν οἰκεῖσθαι.

XVIII. Ἔστι δὲ καὶ τοῦ Κυρηναίου Κρατι-

was a son of Alcmaeon, the son of Amphiaraus, the son of Oïcles. Clytius was the son of Alcmaeon by the daughter of Phegeus, and he migrated to Elis because he shrank from living with his mother's brothers, knowing that they had compassed the murder of Alcmaeon.

Mingled with the less illustrious offerings we may see the statues of Alexinicus of Elis, the work of Cantharus of Sicyon, who won a victory in the boys' wrestling-match, and of Gorgias of Leontini. This statue was dedicated at Olympia by Eumolpus, as he himself says, the grandson of Deicrates who married the sister of Gorgias. This Gorgias was a son of *fl.* 427 B.C. Charmantides, and is said to have been the first to revive the study of rhetoric, which had been altogether neglected, in fact almost forgotten by mankind. They say that Gorgias won great renown for his eloquence at the Olympic assembly, and also when he accompanied Tisias on an embassy to Athens. Yet Tisias improved the art of rhetoric, in particular he wrote the most persuasive speech of his time to support the claim of a Syracusan woman to a property. However, Gorgias surpassed his fame at Athens; indeed Jason, the tyrant of Thessaly, placed him before Polycrates, who was a shining light of the Athenian school. Gorgias, they say, lived to be one hundred and five years old. Leontini was once laid waste by the Syracusans, but in my time was again inhabited.

XVIII. There is also a bronze statue of Cratis-

σθένους χαλκοῦν ἅρμα, καὶ Νίκη τε ἐπιβέβηκε
τοῦ ἅρματος καὶ αὐτὸς ὁ Κρατισθένης. δῆλα
μὲν δὴ ὅτι ἵππων γέγονεν αὐτῷ νίκη· λέγεται
δὲ καὶ ὡς Μνασέου τοῦ δρομέως, ἐπικληθέντος
δὲ ὑπὸ Ἑλλήνων Λίβυος, εἴη παῖς ὁ Κρατι-
σθένης. τὰ δὲ ἀναθήματα αὐτῷ τὰ ἐς Ὀλυμπίαν
ἐστὶ τοῦ Ῥηγίνου Πυθαγόρου τέχνη.

2 Ἐνταῦθα καὶ Ἀναξιμένους οἶδα εἰκόνα ἀν-
ευρών, ὃς τὰ ἐν Ἕλλησιν ἀρχαῖα, καὶ ὅσα
Φίλιππος ὁ Ἀμύντου καὶ ὕστερον Ἀλέξανδρος
εἰργάσατο, συνέγραψεν ὁμοίως ἅπαντα· ἡ δέ
οἱ τιμὴ γέγονεν ἐν Ὀλυμπίᾳ παρὰ τῶν Λαμψα-
κηνῶν τοῦ δήμου. ὑπελίπετο δὲ Ἀναξιμένης
τοσάδε ἐς μνήμην· βασιλέα γὰρ οὐ τὰ πάντα
ἤπιον ἀλλὰ καὶ τὰ μάλιστα θυμῷ χρώμενον,
Ἀλέξανδρον τὸν Φιλίππου, τέχνῃ περιῆλθε
3 τοιᾷδε. Λαμψακηνῶν τὰ βασιλέως τοῦ Περσῶν
φρονησάντων ἢ καὶ αἰτίαν φρονῆσαι λαβόντων,
ὁ Ἀλέξανδρος ἅτε ὑπερζέων ἐς αὐτοὺς τῇ ὀργῇ
κακῶν ἠπείλει τὰ μέγιστα ἐργάσασθαι· οἱ δὲ
ἅτε θέοντες περὶ γυναικῶν τε καὶ παίδων καὶ
αὐτῆς πατρίδος ἀποστέλλουσιν Ἀναξιμένην
ἱκετεύειν, Ἀλεξάνδρῳ τε αὐτῷ καὶ ἔτι Φιλίππῳ
πρότερον γεγονότα ἐν γνώσει. προσῄει τε ὁ
Ἀναξιμένης, καὶ τὸν Ἀλέξανδρον, πεπυσμένον
καθ' ἥντινα αἰτίαν ἥκοι, κατομόσασθαί φασιν
ἐπονομάζοντα θεοὺς τοὺς Ἑλλήνων ἦ μὴν αὐτοῦ
ταῖς δεήσεσιν ὁπόσα ἐστὶν ἐναντία ἐργάσασθαι.
4 ἔνθα δὴ εἶπεν Ἀναξιμένης· "χαρίσασθαί μοι
τήνδε ὦ βασιλεῦ τὴν χάριν, ἐξανδραποδίσασθαι
μὲν γυναῖκας καὶ τέκνα Λαμψακηνῶν, κατα-
βαλεῖν δὲ καὶ ἐς ἔδαφος τὴν πόλιν πᾶσαν, τὰ

thenes of Cyrene, and on the chariot stand Victory and Cratisthenes himself. It is thus plain that his victory was in the chariot-race. The story goes that Cratisthenes was the son of Mnaseas the runner, surnamed the Libyan by the Greeks. His offerings at Olympia are the work of Pythagoras of Rhegium.

Here too I remember discovering the statue of Anaximenes, who wrote a universal history of ancient Greece, including the exploits of Philip the son of Amyntas and the subsequent deeds of Alexander. His honour at Olympia was due to the people of Lampsacus. Anaximenes bequeathed to posterity the following anecdotes about himself. Alexander, the son of Philip, no meek and mild person but a most passionate monarch, he circumvented by the following artifice. The people of Lampsacus favoured the cause of the Persian king, or were suspected of doing so, and Alexander, boiling over with rage against them, threatened to treat them with utmost rigour. As their wives, their children, and their country itself were in great danger, they sent Anaximenes to intercede for them, because he was known to Alexander himself and had been known to Philip before him. Anaximenes approached, and when Alexander learned for what cause he had come, they say that he swore by the gods of Greece, whom he named, that he would verily do the opposite of what Anaximenes asked. Thereupon Anaximenes said, "Grant me, O king, this favour. Enslave the women and children of the people of Lampsacus, raze the whole city even to the ground, and burn the

δὲ ἱερὰ τῶν θεῶν σφισιν ἐμπρῆσαι." ὁ μὲν
ταῦτα ἔλεγεν, Ἀλέξανδρος δὲ οὔτε πρὸς τὸ
σόφισμα ἀντιμηχανήσασθαί τι εὑρίσκων καὶ
ἐνεχόμενος τῇ ἀνάγκῃ τοῦ ὅρκου συγγνώμην
5 ἔνεμεν οὐκ ἐθέλων Λαμψακηνοῖς. φαίνεται δὲ
καὶ ἄνδρα ὁ Ἀναξιμένης ἐχθρὸν οὐκ ἀμαθέστατα
ἀλλὰ καὶ ἐπιφθονώτατα ἀμυνάμενος. ἐπεφύκει
μὲν αὐτὸς σοφιστὴς καὶ σοφιστῶν λόγους
μιμεῖσθαι· ὡς δέ οἱ διαφορὰ ἐς Θεόπομπον
ἐγεγόνει τὸν Δαμασιστράτου, γράφει βιβλίον
ἐς Ἀθηναίους καὶ ἐπὶ Λακεδαιμονίοις ὁμοῦ καὶ
Θηβαίοις συγγραφὴν λοίδορον. ὡς δὲ ἦν ἐς τὸ
ἀκριβέστατον αὐτῷ μεμιμημένα, ἐπιγράψας τοῦ
Θεοπόμπου τὸ ὄνομα τῷ βιβλίῳ διέπεμπεν ἐς
τὰς πόλεις· καὶ αὐτός τε συγγεγραφὼς ἦν καὶ
τὸ ἔχθος τὸ ἐς Θεόπομπον ἀνὰ πᾶσαν τὴν
6 Ἑλλάδα ἐπηύξητο. οὐ μὴν οὐδὲ εἰπεῖν τις αὐ-
τοσχεδίως Ἀναξιμένους πρότερός ἐστιν εὑρηκώς·
τὰ ἔπη δὲ τὰ ἐς Ἀλέξανδρον οὔ μοι πιστά ἐστιν
Ἀναξιμένην τὸν ποιήσαντα εἶναι.

Σωτάδης δὲ ἐπὶ δολίχου νίκαις ὀλυμπιάδι μὲν
ἐνάτῃ καὶ ἐνενηκοστῇ Κρής, καθάπερ γε καὶ ἦν,
ἀνερρήθη, τῇ ἐπὶ ταύτῃ δὲ λαβὼν χρήματα παρὰ
τοῦ Ἐφεσίων κοινοῦ Ἐφεσίοις ἐσεποίησεν αὑτόν·
καὶ αὐτὸν ἐπὶ τῷ ἔργῳ φυγῇ ζημιοῦσιν οἱ Κρῆτες.
7 Πρῶται δὲ ἀθλητῶν ἀνετέθησαν ἐς Ὀλυμπίαν
εἰκόνες Πραξιδάμαντός τε Αἰγινήτου νικήσαντος
πυγμῇ τὴν ἐνάτην ὀλυμπιάδα ἐπὶ ταῖς πεντή-
κοντα καὶ Ὀπουντίου Ῥηξιβίου παγκρατιαστὰς
καταγωνισαμένου μιᾷ πρὸς ταῖς ἑξήκοντα ὀλυμ-
πιάδι· αὗται κεῖνται μὲν αἱ εἰκόνες οὐ πρόσω
τῆς Οἰνομάου κίονος, ξύλου δέ εἰσιν εἰργασμέναι,

sanctuaries of their gods." Such were his words; and Alexander, finding no way to counter the trick, and bound by the compulsion of his oath, unwillingly pardoned the people of Lampsacus. Anaximenes is also known to have retaliated on a personal enemy in a very clever but very ill-natured way. He had a natural aptitude for rhetoric and for imitating the style of rhetoricians. Having a quarrel with Theopompus the son of Damasistratus, he wrote a treatise abusing Athenians, Lacedaemonians and Thebans alike. He imitated the style of Theopompus with perfect accuracy, inscribed his name upon the book and sent it round to the cities. Though Anaximenes was the author of the treatise, hatred of Theopompus grew throughout the length of Greece. Moreover, Anaximenes was the first to compose extemporary speeches, though I cannot believe that he was the author of the epic on Alexander.

Sotades at the ninety-ninth Festival was victorious 384 B.C. in the long race and proclaimed a Cretan, as in fact he was. But at the next Festival he made himself an Ephesian, being bribed to do so by the Ephesian people. For this act he was banished by the Cretans.

The first athletes to have their statues dedicated at Olympia were Praxidamas of Aegina, victorious at boxing at the fifty-ninth Festival, and Rexibius the 544 B.C. Opuntian, a successful pancratiast at the sixty-first Festival. These statues stand near the pillar of 536 B.C. Oenomaüs, and are made of wood, Rexibius of fig-

Ῥηξιβίου μὲν συκῆς, ἡ δὲ τοῦ Αἰγινήτου κυπα-
ρίσσου καὶ ἧσσον τῆς ἑτέρας πεπονηκυῖά ἐστιν.

XIX. Ἔστι δὲ λίθου πωρίνου κρηπὶς ἐν τῇ
Ἄλτει πρὸς ἄρκτον τοῦ Ἡραίου, κατὰ νώτου
δὲ αὐτῆς παρήκει τὸ Κρόνιον· ἐπὶ ταύτης τῆς
κρηπῖδός εἰσιν οἱ θησαυροί, καθὰ δὴ καὶ ἐν
Δελφοῖς Ἑλλήνων τινὲς ἐποίησαν τῷ Ἀπόλλωνι
θησαυρούς. ἔστι δὲ θησαυρὸς ἐν Ὀλυμπίᾳ
Σικυωνίων καλούμενος, Μύρωνος δὲ ἀνάθημα
2 τυραννήσαντος Σικυωνίων· τοῦτον ᾠκοδόμησεν
ὁ Μύρων νικήσας ἅρματι τὴν τρίτην καὶ τρια-
κοστὴν ὀλυμπιάδα. ἐν δὲ τῷ θησαυρῷ καὶ
θαλάμους δύο ἐποίησε, τὸν μὲν Δώριον, τὸν δὲ
ἐργασίας τῆς Ἰώνων. χαλκοῦ μὲν δὴ αὐτοὺς
ἑώρων εἰργασμένους· εἰ δὲ καὶ Ταρτήσσιος
χαλκὸς λόγῳ τῷ Ἠλείων ἐστίν, οὐκ οἶδα.
3 Ταρτήσσιον δὲ εἶναι ποταμὸν ἐν χώρᾳ τῇ Ἰβήρων
λέγουσι στόμασιν ἐς θάλασσαν κατερχόμενον
δυσὶ καὶ ὁμώνυμον αὐτῷ πόλιν ἐν μέσῳ τοῦ
ποταμοῦ τῶν ἐκβολῶν κειμένην· τὸν δὲ ποταμὸν
μέγιστόν τε ὄντα τῶν ἐν Ἰβηρίᾳ καὶ ἄμπωτιν
παρεχόμενον Βαῖτιν ὠνόμασαν οἱ ὕστερον, εἰσὶ
δ᾽ οἳ Καρπίαν Ἰβήρων πόλιν καλεῖσθαι νομίζουσι
4 τὰ ἀρχαιότερα Ταρτησσόν. ἐν Ὀλυμπίᾳ δὲ
ἐπιγράμματα ἐπὶ τῷ ἐλάσσονί ἐστι τῶν θαλάμων,
ἐς μὲν τοῦ χαλκοῦ τὸν σταθμόν, ὅτι πεντακόσια
εἴη τάλαντα, ἐς δὲ τοὺς ἀναθέντας, Μύρωνα εἶναι
καὶ τὸν Σικυωνίων δῆμον. ἐν τούτῳ τῷ θησαυρῷ
δίσκοι τὸν ἀριθμὸν ἀνάκεινται τρεῖς, ὅσους ἐς τοῦ
πεντάθλου τὸ ἀγώνισμα ἐσκομίζουσι· καὶ ἀσπίς
ἐστιν ἐπίχαλκος γραφῇ τὰ ἐντὸς πεποικιλμένη
καὶ κράνος τε καὶ κνημῖδες ὁμοῦ τῇ ἀσπίδι.

wood and the Aeginetan of cypress, and his statue is less decayed than the other.

XIX. There is in the Altis to the north of the Heraeum a terrace of conglomerate, and behind it stretches Mount Cronius. On this terrace are the treasuries, just as at Delphi certain of the Greeks have made treasuries for Apollo. There is at Olympia a treasury called the treasury of the Sicyonians, dedicated by Myron, who was tyrant of Sicyon. Myron built it to commemorate a victory in the chariot-race at the thirty-third Festival. In 648 B.C. the treasury he made two chambers, one Dorian and one in the Ionic style. I saw that they were made of bronze; whether the bronze is Tartessian, as the Eleans declare, I do not know. They say that Tartessus is a river in the land of the Iberians, running down into the sea by two mouths, and that between these two mouths lies a city of the same name. The river, which is the largest in Iberia, and tidal, those of a later day called Baetis, and there are some who think that Tartessus was the ancient name of Carpia, a city of the Iberians. On the smaller of the chambers at Olympia are inscriptions, which inform us that the weight of the bronze is five hundred talents, and that the dedicators were Myron and the Sicyonian people. In this chamber are kept three quoits, being used for the contest of the pentathlum. There is also a bronze-plated shield, adorned with paintings on the inner side, and along with the shield are a helmet

ἐπίγραμμα δὲ ἐπὶ τοῖς ὅπλοις, ἀκροθίνιον τῷ
Διὶ ὑπὸ Μυάνων ἀνατεθῆναι. οἵτινες δὲ οὗτοι
ἦσαν, οὐ κατὰ τὰ αὐτὰ παρίστατο ἅπασιν
5 εἰκάζειν· ἐμὲ δὲ ἐσῆλθεν ἀνάμνησις ὡς Θουκυ-
δίδης ποιήσειεν ἐν τοῖς λόγοις Λοκρῶν τῶν πρὸς
τῇ Φωκίδι καὶ ἄλλας πόλεις, ἐν δὲ αὐταῖς εἶναι
καὶ Μυονέας. οἱ Μυᾶνες οὖν οἱ ἐπὶ τῇ ἀσπίδι
κατά γε ἡμετέραν γνώμην ἄνθρωποι μέν εἰσιν
οἱ αὐτοὶ καὶ¹ Μυονεῖς οἱ ἐν τῇ Λοκρίδι ἠπείρῳ·
τὰ δὲ ἐπὶ τῇ ἀσπίδι γράμματα παρῆκται μὲν
ἐπὶ βραχύ, πέπονθε δὲ αὐτὸ διὰ τοῦ ἀναθήματος
6 τὸ ἀρχαῖον. κεῖνται δὲ καὶ ἄλλα ἐνταῦθα ἄξια
ἐπιμνησθῆναι, μάχαιρα ἡ Πέλοπος χρυσοῦ τὴν
λαβὴν πεποιημένη, καὶ εἰργασμένον ἐλέφαντος
κέρας τὸ Ἀμαλθείας, ἀνάθημα Μιλτιάδου τοῦ
Κίμωνος, ὃς τὴν ἀρχὴν ἔσχεν ἐν χερρονήσῳ τῇ
Θρᾳκίᾳ πρῶτος τῆς οἰκίας ταύτης· καὶ ἐπίγραμμα
ἐπὶ τῷ κέρατί ἐστιν ἀρχαίοις Ἀττικοῖς γράμμασι,

Ζηνί μ᾽ ἄγαλμ᾽ ἀνέθηκαν Ὀλυμπίῳ ἐκ χερρο-
νήσου
τεῖχος ἑλόντες Ἀράτου· ἐπῆρχε δὲ Μιλτιάδης
σφίν.

κεῖται δὲ καὶ ἄγαλμα πύξινον Ἀπόλλωνος
ἐπιχρύσου τὴν κεφαλήν· ἀνατεθῆναι δὲ ὑπὸ
Λοκρῶν φησι τῶν πρὸς Ζεφυρίῳ τῇ ἄκρᾳ,
Πατροκλέα δὲ εἶναι Κατίλλου Κροτωνιάτην
τὸν εἰργασμένον.

7 Ἐφεξῆς δὲ τῷ Σικυωνίων ἐστὶν ὁ Καρχηδονίων
θησαυρός, Ποθαίου τέχνη καὶ Ἀντιφίλου τε καὶ
Μεγακλέους· ἀναθήματα δὲ ἐν αὐτῷ Ζεὺς μεγέθει
μέγας καὶ θώρακες λινοῖ τρεῖς ἀριθμόν, Γέλωνος
112

and greaves. An inscription on the armour says
that they were dedicated by the Myanians as first-
fruits to Zeus. Various conjectures have been made
as to who these Myanians were. I happened to
remember that Thucydides[1] in his history mentions
various cities of the Locrians near Phocis, and among
them the Myonians. So the Myanians on the shield
are in my opinion the same folk as the Myonians on
the Locrian mainland. The letters on the shield
are a little distorted, a fault due to the antiquity
of the votive offering. There are placed here other
offerings worthy to be recorded, the sword of Pelops
with its hilt of gold, and the ivory horn of
Amaltheia, an offering of Miltiades the son of
Cimon, who was the first of his house to rule in the
Thracian Chersonesus. On the horn is an inscription
in old Attic characters :

To Olympian Zeus was I dedicated by the men
  of Chersonesus
After they had taken the fortress of Aratus.
  Their leader was Miltiades.

There stands also a box-wood image of Apollo with
its head plated with gold. The inscription says
that it was dedicated by the Locrians who live
near the Western Cape, and that the artist was
Patrocles of Crotona, the son of Catillus.

Next to the treasury of the Sicyonians is the
treasury of the Carthaginians, the work of Pothaeus,
Antiphilus and Megacles. In it are votive offerings
—a huge image of Zeus and three linen breast-
plates, dedicated by Gelo and the Syracusans after

---

[1] Book III. chap. ci.

[1] καί is not in the MSS.

δὲ ἀνάθημα καὶ Συρακοσίων Φοίνικας ἤτοι τριήρεσιν ἢ καὶ πεζῇ μάχῃ κρατησάντων.

8 Ὁ δὲ τρίτος τῶν θησαυρῶν καὶ ὁ τέταρτος ἀνάθημά ἐστιν Ἐπιδαμνίων . . . ἔχει μὲν πόλον ἀνεχόμενον ὑπὸ Ἄτλαντος, ἔχει δὲ Ἡρακλέα καὶ δένδρον τὸ παρὰ Ἑσπερίσι, τὴν μηλέαν, καὶ περιειλιγμένον τῇ μηλέᾳ τὸν δράκοντα, κέδρου μὲν καὶ ταῦτα, Θεοκλέους δὲ ἔργα τοῦ Ἡγύλου· ποιῆσαι δὲ αὐτὸν ὁμοῦ τῷ παιδί φησι τὰ ἐπὶ τοῦ πόλου γράμματα. αἱ δὲ Ἑσπερίδες—μετεκινήθησαν γὰρ ὑπὸ Ἠλείων—αὗται μὲν ἔτι καὶ ἐς ἐμὲ ἦσαν ἐν τῷ Ἡραίῳ· τὸν δὲ θησαυρὸν τοῖς Ἐπιδαμνίοις Πύρρος καὶ οἱ παῖδες Λακράτης τε καὶ Ἕρμων ἐποίησαν.

9 Ὠκοδόμησαν δὲ καὶ Συβαρῖται θησαυρὸν ἐχόμενον τοῦ Βυζαντίων· ὁπόσοι δὲ περὶ Ἰταλίας καὶ πόλεων ἐπολυπραγμόνησαν τῶν ἐν αὐτῇ, Λουπίας φασὶ κειμένην Βρεντεσίου τε μεταξὺ καὶ Ὑδροῦντος μεταβεβληκέναι τὸ ὄνομα, Σύβαριν οὖσαν τὸ ἀρχαῖον· ὁ δὲ ὅρμος ταῖς ναυσὶ χειροποίητος καὶ Ἀδριανοῦ βασιλέως ἐστὶν ἔργον.

10 Πρὸς δὲ τῷ Συβαριτῶν Λιβύων ἐστὶ τῶν ἐν Κυρήνῃ θησαυρός· κεῖνται δὲ βασιλεῖς ἐν αὐτῷ Ῥωμαίων. Σικελιώτας δὲ Σελινουντίους ἀνέστησαν μὲν Καρχηδόνιοι πολέμῳ· πρὶν δὲ ἢ τὴν συμφορὰν γενέσθαι σφίσι, θησαυρὸν τῷ ἐν Ὀλυμπίᾳ Διὶ ἐποίησαν. Διόνυσος δέ ἐστιν ἐνταῦθα πρόσωπον καὶ ἄκρους πόδας καὶ τὰς χεῖρας ἐλέφαντος εἰργασμένος.

11 Ἐν δὲ τῷ Μεταποντίνων θησαυρῷ—προσεχὴς γὰρ τῷ Σελινουντίων ἐστὶν οὗτος—ἐν τούτῳ πεποιημένος ἐστὶν Ἐνδυμίων· πλὴν δὲ ἐσθῆτος

overcoming the Phoenicians in either a naval or a land battle.

The third of the treasuries, and the fourth as well, were dedicated by the Epidamnians. . . . It shows the heavens upheld by Atlas, and also Heracles and the apple-tree of the Hesperides, with the snake coiled round the apple-tree. These too are of cedar-wood, and are works of Theocles, son of Hegylus. The inscription on the heavens says that his son helped him to make it. The Hesperides (they were removed by the Eleans) were even in my time in the Heraeum; the treasury was made for the Epidamnians by Pyrrhus and his sons Lacrates and Hermon.

The Sybarites too built a treasury adjoining that of the Byzantines. Those who have studied the history of Italy and of the Italian cities say that Lupiae, situated between Brundusium and Hydrus, has changed its name, and was Sybaris in ancient times. The harbour is artificial, being a work of the emperor Hadrian.

Near the treasury of the Sybarites is the treasury of the Libyans of Cyrene. In it stand statues of Roman emperors. Selinus in Sicily was destroyed by the Carthaginians in a war, but before the disaster befell them the citizens made a treasury dedicated to Zeus of Olympia. There stands in it an image of Dionysus with face, feet and hands of ivory.

In the treasury of the Metapontines, which adjoins that of the Selinuntians, stands an Endymion;

ἐστι τὰ λοιπὰ καὶ τῷ Ἐνδυμίωνι ἐλέφαντος.
Μεταποντίνους δὲ ἥτις μὲν ἐπέλαβεν ἀπολέσθαι
πρόφασις, οὐκ οἶδα· ἐπ' ἐμοῦ δὲ ὅτι μὴ θέατρον
καὶ περίβολοι τείχους ἄλλο ἐλείπετο οὐδὲν
12 Μεταποντίου. Μεγαρεῖς δὲ οἱ πρὸς τῇ Ἀττικῇ
θησαυρόν τε ᾠκοδομήσαντο καὶ ἀναθήματα ἀνέ-
θεσαν ἐς τὸν θησαυρὸν κέδρου ζῴδια χρυσῷ
διηνθισμένα, τὴν πρὸς Ἀχελῷον Ἡρακλέους
μάχην· Ζεὺς δὲ ἐνταῦθα καὶ ἡ Δηιάνειρα καὶ
Ἀχελῷος καὶ Ἡρακλῆς ἐστιν, Ἄρης τε τῷ
Ἀχελῴῳ βοηθῶν. εἱστήκει δὲ καὶ Ἀθηνᾶς
ἄγαλμα ἅτε οὖσα τῷ Ἡρακλεῖ σύμμαχος· αὕτη
παρὰ τὰς Ἑσπερίδας ἀνάκειται νῦν τὰς ἐν τῷ
13 Ἡραίῳ. τοῦ θησαυροῦ δὲ ἐπείργασται τῷ ἀετῷ
ὁ γιγάντων καὶ θεῶν πόλεμος· ἀνάκειται δὲ καὶ
ἀσπὶς ὑπὲρ τοῦ ἀετοῦ, τοὺς Μεγαρέας ἀπὸ
Κορινθίων ἀναθεῖναι τὸν θησαυρὸν λέγουσα.
ταύτην Μεγαρεῦσιν ἡγοῦμαι τὴν νίκην Ἀθήνῃσιν
ἄρχοντος γενέσθαι Φόρβαντος, ἄρχοντος δὲ διὰ
τοῦ αὐτοῦ βίου παντός· ἐνιαύσιαι γὰρ οὐκ ἦσάν
πω τότε Ἀθηναίοις αἱ ἀρχαί, οὐ μὴν οὐδὲ ὑπὸ
Ἠλείων ἀνεγράφοντό πω τηνικαῦτα αἱ ὀλυμ-
14 πιάδες. λέγονται δὲ καὶ Ἀργεῖοι μετασχεῖν
πρὸς τοὺς Κορινθίους Μεγαρεῦσι τοῦ ἔργου. τὸν
δὲ ἐν Ὀλυμπίᾳ θησαυρὸν ἔτεσιν ὕστερον τῆς
μάχης ἐποίησαν οἱ Μεγαρεῖς· τὰ δὲ ἀναθήματα
ἐκ παλαιοῦ σφᾶς ἔχειν εἰκός, ἅ γε ὁ Λακεδαι-
μόνιος † Δόντας[1] Διποίνου καὶ Σκύλλιδος μα-
15 θητὴς ἐποίησε. τελευταῖος δὲ τῶν θησαυρῶν
πρὸς αὐτῷ μέν ἐστιν ἤδη τῷ σταδίῳ, Γελῶων δὲ

---

[1] It is supposed that the text is corrupt here, because of
the strange name Dontas. Μέδων αὐτοῖς has been suggested.

it too is of ivory except the drapery. How it came about that the Metapontines were destroyed I do not know, but to-day nothing is left of Metapontum but the theatre and the circuit of the walls. The Megarians who are neighbours of Attica built a treasury and dedicated in it offerings, small cedar-wood figures inlaid with gold, representing the fight of Heracles with Acheloüs. The figures include Zeus, Deïaneira, Acheloüs, Heracles, and Ares helping Acheloüs. There once stood here an image of Athena, as being an ally of Heracles, but it now stands by the Hesperides in the Heraeum. On the pediment of the treasury is carved the war of the giants and the gods, and above the pediment is dedicated a shield, the inscription declaring that the Megarians dedicated the treasury from spoils taken from the Corinthians. I think that the Megarians won this victory when Phorbas, who held a life office, was archon at Athens. At this time Athenian offices were not yet annual, nor had the Eleans begun to record the Olympiads. The Argives are said to have helped the Megarians in the engagement with the Corinthians. The treasury at Olympia was made by the Megarians years[1] after the battle, but it is to be supposed that they had the offerings from of old, seeing that they were made by the Lacedaemonian Dontas, a pupil of Dipoenus and Scyllis. The last of the treasuries is right by the stadium, the inscription

[1] The Greek scarcely allows of this meaning. Some numeral, or adjective, seems to have fallen out.

ἀνάθημα τόν τε θησαυρὸν καὶ τὰ ἀγάλματα εἶναι
τὰ ἐν αὐτῷ λέγει τὸ ἐπίγραμμα· οὐ μέντοι ἀνα-
κείμενά γε ἔτι ἀγάλματά ἐστιν.

XX. Τὸ δὲ ὄρος τὸ Κρόνιον κατὰ τὰ ἤδε λελεγ-
μένα μοι παρὰ τὴν κρηπῖδα καὶ τοὺς ἐπ' αὐτῇ
παρήκει θησαυρούς. ἐπὶ δὲ τοῦ ὄρους τῇ κορυφῇ
θύουσιν οἱ Βασίλαι καλούμενοι τῷ Κρόνῳ κατὰ
ἰσημερίαν τὴν ἐν τῷ ἦρι, Ἐλαφίῳ μηνὶ παρὰ
2 Ἠλείοις. ἐν δὲ τοῖς πέρασι τοῦ Κρονίου κατὰ
τὸ πρὸς τὴν ἄρκτον ἔστιν ἐν μέσῳ τῶν θησαυρῶν
καὶ τοῦ ὄρους ἱερὸν Εἰλειθυίας, ἐν δὲ αὐτῷ
Σωσίπολις Ἠλείοις ἐπιχώριος δαίμων ἔχει τιμάς.
τὴν μὲν δὴ Εἰλείθυιαν ἐπονομάζοντες Ὀλυμπίαν,
ἱερασομένην αἱροῦνται τῇ θεῷ κατὰ ἔτος ἕκαστον·
ἡ δὲ πρεσβῦτις ἡ θεραπεύουσα τὸν Σωσίπολιν
νόμῳ τε ἁγιστεύει τῷ Ἠλείων καὶ αὐτὴ λουτρά
τε ἐσφέρει τῷ θεῷ καὶ μάζας κατατίθησιν αὐτῷ
3 μεμαγμένας μέλιτι. ἐν μὲν δὴ τῷ ἔμπροσθεν
τοῦ ναοῦ—διπλοῦς γὰρ δὴ πεποίηται—τῆς τε
Εἰλειθυίας βωμὸς καὶ ἔσοδος ἐς αὐτὸ ἐστιν
ἀνθρώποις· ἐν δὲ τῷ ἐντὸς ὁ Σωσίπολις ἔχει
τιμάς, καὶ ἐς αὐτὸ ἔσοδος οὐκ ἔστι πλὴν τῇ
θεραπευούσῃ τὸν θεὸν ἐπὶ τὴν κεφαλὴν καὶ τὸ
πρόσωπον ἐφειλκυσμένη ὕφος λευκόν· παρθένοι
δὲ ἐν τῷ τῆς Εἰλειθυίας ὑπομένουσαι καὶ γυναῖκες
ὕμνον ᾄδουσι, καθαγίζουσαι δὲ καὶ θυμιάματα
παντοῖα αὐτῷ ἐπισπένδειν οὐ νομίζουσιν οἶνον.
καὶ ὅρκος παρὰ τῷ Σωσιπόλιδι ἐπὶ μεγίστοις
4 καθέστηκεν. λέγεται δὲ καὶ Ἀρκάδων ἐς τὴν
Ἠλείαν ἐσβεβληκότων στρατιᾷ καὶ τῶν Ἠλείων
σφίσιν ἀντικαθημένων γυναῖκα ἀφικομένην παρὰ

stating that the treasury, and the images in it, were dedicated by the people of Gela. The images, however, are no longer there.

XX. Mount Cronius, as I have already said, extends parallel to the terrace with the treasuries on it. On the summit of the mountain the Basilae, as they are called, sacrifice to Cronus at the spring equinox, in the month called Elaphius among the Eleans. At the foot of Mount Cronius, on the north . . . ,[1] between the treasuries and the mountain, is a sanctuary of Eileithyia, and in it Sosipolis,[2] a native Elean deity, is worshipped. Now they surname Eileithyia Olympian, and choose a priestess for the goddess every year. The old woman who tends Sosipolis herself too by an Elean custom lives in chastity, bringing water for the god's bath and setting before him barley cakes kneaded with honey. In the front part of the temple, for it is built in two parts, is an altar of Eileithyia and an entrance for the public; in the inner part Sosipolis is worshipped, and no one may enter it except the woman who tends the god, and she must wrap her head and face in a white veil. Maidens and matrons wait in the sanctuary of Eileithyia chanting a hymn; they burn all manner of incense to the god, but it is not the custom to pour libations of wine. An oath is taken by Sosipolis on the most important occasions. The story is that when the Arcadians had invaded the land of Elis, and the Eleans were set in array

---

[1] Some genitive seems to have fallen out here. τοῦ Ἡραίου and τῆς Ἄλτεως have been suggested. Other conjectures are: (1) to insert τεῖχος after ἄρκτον, (2) to read Ἄλτιν for ἄρκτον.

[2] "Saviour of the State.'

τῶν Ἠλείων τοὺς στρατηγούς, νήπιον παῖδα
ἔχουσαν ἐπὶ τῷ μαστῷ, λέγειν ὡς τέκοι μὲν
αὐτὴ τὸν παῖδα, διδοίη δὲ ἐξ ὀνειράτων συμμα-
χήσοντα Ἠλείοις. οἱ δὲ ἐν ταῖς ἀρχαῖς—πιστὰ
γὰρ τὴν ἄνθρωπον ἡγοῦντο εἰρηκέναι—τιθέασι
5 τὸ παιδίον πρὸ τοῦ στρατεύματος γυμνόν. ἐπή-
εσάν τε δὴ οἱ Ἀρκάδες καὶ τὸ παιδίον ἐνταῦθα
ἤδη δράκων ἦν· ταραχθεῖσι δὲ ἐπὶ τῷ θεάματι
τοῖς Ἀρκάσι καὶ ἐνδοῦσιν ἐς φυγὴν ἐπέκειντο οἱ
Ἠλεῖοι, καὶ νίκην τε ἐπιφανεστάτην ἀνείλοντο
καὶ ὄνομα τῷ θεῷ τίθενται Σωσίπολιν. ἔνθα δέ
σφισιν ὁ δράκων ἔδοξεν ἐσδῦναι μετὰ τὴν μάχην,
τὸ ἱερὸν ἐποίησαν ἐνταῦθα· σὺν δὲ αὐτῷ σέβεσθαι
καὶ τὴν Εἰλείθυιαν ἐνόμισαν, ὅτι τὸν παῖδά σφισιν
6 ἡ θεὸς αὕτη προήγαγεν ἐς ἀνθρώπους. τοῖς δὲ
τῶν Ἀρκάδων ἀποθανοῦσιν ἐν τῇ μάχῃ ἐστὶ τὸ
μνῆμα ἐπὶ τοῦ λόφου διαβάντων τὸν Κλάδεον ὡς
ἐπὶ ἡλίου δυσμάς. πλησίον δὲ τῆς Εἰλειθυίας
ἐρείπια Ἀφροδίτης Οὐρανίας ἱεροῦ λείπεται,
θύουσι δὲ καὶ αὐτόθι ἐπὶ τῶν βωμῶν.

7 Ἔστι δὲ ἐντὸς τῆς Ἄλτεως κατὰ τὴν πομπικὴν
ἔσοδον Ἱπποδάμειον καλούμενον, ὅσον πλέθρου
χωρίον περιεχόμενον θοιγκῷ· ἐς τοῦτο ἅπαξ κατὰ
ἔτος ἕκαστον ἔστι ταῖς γυναιξὶν ἔσοδος, αἳ θύουσι
τῇ Ἱπποδαμείᾳ καὶ ἄλλα ἐς τιμὴν δρῶσιν αὐτῆς.
τὴν δὲ Ἱπποδάμειάν φασιν ἐς Μίδεαν τὴν ἐν τῇ
Ἀργολίδι ἀποχωρῆσαι, ἅτε τοῦ Πέλοπος ἐπὶ τῷ
Χρυσίππου θανάτῳ μάλιστα ἐς ἐκείνην ἔχοντος
τὴν ὀργήν· αὐτοὶ δὲ ὕστερον ἐκ μαντείας κομίσαι
φασὶ τῆς Ἱπποδαμείας τὰ ὀστᾶ ἐς Ὀλυμπίαν.[1]
8 ἔστι δὲ ἐπὶ τῷ πέρατι τῶν ἀγαλμάτων ἃ ἐπὶ

[1] The MSS. have ἐν Ὀλυμπίᾳ.

against them, a woman came to the Elean generals, holding a baby to her breast, who said that she was the mother of the child but that she gave him, because of dreams, to fight for the Eleans. The Elean officers believed that the woman was to be trusted, and placed the child before the army naked. When the Arcadians came on, the child turned at once into a snake. Thrown into disorder at the sight, the Arcadians turned and fled, and were attacked by the Eleans, who won a very famous victory, and so call the god Sosipolis. On the spot where after the battle the snake seemed to them to go into the ground they made the sanctuary. With him the Eleans resolved to worship Eileithyia also, because this goddess to help them brought her son forth unto men. The tomb of the Arcadians who were killed in the battle is on the hill across the Cladeüs to the west. Near to the sanctuary of Eileithyia are the remains of the sanctuary of Heavenly Aphrodite, and there too they sacrifice upon the altars.

There is within the Altis by the processional entrance the Hippodameium, as it is called, about a quarter of an acre of ground surrounded by a wall. Into it once every year the women may enter, who sacrifice to Hippodameia, and do her honour in other ways. The story is that Hippodameia withdrew to Midea in Argolis, because Pelops was very angry with her over the death of Chrysippus. The Eleans declare that subsequently, because of an oracle, they brought the bones of Hippodameia to Olympia. At the end of the statues which they made from the fines levied on

ζημίαις ἐποιήσαντο ἀθλητῶν, ἐπὶ τούτῳ τῷ
πέρατί ἐστιν ἣν Κρυπτὴν ὀνομάζουσιν ἔσοδον·
διὰ δὲ αὐτῆς τούς τε Ἑλλανοδίκας ἐσιέναι[1] ἐς
τὸ στάδιον καὶ τοὺς ἀγωνιστάς. τὸ μὲν δὴ
στάδιον γῆς χῶμά ἐστι, πεποίηται δὲ ἐν αὐτῷ
καθέδρα τοῖς τιθεῖσι τὸν ἀγῶνα. ἔστι δὲ ἀπαν-
τικρὺ τῶν Ἑλλανοδικῶν βωμὸς λίθου λευκοῦ·
9 ἐπὶ τούτου καθεζομένη τοῦ βωμοῦ θεᾶται γυνὴ
τὰ Ὀλύμπια, ἱέρεια Δήμητρος Χαμύνης, τιμὴν
ταύτην ἄλλοτε ἄλλην λαμβάνουσα παρὰ Ἠλείων.
παρθένους δὲ οὐκ εἴργουσι θεᾶσθαι. πρὸς δὲ τοῦ
σταδίου τῷ πέρατι, ᾗ τοῖς σταδιαδρόμοις ἄφεσις
πεποίηται, Ἐνδυμίωνος μνῆμα ἐνταῦθα λόγῳ
Ἠλείων ἐστίν.

10 Ὑπερβάλλοντι δὲ ἐκ τοῦ σταδίου, καθότι οἱ
Ἑλλανοδίκαι καθέζονται, κατὰ τοῦτο χωρίον ἐς
τῶν ἵππων ἀνειμένον τοὺς δρόμους καὶ ἡ ἄφεσίς
ἐστι τῶν ἵππων. παρέχεται μὲν οὖν σχῆμα ἡ
ἄφεσις κατὰ πρῷραν νεώς, τέτραπται δὲ αὐτῆς
τὸ ἔμβολον ἐς τὸν δρόμον· καθότι δὲ τῇ Ἀγνάπτου
στοᾷ προσεχής ἐστιν ἡ πρῷρα, κατὰ τοῦτο εὐρεῖα
γίνεται, δελφὶς δὲ ἐπὶ κανόνος κατὰ ἄκρον μάλιστα
11 τὸ ἔμβολον πεποίηται χαλκοῦς. ἑκατέρα μὲν δὴ
πλευρὰ τῆς ἀφέσεως πλέον ἢ τετρακοσίους πόδας
παρέχεται τοῦ μήκους, ᾠκοδόμηται δὲ ἐν αὐταῖς
οἰκήματα· ταῦτα κλήρῳ τὰ οἰκήματα διαλαγχά-
νουσιν οἱ ἐσιόντες ἐς τὸν ἀγῶνα τῶν ἵππων. πρὸ
δὲ τῶν ἁρμάτων ἢ καὶ ἵππων τῶν κελήτων, διήκει
πρὸ αὐτῶν καλῴδιον ἀντὶ ὑσπληγος· βωμὸς δὲ
ὠμῆς πλίνθου τὰ ἐκτὸς κεκονιαμένος ἐπ' ἑκάστης
ὀλυμπιάδος ποιεῖται κατὰ τὴν πρῷραν μάλιστά

---

[1] Some word like καθέστηκεν should be added here.

athletes, there is the entrance called the Hidden Entrance. Through it umpires and competitors are wont to enter the stadium. Now the stadium is an embankment of earth, and on it is a seat for the presidents of the games. Opposite the umpires is an altar of white marble ; seated on this altar a woman looks on at the Olympic games, the priestess of Demeter Chamyne, which office the Eleans bestow from time to time on different women. Maidens are not debarred from looking on at the games. At the end of the stadium, where is the starting-place for the runners, there is, the Eleans say, the tomb of Endymion.

When you have passed beyond the stadium, at the point where the umpires sit, is a place set apart for the horse-races, and also the starting-place for the horses. The starting-place is in the shape of the prow of a ship, and its ram is turned towards the course. At the point where the prow adjoins the porch of Agnaptus it broadens, and a bronze dolphin on a rod has been made at the very point of the ram. Each side of the starting-place is more than four hundred feet in length, and in the sides are built stalls. These stalls are assigned by lot to those who enter for the races. Before the chariots or race-horses is stretched a cord as a barrier. An altar of unburnt brick, plastered on the outside, is made at every Festival as near as possible to the centre of the prow, and a bronze eagle stands on

12 που μέσην, ἀετὸς δὲ ἐπὶ τῷ βωμῷ χαλκοῦς κεῖται
τὰ πτερὰ ἐπὶ μήκιστον ἐκτείνων. ἀνακινεῖ μὲν
δὴ τὸ ἐν τῷ βωμῷ μηχάνημα ὁ τεταγμένος ἐπὶ
τῷ δρόμῳ· ἀνακινηθέντος δὲ ὁ μὲν ἐς τὸ ἄνω
πεποίηται πηδᾶν ὁ ἀετός, ὡς τοῖς ἥκουσιν ἐπὶ
τὴν θέαν γενέσθαι σύνοπτος, ὁ δελφὶς δὲ ἐς
13 ἔδαφος πίπτει. πρῶται[1] μὲν δὴ ἑκατέρωθεν αἱ
πρὸς τῇ στοᾷ τῇ Ἀγνάπτου χαλῶσιν ὕσπληγες,
καὶ οἱ κατὰ ταύτας[2] ἑστηκότες ἐκθέουσιν ἵπποι
πρῶτοι· θέοντές τε δὴ γίνονται κατὰ τοὺς εἰλη-
χότας ἑστάναι τὴν δευτέραν τάξιν, καὶ τηνικαῦτα
χαλῶσιν αἱ ὕσπληγες αἱ ἐν τῇ δευτέρᾳ τάξει·
διὰ πάντων τε κατὰ τὸν αὐτὸν λόγον συμβαίνει
τῶν ἵππων, ἔστ' ἂν ἐξισωθῶσιν ἀλλήλοις κατὰ
τῆς πρῴρας τὸ ἔμβολον· τὸ ἀπὸ τούτου δὲ ἤδη
καθέστηκεν ἐπίδειξις ἐπιστήμης τε ἡνιόχων καὶ
14 ἵππων ὠκύτητος. τὸ μὲν δὴ ἐξ ἀρχῆς Κλεοίτας
ἐστὶν ἄφεσιν μηχανησάμενος, καὶ φρονῆσαί γε
φαίνεται[3] ἐπὶ τῷ εὑρήματι, ὡς καὶ ἐπίγραμμα
ἐπὶ ἀνδριάντι τῷ Ἀθήνησιν ἐπιγράψαι

ὃς τὴν ἱππάφεσιν ἐν[4] Ὀλυμπίᾳ εὕρατο πρῶτος,
τεῦξέ με Κλεοίτας υἱὸς Ἀριστοκλέους.

Κλεοίτα δέ φασιν ὕστερον Ἀριστείδην σοφίαν
τινὰ καὶ αὐτὸν ἐς τὸ μηχάνημα ἐσενέγκασθαι.

15 Παρεχομένου δὲ τοῦ ἱπποδρόμου παρήκουσαν
ἐς πλέον τὴν ἑτέραν τῶν πλευρῶν, ἔστιν ἐπὶ τῆς
μείζονος πλευρᾶς, οὔσης χώματος, κατὰ τὴν
διέξοδον τὴν διὰ τοῦ χώματος τὸ τῶν ἵππων
δεῖμα ὁ Ταράξιππος. σχῆμα μὲν βωμοῦ περι-
φεροῦς ἐστι, παραθέοντας δὲ κατὰ τοῦτο τοὺς

the altar with his wings stretched out to the fullest extent. The man appointed to start the racing sets in motion the mechanism in the altar, and then the eagle has been made to jump upwards, so as to become visible to the spectators, while the dolphin falls to the ground. First on either side the barriers are withdrawn by the porch of Agnaptus, and the horses standing thereby run off first. As they run they reach those to whom the second station has been allotted, and then are withdrawn the barriers at the second station. The same thing happens to all the horses in turn, until at the ram of the prow they are all abreast. After this it is left to the charioteers to display their skill and the horses their speed. It was Cleoetas who originally devised the method of starting, and he appears to have been proud of the discovery, as on the statue at Athens he wrote the inscription :—

Who first invented the method of starting the horses at Olympia,
He made me, Cleoetas the son of Aristocles.

It is said that after Cleoetas some further device was added to the mechanism by Aristeides.

The race-course has one side longer than the other, and on the longer side, which is a bank, there stands, at the passage through the bank, Taraxippus, the terror of the horses. It has the shape of a round altar, and as they run along the horses

---

[1] The MSS. have πρῶτοι.
[2] The MSS. have τούτους.
[3] φαίνεται is not in the MSS., but has been added by Spiro.
[4] ἐν is not in the MSS.

ἵππους φόβος τε αὐτίκα ἰσχυρὸς ἀπ' οὐδεμιᾶς
προφάσεως φανερᾶς καὶ ἀπὸ τοῦ φόβου λαμ-
βάνει ταραχή, τά τε δὴ ἅρματα καταγνύουσιν
ὡς ἐπίπαν καὶ οἱ ἡνίοχοι τιτρώσκονται· καὶ
τοῦδε ἡνίοχοι ἕνεκα θυσίας θύουσι καὶ γενέσθαι
16 σφίσιν ἵλεων εὔχονται τὸν Ταράξιππον. Ἕλ-
ληνες δὲ οὐ κατὰ τὰ αὐτὰ νομίζουσιν ἐς τὸν
Ταράξιππον, ἀλλ' οἱ μὲν εἶναι τάφον ἀνδρὸς
αὐτόχθονος καὶ ἀγαθοῦ τὰ ἐς ἱππικήν—καὶ
ὄνομα Ὠλένιον αὐτῷ τίθενται, ἀπὸ τούτου δὲ
καὶ τὴν Ὠλενίαν ἐν τῇ Ἠλείᾳ πέτραν φασὶν
ὀνομασθῆναι—οἱ δὲ τὸν Φλιοῦντος Δαμέωνα
μετασχόντα Ἡρακλεῖ τῆς ἐπὶ Αὐγέαν καὶ
Ἠλείους στρατείας αὐτόν τε ἀποθανεῖν καὶ τὸν
ἵππον ἐφ' ᾧ ἐπωχεῖτο ὑπὸ Κτεάτου λέγουσι
τοῦ Ἄκτορος, καὶ τὸ μνῆμα κοινὸν Δαμέωνι καὶ
17 τῷ ἵππῳ γενέσθαι. λέγουσι δὲ καὶ ὡς Μυρτίλῳ
κενὸν ἐνταῦθα ἠρίον ποιήσειε Πέλοψ καὶ θύσειέ
τε αὐτῷ τὸ ἐπὶ τῷ φόνῳ μήνιμα ἰώμενος καὶ
ἐπονομάσαι Ταράξιππον, ὅτι τῷ Οἰνομάῳ διὰ
τοῦ Μυρτίλου τῆς τέχνης ἐταράχθησαν αἱ ἵπποι·
τοῖς δέ ἐστιν εἰρημένον ὡς αὐτὸς Οἰνόμαος ὁ
τοὺς ἱππεύοντάς ἐστιν ἐν τῷ δρόμῳ βλάπτων.
ἤκουσα δὲ καὶ ἐς τὸν Πορθάονος Ἀλκάθουν
ἀγόντων τὴν αἰτίαν, ὡς ἐνταῦθα μέρη λάβοι
γῆς ὁ Ἀλκάθους ἀποθανὼν ὑπὸ Οἰνομάου τῶν
Ἱπποδαμείας γάμων ἕνεκα· ἅτε δὲ ἀτυχήσαντα
ἐν ἱπποδρόμῳ, βάσκανόν τε εἶναι τοῖς ἱππεύουσι
18 καὶ οὐκ εὐμενῆ δαίμονα. ἀνὴρ δὲ Αἰγύπτιος
Πέλοπα ἔφη παρὰ τοῦ Θηβαίου λαβόντα Ἀμ-
φίονος κατορύξαι τι ἐνταῦθα, ἔνθα καλοῦσι τὸν
Ταράξιππον, καὶ ὑπὸ τοῦ κατορωρυγμένου ταρα-

are seized, as soon as they reach this point, by a great fear without any apparent reason. The fear leads to disorder; the chariots generally crash and the charioteers are injured. Consequently the charioteers offer sacrifice, and pray that Taraxippus may show himself propitious to them. The Greeks differ in their view of Taraxippus. Some hold that it is the tomb of an original inhabitant who was skilled in horsemanship; they call him Olenius, and say that after him was named the Olenian rock in the land of Elis. Others say that Dameon, son of Phlius, who took part in the expedition of Heracles against Augeas and the Eleans, was killed along with his charger by Cteatus the son of Actor, and that man and horse were buried in the same tomb. There is also a story that Pelops made here an empty mound in honour of Myrtilus, and sacrificed to him in an effort to calm the anger of the murdered man, naming the mound[1] Taraxippus (*Frightener of horses*) because the mares of Oenomaüs were frightened by the trick of Myrtilus. Some say that it is Oenomaüs himself who harms the racers in the course. I have also heard some attach the blame to Alcathus, the son of Porthaon. Killed by Oenomaüs because he wooed Hippodameia, Alcathus, they say, here got his portion of earth; having been unsuccessful on the course, he is a spiteful and hostile deity to chariot-drivers. A man of Egypt said that Pelops received something from Amphion the Theban and buried it where is what they call Taraxippus, adding that it was the buried thing

[1] Or, "him."

χθῆναι μὲν τῷ Οἰνομάῳ τότε, ταράσσεσθαι δὲ
καὶ ὕστερον τοῖς πᾶσι τὰς ἵππους· ἠξίου δὲ
οὗτος ὁ Αἰγύπτιος εἶναι μὲν Ἀμφίονα, εἶναι δὲ καὶ
τὸν Θρᾷκα Ὀρφέα μαγεῦσαι δεινόν, καὶ αὐτοῖς
ἐπάδουσι θηρία τε ἀφικνεῖσθαι τῷ Ὀρφεῖ καὶ
Ἀμφίονι ἐς τὰς τοῦ τείχους οἰκοδομίας τὰς
πέτρας. ὁ δὲ πιθανώτατος ἐμοὶ δοκεῖν τῶν
λόγων Ποσειδῶνος ἐπίκλησιν εἶναι τοῦ Ἱππίου
19 φησίν. ἔστι δὲ καὶ ἐν Ἰσθμῷ Ταράξιππος
Γλαῦκος ὁ Σισύφου· γενέσθαι δὲ αὐτῷ τὴν
τελευτὴν λέγουσιν ὑπὸ τῶν ἵππων, ὅτε Ἄκαστος
τὰ ἆθλα ἔθηκεν ἐπὶ τῷ πατρί. ἐν Νεμέᾳ δὲ
τῇ Ἀργείων ἥρως μὲν ἦν οὐδεὶς ὅστις ἔβλαπτε
τοὺς ἵππους· πέτρας δὲ ὑπὲρ τῶν ἵππων τὴν
καμπὴν ἀνεστηκυίας χρόαν πυρρᾶς, ἢ ἀπ' αὐτῆς
αὐγὴ κατὰ ταὐτὰ καὶ εἰ πῦρ ἐνεποίει φόβον τοῖς
ἵπποις. ἀλλὰ γὰρ ὁ ἐν Ὀλυμπίᾳ Ταράξιππος
πολύ δή τι ὑπερηρκώς ἐστιν ἐς ἵππων φόβον.
ἐπὶ δὲ νύσσης μιᾶς Ἱπποδαμείας ἐστὶν εἰκὼν
χαλκῆ, ταινίαν τε ἔχουσα καὶ ἀναδεῖν τὸν
Πέλοπα μέλλουσα ἐπὶ τῇ νίκῃ.

XXI. Τὸ δὲ ἕτερον τοῦ ἱπποδρόμου μέρος οὐ
χῶμα γῆς ἐστιν, ὄρος δὲ οὐχ ὑψηλόν. ἐπὶ τῷ
πέρατι τοῦ ὄρους ἱερὸν πεποίηται Δήμητρι ἐπί-
κλησιν Χαμύνῃ· καὶ οἱ μὲν ἀρχαῖον τὸ ὄνομα
ἥγηνται, χανεῖν γὰρ τὴν γῆν ἐνταῦθα τὸ ἅρμα
τοῦ Ἅιδου καὶ αὖθις μύσαι· οἱ δὲ Χάμυνον
ἄνδρα Πισαῖον Πανταλέοντι ἐναντιούμενον τῷ
Ὀμφαλίωνος τυραννοῦντι ἐν Πίσῃ καὶ ἀπόστασιν
βουλεύοντι ἀπὸ Ἠλείων, ἀποθανεῖν φασιν αὐτὸν
ὑπὸ τοῦ Πανταλέοντος καὶ ἀπὸ τοῦ Χαμύνου
τῆς οὐσίας τῇ Δήμητρι οἰκοδομηθῆναι τὸ ἱερόν.

which frightened the mares of Oenomaüs, as well
as those of every charioteer since. This Egyptian
thought that Amphion and the Thracian Orpheus
were clever magicians, and that it was through their
enchantments that the beasts came to Orpheus, and
the stones came to Amphion for the building of the
wall. The most probable of the stories in my
opinion makes Taraxippus a surname of Horse
Poseidon. There is another Taraxippus at the
Isthmus, namely Glaucus, the son of Sisyphus.
They say that he was killed by his horses, when
Acastus held his contests in honour of his father.
At Nemea of the Argives there was no hero who
harmed the horses, but above the turning-point of
the chariots rose a rock, red in colour, and the flash
from it terrified the horses, just as though it had
been fire. But the Taraxippus at Olympia is much
worse for terrifying the horses. On one turning-
post is a bronze statue of Hippodameia carrying a
ribbon, and about to crown Pelops with it for his
victory.

XXI. The other side of the course is not a bank
of earth but a low hill. At the foot of the hill
has been built a sanctuary to Demeter surnamed
Chamyne. Some are of opinion that the name is
old, signifying that here the earth gaped[1] for the
chariot of Hades and then closed up[2] once more.
Others say that Chamynus was a man of Pisa who
opposed Pantaleon, the son of Omphalion and despot
at Pisa, when he plotted to revolt from Elis;
Pantaleon, they say, put him to death, and from
his property was built the sanctuary to Demeter.

---

[1] χανεῖν (*chanein*). [2] μῦσαι (*mysai*).

2 ἀγάλματα δὲ ἀντὶ τῶν ἀρχαίων Κόρην καὶ
Δήμητρα λίθου τοῦ Πεντελῆσιν Ἀθηναῖος ἀνέ-
θηκεν Ἡρώδης.

Ἐν τῷ γυμνασίῳ τῷ ἐν Ὀλυμπίᾳ πεντάθλοις
μὲν καθεστήκασιν ἐν αὐτῷ καὶ δρομεῦσιν αἱ
μελέται, κρηπὶς δὲ ἐν τῷ ὑπαίθρῳ λίθου πεποίη-
ται· τὸ δὲ ἐξ ἀρχῆς καὶ τρόπαιον κατὰ Ἀρκάδων
ἐπὶ τῇ κρηπῖδι εἱστήκει. ἔστι δὲ καὶ ἄλλος
ἐλάσσων περίβολος ἐν ἀριστερᾷ τῆς ἐσόδου τῆς
ἐς τὸ γυμνάσιον, καὶ αἱ παλαῖστραι τοῖς ἀθληταῖς
εἰσιν ἐνταῦθα· τῆς στοᾶς δὲ τῆς πρὸς ἀνίσχοντα
ἥλιον τοῦ γυμνασίου προσεχεῖς τῷ τοίχῳ τῶν
ἀθλητῶν εἰσιν αἱ οἰκήσεις, ἐπί τε ἄνεμον τετραμ-
3 μέναι Λίβα καὶ ἡλίου δυσμάς. διαβάντων δὲ
τὸν Κλάδεον τάφος τε Οἰνομάου γῆς χῶμα περιῳ-
κοδομημένον λίθοις ἐστὶ καὶ ὑπὲρ τοῦ μνήματος
ἐρείπια οἰκοδομημάτων, ἔνθα τῷ Οἰνομάῳ τὰς
ἵππους αὐλίζεσθαι λέγουσιν.

Ὅροι δὲ πρὸς Ἀρκάδας τῆς χώρας τὰ μὲν
παρόντα Ἠλείοις, τὰ δὲ ἐξ ἀρχῆς οἱ αὐτοὶ
Πισαίοις καθεστήκεσαν ἔχοντες κατὰ τάδε. δια-
βάντων ποταμὸν Ἐρύμανθον κατὰ τὴν Σαύ-
ρου καλουμένην δειράδα τοῦ Σαύρου τε μνῆμα
καὶ ἱερόν ἐστιν Ἡρακλέους, ἐρείπια ἐφ᾽ ἡμῶν·
λέγουσι δὲ ὡς ὁδοιπόρους τε καὶ τοὺς προσοι-
κοῦντας ὁ Σαῦρος ἐκακούργει, πρὶν ἢ παρὰ
4 Ἡρακλέους τὴν δίκην ἔσχε. κατὰ ταύτην τὴν
ἐπώνυμον τοῦ λῃστοῦ δειράδα ποταμὸς ἀπὸ
μεσημβρίας κατιὼν ἐς τὸν Ἀλφειὸν καταντικρὺ
τοῦ Ἐρυμάνθου μάλιστα, οὗτός ἐστιν ὁ τὴν
Πισαίαν πρὸς Ἀρκάδας διορίζων, ὄνομα δέ οἱ
Διάγων. τεσσαράκοντα δὲ ἀπὸ τῆς Σαύρου δει-

In place of the old images of the Maid and of Demeter new ones of Pentelic marble were dedicated by Herodes the Athenian.

In the gymnasium at Olympia it is customary for pentathletes and runners to practise, and in the open has been made a basement of stone. Originally there stood on the basement a trophy to commemorate a victory over the Arcadians. There is also another enclosure, less than this, to the left of the entrance to the gymnasium, and the athletes have their wrestling-schools here. Adjoining the wall of the eastern porch of the gymnasium are the dwellings of the athletes, turned towards the south-west. On the other side of the Cladeüs is the grave of Oenomaüs, a mound of earth with a stone wall built round it, and above the tomb are ruins of buildings in which Oenomaüs is said to have stabled his mares.

The boundaries which now separate Arcadia and Elis originally separated Arcadia from Pisa, and are thus situated. On crossing the river Erymanthus at what is called the ridge of Saurus are the tomb of Saurus and a sanctuary of Heracles, now in ruins. The story is that Saurus used to do mischief to travellers and to dwellers in the neighbourhood until he received his punishment at the hands of Heracles. At this ridge, which has the same name as the robber, a river, falling into the Alpheius from the south, just opposite the Erymanthus, is the boundary between the land of Pisa and Arcadia; it is called the Diagon. Forty stades beyond the ridge of

ράδος προελθόντι στάδια ἔστιν Ἀσκληπιοῦ ναός,
ἐπίκλησιν μὲν Δημαινέτου ἀπὸ τοῦ ἱδρυσαμένου,
ἐρείπια δὲ καὶ αὐτός· ᾠκοδομήθη δὲ ἐπὶ τοῦ
5 ὑψηλοῦ παρὰ τὸν Ἀλφειόν. τούτου δὲ οὐ πόρρω
ἱερὸν Διονύσου Λευκυανίτου πεποίηται, καὶ ποτα-
μὸς παρέξεισι ταύτῃ Λευκυανίας· ἐκδίδωσι μὲν
οὖν καὶ οὗτος ἐς τὸν Ἀλφειόν, κάτεισι δὲ ἐκ
Φολόης τοῦ ὄρους. διαβήσῃ τε δὴ τὸ ἀπὸ τούτου
τὸν Ἀλφειὸν καὶ ἐντὸς γῆς ἔσῃ τῆς Πισαίας.
6 Ἐν ταύτῃ τῇ χώρᾳ λόφος ἐστὶν ἀνήκων ἐς
ὀξύ, ἐπὶ δὲ αὐτῷ πόλεως Φρίξας ἐρείπια καὶ
Ἀθηνᾶς ἐστιν ἐπίκλησιν Κυδωνίας ναός. οὗτος
μὲν οὐ τὰ πάντα ἐστὶ σῶς, βωμὸς δὲ καὶ ἐς ἐμὲ
ἔτι· ἱδρύσασθαι δὲ τῇ θεῷ τὸ ἱερὸν Κλύμενόν
φασιν ἀπόγονον Ἡρακλέους τοῦ Ἰδαίου, παρα-
γενέσθαι δὲ αὐτὸν ἀπὸ Κυδωνίας τῆς Κρητικῆς
καὶ τοῦ Ἰαρδάνου ποταμοῦ. λέγουσι δὲ καὶ
Πέλοπα οἱ Ἠλεῖοι τῇ Ἀθηνᾷ θῦσαι τῇ Κυδωνίᾳ
πρὶν ἢ ἐς τὸν ἀγῶνα αὐτὸν τῷ Οἰνομάῳ καθίσ-
7 τασθαι. προϊόντι δὲ ἐντεῦθεν τό τε ὕδωρ τῆς
Παρθενίας ἐστὶ καὶ πρὸς τῷ ποταμῷ τάφος
ἵππων τῶν Μάρμακος· Ἱπποδαμείας δὲ μνηστῆρα
ἔχει λόγος ἀφικέσθαι πρῶτον τοῦτον Μάρμακα
καὶ ἀποθανεῖν ὑπὸ τοῦ Οἰνομάου πρὸ τῶν ἄλλων,
ὀνόματα δὲ αὐτοῦ ταῖς ἵπποις Παρθενίαν τε εἶναι
καὶ Ἐρίφαν—Οἰνόμαον δὲ ἐπικατασφάξαι μὲν
τὰς ἵππους τῷ Μάρμακι, μεταδοῦναι μέντοι καὶ
ταύταις ταφῆναι—, καὶ ὄνομα Παρθενίας τῷ
8 ποταμῷ ἀπὸ ἵππου τῆς Μάρμακος. ἔστι δὲ καὶ
ἄλλος Ἀρπινάτης καλούμενος ποταμὸς καὶ οὐ
πολὺ ἀπὸ τοῦ ποταμοῦ πόλεως Ἀρπίνης ἄλλα
τε ἐρείπια καὶ μάλιστα οἱ βωμοί· οἰκίσαι δὲ

132

Saurus is a temple of Asclepius, surnamed Demae-netus after the founder. It too is in ruins. It was built on the height beside the Alpheius. Not far from it is a sanctuary of Dionysus Leucyanites, whereby flows a river Leucyanias. This river too is a tributary of the Alpheius; it descends from Mount Pholoë. Crossing the Alpheius after it you will be within the land of Pisa.

In this district is a hill rising to a sharp peak, on which are the ruins of the city of Phrixa, as well as a temple of Athena surnamed Cydonian. This temple is not entire, but the altar is still there. The sanctuary was founded for the goddess, they say, by Clymenus, a descendant of Idaean Heracles, and he came from Cydonia in Crete and from the river Jardanus. The Eleans say that Pelops too sacrificed to Cydonian Athena before he set about his contest with Oenomaüs. Going on from this point you come to the water of Parthenia, and by the river is the grave of the mares of Marmax. The story has it that this Marmax was the first suitor of Hippodameia to arrive, and that he was killed by Oenomaüs before the others; that the names of his mares were Parthenia and Eripha; that Oenomaüs slew the mares after Marmax, but granted burial to them also, and that the river received the name Parthenia from the mare of Marmax. There is another river called Harpinates, and not far from the river are, among the other ruins of a city Harpina, its altars. The city was founded,

Οἰνόμαον τὴν πόλιν καὶ θέσθαι τὸ ὄνομα ἀπὸ
τῆς μητρὸς λέγουσιν Ἀρπίνης.

9 Προελθόντι δὲ οὐ πολὺ γῆς χῶμά ἐστιν
ὑψηλόν, τῶν μνηστήρων τῶν Ἱπποδαμείας τάφος.
Οἰνόμαον μὲν οὖν ἐγγὺς ἀλλήλων κρύπτειν γῇ
φασιν οὐκ ἐπιφανῶς αὐτούς· Πέλοψ δὲ ὕστερον
μνῆμα ἐν κοινῷ σφισιν ἐπὶ μέγα ἐξῆρε τιμῇ τῇ
ἐς αὐτοὺς καὶ Ἱπποδαμείας χάριτι, δοκεῖν δέ
μοι καὶ ὑπόμνημα ἐς τοὺς ἔπειτα ὅσων τε καὶ
οἵων τὸν Οἰνόμαον κρατήσαντα ἐνίκησεν αὐτός.

10 ἀπέθανον δὲ ὑπὸ τοῦ Οἰνομάου κατὰ τὰ ἔπη
τὰς μεγάλας Ἠοίας Ἀλκάθους ὁ Πορθάονος,
δεύτερος οὗτος ἐπὶ τῷ Μάρμακι, μετὰ δὲ Ἀλκά-
θουν Εὐρύαλος καὶ Εὐρύμαχός τε καὶ Κρόταλος·
τούτων μὲν οὖν γονέας τε καὶ πατρίδας οὐχ οἷά
τε ἦν πυθέσθαι μοι, τὸν δὲ ἀποθανόντα ἐπ'
αὐτοῖς Ἀκρίαν τεκμαίροιτο ἄν τις Λακεδαιμόνιόν
τε εἶναι καὶ οἰκιστὴν Ἀκριῶν. ἐπὶ δὲ τῷ Ἀκρίᾳ
Κάπετόν φασιν ὑπὸ τοῦ Οἰνομάου φονευθῆναι
καὶ Λυκοῦργον Λάσιόν τε καὶ Χαλκώδοντα καὶ
Τρικόλωνον· ἀπόγονον δὲ αὐτὸν εἶναι καὶ ὁμώ-
νυμον Τρικολώνῳ τῷ Λυκάονος λέγουσιν οἱ

11 Ἀρκάδες. Τρικολώνου δὲ ὕστερον ἐπέλαβεν ἐν
τῷ δρόμῳ τὸ χρεὼν Ἀριστόμαχόν τε καὶ Πρίαντα,
ἔτι δὲ Πελάγοντα καὶ Αἰόλιόν τε καὶ Κρόνιον.
οἱ δὲ καὶ ἐπαριθμοῦσι τοῖς κατειλεγμένοις Ἐρύ-
θραν παῖδα Λεύκωνος τοῦ Ἀθάμαντος—ἀπὸ
τούτου Ἐρυθραὶ πόλισμα ἐκαλεῖτο Βοιωτῶν—
καὶ Ἰονέα Μάγνητος τοῦ Αἰόλου. τούτοις μὲν
δὴ ἐνταῦθά ἐστι τὸ μνῆμα, καὶ τὸν Πέλοπα,
ἡνίκα τῶν Πισαίων ἔσχε τὴν ἀρχήν, φασὶν
ἐναγίζειν αὐτοῖς ἀνὰ πᾶν ἔτος.

they say, by Oenomaüs, who named it after his mother Harpina.

A little farther on is a high mound of earth, the grave of the suitors of Hippodameia. Now Oenomaüs, they say, laid them in the ground near one another with no token of respect. But afterwards Pelops raised a high monument to them all, to honour them and to please Hippodameia. I think too that Pelops wanted a memorial to tell posterity the number and character of the men vanquished by Oenomaüs before Pelops himself conquered him. According to the epic poem called the *Great Eoeae* the next after Marmax to be killed by Oenomaüs was Alcathus, son of Porthaon; after Alcathus came Euryalus, Eurymachus and Crotalus. Now the parents and fatherlands of these I was unable to discover, but Acrias, the next after them to be killed, one might guess to have been a Lacedaemonian and the founder of Acriae. After Acrias they say that Oenomaüs slew Capetus, Lycurgus, Lasius, Chalcodon and Tricolonus, who, according to the Arcadians, was the descendant and namesake of Tricolonus, the son of Lycaon. After Tricolonus there met their fate in the race Aristomachus and Prias, and then Pelagon, Aeolius and Cronius. Some add to the aforesaid Erythras, the son of Leucon, the son of Athamas, after whom was named Erythrae in Boeotia, and Eioneus, the son of Magnes the son of Aeolus. These are the men whose monument is here, and Pelops, they say, sacrificed every year to them as heroes, when he had won the sovereignty of Pisa.

XXII. Προελθόντι δὲ ὅσον τε στάδιον ἀπὸ τοῦ
τάφου σημεῖά ἐστιν ἱεροῦ Κορδάκας ἐπίκλησιν
Ἀρτέμιδος, ὅτι οἱ τοῦ Πέλοπος ἀκόλουθοι τὰ
ἐπινίκια ἤγαγον παρὰ τῇ θεῷ ταύτῃ καὶ ὠρχή-
σαντο ἐπιχώριον τοῖς περὶ τὸν Σίπυλον κόρδακα
ὄρχησιν. τοῦ ἱεροῦ δὲ οὐ πόρρω οἴκημά τε οὐ
μέγα καὶ κιβωτός ἐστιν ἐν αὐτῷ χαλκῇ· ὀστᾶ
τὰ Πέλοπος ἐν τῇ κιβωτῷ φυλάσσουσι. τείχους
δὲ ἢ ἄλλου κατασκευάσματος ἐλείπετο οὐδὲν ἔτι,
ἄμπελοι δὲ ἦσαν διὰ τοῦ χωρίου πεφυτευμέναι
2 παντός, ἔνθα ἡ Πίσα ᾠκεῖτο. οἰκιστὴν μὲν δὴ
γενέσθαι τῇ πόλει Πίσον τὸν Περιήρους φασὶ
τοῦ Αἰόλου· Πισαῖοι δὲ ἐφειλκύσαντο αὐθαίρετον
συμφορὰν ἀπεχθανόμενοί τε Ἠλείοις καὶ σπουδὴν
ποιούμενοι τιθέναι τὸν Ὀλυμπικὸν ἀγῶνα ἀντὶ
Ἠλείων, οἵγε ὀλυμπιάδι μὲν τῇ ὀγδόῃ τὸν Ἀργεῖον
ἐπηγάγοντο Φείδωνα τυράννων τῶν ἐν Ἕλλησι
μάλιστα ὑβρίσαντα καὶ τὸν ἀγῶνα ἔθεσαν ὁμοῦ
τῷ Φείδωνι, τετάρτῃ δὲ ὀλυμπιάδι καὶ τριακοστῇ
στρατὸν οἱ Πισαῖοι καὶ βασιλεὺς αὐτῶν Παντα-
λέων ὁ Ὀμφαλίωνος παρὰ τῶν προσχώρων ἀθροί-
3 σαντες ἐποίησαν ἀντὶ Ἠλείων τὰ Ὀλύμπια. ταύ-
τας τὰς ὀλυμπιάδας καὶ ἐπ' αὐταῖς τὴν τετάρτην
τε καὶ ἑκατοστήν, τεθεῖσαν δὲ ὑπὸ Ἀρκάδων, ἀνο-
λυμπιάδας οἱ Ἠλεῖοι καλοῦντες οὐ σφᾶς ἐν κατα-
λόγῳ τῶν ὀλυμπιάδων γράφουσιν. ὀγδόῃ δὲ ἐπὶ
ταῖς τεσσαράκοντα ὀλυμπιάδι Δαμοφῶν ὁ Παντα-
λέοντος ὑπόνοιαν μέν τινα παρέσχεν Ἠλείοις
νεώτερα ἐς αὐτοὺς βουλεύειν, ἐσβαλόντας δὲ ἐς
τὴν Πισαίαν σὺν ὅπλοις ἀπελθεῖν οἴκαδε ἀπράκ-
4 τους ἔπεισε δεήσεσί τε καὶ ὅρκοις. Πύρρου δὲ
τοῦ Πανταλέοντος μετὰ Δαμοφῶντα τὸν ἀδελφὸν

XXII. Going forward about a stade from the grave one sees traces of a sanctuary of Artemis, surnamed Cordax because the followers of Pelops celebrated their victory by the side of this goddess and danced the *cordax*, a dance peculiar to the dwellers round Mount Sipylus. Not far from the sanctuary is a small building containing a bronze chest, in which are kept the bones of Pelops. Of the wall and of the rest of the building there were no remains, but vines were planted over all the district where Pisa stood. The founder of the city, they say, was Pisus, the son of Perieres, the son of Aeolus. The people of Pisa brought of themselves disaster on their own heads by their hostility to the Eleans, and by their keenness to preside over the Olympic games instead of them. At the eighth Festival they brought in Pheidon of Argos, 748 B.C. the most overbearing of the Greek tyrants, and held the games along with him, while at the thirty-fourth Festival the people of Pisa, with their king 644 B.C. Pantaleon the son of Omphalion, collected an army from the neighbourhood, and held the Olympic games instead of the Eleans. These Festivals, as well as the hundred and fourth, which was held 364 B.C. by the Arcadians, are called "Non-Olympiads" by the Eleans, who do not include them in a list of Olympiads. At the forty-eighth Festival, Damophon 588 B.C. the son of Pantaleon gave the Eleans reasons for suspecting that he was intriguing against them, but when they invaded the land of Pisa with an army he persuaded them by prayers and oaths to return quietly home again. When Pyrrhus, the son of Pantaleon, succeeded his brother Damophon as king,

βασιλεύσαντος Πισαῖοι πόλεμον ἑκούσιον ἐπανεί-
λοντο Ἠλείοις, συναπέστησαν δέ σφισιν ἀπὸ
Ἠλείων Μακίστιοι καὶ Σκιλλούντιοι, οὗτοι μὲν
ἐκ τῆς Τριφυλίας, τῶν δὲ ἄλλων περιοίκων
Δυσπόντιοι· τούτοις καὶ μάλιστα ἐς τοὺς Πισαίους
οἰκεῖα ἦν, καὶ οἰκιστὴν Δυσποντέα γενέσθαι σφίσιν
Οἰνομάου παῖδα ἐμνημόνευον. Πισαίους μὲν δὴ
καὶ ὅσοι τοῦ πολέμου Πισαίοις μετέσχον, ἐπέλα-
5 βεν ἀναστάτους ὑπὸ Ἠλείων γενέσθαι· Πύλου
δὲ τῆς ἐν τῇ Ἠλείᾳ δῆλα τὰ ἐρείπια κατὰ τὴν
ἐξ Ὀλυμπίας ἐστὶν ἐς Ἦλιν ὀρεινὴν ὁδόν, ὀγδοή-
κοντα δὲ στάδια ἐς Ἦλιν ἀπὸ τῆς Πύλου. ταύ-
την τὴν Πύλον ᾤκισε μὲν κατὰ τὰ ἤδη λελεγμένα
μοι Μεγαρεὺς ἀνὴρ Πύλων ὁ Κλήσωνος· γενομένη
δὲ ὑπὸ Ἡρακλέους ἀνάστατος καὶ αὖθις ἐπισυνοι-
κισθεῖσα ὑπὸ Ἠλείων, ἔμελλεν ἀνὰ χρόνον οὐχ
ἕξειν οἰκήτορας. παρὰ δὲ αὐτὴν ποταμὸς Λάδων
6 κάτεισιν ἐς τὸν Πηνειόν. λέγουσι δὲ οἱ Ἠλεῖοι
καὶ ἔπος ἐς τὴν Πύλον ταύτην ἔχειν τῶν Ὁμήρου,

γένος δ' ἦν ἐκ ποταμοῖο
Ἀλφειοῦ, ὅστ' εὐρὺ ῥέει Πυλίων διὰ γαίης,

καὶ ἐμὲ ἔπειθον λέγοντες· ῥεῖ γὰρ δὴ διὰ τῆς
χώρας ταύτης ὁ Ἀλφειός, ἐς δὲ ἄλλην Πύλον
οὐκ ἔστιν ἐπενεγκεῖν τὸ ἔπος· Πυλίων γὰρ τῶν
ὑπὲρ νήσου τῆς Σφακτηρίας οὐ πέφυκεν ἀρχὴν
διοδεύειν τὴν γῆν ὁ Ἀλφειός, οὐ μὴν οὐδὲ ἐν
τῇ Ἀρκάδων Πύλον ποτὲ ὀνομασθεῖσαν ἴσμεν
πόλιν.
7 Ἀπέχει δὲ ὡς πεντήκοντα Ὀλυμπίας σταδίους
κώμη τε Ἠλείων Ἡράκλεια καὶ πρὸς αὐτῇ
Κύθηρος ποταμός· πηγὴ δὲ ἐκδιδοῦσα ἐς τὸν

the people of Pisa of their own accord made war against Elis, and were joined in their revolt from the Eleans by the people of Macistus and Scillus, which are in Triphylia, and by the people of Dyspontium, another vassal community. The last were closely related to the people of Pisa, and it was a tradition of theirs that their founder had been Dysponteus the son of Oenomaüs. It was the fate of Pisa, and of all her allies, to be destroyed by the Eleans. Of Pylus in the land of Elis the ruins are to be seen on the mountain road from Olympia to Elis, the distance between Elis and Pylus being eighty stades. This Pylus was founded, as I have already said,[1] by a Megarian called Pylon, the son of Cleson. Destroyed by Heracles and refounded by the Eleans, the city was doomed in time to be without inhabitants. Beside it the river Ladon flows into the Peneius. The Eleans declare that there is a reference to this Pylus in the passage of Homer:—[2]

> And he was descended from the river
> Alpheius, that in broad stream flows through the
> land of the Pylians.

The Eleans convinced me that they are right. For the Alpheius does flow through this district, and the passage cannot refer to another Pylus. For the land of the Pylians over against the island Sphacteria simply cannot in the nature of things be crossed by the Alpheius, and, moreover, we know of no city in Arcadia named Pylus.

Distant from Olympia about fifty stades is Heracleia, a village of the Eleans, and beside it is a river Cytherus. A spring flows into the river,

---

[1] Book IV. xxxvi, § 1.   [2] Homer, *Iliad* v. 544.

ποταμὸν καὶ νυμφῶν ἐστιν ἱερὸν ἐπὶ τῇ πηγῇ.
ὀνόματα δὲ ἰδίᾳ μὲν ἑκάστῃ τῶν νυμφῶν Καλλι-
φάεια καὶ Συνάλλασις καὶ Πηγαία τε καὶ Ἴασις,
ἐν κοινῷ δέ σφισιν ἐπίκλησις Ἰωνίδες. λουο-
μένοις δὲ ἐν τῇ πηγῇ καμάτων τέ ἐστι καὶ
ἀλγημάτων παντοίων ἰάματα· καλεῖσθαι δὲ τὰς
νύμφας ἀπὸ Ἴωνος λέγουσι τοῦ Γαργηττοῦ,
μετοικήσαντος ἐνταῦθα ἐξ Ἀθηνῶν.

8   Εἰ δὲ ἐλθεῖν ἐς Ἦλιν διὰ τοῦ πεδίου θελήσειας,
σταδίους μὲν εἴκοσι καὶ ἑκατὸν ἐς Λετρίνους ἕξεις,
ὀγδοήκοντα δὲ ἐκ Λετρίνων καὶ ἑκατὸν ἐπὶ Ἦλιν.
τὸ μὲν δὴ ἐξ ἀρχῆς πόλισμα ἦν οἱ Λετρῖνοι, καὶ
Λετρεὺς ὁ Πέλοπος ἐγεγόνει σφίσιν οἰκιστής·
ἐπ' ἐμοῦ δὲ οἰκήματά τε ἐλείπετο ὀλίγα καὶ
9 Ἀλφειαίας Ἀρτέμιδος ἄγαλμα ἐν ναῷ. γενέσθαι
δὲ τὴν ἐπίκλησιν τῇ θεῷ λέγουσιν ἐπὶ λόγῳ
τοιῷδε· ἐρασθῆναι τῆς Ἀρτέμιδος τὸν Ἀλφειόν,
ἐρασθέντα δέ, ὡς ἐπέγνω μὴ γενήσεσθαί οἱ διὰ
πειθοῦς καὶ δεήσεως τὸν γάμον, ἐπιτολμᾶν ὡς
βιασόμενον τὴν θεόν, καὶ αὐτὸν ἐς παννυχίδα ἐς
Λετρίνους ἐλθεῖν ὑπὸ αὐτῆς τε ἀγομένην τῆς
Ἀρτέμιδος καὶ νυμφῶν αἷς παίζουσα συνῆν· τὴν
δὲ—ἐν ὑπονοίᾳ γὰρ τοῦ Ἀλφειοῦ τὴν ἐπιβουλὴν
ἔχειν—ἀλείψασθαι τὸ πρόσωπον πηλῷ καὶ αὐτὴν
καὶ ὅσαι τῶν νυμφῶν παρῆσαν, καὶ τὸν Ἀλφειόν,
ὡς ἐσῆλθεν, οὐκ ἔχειν αὐτὸν ἀπὸ τῶν ἄλλων
διακρῖναι τὴν Ἄρτεμιν, ἅτε δὲ οὐ διαγινώσκοντα
10 ἀπελθεῖν ἐπὶ ἀπράκτῳ τῷ ἐγχειρήματι. Λετρι-
ναῖοι μὲν δὴ Ἀλφειαίαν ἐκάλουν τὴν θεὸν ἐπὶ
τοῦ Ἀλφειοῦ τῷ ἐς αὐτὴν ἔρωτι· οἱ δὲ Ἠλεῖοι
—φιλία γάρ σφισιν ὑπῆρχεν ἐξ ἀρχῆς ἐς Λετρι-
ναίους—τὰ παρὰ σφίσιν Ἀρτέμιδι ἐς τιμὴν τῇ

and there is a sanctuary of nymphs near the spring. Individually the names of the nymphs are Calliphaeia, Synallasis, Pegaea and Iasis, but their common surname is the Ionides. Those who bathe in the spring are cured of all sorts of aches and pains. They say that the nymphs are named after Ion, the son of Gargettus, who migrated to this place from Athens.

If you wish to go to Elis through the plain, you will travel one hundred and twenty stades to Letrini, and one hundred and eighty from Letrini to Elis. Originally Letrini was a town, and Letreus the son of Pelops was its founder; but in my time were left a few buildings, with an image of Artemis Alpheiaea in a temple. Legend has it that the goddess received the surname for the following reason. Alpheius fell in love with Artemis, and then, realising that persuasive entreaties would not win the goddess as his bride, he dared to plot violence against her. Artemis was holding at Letrini an all-night revel with the nymphs who were her play-mates, and to it came Alpheius. But Artemis had a suspicion of the plot of Alpheius, and smeared with mud her own face and the faces of the nymphs with her. So Alpheius, when he joined the throng, could not distinguish Artemis from the others, and, not being able to pick her out, went away without bringing off his attempt. The people of Letrini called the goddess Alpheian because of the love of Alpheius for her. But the Eleans, who from the first had been friends of Letrini, transferred to that city the worship of Artemis Elaphiaea established

Ἐλαφιαία καθεστηκότα ἐς Λετρίνους τε μετή-
γαγον καὶ τῇ Ἀρτέμιδι ἐνόμισαν τῇ Ἀλφειαίᾳ
δρᾶν, καὶ οὕτω τὴν Ἀλφειαίαν θεὸν Ἐλαφιαίαν
11 ἀνὰ χρόνον ἐξενίκησεν ὀνομασθῆναι. Ἐλαφιαίαν
δὲ ἐκάλουν οἱ Ἠλεῖοι τὴν Ἄρτεμιν ἐπὶ τῶν
ἐλάφων ἐμοὶ δοκεῖν τῇ θήρᾳ· αὐτοὶ δὲ γυναικὸς
ἐπιχωρίας ὄνομα εἶναι τὴν Ἐλάφιον καὶ ὑπὸ
ταύτης τραφῆναι τὴν Ἄρτεμίν φασι. Λετρίνων
δὲ ὅσον τε ἓξ ἀπωτέρω σταδίοις ἐστὶν ἀέναος
λίμνη τριῶν που τὴν διάμετρον σταδίων μάλιστα.

XXIII. Ἐν δὲ Ἤλιδι τὰ ἄξια μνήμης γυμ-
νάσιόν ἐστιν ἀρχαῖον· καὶ ὅσα ἐς τοὺς ἀθλητὰς
πρὶν ἢ ἐς Ὀλυμπίαν ἀφικνεῖσθαι νομίζουσιν, ἐν
τούτῳ σφίσι τῷ γυμνασίῳ δρᾶν καθέστηκε. πλά-
τανοι μὲν ὑψηλαὶ διὰ τῶν δρόμων πεφύκασιν
ἐντὸς τοίχου· ὁ σύμπας δὲ οὗτος περίβολος
καλεῖται Ξυστός, ὅτι Ἡρακλεῖ τῷ Ἀμφιτρύωνος
ἐς ἄσκησιν ἐγίνετο, ὅσαι τῶν ἀκανθῶν ἐφύοντο
2 ἐνταῦθα ἐπὶ ἑκάστῃ ἡμέρᾳ σφᾶς ἀναξύειν. χωρὶς
μὲν δὴ ἐς ἄμιλλαν τῶν δρομέων ἐστὶν ἀποκε-
κριμένος δρόμος, ὀνομάζεται δὲ ὑπὸ τῶν ἐπιχωρίων
ἱερός, χωρὶς δὲ ἔνθα ἐπὶ μελέτῃ δρομεῖς καὶ οἱ
πένταθλοι θέουσιν. ἔστι δὲ ἐν τῷ γυμνασίῳ
καλούμενον Πλέθριον· ἐν δὲ αὐτῷ συμβάλλουσιν
οἱ Ἑλλανοδίκαι τοὺς καθ᾽ ἡλικίαν ἢ καὶ αὐτῷ
διαφέροντας τῷ ἐπιτηδεύματι· συμβάλλουσι δὲ
3 ἐπὶ πάλῃ. εἰσὶ δὲ καὶ θεῶν ἐν τῷ γυμνασίῳ
βωμοί, Ἡρακλέους τοῦ Ἰδαίου, Παραστάτου δὲ
ἐπίκλησιν, καὶ Ἔρωτος καὶ ὃν Ἠλεῖοι καὶ
Ἀθηναῖοι κατὰ ταὐτὰ Ἠλείοις Ἀντέρωτα ὀνο-
μάζουσι, Δήμητρός τε καὶ τῆς παιδός. Ἀχιλλεῖ
δὲ οὐ βωμός, κενὸν δέ ἐστιν αὐτῷ μνῆμα ἐκ

amongst themselves, and held that they were worshipping Artemis Alpheiaea, and so in time the Alpheiaean goddess came to be named Elaphiaea. The Eleans, I think, called Artemis Elaphiaea from the hunting of the deer (*elaphos*). But they themselves say that Elaphius was the name of a native woman by whom Artemis was reared. About six stades distant from Letrini is a lake that never dries up, being just about three stades across.

XXIII. One of the noteworthy things in Elis is an old gymnasium. In this gymnasium the athletes are wont to go through the training through which they must pass before going to Olympia. High plane-trees grow between the tracks inside a wall. The whole of this enclosure is called Xystus, because an exercise of Heracles, the son of Amphitryo, was to scrape up (*anaxuein*) each day all the thistles that grew there. The track for the competing runners, called by the natives the Sacred Track, is separate from that on which the runners and pent-athletes practise. In the gymnasium is the place called Plethrium. In it the umpires match the competitors according to age and skill; it is for wrestling that they match them. There are also in the gymnasium altars of the gods, of Idaean Heracles, surnamed Comrade, of Love, of the deity called by Eleans and Athenians alike Love Returned, of Demeter and of her daughter. Achilles has no altar, only a cenotaph raised to him because of an

μαντείας· τῆς πανηγύρεως δὲ ἀρχομένης ἐν ἡμέρᾳ
ῥητῇ περὶ ἀποκλίνοντα ἐς δυσμὰς τοῦ ἡλίου τὸν
δρόμον αἱ γυναῖκες αἱ Ἠλεῖαι ἄλλα τε τοῦ Ἀχιλ-
λέως δρῶσιν ἐς τιμὴν καὶ κόπτεσθαι νομίζουσιν.

4 Ἔστι δὲ καὶ ἄλλος ἐλάσσων γυμνασίου περί-
βολος, ὃς ἔχεται μὲν τοῦ μείζονος, τετράγωνον
δὲ ὀνομάζουσιν ἐπὶ τῷ σχήματι· καὶ παλαῖστραι
τοῖς ἀθλοῦσιν ἐνταῦθα ποιοῦνται, καὶ συμβάλ-
λουσιν αὐτόθι τοὺς ἀθλητὰς οὐ παλαίσοντας ἔτι,
ἐπὶ δὲ ἱμάντων τῶν μαλακωτέρων ταῖς πληγαῖς.
ἀνάκειται δὲ καὶ τῶν ἀγαλμάτων τὸ ἕτερον, ἃ
ἐπὶ ζημίᾳ Σωσάνδρου τε τοῦ Σμυρναίου καὶ
5 Ἠλείου Πολύκτορος τῷ Διὶ ἐποιήθη. ἔστι δὲ
καὶ τρίτος γυμνασίου περίβολος, ὄνομα μὲν
Μαλθὼ τῆς μαλακότητος τοῦ ἐδάφους ἕνεκα, τοῖς
δὲ ἐφήβοις ἀνεῖται τῆς πανηγύρεως τὸν χρόνον
πάντα. ἔστι δὲ ἐν γωνίᾳ τῆς Μαλθοῦς πρόσωπον
Ἡρακλέους ἄχρι ἐς τοὺς ὤμους, καὶ ἐν τῶν
παλαιστρῶν μιᾷ τύπος Ἔρωτα ἔχων ἐπειργασ-
μένον καὶ τὸν καλούμενον Ἀντέρωτα· ἔχει δὲ ὁ
μὲν φοίνικος ὁ Ἔρως κλάδον, ὁ δὲ ἀφελέσθαι
6 πειρᾶται τὸν φοίνικα ὁ Ἀντέρως. τῆς ἐσόδου δὲ
ἑκατέρωθεν τῆς ἐς τὴν Μαλθὼ παιδὸς ἕστηκεν
εἰκὼν πύκτου· καὶ αὐτὸν ἔφασκεν ὁ νομοφύλαξ
Ἠλείων γένος μὲν Ἀλεξανδρέα εἶναι τῆς ὑπὲρ
Φάρου τῆς νήσου, Σαραπίωνα δὲ ὄνομα, ἀφικό-
μενον δὲ ἐς Ἦλιν σπανίζουσι σίτου σφίσι τροφὰς
δοῦναι. τούτῳ μὲν αὐτόθι ἀντὶ τούτου γεγόνασιν
αἱ τιμαί· χρόνος δὲ στεφάνου τε τοῦ ἐν Ὀλυμπίᾳ
καὶ εὐεργεσίας αὐτῷ τῆς ἐς Ἠλείους ὀλυμπιὰς
7 ἑβδόμη πρὸς ταῖς δέκα τε καὶ διακοσίαις. ἐν
τούτῳ τῷ γυμνασίῳ καὶ βουλευτήριόν ἐστιν

oracle. On an appointed day at the beginning of
the festival, when the course of the sun is sinking
towards the west, the Elean women do honour to
Achilles, especially by bewailing him.

There is another enclosed gymnasium, but smaller,
adjoining the larger one and called Square because
of its shape. Here the athletes practise wrestling,
and here, when they have no more wrestling to do,
they are matched in contests with the softer gloves.
There is also dedicated here one of the images made
in honour of Zeus out of the fines imposed upon
Sosander of Smyrna and upon Polyctor of Elis.
There is also a third enclosed gymnasium, called
Maltho from the softness of its floor, and reserved
for the youths for the whole time of the festival.
In a corner of the Maltho is a bust of Heracles
as far as the shoulders, and in one of the wrestling-
schools is a relief showing Love and Love Returned,
as he is called. Love holds a palm-branch, and
Love Returned is trying to take the palm from him.
On each side of the entrance to the Maltho stands
an image of a boy boxer. He was by birth, so the
Guardian of the Laws at Elis told me, from Alexandria
over against the island Pharos, and his name was
Sarapion; arriving at Elis when the townsfolk were
suffering from famine he supplied them with food.
For this reason these honours were paid him here.
The time of his crown at Olympia and of his bene-
faction to the Eleans was the two hundred and
seventeenth Festival. In this gymnasium is also the A.D. 88

145

Ἠλείοις, καὶ ἐπιδείξεις ἐνταῦθα λόγων τε αὐτοσχεδίων καὶ συγγραμμάτων ποιοῦνται παντοίων· καλεῖται δὲ Λαλίχμιον τοῦ ἀναθέντος ἐπώνυμον. περὶ δὲ αὐτὸ ἀσπίδες ἀνάκεινται, θέας ἕνεκα καὶ οὐκ ἐς ἔργον πολέμου πεποιημέναι.

8 Ἐκ δὲ τοῦ γυμνασίου πρὸς τὰ λουτρὰ ἐρχομένῳ δι᾽ ἀγυιᾶς τε ἡ ὁδὸς Σιωπῆς καὶ παρὰ τὸ ἱερὸν τῆς Φιλομείρακός ἐστιν Ἀρτέμιδος. τῇ μὲν δὴ θεῷ γέγονεν ἡ ἐπίκλησις ἅτε τοῦ γυμνασίου γείτονι· τῇ ἀγυιᾷ δὲ Σιωπῇ ὄνομα ἐπὶ λόγῳ τοιῷδε τεθῆναι λέγουσιν. ἄνδρες τοῦ Ὀξύλου στρατεύματος ἐπὶ κατασκοπῇ τῶν ἐν Ἤλιδι ἀποπεμφθέντες καὶ ἀλλήλοις διακελευσάμενοι κατὰ τὴν ὁδόν, ἐπειδὰν πλησίον γίνωνται τοῦ τείχους, φθέγγεσθαι μὲν μηδὲν ἔτι αὐτοί, ἐπακροᾶσθαι δὲ εἴ τι παρὰ τῶν ἐντὸς πυθέσθαι δυνήσονται, οὗτοι λανθάνουσι παρελθόντες ἐς τὴν πόλιν κατὰ τὴν ἀγυιὰν ταύτην καὶ ἐπακούσαντες ὁπόσα ἐβούλοντο ἐπανίασιν αὖθις ἐς τοὺς Αἰτωλούς· καὶ ἡ ἀγυιὰ τὸ ὄνομα εἴληφεν ἀπὸ τῶν κατασκόπων τῆς σιωπῆς.

XXIV. Ἑτέρα δὲ ἔξοδος ἐκ τοῦ γυμνασίου φέρει μὲν ἔς τε τὴν ἀγορὰν καὶ ἐπὶ τὸν Ἑλλανοδικαιῶνα καλούμενον, ἔστι δὲ ὑπὲρ τοῦ Ἀχιλλέως τὸν τάφον· καὶ ταύτῃ τοὺς Ἑλλανοδίκας ἰέναι καθέστηκεν ἐς τὸ γυμνάσιον. ἐσίασι δὲ πρὶν μὲν ἥλιον ἀνίσχειν συμβαλοῦντες δρομέας, μεσούσης δὲ τῆς ἡμέρας ἐπὶ τὸ πένταθλον καὶ ὅσα βαρέα ἆθλα ὀνομάζουσιν.

2 Ἡ δὲ ἀγορὰ τοῖς Ἠλείοις οὐ κατὰ τὰς Ἰώνων καὶ ὅσαι πρὸς Ἰωνίᾳ πόλεις εἰσὶν Ἑλλήνων, τρόπῳ δὲ πεποίηται τῷ ἀρχαιοτέρῳ στοαῖς τε

Elean Council House, where take place exhibitions of extempore speeches and recitations of written works of all kinds. It is called Lalichmium, after the man who dedicated it. About it are dedicated shields, which are for show and not made to be used in war.

The way from the gymnasium to the baths passes through the Street of Silence and beside the sanctuary of Artemis Philomeirax. The goddess is so surnamed because she is neighbour to the gymnasium; the street received, they say, the name of Silence for the following reason. Men of the army of Oxylus were sent to spy out what was happening in Elis. On the way they exhorted each other, when they should be near the wall, themselves to keep a strict silence, but to listen attentively if perchance they might learn aught from the people in the town. These men by this street reached the town unobserved, and after hearing all they wished they went back again to the Aetolians. So the street received its name from the silence of the spies.

XXIV. One of the two ways from the gymnasium leads to the market-place, and to what is called the Umpires' Room; it is above the grave of Achilles, and by it the umpires are wont to go to the gymnasium. They enter before sunrise to match the runners, and at midday for the pentathlum and for such contests as are called heavy.

The market-place of Elis is not after the fashion of the cities of Ionia and of the Greek cities near Ionia; it is built in the older manner, with porticoes

ἀπὸ ἀλλήλων διεστώσαις καὶ ἀγυιαῖς δι' αὐτῶν.
ὄνομα δὲ τῇ ἀγορᾷ τὸ ἐφ' ἡμῶν ἐστιν Ἱππό-
δρομος, καὶ οἱ ἐπιχώριοι τοὺς ἵππους παιδεύουσιν
ἐνταῦθα. τῶν στοῶν δὲ ἡ πρὸς μεσημβρίαν
ἐργασίας ἐστὶ τῆς Δωρίου, διαιροῦσι δὲ αὐτὴν
ἐς μοίρας τρεῖς οἱ κίονες· ἐν ταύτῃ διημερεύουσι
3 τὰ πολλὰ οἱ Ἑλλανοδίκαι. ποιοῦνται δὲ πρὸς
αὐτοῖς καὶ βωμοὺς τῷ Διί, καὶ εἰσὶν ἐν τῷ
ὑπαίθρῳ τῆς ἀγορᾶς οἱ βωμοὶ πλῆθος οὐ πολλοί·
καταλύονται γὰρ οὐ χαλεπῶς ἅτε αὐτοσχεδίως
οἰκοδομούμενοι. κατὰ ταύτην τὴν στοὰν ἰόντι
ἐς τὴν ἀγορὰν ἔστιν ἐν ἀριστερᾷ παρὰ τὸ πέρας
τῆς στοᾶς ὁ Ἑλλανοδικαιών· ἀγυιὰ δὲ ἡ διείρ-
γουσα ἀπὸ τῆς ἀγορᾶς ἐστιν αὐτόν. ἐν τούτῳ
τῷ Ἑλλανοδικαιῶνι οἰκοῦσι δέκα ἐφεξῆς μῆνας οἱ
αἱρεθέντες ἑλλανοδικεῖν καὶ ὑπὸ τῶν νομοφυλάκων
ὅσα ἐς τὸν ἀγῶνα σφᾶς δεῖ ποιεῖν διδάσκονται.

4 Τῇ στοᾷ δὲ ἔνθα οἱ Ἑλλανοδίκαι διημερεύουσιν
ἔστιν ἐγγὺς ἄλλη στοά· τὸ μεταξὺ αὐτῶν ἀγυιὰ
μία. ταύτην ὀνομάζουσι Κορκυραϊκὴν οἱ Ἠλεῖοι·
ναυσὶ γὰρ ἐς τὴν σφετέραν Κορκυραίους ἐλθόντας[1]
* * * ἐλάσαι μοῖραν τῆς λείας λέγοντες λαβεῖν τε
ἐκ τῆς Κορκυραίων πολλαπλάσια καὶ οἰκοδο-
μήσασθαι τὴν στοὰν ἀπὸ τῶν λαφύρων τῆς
5 δεκάτης. ἔστι δὲ ἡ κατασκευὴ τῆς στοᾶς Δώριος
καὶ διπλῆ, τῇ μὲν ἐς τὴν ἀγορὰν τοὺς κίονας, τῇ
δὲ ἐς τὰ ἐπέκεινα τῆς ἀγορᾶς ἔχουσα· κατὰ μέσον
δὲ αὐτῆς οὐ κίονες, ἀλλὰ τοῖχος ὁ ταύτῃ τὸν
ὄροφον ἀνέχων ἐστίν, ἀνάκεινται δὲ καὶ εἰκόνες
ἑκατέρωθεν πρὸς τῷ τοίχῳ. κατὰ δὲ τῆς στοᾶς
τὸ ἐς τὴν ἀγορὰν ἔστηκε Πύρρωνος τοῦ Πιστο-
κράτους εἰκών, σοφιστοῦ τε ἀνδρὸς καὶ ἐς βέβαιον

separated from each other and with streets through them. The modern name of the market-place is Hippodromus, and the natives train their horses there. Of the porticoes the southern is in the Doric style, and it is divided by the pillars into three parts. In it the umpires generally spend the day. At the pillars they also cause altars to be made to Zeus, and in the open market-place are the altars, in number not many ; for, their construction being improvised, they are without difficulty taken to pieces. As you enter the market-place at this portico the Umpires' Room is on your left, parallel to the end of the portico. What separates it from the market-place is a street. In this Umpires' Room dwell for ten consecutive months the umpires elect, who are instructed by the Guardians of the Law as to their duties at the festival.

Near to the portico where the umpires pass the day is another portico, between the two being one street. The Eleans call it the Corcyrean, because, they say, the Corcyreans landed in their country and carried off part of the booty, but they themselves took many times as much booty from the land of the Corcyreans, and built the portico from the tithe of the spoils. The portico is in the Doric style and double, having its pillars both on the side towards the market-place and on the side away from it. Down the centre of it the roof is supported, not by pillars, but by a wall, beside which on either side have been dedicated statues. On the side of the portico towards the market-place stands a statue of Pyrrhon, son of Pistocrates, a sophist who never

---

[1] There is a gap in the MSS. here.

ὁμολογίαν ἐπὶ οὐδενὶ λόγῳ καταστάντος. ἔστι
δὲ καὶ μνῆμα τῷ Πύρρωνι οὐ πόρρω τοῦ Ἠλείων
ἄστεως· Πέτρα μὲν τῷ χωρίῳ τὸ ὄνομα, λέγεται
6 δὲ ὡς ἡ Πέτρα δῆμος εἴη τὸ ἀρχαῖον. Ἠλείοις
δὲ ἐν τῷ ὑπαίθρῳ τῆς ἀγορᾶς τὰ ἐπιφανέστατα
ναός ἐστι καὶ ἄγαλμα Ἀπόλλωνος Ἀκεσίου·
σημαίνοι δ᾽ ἂν τὸ ὄνομα οὐδέν τι ἀλλοῖον ἢ ὁ
καλούμενος Ἀλεξίκακος ὑπὸ Ἀθηναίων. ἑτέρωθι
δὲ Ἡλίῳ πεποίηται καὶ Σελήνῃ λίθου τὰ ἀγάλ-
ματα, καὶ τῆς μὲν κέρατα ἐκ τῆς κεφαλῆς, τοῦ
δὲ αἱ ἀκτῖνες ἀνέχουσιν. ἔστι δὲ καὶ Χάρισιν
ἱερὸν καὶ ξόανα ἐπίχρυσα τὰ ἐς ἐσθῆτα, πρόσωπα
δὲ καὶ χεῖρες καὶ πόδες λίθου λευκοῦ· ἔχουσι δὲ
ἡ μὲν αὐτῶν ῥόδον, ἀστράγαλον δὲ ἡ μέση, καὶ
7 ἡ τρίτη κλῶνα οὐ μέγαν μυρσίνης. ἔχειν δὲ
αὐτὰς ἐπὶ τοιῷδε εἰκάζοι τις ἂν τὰ εἰρημένα, ῥόδον
μὲν καὶ μυρσίνην Ἀφροδίτης τε ἱερὰ εἶναι καὶ
οἰκεῖα τῷ ἐς Ἄδωνιν λόγῳ, Χάριτας δὲ Ἀφροδίτῃ
μάλιστα φίλας[1] εἶναι θεῶν· ἀστράγαλον δὲ μει-
ρακίων τε καὶ παρθένων, οἷς ἄχαρι οὐδέν πω
πρόσεστιν ἐκ γήρως, τούτων εἶναι τὸν ἀστρά-
γαλον παίγνιον. τῶν Χαρίτων δὲ ἐν δεξιᾷ ἄγαλμά
ἐστιν Ἔρωτος· ἕστηκε δὲ ἐπὶ βάθρου τοῦ αὐτοῦ.
8 ἔστι δὲ καὶ Σιληνοῦ ναὸς ἐνταῦθα, ἰδίᾳ τῷ Σιληνῷ
καὶ οὐχ ὁμοῦ Διονύσῳ πεποιημένος· Μέθη δὲ
οἶνον ἐν ἐκπώματι αὐτῷ δίδωσι. θνητὸν δὲ εἶναι
τὸ γένος τῶν Σιληνῶν εἰκάσαι τις ἂν μάλιστα
ἐπὶ τοῖς τάφοις αὐτῶν· ἐν γὰρ τῇ Ἑβραίων χώρᾳ
Σιληνοῦ μνῆμα καὶ ἄλλου Σιληνοῦ Περγαμηνοῖς
9 ἐστιν. Ἠλείων δὲ ἐν τῇ ἀγορᾷ καὶ ἄλλο τοιόνδε

---

[1] φίλας is not in the MSS., but was added by Frazer.

brought himself to make a definite admission on any matter. The tomb also of Pyrrhon is not far from the town of the Eleans. The name of the place is Petra, and it is said that Petra was a township in ancient times. The most notable things that the Eleans have in the open part of the market-place are a temple and image of Apollo Healer. The meaning of the name would appear to be exactly the same as that of Averter of Evil, the name current among the Athenians. In another part are the stone images of the sun and of the moon; from the head of the moon project horns, from the head of the sun, his rays. There is also a sanctuary to the Graces; the images are of wood, with their clothes gilded, while their faces, hands and feet are of white marble. One of them holds a rose, the middle one a die, and the third a small branch of myrtle. The reason for their holding these things may be guessed to be this. The rose and the myrtle are sacred to Aphrodite and connected with the story of Adonis, while the Graces are of all deities the nearest related to Aphrodite. As for the die, it is the plaything of youths and maidens, who have nothing of the ugliness of old age. On the right of the Graces is an image of Love, standing on the same pedestal. Here there is also a temple of Silenus, which is sacred to Silenus alone, and not to him in common with Dionysus. Drunkenness is offering him wine in a cup. That the Silenuses are a mortal race you may infer especially from their graves, for there is a tomb of a Silenus in the land of the Hebrews, and of another at Pergamus. In the market-place of Elis I saw something else, a low structure in the form

εἶδον, ναοῦ σχῆμα· ἔστι δὲ οὐχ ὑψηλόν, καὶ
τοῖχοι μὲν οὐκ εἰσί, τὸν ὄροφον δὲ δρυὸς ἀνέ-
χουσιν εἰργασμένοι κίονες. τοῦτο εἶναι μὲν
ὁμολογοῦσιν οἱ ἐπιχώριοι μνῆμα, ὅτου δὲ οὐ
μνημονεύουσιν· εἰ δὲ ὁ γέρων ὅντινα ἠρόμην
εἶπεν ἀληθῆ λόγον, Ὀξύλου τοῦτο ἂν μνῆμα εἴη.
10 πεποίηται δὲ ἐν τῇ ἀγορᾷ καὶ ταῖς γυναιξὶν
οἴκημα ταῖς ἑκκαίδεκα καλουμέναις, ἔνθα τὸν
πέπλον ὑφαίνουσι τῇ Ἥρᾳ.

Ἔχεται δὲ τῆς ἀγορᾶς ναὸς ἀρχαῖος στοαῖς ἐν
κύκλῳ περίστυλος, ὁ δὲ ὄροφος κατερρύηκε τῷ
ναῷ καὶ ἄγαλμα οὐδὲν ἐλείπετο· βασιλεῦσι δὲ
ἀνεῖται Ῥωμαίοις.

XXV. Ἔστι δὲ τῆς στοᾶς ὀπίσω τῆς ἀπὸ τῶν
λαφύρων τῶν ἐκ Κορκύρας Ἀφροδίτης ναός, τὸ
δὲ ἐν ὑπαίθρῳ τέμενος οὐ πολὺ ἀφεστηκὸς ἀπὸ
τοῦ ναοῦ. καὶ τὴν μὲν ἐν τῷ ναῷ καλοῦσιν
Οὐρανίαν, ἐλέφαντος δέ ἐστι καὶ χρυσοῦ, τέχνη
Φειδίου, τῷ δὲ ἑτέρῳ ποδὶ ἐπὶ χελώνης βέβηκε·
τῆς δὲ περιέχεται μὲν τὸ τέμενος θριγκῷ, κρηπὶς
δὲ ἐντὸς τοῦ τεμένους πεποίηται καὶ ἐπὶ τῇ
κρηπῖδι ἄγαλμα Ἀφροδίτης χαλκοῦν ἐπὶ τράγῳ
κάθηται χαλκῷ· Σκόπα τοῦτο ἔργον, Ἀφροδίτην
δὲ Πάνδημον ὀνομάζουσι. τὰ δὲ ἐπὶ τῇ χελώνῃ τε
καὶ ἐς τὸν τράγον παρίημι τοῖς θέλουσιν εἰκάζειν.

2 Ὁ δὲ ἱερὸς τοῦ Ἅιδου περίβολός τε καὶ ναός—
ἔστι γὰρ δὴ Ἠλείοις καὶ Ἅιδου περίβολός τε
καὶ ναός—ἀνοίγνυται μὲν ἅπαξ κατὰ ἔτος ἕκασ-
τον, ἐσελθεῖν δὲ οὐδὲ τότε ἐφεῖται πέρα γε τοῦ
ἱερωμένου. ἀνθρώπων δὲ ὧν ἴσμεν μόνοι τιμῶσιν
Ἅιδην Ἠλεῖοι κατὰ αἰτίαν τήνδε. Ἡρακλεῖ
στρατιὰν ἄγοντι ἐπὶ Πύλον τὴν ἐν τῇ Ἤλιδι,

of a temple. It has no walls, the roof being supported by pillars made of oak. The natives agree that it is a tomb, but they do not remember whose it is. If the old man I asked spoke the truth, it would be the tomb of Oxylus. There is also in the market-place a building for the women called the Sixteen, where they weave the robe for Hera.

Adjoining the market-place is an old temple surrounded by pillars; the roof has fallen down, and I found no image in the temple. It is dedicated to the Roman emperors.

XXV. Behind the portico built from the spoils of Corcyra is a temple of Aphrodite, the precinct being in the open, not far from the temple. The goddess in the temple they call Heavenly; she is of ivory and gold, the work of Pheidias, and she stands with one foot upon a tortoise. The precinct of the other Aphrodite is surrounded by a wall, and within the precinct has been made a basement, upon which sits a bronze image of Aphrodite upon a bronze he-goat. It is a work of Scopas, and the Aphrodite is named Common. The meaning of the tortoise and of the he-goat I leave to those who care to guess.

The sacred enclosure of Hades and its temple (for the Eleans have these among their possessions) are opened once every year, but not even on this occasion is anybody permitted to enter except the priest. The following is the reason why the Eleans worship Hades; they are the only men we know of so to do. It is said that, when Heracles was leading

παρεῖναί οἱ καὶ ᾿Αθηνᾶν συνεργὸν λέγουσιν·
ἀφικέσθαι οὖν καὶ Πυλίοις τὸν ῞Αιδην συμμα-
χήσοντα τῇ ἀπεχθείᾳ τοῦ Ἡρακλέους, ἔχοντα
3 ἐν τῇ Πύλῳ τιμάς. ἐπάγονται δὲ καὶ ῞Ομηρον
τῷ λόγῳ μάρτυρα ποιήσαντα ἐν ᾿Ιλιάδι

τλῆ δ᾿ ᾿Αίδης ἐν τοῖσι πελώριος ὠκὺν ὀιστόν,
εὖτέ μιν ωὑτὸς ἀνὴρ υἱὸς Διὸς αἰγιόχοιο
ἐν Πύλῳ ἐν νεκύεσσι βαλὼν ὀδύνῃσιν ἔδωκεν·

εἰ δὲ κατὰ τὴν ᾿Αγαμέμνονος καὶ Μενελάου
στρατείαν ἐπὶ ῎Ιλιον Ποσειδῶν τῷ ῾Ομήρου λόγῳ
τοῖς ῞Ελλησιν ἐπίκουρος ἦν, οὐκ ἂν ἀπὸ τοῦ
εἰκότος οὐδὲ ῞Αιδην εἴη δόξῃ γε τοῦ αὐτοῦ
ποιητοῦ Πυλίοις ἀμῦναι. ᾿Ηλεῖοι δ᾿ οὖν ὡς
σφίσι τε εὔνῳ καὶ ἀπεχθανομένῳ πρὸς τὸν
῾Ηρακλέα ἐποιήσαντο τὸ ἱερὸν τῷ θεῷ· ἑκάστου
δὲ ἅπαξ ἀνοίγειν τοῦ ἐνιαυτοῦ νομίζουσιν, ὅτι
οἶμαι καὶ ἀνθρώποις ἅπαξ ἡ κάθοδος ἡ ἐς τοῦ
4 ῞Αιδου γίνεται. τοῖς δὲ ᾿Ηλείοις καὶ Τύχης
ἐστὶν ἱερόν· ἐν στοᾷ δὲ τοῦ ἱεροῦ μεγέθει μέγα
ἄγαλμα ἀνάκειται, ξόανον ἐπίχρυσον πλὴν προ-
σώπου καὶ χειρῶν τε ἄκρων καὶ ποδῶν, ταῦτα
δέ οἵ ἐστι λίθου λευκοῦ. ἐνταῦθα ἔχει τιμὰς
καὶ ὁ Σωσίπολις ἐν ἀριστερᾷ τῆς Τύχης, ἐν
οἰκήματι οὐ μεγάλῳ· κατὰ δὲ ὄψιν ὀνείρατος
γραφῇ μεμιμημένος ἐστὶν ὁ θεός, παῖς μὲν ἡλικίαν,
ἀμπέχεται δὲ χλαμύδα ποικίλην ὑπὸ ἀστέρων,
τῇ χειρὶ δὲ ἔχει τῇ ἑτέρᾳ τὸ κέρας τῆς ᾿Αμαλθείας.
5 Καθότι δὲ ᾿Ηλείων ἡ πόλις πληθύει μάλιστα
ἀνθρώποις, κατὰ τοῦτο ἀνδριάς σφισιν ἀνδρὸς
οὐ μείζων μεγάλου χαλκοῦς ἐστιν οὐκ ἔχων πω
γένεια τόν τε ἕτερον τῶν ποδῶν ἐπιπλέκων τῷ

an expedition against Pylus in Elis, Athena was one
of his allies. Now among those who came to fight
on the side of the Pylians was Hades, who was the
foe of Heracles but was worshipped at Pylus. Homer
is quoted in support of the story, who says in the
Iliad : [1]

> And among them huge Hades suffered a wound
> from a swift arrow,
> When the same man, the son of aegis-bearing Zeus,
> Hit him in Pylus among the dead, and gave him
> over to pains.

If in the expedition of Agamemnon and Menelaüs
against Troy Poseidon was according to Homer an
ally of the Greeks, it cannot be unnatural for the
same poet to hold that Hades helped the Pylians.
At any rate it was in the belief that the god was
their friend but the enemy of Heracles that the
Eleans made the sanctuary for him. The reason
why they are wont to open it only once each year
is, I suppose, because men too go down only once
to Hades. The Eleans have also a sanctuary of
Fortune. In a portico of the sanctuary has been
dedicated a colossal image, made of gilded wood
except the face, hands and feet, which are of white
marble. Here Sosipolis too is worshipped in a small
shrine on the left of the sanctuary of Fortune. The
god is painted according to his appearance in a
dream : in age a boy, wrapped in a star-spangled
robe, and in one hand holding the horn of Amaltheia.

In the most thickly-populated part of Elis is a
statue of bronze no taller than a tall man ; it repre-
sents a beardless youth with his legs crossed, leaning

[1] *Iliad* v. 395.

ἑτέρῳ καὶ ταῖς χερσὶν ἀμφοτέραις ἐπὶ δόρατι
ἠρεισμένος· ἐσθῆτα δὲ ἐρεᾶν αὐτῷ καὶ ἀπὸ λίνου
6 τε καὶ βύσσου περιβάλλουσι. τοῦτο τὸ ἄγαλμα
ἐλέγετο εἶναι Ποσειδῶνος, ἔχειν δὲ τὸ ἀρχαῖον
ἐπὶ Σαμικῷ τῷ ἐν τῇ Τριφυλίᾳ τιμάς. μετα-
κομισθὲν δὲ ἐς τὴν Ἦλιν τιμῆς μὲν καὶ ἐς πλέον
ἔτι ἥκει, Σατράπην δὲ καὶ οὐ Ποσειδῶνα ὄνομα
αὐτῷ τίθενται, μετὰ τὴν Πατρέων προσοίκησιν
τὸ ὄνομα τοῦ Σατράπου διδαχθέντες· Κορύβαντός
τε ἐπίκλησις ὁ Σατράπης ἐστί.

XXVI. Θέατρον δὲ ἀρχαῖον, μεταξὺ τῆς ἀγορᾶς
καὶ τοῦ Μηνίου τὸ θέατρόν τε[1] καὶ ἱερόν ἐστι
Διονύσου· τέχνη τὸ ἄγαλμα Πραξιτέλους, θεῶν
δὲ ἐν τοῖς μάλιστα Διόνυσον σέβουσιν Ἠλεῖοι
καὶ τὸν θεὸν σφισιν ἐπιφοιτᾶν ἐς τῶν Θυίων
τὴν ἑορτὴν λέγουσιν. ἀπέχει μέν γε τῆς πόλεως
ὅσον τε ὀκτὼ στάδια ἔνθα τὴν ἑορτὴν ἄγουσι
Θυῖα ὀνομάζοντες· λέβητας δὲ ἀριθμὸν τρεῖς ἐς
οἴκημα ἐσκομίσαντες οἱ ἱερεῖς κατατίθενται κενούς,
παρόντων καὶ τῶν ἀστῶν καὶ ξένων, εἰ τύχοιεν
ἐπιδημοῦντες· σφραγῖδας δὲ αὐτοί τε οἱ ἱερεῖς
καὶ τῶν ἄλλων ὅσοις ἂν κατὰ γνώμην ᾖ ταῖς
2 θύραις τοῦ οἰκήματος ἐπιβάλλουσιν, ἐς δὲ τὴν
ἐπιοῦσαν τά τε σημεῖα ἐπιγνῶναι πάρεστί σφισι
καὶ ἐσελθόντες ἐς τὸ οἴκημα εὑρίσκουσιν οἴνου
πεπλησμένους τοὺς λέβητας. ταῦτα Ἠλείων τε
οἱ δοκιμώτατοι ἄνδρες, σὺν αὐτοῖς δὲ καὶ ξένοι
κατώμνυντο ἔχειν κατὰ τὰ εἰρημένα, ἐπεὶ αὐτός
γε οὐκ ἐς καιρὸν ἀφικόμην τῆς ἑορτῆς· λέγουσι
δὲ καὶ Ἄνδριοι παρὰ ἔτος σφίσιν ἐς τοῦ Διονύσου

---

[1] τὸ θέατρόν τε omitted by some editors.

with both hands upon a spear. They cast about it a garment of wool, one of flax and one of fine linen. This image was said to be of Poseidon, and to have been worshipped in ancient times at Samicum in Triphylia. Transferred to Elis it received still greater honour, but the Eleans call it Satrap and not Poseidon, having learned the name Satrap, which is a surname of Corybas, after the enlargement of Patrae.

XXVI. Between the market-place and the Menius is an old theatre and a shrine of Dionysus. The image is the work of Praxiteles. Of the gods the Eleans worship Dionysus with the greatest reverence, and they assert that the god attends their festival, the Thyia. The place where they hold the festival they name the Thyia is about eight stades from the city. Three pots are brought into the building by the priests and set down empty in the presence of the citizens and of any strangers who may chance to be in the country. The doors of the building are sealed by the priests themselves and by any others who may be so inclined. On the morrow they are allowed to examine the seals, and on going into the building they find the pots filled with wine. I did not myself arrive at the time of the festival, but the most respected Elean citizens, and with them strangers also, swore that what I have said is the truth. The Andrians too assert that every other year at their feast of Dionysus wine flows of its own

τὴν ἑορτὴν ῥεῖν οἶνον αὐτόματον ἐκ τοῦ ἱεροῦ.
εἰ πιστεύειν χρὴ ταῦτα "Ελλησιν, ἀποδέχοιτο
ἄν τις τῷ λόγῳ γε τῷ αὐτῷ καὶ ὅσα Αἰθίοπες
οἱ ὑπὲρ Συήνης ἐς τοῦ ἡλίου τὴν τράπεζαν
λέγουσιν.

3 Ἐν ἀκροπόλει δὲ τῇ Ἠλείων ἐστὶν ἱερὸν
Ἀθηνᾶς· ἐλέφαντος δὲ τὸ ἄγαλμα καὶ χρυσοῦ.
εἶναι μὲν δὴ Φειδίου φασὶν αὐτήν, πεποίηται δὲ
ἀλεκτρυὼν ἐπὶ τῷ κράνει, ὅτι οὗτοι προχειρότατα
ἔχουσιν ἐς μάχας οἱ ἀλεκτρυόνες· δύναιτο δ᾽
ἂν καὶ Ἀθηνᾶς τῆς Ἐργάνης ἱερὸς ὁ ὄρνις
νομίζεσθαι.

4 Κυλλήνη δὲ σταδίους μὲν εἴκοσιν Ἤλιδος καὶ
ἑκατὸν ἀφέστηκε, κεῖται δὲ τετραμμένη τε πρὸς
Σικελίαν καὶ ὅρμον παρεχομένη ναυσὶν ἐπιτή-
δειον· ἐπίνειον δὲ οὖσα Ἠλείων ἀπὸ ἀνδρὸς
Ἀρκάδος τὸ ὄνομα εἴληφε. Κυλλήνης δὲ ἐν μὲν
Ἠλείων καταλόγῳ λόγον οὐδένα Ὅμηρος ἐποιή-
σατο, ἐν δὲ ἔπεσι τοῖς ὕστερον δεδήλωκεν ὡς
πόλισμα οὖσαν καὶ τὴν Κυλλήνην ἐπίσταται·

5 Πουλυδάμας δ᾽ Ὦτον Κυλλήνιον ἐξενάριξεν,
Φυλείδεω ἔταρον, μεγαθύμων ἀρχὸν Ἐπειῶν.

θεῶν δὲ ἱερὰ ἐν Κυλλήνῃ Ἀσκληπιοῦ, τὸ δὲ
Ἀφροδίτης ἐστί· τοῦ Ἑρμοῦ δὲ τὸ ἄγαλμα, ὃν
οἱ ταύτῃ περισσῶς σέβουσιν, ὀρθόν ἐστιν αἰδοῖον
ἐπὶ τοῦ βάθρου.

6 Ἡ δὲ Ἠλεία χώρα τά τε ἄλλα ἐστὶν ἐς
καρποὺς καὶ τὴν βύσσον οὐχ ἥκιστα ἐκτρέφειν
ἀγαθή. τὴν μὲν δὴ καννάβιδα καὶ λίνον καὶ
τὴν βύσσον σπείρουσιν ὅσοις ἡ γῆ τρέφειν ἐστὶν

accord from the sanctuary. If the Greeks are to be believed in these matters, one might with equal reason accept what the Aethiopians above Syene say about the table of the sun.[1]

On the Acropolis of the Eleans is a sanctuary of Athena. The image is of ivory and gold. They say that the goddess is the work of Pheidias. On her helmet is an image of a cock, this bird being very ready to fight. The bird might also be considered as sacred to Athena the worker.

Cyllene is one hundred and twenty stades distant from Elis; it faces Sicily and affords ships a suitable anchorage. It is the port of Elis, and received its name from a man of Arcadia. Homer does not mention Cyllene in the list of the Eleans, but in a later part of the poem[1] he has shown that Cyllene was one of the towns he knew.

Pulydamas stripped Otus of Cyllene,
Comrade of Phyleides and ruler of the great-souled
    Epeans.[2]

In Cyllene is a sanctuary of Asclepius, and one of Aphrodite. But the image of Heracles, most devoutly worshipped by the inhabitants, is merely the male member upright on the pedestal.

The land of Elis is fruitful, being especially suited to the growth of fine flax. Now while hemp and flax, both the ordinary and the fine variety, are

---

[1] See Book I. xxxiii, § 4.   [2] *Iliad* xv. 518.

ἐπιτήδειος· οἱ μίτοι δέ, ἀφ' ὧν τὰς ἐσθῆτας
ποιοῦσιν οἱ Σῆρες, ἀπὸ οὐδενὸς φλοιοῦ, τρόπον
δὲ ἕτερον γίνονται τοιόνδε. ἔστιν ἐν τῇ γῇ
ζωύφιόν σφισιν, ὃν σῆρα καλοῦσιν Ἕλληνες, ὑπὸ
δὲ αὐτῶν Σηρῶν ἄλλο πού τι καὶ οὐ σὴρ ὀνομά-
7 ζεται· μέγεθος μέν ἐστιν αὐτοῦ διπλάσιον ἢ
κανθάρων ὁ μέγιστος, τὰ δὲ ἄλλα εἴκασται τοῖς
ἀράχναις, οἳ ὑπὸ τοῖς δένδρεσιν ὑφαίνουσι, καὶ
δὴ καὶ πόδας ἀριθμὸν ὀκτὼ κατὰ ταὐτὰ ἔχει τοῖς
ἀράχναις. ταῦτα τὰ ζῷα τρέφουσιν οἱ Σῆρες
οἴκους κατασκευασάμενοι χειμῶνός τε καὶ θέρους
ὥρᾳ ἐπιτηδείους· τὸ δὲ ἔργον τῶν ζώων κλῶσμα
εὑρίσκεται λεπτὸν τοῖς ποσὶν αὐτῶν περιειλιγ-
8 μένον. τρέφουσι δὲ αὐτὰ ἐπὶ μὲν τέσσαρα ἔτη
παρέχοντες τροφήν σφισιν ἔλυμον, πέμπτῳ δὲ—
οὐ γὰρ πρόσω βιωσόμενα ἴσασι—κάλαμον διδό-
ασιν ἐσθίειν χλωρόν· ἡ δέ ἐστιν ἡδίστη τροφὴ
πασῶν τῷ ζῴῳ, καὶ ἐμφορηθὲν τοῦ καλάμου
ῥήγνυταί τε ὑπὸ πλησμονῆς καὶ ἀποθανόντος
οὕτω τὸ πολὺ τῆς ἁρπεδόνης εὑρίσκουσιν ἔνδον.
γινώσκεται δὲ ἡ Σηρία νῆσος ἐν μυχῷ θαλάσσης
9 κειμένη τῆς Ἐρυθρᾶς. ἤκουσα δὲ καὶ ὡς οὐχ ἡ
Ἐρυθρά, ποταμὸς δὲ ὃν Σῆρα ὀνομάζουσιν, οὗτός
ἐστιν ὁ ποιῶν νῆσον αὐτήν, ὥσπερ καὶ Αἰγύπτου
τὸ Δέλτα ὑπὸ τοῦ Νείλου καὶ οὐχ ὑπὸ μιᾶς
περιέχεσθαι θαλάσσης· τοιαύτην ἑτέραν καὶ τὴν
Σηρίαν νῆσον εἶναι. οὗτοι μὲν δὴ τοῦ Αἰθιόπων
γένους αὐτοί τέ εἰσιν οἱ Σῆρες καὶ ὅσοι τὰς
προσεχεῖς αὐτῇ νέμονται νήσους, Ἄβασαν καὶ
Σακαίαν· οἱ δὲ αὐτοὺς οὐκ Αἰθίοπας, Σκύθας δὲ
ἀναμεμιγμένους Ἰνδοῖς φασιν εἶναι.

10 Ταῦτα μὲν δὴ οὕτω λέγεται· ἀνδρὶ δὲ ὡς

sown by those whose soil is suited to grow it, the threads from which the Seres make the dresses are produced from no bark, but in a different way as follows. There is in the land of the Seres an insect which the Greeks call *ser*, though the Seres themselves give it another name. Its size is twice that of the largest beetle, but in other respects it is like the spiders that spin under trees, and furthermore it has, like the spider, eight feet. These creatures are reared by the Seres, who build them houses adapted for winter and for summer. The product of the creatures, a clue of fine thread, is found rolled round their feet. They keep them for four years, feeding them on millet, but in the fifth year, knowing that they have no longer to live, they give them green reed to eat. This of all foods the creature likes best; so it stuffs itself with the reed till it bursts with surfeit, and after it has thus died they find inside it the greater part of the thread. Seria is known to be an island lying in a recess of the Red Sea. But I have heard that it is not the Red Sea, but a river called Ser, that makes this island, just as in Egypt the Delta is surrounded by the Nile and by no sea. Such another island is Seria said to be. These Seres themselves are of Aethiopian race, as are the inhabitants of the neighbouring islands, Abasa and Sacaea. Some say, however, that they are not Aethiopians but a mongrel race of Scythians and Indians.

Such are the accounts that are given. As you go

Ἀχαΐαν ἰόντι ἐξ Ἤλιδος ἑπτὰ καὶ πεντήκοντα
στάδιοι καὶ ἑκατὸν ἐπὶ ποταμόν εἰσι Λάρισον,
καὶ Ἠλείοις ὅροι πρὸς Ἀχαιοὺς τῆς χώρας ὁ
ποταμός ἐστιν ἐφ' ἡμῶν ὁ Λάρισος· τὰ δὲ ἔτι
ἀρχαιότερα ἄκρα σφίσι πρὸς θαλάσσῃ ὅρος ἦν
ὁ Ἄραξος.

from Elis to Achaia you come after one hundred and fifty-seven stades to the river Larisus, and in modern days this river forms the boundary between Elis and Achaia, though of old the boundary was Cape Araxus on the coast.

BOOK VII—ACHAIA

Ζ΄

ΑΧΑΙΚΑ

I. Ἡ δὲ τῆς Ἠλείας μέση καὶ Σικυωνίας, καθήκουσα μὲν ἐπὶ τὴν πρὸς ἕω θάλασσαν, Ἀχαΐαν δὲ ὄνομα τὸ ἐφ' ἡμῶν ἔχουσα ἀπὸ τῶν ἐνοικούντων, αὐτή τε Αἰγιαλὸς τὸ ἀρχαῖον καὶ οἱ νεμόμενοι τὴν γῆν ἐκαλοῦντο Αἰγιαλεῖς, λόγῳ μὲν τῷ Σικυωνίων ἀπὸ Αἰγιαλέως βασιλεύσαντος ἐν τῇ νῦν Σικυωνίᾳ, εἰσὶ δὲ οἵ φασιν ἀπὸ τῆς χώρας, 2 εἶναι γὰρ τὰ πολλὰ αὐτῆς αἰγιαλόν. χρόνῳ δὲ ὕστερον ἀποθανόντος Ἕλληνος Ξοῦθον οἱ λοιποὶ τοῦ Ἕλληνος παῖδες διώκουσιν ἐκ Θεσσαλίας, ἐπενεγκόντες αἰτίαν ὡς ἰδίᾳ χρήματα ὑφελόμενος ἔχοι τῶν πατρῴων· ὁ δὲ ἐς Ἀθήνας φυγὼν θυγατέρα Ἐρεχθέως ἠξιώθη λαβεῖν καὶ παῖδας Ἀχαιὸν καὶ Ἴωνα ἔσχεν ἐξ αὐτῆς. ἀποθανόντος δὲ Ἐρεχθέως τοῖς παισὶν αὐτοῦ δικαστὴς Ξοῦθος ἐγένετο ὑπὲρ τῆς ἀρχῆς, καὶ—ἔγνω γὰρ τὸν πρεσβύτατον Κέκροπα βασιλέα εἶναι—οἱ λοιποὶ τοῦ Ἐρεχθέως παῖδες ἐξελαύνουσιν ἐκ τῆς χώρας 3 αὐτόν· ἀφικομένῳ δὲ ἐς τὸν Αἰγιαλὸν καὶ οἰκήσαντι αὐτῷ μὲν ἐγένετο ἐνταῦθα ἡ τελευτή, τῶν δέ οἱ παίδων Ἀχαιὸς μὲν ἐκ τοῦ Αἰγιαλοῦ παραλαβὼν καὶ ἐξ Ἀθηνῶν ἐπικούρους κατῆλθεν ἐς Θεσσαλίαν καὶ ἔσχε τὴν πατρῴαν ἀρχήν, Ἴωνι δὲ ἐπὶ τοὺς Αἰγιαλεῖς στρατιὰν καὶ ἐπὶ Σελι-

BOOK VII

ACHAIA

I. The land between Elis and Sicyonia, reaching
down to the eastern sea, is now called Achaia after
the inhabitants, but of old was called Aegialus and
those who lived in it Aegialians. According to
the Sicyonians the name is derived from Aegialeus,
who was king in what is now Sicyonia; others
say that it is from the land, the greater part of
which is coast (*aigialos*). Later on, after the death
of Hellen, Xuthus was expelled from Thessaly by
the rest of the sons of Hellen, who charged him
with having appropriated some of the ancestral
property. But he fled to Athens, where he was
deemed worthy to wed the daughter of Erechtheus,
by whom he had sons, Achaeüs and Ion. On the
death of Erechtheus Xuthus was appointed judge to
decide which of his sons should succeed him. He
decided that Cecrops, the eldest of them, should be
king, and was accordingly banished from the land
by the rest of the sons of Erechtheus. He reached
Aegialus, made his home there, and there died. Of
his sons, Achaeüs with the assistance of allies from
Aegialus and Athens returned to Thessaly and
recovered the throne of his fathers; Ion, while
gathering an army against the Aegialians and

νοῦντα τὸν βασιλέα αὐτῶν ἀθροίζοντι ἀγγέλους
ἔπεμπεν ὁ Σελινοῦς, τὴν θυγατέρα Ἑλίκην, ἣ
μόνη οἱ παῖς ἦν, γυναῖκα αὐτῷ διδοὺς καὶ αὐτὸν
4 Ἴωνα ἐπὶ τῇ ἀρχῇ παῖδα ποιούμενος. καί πως
ταῦτα τῷ Ἴωνι ἐγένετο οὐκ ἀπὸ γνώμης, καὶ τῶν
Αἰγιαλέων τὴν ἀρχὴν Ἴων ἔσχεν ἀποθανόντος
Σελινοῦντος, καὶ Ἑλίκην τε ἀπὸ τῆς γυναικὸς
ᾤκισεν ἐν τῷ Αἰγιαλῷ πόλιν καὶ τοὺς ἀνθρώπους
ἐκάλεσεν Ἴωνας ἀφ' αὑτοῦ. τοῦτο οὐ μεταβολὴ
τοῦ ὀνόματος, προσθήκη δέ σφισιν ἐγένετο· Αἰγι-
αλεῖς γὰρ ἐκαλοῦντο Ἴωνες. τῇ χώρᾳ δὲ ἔτι καὶ
μᾶλλον διέμεινεν ὄνομα τὸ ἐξ ἀρχῆς· Ὁμήρῳ
γοῦν ἐν καταλόγῳ τῶν μετὰ Ἀγαμέμνονος
ἐξήρκεσε τὸ ἀρχαῖον δηλῶσαι τῆς γῆς ὄνομα·

Αἰγιαλόν τ' ἀνὰ πάντα καὶ ἀμφ' Ἑλίκην
εὐρεῖαν.

5 τότε δὲ ἐπὶ τῆς Ἴωνος βασιλείας πολεμησάντων
Ἀθηναίοις Ἐλευσινίων καὶ Ἀθηναίων Ἴωνα
ἐπαγαγομένων ἐπὶ ἡγεμονίᾳ τοῦ πολέμου, τὸν
μὲν ἐν τῇ Ἀττικῇ τὸ χρεὼν ἐπιλαμβάνει, καὶ
Ἴωνος ἐν τῷ δήμῳ μνῆμα τῷ Ποταμίων ἐστίν· οἱ
δὲ ἀπόγονοι τοῦ Ἴωνος τὸ Ἰώνων ἔσχον κράτος,
ἐς ὃ ὑπ' Ἀχαιῶν ἐξέπεσον καὶ αὐτοὶ καὶ ὁ δῆμος.
τοῖς δὲ Ἀχαιοῖς τηνικαῦτα ὑπῆρξε καὶ αὐτοῖς ἐκ
Λακεδαίμονος καὶ Ἄργους ὑπὸ Δωριέων ἐξελη-
6 λάσθαι· τὰ δὲ ἐς Ἴωνας καὶ Ἀχαιούς, ὁπόσα
ἐπράχθη σφίσιν ἐπ' ἀλλήλους, ἐπέξεισιν αὐτίκα
ὁ λόγος μοι προδιηγησαμένῳ καθ' ἥντινα αἰτίαν
τοῖς Λακεδαίμονα οἰκοῦσι καὶ Ἄργος πρὸ τῆς τῶν
Δωριέων καθόδου μόνοις Πελοποννησίων ὑπῆρξεν
Ἀχαιοῖς καλεῖσθαι. Ἄρχανδρος Ἀχαιοῦ καὶ

Selinus their king, received a message from Selinus, who offered to give him in marriage Helice, his only child, as well as to adopt him as his son and successor. It so happened that the proposal found favour with Ion, and on the death of Selinus he became king of the Aegialians. He called the city he founded in Aegialus Helice after his wife, and called the inhabitants Ionians after himself. This, however, was not a change of name, but an addition to it, for the folk were named Aegialian Ionians. The original name clung to the land even longer than to the people; for at any rate in the list of the allies of Agamemnon, Homer[1] is content to mention the ancient name of the land :—

Throughout all Aegialus and about wide Helice.

At that time in the reign of Ion the Eleusinians made war on the Athenians, and these having invited Ion to be their leader in the war, he met his death in Attica, his tomb being in the deme of Potamus. The descendants of Ion became rulers of the Ionians, until they themselves as well as the people were expelled by the Achaeans. The Achaeans at that time had themselves been expelled from Lacedaemon and Argos by the Dorians. The history of the Ionians in relation to the Achaeans I will give as soon as I have explained the reason why the inhabitants of Lacedaemon and Argos were the only Peloponnesians to be called Achaeans before the return of the Dorians. Archander and Architeles, sons of Achaeüs, came from

[1] *Iliad* ii. 575.

Ἀρχιτέλης ἐς Ἄργος ἀφίκοντο ἐκ τῆς Φθιώτιδος, ἐλθόντες δὲ ἐγένοντο Δαναοῦ γαμβροί, καὶ Αὐτομάτην μὲν Ἀρχιτέλης, Σκαιὰν δὲ ἔλαβεν Ἄρχανδρος. δηλοῦσι δὲ ἐν Ἄργει καταμείναντες οὐχ ἥκιστα ἐν τῷδε· Μετανάστην γὰρ τῷ παιδὶ
7 ὄνομα ἔθετο Ἄρχανδρος. δυνηθέντων δὲ ἔν τε Ἄργει καὶ Λακεδαίμονι τῶν Ἀχαιοῦ παίδων, τοὺς ἀνθρώπους τοὺς ἐνταῦθα ἐξενίκησεν Ἀχαιοὺς κληθῆναι· τοῦτο μέν σφισιν ὄνομα ἦν ἐν κοινῷ, Δαναοὶ δὲ Ἀργείοις ἰδίᾳ. τότε δὲ ὑπὸ Δωριέων ἐκπεπτωκότες ἔκ τε Ἄργους καὶ ἐκ Λακε-δαίμονος ἐπεκηρυκεύοντο Ἴωσιν αὐτοί τε καὶ ὁ βασιλεὺς Τισαμενὸς ὁ Ὀρέστου γενέσθαι σύνοικοί σφισιν ἄνευ πολέμου· τῶν δὲ Ἰώνων τοὺς βασιλέας ὑπῄει δέος, μὴ Ἀχαιῶν ἀναμιχθέν-των αὐτοῖς Τισαμενὸν ἐν κοινῷ βασιλέα ἕλωνται
8 κατά τε ἀνδραγαθίαν καὶ γένους δόξαν. Ἰώνων δὲ οὐ προσεμένων τοὺς Ἀχαιῶν λόγους ἀλλὰ ἐπεξελθόντων σὺν ὅπλοις, Τισαμενὸς μὲν ἔπεσεν ἐν τῇ μάχῃ, Ἴωνας δὲ Ἀχαιοὶ κρατήσαντες ἐπολιόρκουν καταπεφευγότας ἐς Ἑλίκην καὶ ὕστερον ἀφιᾶσιν ἀπελθεῖν ὑποσπόνδους. Τισα-μενοῦ δὲ τὸν νεκρὸν Ἀχαιῶν ἐν Ἑλίκῃ θαψάν-των, ὕστερον χρόνῳ Λακεδαιμόνιοι τοῦ ἐν Δελφοῖς σφισιν ἀνειπόντος χρηστηρίου κομίζουσι τὰ ὀστᾶ ἐς Σπάρτην, καὶ ἦν καὶ ἐς ἐμὲ ἔτι αὐτῷ τάφος, ἔνθα τὰ δεῖπνα Λακεδαιμονίοις ἐστὶ τὰ Φειδίτια
9 καλούμενα. Ἴωνας δὲ ἀφικομένους ἐς τὴν Ἀττικὴν Ἀθηναῖοι καὶ ὁ βασιλεὺς αὐτῶν Μέλανθος Ἀνδροπόμπου συνοίκους ἐξεδέξαντο Ἴωνός τε δὴ ἕνεκα καὶ ἔργων ἃ ἔπραξε πολεμ-αρχῶν Ἀθηναίοις· λέγεται δὲ ὡς ἐν ὑπονοίᾳ
170

Phthiotis to Argos, and after their arrival became sons-in-law of Danaüs, Architeles marrying Automate and Archander Scaea. A very clear proof that they settled in Argos is the fact that Archander named his son Metanastes (*settler*). When the sons of Achaeüs came to power in Argos and Lacedaemon, the inhabitants of these towns came to be called Achaeans. The name Achaeans was common to them; the Argives had the special name of Danai. On the occasion referred to, being expelled by the Dorians from Argos and Lacedaemon, the Achaeans themselves and their king Tisamenus, the son of Orestes, sent heralds to the Ionians, offering to settle among them without warfare. But the kings of the Ionians were afraid that, if the Achaeans united with them, Tisamenus would be chosen king of the combined people because of his manliness and noble lineage. The Ionians rejected the proposal of the Achaeans and came out to fight them; in the battle Tisamenus was killed, the Ionians were overcome by the Achaeans, fled to Helice, where they were besieged, and afterwards were allowed to depart under a truce. The body of Tisamenus was buried in Helice by the Achaeans, but afterwards at the command of the Delphic oracle the Lacedaemonians carried his bones to Sparta, and in my own day his grave still existed in the place where the Lacedaemonians take the dinner called Pheiditia. The Ionians went to Attica, and they were allowed to settle there by the Athenians and their king Melanthus, the son of Andropompus, I suppose for the sake of Ion and his achievements when he was commander-in-chief of the Athenians. Another

171

ποιούμενοι τοὺς Δωριέας οἱ Ἀθηναῖοι, μὴ οὐδὲ
αὐτῶν ἐθέλωσιν ἀπέχεσθαι, ἰσχύος μᾶλλον
οἰκείας ἕνεκα ἢ εὐνοίᾳ τῇ ἐς τοὺς Ἴωνας συν-
οίκους σφᾶς ἐδέξαντο.

II. Ἔτεσι δὲ οὐ πολλοῖς ὕστερον Μέδων καὶ
Νειλεὺς πρεσβύτατοι τῶν Κόδρου παίδων ἐστα-
σίασαν ὑπὲρ τῆς ἀρχῆς, καὶ οὐκ ἔφασκεν ὁ
Νειλεὺς ἀνέξεσθαι βασιλευόμενος ὑπὸ τοῦ
Μέδοντος, ὅτι ὁ Μέδων τὸν ἕτερον ἦν τῶν ποδῶν
χωλός· δόξαν δέ σφισιν ἀνενεγκεῖν ἐς τὸ χρησ-
τήριον τὸ ἐν Δελφοῖς, δίδωσι Μέδοντι ἡ Πυθία
βασιλείαν τὴν Ἀθηναίων. οὕτω δὴ ὁ Νειλεὺς
καὶ οἱ λοιποὶ τῶν Κόδρου παίδων ἐς ἀποικίαν
ἀπεστάλησαν, ἀγαγόντες μὲν καὶ αὐτῶν Ἀθη-
ναίων τὸν βουλόμενον, τὸ δὲ πλεῖστόν σφισιν
2 ἦσαν τοῦ στρατεύματος οἱ Ἴωνες. ἐκ δὲ τῆς
Ἑλλάδος τρίτος δὴ οὗτος στόλος ὑπὸ βασιλεῦσιν
ἀλλοίοις ὄχλοις τε ἀλλοίοις ἐστάλησαν. τὰ μὲν
γὰρ ἀρχαιότατα Ἰόλαος Θηβαῖος, ἀδελφιδοῦς ὁ
Ἡρακλέους, Ἀθηναίοις ἐς Σαρδὼ καὶ Θεσπιεῦσιν
ἡγήσατο· γενεᾷ δὲ μιᾷ πρότερον ἢ ἐξέπλευσαν
ἐξ Ἀθηνῶν Ἴωνες, Λακεδαιμονίους τε καὶ Μινύας
τοὺς ἐκβληθέντας ὑπὸ Πελασγῶν ἐκ Λήμνου
Θήρας ὁ Αὐτεσίωνος Θηβαῖος ἤγαγεν ἐς τὴν
νῆσον τὴν νῦν μὲν ἀπὸ τοῦ Θήρα τούτου, πρό-
3 τερον δὲ ὀνομαζομένην Καλλίστην. τρίτον δὲ
τότε οἱ Κόδρου παῖδες ἐπετάχθησαν Ἴωσιν
ἄρχοντες, οὐδέν σφισι γένους τοῦ Ἴωνος μετόν,
ἀλλὰ Μεσσήνιοι μὲν τῶν ἐκ Πύλου τὰ πρὸς
Κόδρου καὶ Μελάνθου, Ἀθηναῖοι δὲ ὄντες τὰ
πρὸς μητρός. Ἴωσι δὲ τοῦ στόλου μετασχόντες
ἦσαν οἵδε Ἑλλήνων, Θηβαῖοί τε οἱ ὁμοῦ Φιλώτα

account is that the Athenians suspected that the Dorians would not keep their hands off them, and received the Ionians to strengthen themselves rather than for any good-will they felt towards the Ionians.

II. A few years afterwards Medon and Neileus, the oldest of the sons of Codrus, quarrelled about the rule, and Neileus refused to allow Medon to rule over him, because he was lame in one foot. The disputants agreed to refer the matter to the Delphic oracle, and the Pythian priestess gave the kingdom of Athens to Medon. So Neileus and the rest of the sons of Codrus set out to found a colony, taking with them any Athenian who wished to go with them, but the greatest number of their company was composed of Ionians. This was the third expedition sent out from Greece under kings of a race different from that of the common folk. The earliest was when Iolaüs of Thebes, the nephew of Heracles, led the Athenians and Thespians to Sardinia. One generation before the Ionians set sail from Athens, the Lacedaemonians and Minyans who had been expelled from Lemnos by the Pelasgians were led by the Theban Theras, the son of Autesion, to the island now called after him, but formerly named Calliste. The third occasion was the expedition to which I have referred, when the sons of Codrus were appointed leaders of the Ionians, although they were not related to them, but were, through Codrus and Melanthus, Messenians of Pylus, and, on their mother's side, Athenians. Those who shared in the expedition of the Ionians were the following among the Greeks: some Thebans

γεγονότι ἀπογόνῳ Πηνέλεω καὶ Ὀρχομένιοι
4 Μινύαι συγγενείᾳ τῶν Κόδρου παίδων· μετέσχον
δὲ καὶ Φωκεῖς οἱ ἄλλοι πλὴν Δελφῶν καὶ
Ἄβαντες ἐξ Εὐβοίας. τοῖς δὲ Φωκεῦσι Φιλο-
γένης καὶ Δάμων οἱ Εὐκτήμονος Ἀθηναῖοι ναῦς
τε διδόασιν ἐς τὸν πλοῦν καὶ αὐτοί σφισιν ἐς τὴν
ἀποικίαν ἐγένοντο ἡγεμόνες· ὡς δὲ ταῖς ναυσὶν
ἐς τὴν Ἀσίαν κατῆραν, ἐπ᾽ ἄλλην ἐτρέποντο
ἄλλοι τῶν ἐπὶ θαλάσσῃ πόλεων, Νειλεὺς δὲ καὶ
5 ἡ σὺν αὐτῷ μοῖρα ἐς Μίλητον. Μιλήσιοι δὲ
αὐτοὶ τοιάδε τὰ ἀρχαιότατά σφισιν εἶναι λέγου-
σιν· ἐπὶ γενεὰς μὲν δύο Ἀνακτορίαν καλεῖσθαι τὴν
γῆν Ἄνακτός τε αὐτόχθονος καὶ Ἀστερίου
βασιλεύοντος τοῦ Ἄνακτος, Μιλήτου δὲ κατά-
ραντος στόλῳ Κρητῶν ἥ τε γῆ τὸ ὄνομα μετέβαλεν
ἀπὸ τοῦ Μιλήτου καὶ ἡ πόλις. ἀφίκετο δὲ ἐκ
Κρήτης ὁ Μίλητος καὶ ὁ σὺν αὐτῷ στρατὸς Μίνω
τὸν Εὐρώπης φεύγοντες, οἱ δὲ Κᾶρες οἱ πρότερον
νεμόμενοι τὴν χώραν σύνοικοι τοῖς Κρησὶν ἐγένοντο·
6 τότε δὲ ὡς ἐκράτησαν τῶν ἀρχαίων Μιλησίων οἱ
Ἴωνες, τὸ μὲν γένος πᾶν τὸ ἄρσεν ἀπέκτειναν
πλὴν ὅσοι τῆς πόλεως ἁλισκομένης ἐκδιδράσκουσι,
γυναῖκας δὲ καὶ θυγατέρας τὰς ἐκείνων γαμοῦσι.

Τοῦ δὲ Νειλέως ὁ τάφος ἰόντων ἐς Διδύμους
ἐστὶν οὐ πόρρω τῶν πυλῶν ἐν ἀριστερᾷ τῆς
ὁδοῦ· τὸ δὲ ἱερὸν τὸ ἐν Διδύμοις τοῦ Ἀπόλλωνος
καὶ τὸ μαντεῖόν ἐστιν ἀρχαιότερον ἢ κατὰ τὴν
Ἰώνων ἐσοίκησιν, πολλῷ δὲ πρεσβύτερα ἔτι ἢ
κατὰ Ἴωνας τὰ ἐς τὴν Ἄρτεμιν τὴν Ἐφεσίαν
7 ἐστίν. οὐ μὴν πάντα γε τὰ ἐς τὴν θεὸν ἐπύθετο
ἐμοὶ δοκεῖν Πίνδαρος, ὃς Ἀμαζόνας τὸ ἱερὸν ἔφη
τοῦτο ἱδρύσασθαι στρατευομένας ἐπὶ Ἀθήνας τε

under Philotas, a descendant of Peneleus; Minyans of Orchomenus, because they were related to the sons of Codrus. There also took part all the Phocians except the Delphians, and with them Abantes from Euboea. Ships for the voyage were given to the Phocians by Philogenes and Damon, Athenians and sons of Euctemon, who themselves led the colony. When they landed in Asia they divided, the different parties attacking the different cities on the coast, and Neileus with his party made for Miletus. The Milesians themselves give the following account of their earliest history. For two generations, they say, their land was called Anactoria, during the reigns of Anax, an aboriginal, and of Asterius his son; but when Miletus landed with an army of Cretans both the land and the city changed their name to Miletus. Miletus and his men came from Crete, fleeing from Minos, the son of Europa; the Carians, the former inhabitants of the land, united with the Cretans. But to resume. When the Ionians had overcome the ancient Milesians they killed every male, except those who escaped at the capture of the city, but the wives of the Milesians and their daughters they married.

The grave of Neileus is on the left of the road, not far from the gate, as you go to Didymi. The sanctuary of Apollo at Didymi, and his oracle, are earlier than the immigration of the Ionians, while the cult of Ephesian Artemis is far more ancient still than their coming. Pindar, however, it seems to me, did not learn everything about the goddess, for he says that this sanctuary was founded by the Amazons during their campaign against Athens and

καὶ Θησέα. αἱ δὲ ἀπὸ Θερμώδοντος γυναῖκες
ἔθυσαν μὲν καὶ τότε τῇ Ἐφεσίᾳ θεῷ, ἅτε ἐπιστά-
μεναι ἐκ παλαιοῦ τὸ ἱερόν, καὶ ἡνίκα Ἡρακλέα
ἔφυγον, αἱ δὲ καὶ Διόνυσον τὰ ἔτι ἀρχαιότερα,
ἱκέτιδες ἐνταῦθα ἐλθοῦσαι· οὐ μὴν ὑπὸ Ἀμαζόνων
γε ἱδρύθη, Κόρησος δὲ αὐτόχθων καὶ Ἔφεσος—
Καΰστρου δὲ τοῦ ποταμοῦ τὸν Ἔφεσον παῖδα
εἶναι νομίζουσιν—οὗτοι τὸ ἱερόν εἰσιν οἱ ἱδρυσά-
μενοι, καὶ ἀπὸ τοῦ Ἐφέσου τὸ ὄνομά ἐστι τῇ
8 πόλει. Λέλεγες δὲ τοῦ Καρικοῦ μοῖρα καὶ
Λυδῶν τὸ πολὺ οἱ νεμόμενοι τὴν χώραν ἦσαν·
ᾤκουν δὲ καὶ περὶ τὸ ἱερὸν ἄλλοι τε ἱκεσίας
ἕνεκα καὶ γυναῖκες τοῦ Ἀμαζόνων γένους.
Ἄνδροκλος δὲ ὁ Κόδρου—οὗτος γὰρ δὴ ἀπεδέ-
δεικτο Ἰώνων τῶν ἐς Ἔφεσον πλευσάντων
βασιλεύς—Λέλεγας μὲν καὶ Λυδοὺς τὴν ἄνω
πόλιν ἔχοντας ἐξέβαλεν ἐκ τῆς χώρας· τοῖς δὲ
περὶ τὸ ἱερὸν οἰκοῦσι δεῖμα ἦν οὐδέν, ἀλλὰ
Ἴωσιν ὅρκους δόντες καὶ ἀνὰ μέρος παρ' αὐτῶν
λαβόντες ἐκτὸς ἦσαν πολέμου. ἀφείλετο δὲ καὶ
Σάμον Ἄνδροκλος Σαμίους, καὶ ἔσχον Ἐφέσιοι
χρόνον τινὰ Σάμον καὶ τὰς προσεχεῖς νήσους·
9 Σαμίων δὲ ἤδη κατεληλυθότων ἐπὶ τὰ οἰκεῖα
Πριηνεῦσιν ἤμυνεν ἐπὶ τοὺς Κᾶρας ὁ Ἄνδροκλος,
καὶ νικῶντος τοῦ Ἑλληνικοῦ ἔπεσεν ἐν τῇ μάχῃ.
Ἐφέσιοι δὲ ἀνελόμενοι τοῦ Ἀνδρόκλου τὸν νεκρὸν
ἔθαψαν τῆς σφετέρας ἔνθα δείκνυται καὶ ἐς ἐμὲ
ἔτι τὸ μνῆμα κατὰ τὴν ὁδὸν τὴν ἐκ τοῦ ἱεροῦ παρὰ
τὸ Ὀλυμπιεῖον καὶ ἐπὶ πύλας τὰς Μαγνήτιδας·
ἐπίθημα δὲ τῷ μνήματι ἀνήρ ἐστιν ὡπλισμένος.

---

[1] See Pindar, _fr._ 174.

Theseus.[1] It is a fact that the women from the Thermodon, as they knew the sanctuary from of old, sacrificed to the Ephesian goddess both on this occasion and when they had fled from Heracles; some of them earlier still, when they had fled from Dionysus, having come to the sanctuary as suppliants. However, it was not by the Amazons that the sanctuary was founded, but by Coresus, an aboriginal, and Ephesus, who is thought to have been a son of the river Caÿster, and from Ephesus the city received its name. The inhabitants of the land were partly Leleges, a branch of the Carians, but the greater number were Lydians. In addition there were others who dwelt around the sanctuary for the sake of its protection, and these included some women of the race of the Amazons. But Androclus the son of Codrus (for he it was who was appointed king of the Ionians who sailed against Ephesus) expelled from the land the Leleges and Lydians who occupied the upper city. Those, however, who dwelt around the sanctuary had nothing to fear; they exchanged oaths of friendship with the Ionians and escaped warfare. Androclus also took Samos from the Samians, and for a time the Ephesians held Samos and the adjacent islands. But after that the Samians had returned to their own land, Androclus helped the people of Priene against the Carians. The Greek army was victorious, but Androclus was killed in the battle. The Ephesians carried off his body and buried it in their own land, at the spot where his tomb is pointed out at the present day, on the road leading from the sanctuary past the Olympieum to the Magnesian gate. On the tomb is a statue of an armed man.

177

10 Οἱ δὲ Ἴωνες οἱ Μυοῦντα ἐσοικισάμενοι καὶ
Πριήνην, Κᾶρας μὲν καὶ οὗτοι τὰς πόλεις ἀφεί-
λοντο· οἰκισταὶ δὲ Μυοῦντος μὲν Κυάρητος
ἐγένετο ὁ Κόδρου, Πριηνεῖς δὲ Ἴωσιν ἀναμεμιγ-
μένοι Θηβαῖοι Φιλώταν τε τὸν ἀπόγονον Πηνέλεω
καὶ Αἴπυτον Νειλέως παῖδα ἔσχον οἰκιστάς.
Πριηνεῖς μὲν δὴ ὑπὸ Ταβούτου[1] τε τοῦ Πέρσου
καὶ ὕστερον ὑπὸ Ἱέρωνος ἀνδρὸς ἐπιχωρίου
κακωθέντες ἐς τὸ ἔσχατον ὅμως τελοῦσιν ἐς
Ἴωνας· Μυοῦντος δὲ οἱ οἰκήτορες ἐπὶ τύχῃ
11 τοιᾷδε ἐξέλιπον τὴν πόλιν. κατὰ τὴν Μυουσίαν
χώραν θαλάσσης κόλπος ἐσεῖχεν οὐ μέγας·
τοῦτον λίμνην ὁ ποταμὸς ἐποίησεν ὁ Μαίανδρος,
ἀποτεμόμενος τὸν ἔσπλουν τῇ ἰλύι· ὡς δὲ ἐνόστησε
τὸ ὕδωρ καὶ οὐκέτι ἦν θάλασσα, οἱ κώνωπες
ἄπειρον πλῆθος ἐγίνοντο ἐκ τῆς λίμνης, ἐς ὃ τοὺς
ἀνθρώπους ἠνάγκασαν ἐκλιπεῖν τὴν πόλιν.
ἀπεχώρησαν δὲ ἐς Μίλητον Μυούσιοι τά τε
ἄλλα ἀγώγιμα καὶ τῶν θεῶν φερόμενοι τὰ ἀγάλ-
ματα, καὶ ἦν κατ' ἐμὲ οὐδὲν ἐν Μυοῦντι ὅτι μὴ
Διονύσου ναὸς λίθου λευκοῦ· Μυουσίοις δέ γε
κατέλαβεν ἐοικότα καὶ Ἀταρνείτας παθεῖν τοὺς
ὑπὸ Περγάμῳ.[2]

III. Κολοφώνιοι δὲ τὸ μὲν ἱερὸν τὸ ἐν Κλάρῳ
καὶ τὸ μαντεῖον ἐκ παλαιοτάτου γενέσθαι νομί-
ζουσιν· ἐχόντων δὲ ἔτι τὴν γῆν Καρῶν ἀφικέσθαι
φασὶν ἐς αὐτὴν πρώτους τοῦ Ἑλληνικοῦ Κρῆτας,
Ῥάκιον καὶ ὅσον εἵπετο ἄλλο τῷ Ῥακίῳ πλῆθος,
ἔχον τὰ ἐπὶ θαλάσσῃ καὶ ναυσὶν ἰσχύον· τῆς δὲ
χώρας τὴν πολλὴν ἐνέμοντο ἔτι οἱ Κᾶρες.

---

[1] Casaubon conjectured Ταβαλοῦ from Herodotus I. 161.
[2] An emendation (Spiro's) of the MSS. Περγάμου.

The Ionians who settled at Myus and Priene, they too took the cities from Carians. The founder of Myus was Cyaretus the son of Codrus, but the people of Priene, half Theban and half Ionian, had as their founders Philotas, the descendant of Peneleus, and Aepytus, the son of Neileus. The people of Priene, although they suffered much at the hands of Tabutes the Persian and afterwards at the hands of Hiero, a native, yet down to the present day are accounted Ionians. The people of Myus left their city on account of the following accident. A small inlet of the sea used to run into their land. This inlet the river Maeander turned into a lake, by blocking up the entrance with mud. When the water, ceasing to be sea, became fresh,[1] gnats in vast swarms bred in the lake until the inhabitants were forced to leave the city. They departed for Miletus, taking with them the images of the gods and their other movables, and on my visit I found nothing in Myus except a white marble temple of Dionysus. A similar fate to that of Myus happened to the people of Atarneus, under Mount Pergamus.

III. The people of Colophon suppose that the sanctuary at Clarus, and the oracle, were founded in the remotest antiquity. They assert that while the Carians still held the land, the first Greeks to arrive were Cretans under Rhacius, who was followed by a great crowd also; these occupied the shore and were strong in ships, but the greater part of the country continued in the possession of the Carians. When

---

[1] This is rather a strange sense to give to ἐνόστησε, and perhaps with Sylburg we should read ἐνόσησε, "became unhealthy" (owing to its being stagnant).

Θερσάνδρου δὲ τοῦ Πολυνείκους καὶ Ἀργείων
ἑλόντων Θήβας ἄλλοι τε αἰχμάλωτοι καὶ ἡ
Μαντὼ τῷ Ἀπόλλωνι ἐκομίσθησαν ἐς Δελφούς·
Τειρεσίαν δὲ κατὰ τὴν πορείαν τὸ χρεὼν ἐπέ-
2 λαβεν ἐν τῇ Ἁλιαρτίᾳ. ἐκπέμψαντος δὲ σφᾶς
ἐς ἀποικίαν τοῦ θεοῦ, περαιοῦνται ναυσὶν ἐς τὴν
Ἀσίαν, καὶ ὡς κατὰ τὴν Κλάρον ἐγένοντο,
ἐπεξίασιν αὐτοῖς οἱ Κρῆτες μετὰ ὅπλων καὶ
ἀνάγουσιν ὡς τὸν Ῥάκιον· ὁ δὲ—μανθάνει γὰρ
παρὰ τῆς Μαντοῦς οἵτινές τε ἀνθρώπων ὄντες
καὶ κατὰ αἰτίαν ἥντινα ἥκουσι—λαμβάνει μὲν
γυναῖκα τὴν Μαντώ, ποιεῖται δὲ καὶ τοὺς σὺν
αὐτῇ συνοίκους. Μόψος δὲ ὁ Ῥακίου καὶ
Μαντοῦς καὶ τὸ παράπαν τοὺς Κᾶρας ἐξέβαλεν
3 ἐκ τῆς γῆς. Ἴωνες δὲ ὅρκους ποιησάμενοι πρὸς
τοὺς ἐν Κολοφῶνι Ἕλληνας συνεπολιτεύοντο,
οὐδὲν ἔχοντες πλέον· βασιλείαν δὲ Ἰώνων
ἡγεμόνες Δαμασίχθων λαμβάνει καὶ Πρόμηθος
Κόδρου παῖδες. Πρόμηθος δὲ ὕστερον τὸν ἀδελ-
φὸν Δαμασίχθονα ἀποκτείνας ἔφυγεν ἐς Νάξον,
καὶ ἀπέθανε μὲν αὐτόθι ἐν τῇ Νάξῳ, τὸν νεκρὸν
δὲ οἴκαδε ἀπαχθέντα κατεδέξαντο οἱ Δαμασίχ-
θονος παῖδες· καὶ ἔνθα ὁ τοῦ Προμήθου τάφος,
4 Πολυτειχίδες ὄνομά ἐστι τῷ χωρίῳ. Κολο-
φωνίοις δὲ ὅπως μὲν τὴν πόλιν συνέπεσεν
ἐρημωθῆναι, προεδήλωσέ μοι τοῦ λόγου τὰ ἐς
Λυσίμαχον· ἐμαχέσαντο δὲ Λυσιμάχῳ καὶ
Μακεδόσι Κολοφώνιοι τῶν ἀνοικισθέντων ἐς
Ἔφεσον μόνοι, τοῖς δὲ ἀποθανοῦσιν ἐν τῇ μάχῃ
Κολοφωνίων τε αὐτῶν καὶ Σμυρναίων ἐστὶν
ὁ τάφος ἰόντι ἐς Κλάρον ἐν ἀριστερᾷ τῆς ὁδοῦ.
5 Λεβεδίοις δὲ ἐποίησε μὲν Λυσίμαχος ἀνάστα-

Thebes was taken by Thersander, the son of Polyneices, and the Argives, among the prisoners brought to Apollo at Delphi was Manto. Her father Teiresias had died on the way, in Haliartia, and when the god had sent them out to found a colony, they crossed in ships to Asia, but as they came to Clarus, the Cretans came against them armed and carried them away to Rhacius. But he, learning from Manto who they were and why they were come, took Manto to wife, and allowed the people with her to inhabit the land. Mopsus, the son of Rhacius and of Manto, drove the Carians from the country altogether. The Ionians swore an oath to the Greeks in Colophon, and lived with them in one city on equal terms, but the kingship was taken by the Ionian leaders, Damasichthon and Promethus, sons of Codrus. Afterwards Promethus killed his brother Damasichthon and fled to Naxos, where he died, but his body was carried home and received by the sons of Damasichthon. The name of the place where Damasichthon is buried is called Polyteichides. How it befell that Colophon was laid waste I have already related in my account of Lysimachus.[1] Of those who were transported to Ephesus only the people of Colophon fought against Lysimachus and the Macedonians. The grave of those Colophonians and Smyrnaeans who fell in the battle is on the left of the road as you go to Clarus.

The city of Lebedus was razed to the ground

[1] Book I. ix. § 7.

τὸν τὴν πόλιν, ἵνα δὴ συντέλεια ἐς μέγεθος τῇ
Ἐφέσῳ γένοιτο· χώρα δέ σφισιν ἔς τε τὰ λοιπά
ἐστιν εὐδαίμων καὶ λουτρὰ παρέχεται θερμὰ
πλεῖστα τῶν ἐπὶ θαλάσσῃ καὶ ἥδιστα. τὸ δὲ
ἐξ ἀρχῆς καὶ τὴν Λέβεδον ἐνέμοντο οἱ Κᾶρες,
ἐς ὃ Ἀνδραίμων σφᾶς ὁ Κόδρου καὶ Ἴωνες ἐλαύ-
νουσι. τῷ δὲ Ἀνδραίμονι ὁ τάφος ἐκ Κολοφῶνος
ἰόντι ἐστὶν ἐν ἀριστερᾷ τῆς ὁδοῦ, διαβάντι τὸν
Καλάοντα ποταμόν.

6   Τέων δὲ ᾤκουν μὲν Ὀρχομένιοι Μινύαι σὺν
Ἀθάμαντι ἐς αὐτὴν ἐλθόντες· λέγεται δὲ ὁ
Ἀθάμας οὗτος ἀπόγονος Ἀθάμαντος εἶναι τοῦ
Αἰόλου. ἀναμεμιγμένοι μὲν τῷ Ἑλληνικῷ καὶ
ἐνταῦθα ἦσαν οἱ Κᾶρες· ἐσήγαγε δὲ Ἴωνας ἐς
τὴν Τέων Ἄποικος ἀπόγονος Μελάνθου τέταρτος,
ὃς τοῖς Ὀρχομενίοις οὐδὲ τοῖς Τηίοις νεώτερον
ἐβούλευσεν οὐδέν. ἔτεσι δὲ οὐ πολλοῖς ὕστερον
ἔκ τε Ἀθηναίων καὶ ἐκ Βοιωτίας ἀφίκοντο
ἄνδρες· ἡγοῦντο δὲ τοῦ μὲν Ἀττικοῦ Δάμασος
καὶ Νάοκλος Κόδρου παῖδες, τῶν δὲ Βοιωτῶν
Γέρης Βοιωτός· καὶ σφᾶς συναμφοτέρους ὅ τε
Ἄποικος καὶ οἱ Τήιοι συνοίκους ἐδέξαντο.

7   Ἐρυθραῖοι δὲ τὸ μὲν ἐξ ἀρχῆς ἀφικέσθαι σὺν
Ἐρύθρῳ τῷ Ῥαδαμάνθυός φασιν ἐκ Κρήτης καὶ
οἰκιστὴν τῇ πόλει γενέσθαι τὸν Ἔρυθρον·
ἐχόντων δὲ αὐτὴν ὁμοῦ τοῖς Κρησὶ Λυκίων καὶ
Καρῶν τε καὶ Παμφύλων, Λυκίων μὲν κατὰ
συγγένειαν τὴν Κρητῶν—καὶ γὰρ οἱ Λύκιοι τὸ
ἀρχαῖόν εἰσιν ἐκ Κρήτης, οἳ Σαρπηδόνι ὁμοῦ
ἔφυγον—Καρῶν δὲ κατὰ φιλίαν ἐκ παλαιοῦ
πρὸς Μίνω, Παμφύλων δὲ ὅτι γένους μέτεστιν
Ἑλληνικοῦ καὶ τούτοις—εἰσὶ γὰρ δὴ καὶ οἱ

by Lysimachus, simply in order that the population of Ephesus might be increased. The land around Lebedus is a happy one; in particular its hot baths are more numerous and more pleasant than any others on the coast. Originally Lebedus also was inhabited by the Carians, until they were driven out by Andraemon the son of Codrus and the Ionians. The grave of Andraemon is on the left of the road as you go from Colophon, when you have crossed the river Calaon.

Teos used to be inhabited by Minyans of Orchomenus, who came to it with Athamas. This Athamas is said to have been a descendant of Athamas the son of Aeolus. Here too there was a Carian element combined with the Greek, while Ionians were introduced into Teos by Apoecus, a great-grandchild of Melanthus, who showed no hostility either to the Orchomenians or to the Teians. A few years later there came men from Athens and from Boeotia; the Attic contingent was under Damasus and Naoclus, the sons of Codrus, while the Boeotians were led by Geres, a Boeotian. Both parties were received by Apoecus and the Teians as fellow-settlers.

The Erythraeans say that they came originally from Crete with Erythrus the son of Rhadamanthus, and that this Erythrus was the founder of their city. Along with the Cretans there dwelt in the city Lycians, Carians and Pamphylians; Lycians because of their kinship with the Cretans, as they came of old from Crete, having fled along with Sarpedon; Carians because of their ancient friendship with Minos; Pamphylians because they too belong to the Greek race, being among those

183

Πάμφυλοι τῶν μετὰ ἅλωσιν Ἰλίου πλανηθέντων
σὺν Κάλχαντι—τούτων τῶν κατειλεγμένων
ἐχόντων Ἐρυθράς, Κλέοπος ὁ Κόδρου συλλέξας
ἐξ ἁπασῶν τῶν ἐν Ἰωνίᾳ πόλεων ὅσους δὴ παρὰ
ἑκάστων ἐπεισήγαγεν Ἐρυθραίοις συνοίκους.

8   Κλαζομενίοις δὲ καὶ Φωκαεῦσι, πρὶν μὲν ἢ
Ἴωνας ἐς τὴν Ἀσίαν ἐλθεῖν, οὐκ ᾠκοῦντο αἱ
πόλεις· Ἰώνων δὲ ἀφικομένων μοῖρα ἐξ αὐτῶν
πλανωμένη μετεπέμψατο ἡγεμόνα παρὰ Κολο-
φωνίων Πάρφορον, καὶ πόλιν κτίσαντες ὑπὸ τῇ
Ἴδῃ τὴν μὲν οὐ μετὰ πολὺ ἐκλείπουσιν, ἐπανιόντες
δὲ ἐς Ἰωνίαν Σκύππιον τῆς Κολοφωνίας ἔκτισαν.

9   ἀπελθόντες δὲ ἑκουσίως καὶ ἐκ τῆς Κολοφωνίας,
οὕτω γῆν τε ἔσχον, ἣν καὶ νῦν ἔτι ἔχουσι, καὶ
κατεσκευάσαντο ἐν τῇ ἠπείρῳ Κλαζομενὰς πόλιν·
ἐς δὲ τὴν νῆσον διέβησαν δὴ κατὰ τὸ Περσῶν
δέος. Ἀλέξανδρος δὲ ἀνὰ χρόνον ἔμελλεν ὁ
Φιλίππου χερρόνησον Κλαζομενὰς ἐργάσεσθαι
χώματι ἐς τὴν νῆσον ἐκ τῆς ἠπείρου. τούτων
τῶν Κλαζομενίων τὸ πολὺ οὐκ Ἴωνες, Κλεωναῖοι
δὲ ἦσαν καὶ ἐκ Φλιοῦντος, ὅσοι Δωριέων ἐς Πελο-

10 πόννησον κατελθόντων ἐξέλιπον τὰς πόλεις· οἱ
δὲ Φωκαεῖς γένος μὲν τὸ ἀνέκαθέν εἰσιν ἐκ τῆς ὑπὸ
τῷ Παρνασσῷ καλουμένης καὶ ἐς ἡμᾶς ἔτι
Φωκίδος, οἳ Φιλογένει καὶ Δάμωνι ὁμοῦ τοῖς
Ἀθηναίοις διέβησαν ἐς τὴν Ἀσίαν. τὴν χώραν
δὲ οὐ πολέμῳ, κατὰ δὲ ὁμολογίαν λαμβάνουσι
παρὰ Κυμαίων· Ἰώνων δὲ οὐ δεχομένων σφᾶς ἐς
Πανιώνιον πρὶν ἢ τοῦ γένους βασιλέας τοῦ
Κοδριδῶν λάβωσιν, οὕτω παρὰ Ἐρυθραίων καὶ
ἐκ Τέω Δεοίτην καὶ Πέρικλον λαμβάνουσι καὶ
Ἄβαρτον.

who after the taking of Troy wandered with Calchas. The peoples I have enumerated occupied Erythrae when Cleopus the son of Codrus gathered men from all the cities of Ionia, so many from each, and introduced them as settlers among the Erythraeans.

The cities of Clazomenae and Phocaea were not inhabited before the Ionians came to Asia. When the Ionians arrived, a wandering division of them sent for a leader, Parphorus, from the Colophonians, and founded under Mount Ida a city which shortly afterwards they abandoned, and returning to Ionia they founded Scyppium in the Colophonian territory. They left of their own free-will Colophonian territory also, and so occupied the land which they still hold, and built on the mainland the city of Clazomenae. Later they crossed over to the island through their fear of the Persians. But in course of time Alexander the son of Philip was destined to make Clazomenae a peninsula by a mole from the mainland to the island. Of these Clazomenians the greater part were not Ionians, but Cleonaeans and Phliasians, who abandoned their cities when the Dorians had returned to Peloponnesus. The Phocaeans are by birth from the land under Parnassus still called Phocis, who crossed to Asia with the Athenians Philogenes and Damon. Their land they took from the Cymaeans, not by war but by agreement. When the Ionians would not admit them to the Ionian confederacy until they accepted kings of the race of the Codridae, they accepted Deoetes, Periclus and Abartus from Erythrae and from Teos.

IV. Αἱ δὲ ἐν ταῖς νήσοις εἰσὶν Ἰώνων πόλεις Σάμος ἡ ὑπὲρ Μυκάλης καὶ Χίος ἡ ἀπαντικρὺ τοῦ Μίμαντος. Ἄσιος δὲ ὁ Ἀμφιπτολέμου Σάμιος ἐποίησεν ἐν τοῖς ἔπεσιν ὡς Φοίνικι ἐκ Περιμήδης τῆς Οἰνέως γένοιτο Ἀστυπάλαια καὶ Εὐρώπη, Ποσειδῶνος δὲ καὶ Ἀστυπαλαίας εἶναι παῖδα Ἀγκαῖον, βασιλεύειν δὲ αὐτὸν τῶν καλουμένων Λελέγων· Ἀγκαίῳ δὲ τὴν θυγατέρα τοῦ ποταμοῦ λαβόντι τοῦ Μαιάνδρου Σαμίαν γενέσθαι Περίλαον καὶ Ἔνουδον καὶ Σάμον καὶ Ἀλιθέρσην καὶ θυγατέρα ἐπ᾽ αὐτῷ Παρθενόπην, Παρθενόπης δὲ τῆς Ἀγκαίου καὶ Ἀπόλλωνος 2 Λυκομήδην γενέσθαι. Ἄσιος μὲν ἐς τοσοῦτο ἐν τοῖς ἔπεσιν ἐδήλωσε· τότε δὲ οἱ τὴν νῆσον οἰκοῦντες ἀνάγκῃ πλέον ἐδέξαντο ἢ εὐνοίᾳ συνοίκους Ἴωνας. ἡγεμὼν δὲ ἦν τοῖς Ἴωσι Προκλῆς ὁ Πιτυρέως, αὐτός τε Ἐπιδαύριος καὶ Ἐπιδαυρίους τὸ πολὺ ἄγων, οἳ ὑπὸ Δηϊφόντου καὶ Ἀργείων ἐκ τῆς Ἐπιδαυρίας ἐξεπεπτώκεσαν· τούτῳ τῷ Προκλεῖ γένος ἦν ἀπὸ Ἴωνος τοῦ Ξούθου. Ἄνδροκλος δὲ καὶ Ἐφέσιοι στρατεύουσιν ἐπὶ Λεώγορον τὸν Προκλέους, βασιλεύοντα μετὰ τὸν πατέρα ἐν Σάμῳ, καὶ μάχῃ νικήσαντες ἐξελαύνουσιν ἐκ τῆς νήσου Σαμίους· αἰτίαν δὲ ἐπέφερον μετὰ Καρῶν σφᾶς ἐπιβου- 3 λεύειν Ἴωσι. Σαμίων δὲ τῶν φευγόντων οἱ μὲν ἐπὶ τῇ Θρᾴκῃ νῆσον ᾤκησαν, καὶ ἀπὸ τούτων τῆς ἐνοικήσεως Σαμοθρᾴκην τὴν νῆσον καλοῦσιν ἀντὶ Δαρδανίας· οἱ δὲ ὁμοῦ Λεωγόρῳ περὶ Ἀναίαν τὴν ἐν τῇ ἠπείρῳ τῇ πέραν βαλόμενοι τεῖχος, δέκα ἔτεσιν ὕστερον διαβάντες ἐν τῇ Σάμῳ τούς τε Ἐφεσίους ἐκβάλλουσι καὶ ἀνεσώσαντο τὴν νῆσον.

IV. The cities of the Ionians on the islands are
Samos over against Mycale and Chios opposite
Mimas. Asius, the son of Amphiptolemus, a Samian,
says in his epic that there were born to Phoenix
Astypalaea and Europa, whose mother was Perimede,
the daughter of Oeneus ; that Astypalaea had by
Poseidon a son Ancaeüs, who reigned over those
called Leleges ; that Ancaeüs took to wife Samia,
the daughter of the river Maeander, and begat
Perilaüs, Enudus, Samus, Alitherses and a daughter
Parthenope ; and that Parthenope had a son
Lycomedes by Apollo. Thus far Asius in his poem.
But on the occasion to which I refer the inhabitants
of the island received the Ionians as settlers more
of necessity than through good-will. The leader of
the Ionians was Procles, the son of Pityreus,
Epidaurian himself like the greater part of his
followers, who had been expelled from Epidauria by
Deïphontes and the Argives. This Procles was
descended from Ion, son of Xuthus. But the
Ephesians under Androclus made war on Leogorus,
the son of Procles, who reigned in Samos after his
father, and after conquering them in a battle drove
the Samians out of their island, accusing them of
conspiring with the Carians against the Ionians.
The Samians fled and some of them made their home
in an island near Thrace, and as a result of their
settling there the name of the island was changed
from Dardania to Samothrace. Others with Leo-
gorus threw a wall round Anaea on the mainland
opposite Samos, and ten years after crossed over,
expelled the Ephesians and reoccupied the island.

4 Τὸ δὲ ἱερὸν τὸ ἐν Σάμῳ τῆς Ἥρας εἰσὶν οἳ ἱδρύσασθαί φασι τοὺς ἐν τῇ Ἀργοῖ πλέοντας, ἐπάγεσθαι δὲ αὐτοὺς τὸ ἄγαλμα ἐξ Ἄργους· Σάμιοι δὲ αὐτοὶ τεχθῆναι νομίζουσιν ἐν τῇ νήσῳ τὴν θεὸν παρὰ τῷ Ἰμβράσῳ ποταμῷ καὶ ὑπὸ τῇ λύγῳ τῇ ἐν τῷ Ἡραίῳ κατ' ἐμὲ ἔτι πεφυκυίᾳ. εἶναι δ' οὖν τὸ ἱερὸν τοῦτο ἐν τοῖς μάλιστα ἀρχαῖον[1] οὐχ ἥκιστα ἄν τις καὶ ἐπὶ τῷ ἀγάλματι τεκμαίροιτο· ἔστι γὰρ δὴ ἀνδρὸς ἔργον Αἰγινήτου Σμίλιδος τοῦ Εὐκλείδου. οὗτος ὁ Σμῖλίς ἐστιν ἡλικίαν κατὰ Δαίδαλον, δόξης δὲ οὐκ ἐς τὸ ἴσον

5 ἀφίκετο· Δαιδάλῳ μὲν γὰρ γένους τε Ἀθήνησιν ὑπῆρχεν εἶναι τοῦ βασιλικοῦ τῶν καλουμένων Μητιονιδῶν καὶ ὁμοῦ τῇ τέχνῃ τῆς πλάνης τε ἕνεκα καὶ ἐπὶ ταῖς συμφοραῖς ἐπιφανέστερος ἐγένετο ἐς ἅπαντας ἀνθρώπους. ἀποκτείνας μὲν ἀδελφῆς παῖδα καὶ ἐπιστάμενος τὰ οἴκοι νόμιμα ἑκουσίως παρὰ Μίνω ἔφυγεν ἐς Κρήτην, καὶ αὐτῷ τε ἀγάλματα Μίνω καὶ τοῦ Μίνω ταῖς θυγατράσιν ἐποίησε, καθότι καὶ Ὅμηρος ἐν

6 Ἰλιάδι ἐδήλωσε· καταγνωσθεὶς δὲ ἀδικεῖν ὑπὸ τοῦ Μίνω καὶ ἐς δεσμωτήριον ὁμοῦ τῷ παιδὶ ἐμβληθεὶς ἐκδιδράσκει τε ἐκ Κρήτης καὶ ἐς Ἴνυκον Σικελῶν πόλιν ἀφικνεῖται παρὰ Κώκαλον, καὶ πολέμου παρέσχε τοῖς Σικελοῖς αἰτίαν πρὸς τοὺς Κρῆτας, ὅτι ἐξαιτοῦντος Μίνω μὴ πρόοιτο αὐτὸν ὁ Κώκαλος· καὶ ἐς τοσοῦτο ὑπὸ τοῦ Κωκάλου τῶν θυγατέρων ἐσπουδάσθη κατὰ τὴν τέχνην, ὡς καὶ θάνατον τῷ Μίνω βουλεῦσαι

7 τὰς γυναῖκας ἐς χάριν Δαιδάλου. δῆλά τε ὡς ἀνὰ πᾶσαν μὲν τὴν Σικελίαν, ἐπὶ πλεῖστον δὲ καὶ Ἰταλίας ἀφίκετο τοῦ Δαιδάλου τὸ ὄνομα.

Some say that the sanctuary of Hera in Samos was established by those who sailed in the Argo, and that these brought the image from Argos. But the Samians themselves hold that the goddess was born in the island by the side of the river Imbrasus under the withy that even in my time grew in the Heraeum. That this sanctuary is very old might be inferred especially by considering the image; for it is the work of an Aeginetan, Smilis, the son of Eucleides. This Smilis was a contemporary of Daedalus, though of less repute. Daedalus belonged to the royal Athenian clan called the Metionidae, and he was rather famous among all men not only for his art but also for his wandering and his misfortunes. For he killed his sister's son, and knowing the customs of his city he went into exile of his own accord to Minos in Crete. There he made images for Minos and for the daughters of Minos, as Homer sets forth in the *Iliad*;[1] but being condemned by Minos on some charge he was thrown into prison along with his son. He escaped from Crete and came to Cocalus at Inycus, a city of Sicily. Thereby he became the cause of war between Sicilians and Cretans, because when Minos demanded him back, Cocalus refused to give him up. He was so much admired by the daughters of Cocalus for his artistic skill that to please him these women actually plotted against Minos to put him to death. It is plain that the renown of Daedalus spread over all Sicily and even over the greater part

[1] xviii. 592 foll.

---

[1] Here the MSS. have δ, which was deleted by Bekker.

ὁ δὲ Σμῖλις, ὅτι μὴ παρὰ Σαμίους καὶ ἐς τὴν
Ἠλείαν, παρ᾽ ἄλλους γε οὐδένας φανερός ἐστιν
ἀποδημήσας· ἐς τούτους δὲ ἀφίκετο, καὶ τὸ
ἄγαλμα ἐν Σάμῳ τῆς Ἥρας ὁ ποιήσας ἐστὶν
οὗτος.

8 * * Ἴωνι δὲ τῷ ποιήσαντι τραγῳδίαν ἐστὶν
ἐν τῇ συγγραφῇ τοιάδε εἰρημένα, Ποσειδῶνα ἐς
τὴν νῆσον ἔρημον οὖσαν ἀφικέσθαι καὶ νύμφῃ
τε ἐνταῦθα συγγενέσθαι καὶ ὑπὸ τὰς ὠδῖνας τῆς
νύμφης χιόνα ἐξ οὐρανοῦ πεσεῖν ἐς τὴν γῆν, καὶ
ἀπὸ τούτου Ποσειδῶνα τῷ παιδὶ ὄνομα θέσθαι
Χίον· συγγενέσθαι δὲ αὐτὸν καὶ ἑτέρᾳ νύμφῃ,
καὶ γενέσθαι οἱ παῖδας Ἄγελόν τε καὶ Μέλανα·
ἀνὰ χρόνον δὲ καὶ Οἰνοπίωνα ἐς τὴν Χίον κατᾶραι
ναυσὶν ἐκ Κρήτης, ἕπεσθαι δέ οἱ καὶ τοὺς παῖδας
Τάλον καὶ Εὐάνθην καὶ Μέλανα καὶ Σάλαγόν τε
9 καὶ Ἀθάμαντα. ἀφίκοντο δὲ καὶ Κᾶρες ἐς τὴν
νῆσον ἐπὶ τῆς Οἰνοπίωνος βασιλείας καὶ Ἄβαν-
τες ἐξ Εὐβοίας. Οἰνοπίωνος δὲ καὶ τῶν παί-
δων ἔλαβεν ὕστερον Ἄμφικλος τὴν ἀρχήν·
ἀφίκετο δὲ ἐξ Ἱστιαίας ὁ Ἄμφικλος τῆς ἐν
Εὐβοίᾳ κατὰ μάντευμα ἐκ Δελφῶν. Ἕκτωρ δὲ
ἀπὸ Ἀμφίκλου τετάρτῃ γενεᾷ—βασιλείαν γὰρ
ἔσχε καὶ οὗτος—ἐπολέμησεν Ἀβάντων καὶ
Καρῶν τοῖς οἰκοῦσιν ἐν τῇ νήσῳ, καὶ τοὺς μὲν
ἀπέκτεινεν ἐν ταῖς μάχαις, τοὺς δὲ ἀπελθεῖν
10 ἠνάγκασεν ὑποσπόνδους. γενομένης δὲ ἀπαλ-
λαγῆς πολέμου Χίοις, ἀφικέσθαι τηνικαῦτα ἐς
μνήμην Ἕκτορι ὡς σφᾶς καὶ Ἴωσι δέοι συνθύειν
ἐς Πανιώνιον· τρίποδα δὲ ἆθλον λαβεῖν αὐτὸν
ἐπὶ ἀνδραγαθίᾳ παρὰ τοῦ κοινοῦ φησι τοῦ
Ἰώνων. τοσαῦτα εἰρηκότα ἐς Χίους Ἴωνα

of Italy. But as for Smilis, it is not clear that he
visited any places save Samos and Elis. But to
these he did travel, and he it was who made the
image of Hera in Samos.

. . . Ion the tragic poet says in his history that
Poseidon came to the island when it was unin-
habited; that there he had intercourse with a
nymph, and that when she was in her pains there
was a fall of snow (*chion*), and that accordingly
Poseidon called his son Chios. Ion also says that
Poseidon had intercourse with another nymph, by
whom he had Agelus and Melas; that in course of
time Oenopion too sailed with a fleet from Crete to
Chios, accompanied by his sons Talus, Euanthes,
Melas, Salagus and Athamas. Carians too came to
the island, in the reign of Oenopion, and Abantes
from Euboea. Oenopion and his sons were suc-
ceeded by Amphiclus, who because of an oracle
from Delphi came from Histiaea in Euboea. Three
generations from Amphiclus, Hector, who also had
made himself king, made war on those Abantes and
Carians who lived in the island, slew some in battle,
and forced others to surrender and depart. When
the Chians were rid of war, it occurred to Hector
that they ought to unite with the Ionians in
sacrificing at Panionium. It is said that the Ionian
confederacy gave him a tripod as a prize for valour.
Such was the account of the Chians that I found

εὕρισκον· οὐ μέντοι ἐκεῖνό γε εἴρηκε, καθ' ἥντινα αἰτίαν Χῖοι τελοῦσιν ἐς "Ιωνας.

V. Σμύρναν δὲ, ἐν ταῖς δώδεκα πόλεσιν οὖσαν Αἰολέων καὶ οἰκουμένην[1] τῆς χώρας, καθ' ἃ καὶ ἐς ἐμὲ ἔτι πόλιν καλοῦσιν ἀρχαίαν, "Ιωνες ἐκ Κολοφῶνος ὁρμηθέντες ἀφελόμενοι τοὺς Αἰολεῖς ἔσχον· χρόνῳ δὲ ὕστερον καὶ "Ιωνες μετέδοσαν Σμυρναίοις τοῦ ἐν Πανιωνίῳ συλλόγου. 'Αλέξανδρος δὲ ὁ Φιλίππου τῆς ἐφ' ἡμῶν πόλεως
2 ἐγένετο οἰκιστὴς κατ' ὄψιν ὀνείρατος· 'Αλέξανδρον γὰρ θηρεύοντα ἐν τῷ ὄρει τῷ Πάγῳ, ὡς ἐγένετο ἀπὸ τῆς θήρας, ἀφικέσθαι πρὸς Νεμέσεων λέγουσιν ἱερόν, καὶ πηγῇ τε ἐπιτυχεῖν αὐτὸν καὶ πλατάνῳ πρὸ τοῦ ἱεροῦ, πεφυκυία δὲ ἐπὶ τοῦ ὕδατος. καὶ ὑπὸ τῇ πλατάνῳ καθεύδοντι κελεύειν φασὶν αὐτῷ τὰς Νεμέσεις ἐπιφανείσας πόλιν ἐνταῦθα οἰκίζειν καὶ ἄγειν ἐς αὐτὴν Σμυρ-
3 ναίους ἀναστήσαντα ἐκ τῆς προτέρας· ἀποστέλλουσιν οὖν ἐς Κλάρον θεωροὺς οἱ Σμυρναῖοι περὶ τῶν παρόντων σφίσιν ἐρησομένους, καὶ αὐτοῖς ἔχρησεν ὁ θεός·

τρὶς μάκαρες κεῖνοι καὶ τετράκις ἄνδρες ἔσονται,
οἳ Πάγον οἰκήσουσι πέρην ἱεροῖο Μέλητος.

οὕτω μετῳκίσαντο ἐθελονταὶ καὶ δύο Νεμέσεις νομίζουσιν ἀντὶ μιᾶς καὶ μητέρα αὐταῖς φασιν εἶναι Νύκτα, ἐπεὶ 'Αθηναῖοί γε τῇ ἐν 'Ραμνοῦντι θεῷ πατέρα λέγουσιν εἶναι 'Ωκεανόν.
4 "Ιωσι δὲ ἔχει μὲν ἐπιτηδειότατα ὡρῶν κράσεως ἡ χώρα, ἔχει δὲ καὶ ἱερὰ οἷα οὐχ ἑτέρωθι,

[1] The MSS. read οἰκουμένης or οἰκουμένη, and have ἥν after πόλιν.

given by Ion. However, he gives no reason why the Chians are classed with the Ionians.

V. Smyrna, one of the twelve Aeolian cities, built on that site which even now they call the old city, was seized by Ionians who set out from Colophon and displaced the Aeolians ; subsequently, however, the Ionians allowed the Smyrnaeans to take their place in the general assembly at Panionium. The modern city was founded by Alexander, the son of Philip, in accordance with a vision in a dream. It is said that Alexander was hunting on Mount Pagus, and that after the hunt was over he came to a sanctuary of the Nemeses, and found there a spring and a plane-tree in front of the sanctuary, growing over the water. While he slept under the plane-tree it is said that the Nemeses appeared and bade him found a city there and to remove into it the Smyrnaeans from the old city. So the Smyrnaeans sent ambassadors to Clarus to make inquiries about the circumstance, and the god made answer :—

Thrice, yes, four times blest will those men be
Who shall dwell in Pagus beyond the sacred
    Meles.

So they migrated of their own free will, and believe now in two Nemeses instead of one, saying that their mother is Night, while the Athenians say that the father of the goddess[1] in Rhamnus is Ocean.

The land of the Ionians has the finest possible climate, and sanctuaries such as are to be found

----

[1] That is, Nemesis.

πρῶτον μὲν τὸ¹ τῆς Ἐφεσίας μεγέθους τε ἕνεκα
καὶ ἐπὶ τῷ ἄλλῳ πλούτῳ, δύο δὲ οὐκ ἐξειργασ-
μένα Ἀπόλλωνος, τό τε ἐν Βραγχίδαις τῆς Μιλη-
σίας καὶ ἐν Κλάρῳ τῇ Κολοφωνίων. δύο δὲ
ἄλλους ἐν Ἰωνίᾳ ναοὺς ἐπέλαβεν ὑπὸ Περσῶν
κατακαυθῆναι, τόν τε ἐν Σάμῳ τῆς Ἥρας καὶ
ἐν Φωκαίᾳ τῆς Ἀθηνᾶς· θαῦμα δὲ ὅμως ἦσαν
5 καὶ ὑπὸ τοῦ πυρὸς λελυμασμένοι. ἡσθείης δ' ἂν
καὶ τῷ ἐν Ἐρυθραῖς Ἡρακλείῳ καὶ Ἀθηνᾶς τῷ
ἐν Πριήνῃ ναῷ, τούτῳ μὲν τοῦ ἀγάλματος ἕνεκα,
Ἡρακλείῳ δὲ τῷ ἐν Ἐρυθραῖς κατὰ ἀρχαιότητα·
τὸ δὲ ἄγαλμα οὔτε τοῖς καλουμένοις Αἰγιναίοις
οὔτε τῶν Ἀττικῶν τοῖς ἀρχαιοτάτοις ἐμφερές, εἰ
δέ τι καὶ ἄλλο, ἀκριβῶς ἐστιν Αἰγύπτιον.
σχεδία γὰρ ἦν² ξύλων, καὶ ἐπ' αὐτῇ ὁ θεὸς ἐκ
Τύρου τῆς Φοινίκης ἐξέπλευσε· καθ' ἥντινα δὲ
αἰτίαν, οὐδὲ αὐτοὶ τοῦτο οἱ Ἐρυθραῖοι λέγουσιν.
6 ὡς δὲ ἐς τὴν θάλασσαν ἀφίκετο ἡ σχεδία τὴν
Ἰώνων, φασὶν αὐτὴν ὁρμίσασθαι πρὸς ἄκρᾳ
καλουμένῃ Μεσάτῃ· ἡ δὲ ἔστι μὲν τῆς ἠπείρου,
τοῖς δὲ³ ἐκ τοῦ Ἐρυθραίων λιμένος ἐς νῆσον τὴν
Χίων πλέουσι τοῦτό ἐστι⁴ μεσαίτατον. ἐπεὶ δὲ
ἡ σχεδία κατὰ τὴν ἄκραν ἔσχεν, ἐνταῦθα πολὺν
μὲν οἱ Ἐρυθραῖοι πόνον, οὐκ ἐλάσσονα δὲ ἔσχον
οἱ Χῖοι ποιούμενοι σπουδὴν παρὰ σφᾶς καταγ-
7 αγεῖν ἑκάτεροι τὸ ἄγαλμα· τέλος δὲ Ἐρυθραῖος
ἄνθρωπος, ᾧ βίος μὲν ἦν ἀπὸ θαλάσσης γεγονὼς
καὶ ἄγρας ἰχθύων, διέφθαρτο δὲ ὑπὸ νόσου τοὺς
ὀφθαλμούς, ὄνομα δέ οἱ Φορμίων ἦν, οὗτος ὁ
ἁλιεὺς εἶδεν ὄψιν ὀνείρατος ὡς τὰς Ἐρυθραίων
γυναῖκας ἀποκείρασθαι δέοι τὰς κόμας καὶ οὕτω
τοὺς ἄνδρας πλεξαμένους κάλον ἐκ τῶν τριχῶν

nowhere else. First because of its size and wealth
is that of the Ephesian goddess, and then come two
unfinished sanctuaries of Apollo, the one in
Branchidae, in Milesian territory, and the one at
Clarus in the land of the Colophonians. Besides
these, two temples in Ionia were burnt down by
the Persians, the one of Hera in Samos and that
of Athena at Phocaea. Damaged though they are
by fire, I found them a wonder. You would be
delighted too with the sanctuary of Heracles at
Erythrae and with the temple of Athena at
Priene, the latter because of its image and the
former on account of its age. The image is like
neither the Aeginetan, as they are called, nor
yet the most ancient Attic images; it is absolutely
Egyptian, if ever there was such. There was a
wooden raft, on which the god set out from Tyre in
Phoenicia. The reason for this we are not told
even by the Erythraeans themselves. They say
that when the raft reached the Ionian sea it came
to rest at the cape called Mesate (*Middle*), which
is on the mainland, just midway between the harbour
of the Erythraeans and the island of Chios. When
the raft rested off the cape the Erythraeans made
great efforts, and the Chians no less, both being
keen to land the image on their own shores. At
last a man of Erythrae (his name was Phormio) who
gained a living by the sea and by catching fish, but
had lost his sight through disease, saw a vision
in a dream to the effect that the women of Erythrae
must cut off their locks, and in this way the men
would, with a rope woven from the hair, tow the

---

[1] τὸ added by Buttmann. [2] ἦν added by Spiro.
[3] δὲ is not in the MSS. [4] For ἐστι the MSS. have ἐπὶ.

195

o 2

τὴν σχεδίαν παρὰ σφᾶς κατάξειν. αἱ μὲν δὴ
ἀσταὶ τῶν γυναικῶν οὐδαμῶς ὑπακούειν τῷ
8 ὀνείρατι ἐβούλοντο· ὁπόσαι δὲ τοῦ Θρακίου γέ-
νους ἐδούλευον καὶ ὅσαις σφίσιν ἐλευθέραις ἦν
ἐνταῦθα βίος, ἀποκεῖραι παρέχουσιν αὐτάς· καὶ
οὕτως οἱ Ἐρυθραῖοι τὴν σχεδίαν καθέλκουσιν.
ἔσοδός τε δὴ ταῖς Θράσσαις ἐς τὸ Ἡράκλειόν
ἐστι γυναικῶν μόναις, καὶ τὸ καλῴδιον τὸ ἐκ τῶν
τριχῶν καὶ ἐς ἐμὲ ἔτι οἱ ἐπιχώριοι φυλάσσουσι·
καὶ δὴ καὶ τὸν ἁλιέα οἱ αὐτοὶ οὗτοι ἀναβλέψαι
9 τε καὶ ὁρᾶν τὸ λοιπὸν τοῦ βίου φασίν. ἔστι
δὲ ἐν Ἐρυθραῖς καὶ Ἀθηνᾶς Πολιάδος ναὸς καὶ
ἄγαλμα ξύλου μεγέθει μέγα καθήμενόν τε ἐπὶ
θρόνου καὶ ἠλακάτην ἐν ἑκατέρᾳ τῶν χειρῶν ἔχει
καὶ ἐπὶ τῆς κεφαλῆς πόλον· τοῦτο Ἐνδοίου τέχνην
καὶ ἄλλοις ἐτεκμαιρόμεθα εἶναι καὶ ἐς τὴν ἐργα-
σίαν ὁρῶντες [1] τοῦ ἀγάλματος καὶ οὐχ ἥκιστα
ἐπὶ ταῖς Χάρισί τε καὶ Ὥραις, αἳ πρὶν ἐσελθεῖν
ἐστήκασιν ἐν ὑπαίθρῳ λίθου λευκοῦ. ἐποιήθη
δὲ καὶ κατ' ἐμὲ Σμυρναίοις ἱερὸν Ἀσκληπιοῦ
μεταξὺ Κορυφῆς τε ὄρους καὶ θαλάσσης ἀμιγοῦς
ὕδατι ἀλλοίῳ.

10 Ἡ δὲ Ἰωνία παρὲξ τῶν τε ἱερῶν καὶ τῆς τοῦ
ἀέρος κράσεως παρέχεται καὶ ἄλλα ἐς συγγραφήν,
ἡ μέν γε Ἐφεσία χώρα τόν τε Κέγχριον ποταμὸν
καὶ τοῦ Πίονος τοῦ ὄρους τὴν φύσιν καὶ πηγὴν
τὴν Ἁλιταίαν· ἐν δὲ τῇ Μιλησίᾳ πηγή τέ ἐστι
Βιβλὶς καὶ ὅσα ἐς τῆς Βιβλίδος τὸν ἔρωτα
ᾄδουσιν· ἐν δὲ τῇ Κολοφωνίων ἄλσος τε τοῦ
Ἀπόλλωνος, δένδρα μελίαι, καὶ οὐ πόρρω τοῦ
ἄλσους Ἄλης ποταμὸς ψυχρότατος τῶν ἐν
11 Ἰωνίᾳ. Λεβεδίοις δὲ τὰ λουτρὰ ἐν τῇ γῇ θαῦμα

raft to their shores. The women of the citizens
absolutely refused to obey the dream; but the
Thracian women, both the slaves and the free who
lived there, offered themselves to be shorn. And so
the men of Erythrae towed the raft ashore.
Accordingly no women except Thracian women are
allowed within the sanctuary of Heracles, and the
hair rope is still kept by the natives. The same
people say that the fisherman recovered his sight
and retained it for the rest of his life. There is
also in Erythrae a temple of Athena Polias and a
huge wooden image of her sitting on a throne; she
holds a distaff in either hand and wears a firmament
on her head. That this image is the work of Endoeus
we inferred, among other signs, from the workman-
ship, and especially from the white marble images of
Graces and Seasons that stand in the open before
the entrance. A sanctuary too of Asclepius was
made by the Smyrnaeans in my time between Mount
Coryphe and a sea into which no other water flows.

Ionia has other things to record besides its
sanctuaries and its climate. There is, for instance,
in the land of the Ephesians the river Cenchrius,
the strange mountain of Pion and the spring
Halitaea. The land of Miletus has the spring
Biblis, of whose love the poets have sung. In the
land of Colophon is the grove of Apollo, of ash-trees,
and not far from the grove is the river Ales, the
coldest river in Ionia. In the land of Lebedus are

---

¹ Here the MSS. have ἔνδον.

ἀνθρώποις ὁμοῦ καὶ ὠφέλεια γίνεται· ἔστι δὲ καὶ
Τηίοις ἐπὶ τῇ ἄκρᾳ λουτρὰ τῇ Μακρίᾳ, τὰ μὲν
ἐπὶ τῷ κλύδωνι ἐν πέτρας χηραμῷ, τὰ δὲ καὶ ἐς
ἐπίδειξιν πλούτου πεποιημένα.   Κλαζομενίοις δὲ
λουτρά ἐστιν—ἐν δὲ αὐτοῖς Ἀγαμέμνων ἔχει
τιμάς—καὶ ἄντρον μητρὸς σφισι Πύρρου καλού-
μενον, καὶ λόγον ἐπὶ τῷ Πύρρῳ λέγουσι τῷ
12 ποιμένι· Ἐρυθραίοις δὲ ἔστι μὲν χώρα Χαλκίς,
ἀφ' ἧς καὶ τῶν φυλῶν σφισιν ἡ τρίτη τὸ ὄνομα
ἔσχηκεν, ἔστι δὲ τῆς Χαλκίδος κατατείνουσα ἐς
τὸ πέλαγος ἄκρα καὶ ἐν αὐτῇ λουτρὰ θαλάσσια,
μάλιστα τῶν ἐν Ἰωνίᾳ λουτρῶν ὠφέλιμα ἀνθρώ-
ποις.   Σμυρναίοις δὲ ποταμὸς Μέλης ὕδωρ ἐστὶ
κάλλιστον καὶ σπήλαιον ἐπὶ ταῖς πηγαῖς, ἔνθα
13 Ὅμηρον ποιῆσαι τὰ ἔπη λέγουσι· Χίοις δὲ ὁ τοῦ
Οἰνοπίωνος τάφος θέαν τε παρέχεται καί τινας καὶ
λόγους ἐς τοῦ Οἰνοπίωνος τὰ ἔργα· Σαμίοις δὲ
κατὰ τὴν ὁδὸν τὴν ἐς τὸ Ἡραῖον τὸ Ῥαδίνης καὶ
Λεοντίχου μνῆμά ἐστι, καὶ τοῖς ὑπὸ ἔρωτος
ἀνιωμένοις εὔχεσθαι καθέστηκεν ἰοῦσιν ἐπὶ τὸ
μνῆμα.

VI. Τὰ μὲν δὴ ἐν Ἰωνίᾳ θαύματα πολλά τε καὶ
οὐ πολλῷ τινι τῶν ἐν τῇ Ἑλλάδι ἀποδέοντά
ἐστιν· τότε δὲ ἀπεληλυθότων Ἰώνων τήν τε
γῆν οἱ Ἀχαιοὶ τὴν Ἰώνων διελάγχανον καὶ
ἐσῳκίζοντο ἐς τὰς πόλεις. αἱ δὲ δύο τε καὶ δέκα
ἦσαν ἀριθμόν, ὁπόσαι γε καὶ ἐς ἅπαν τὸ Ἑλληνικὸν
γνώριμοι, Δύμη μὲν πρὸς Ἤλιδος πρώτη, μετὰ δὲ
αὐτὴν Ὤλενος καὶ Φαραὶ καὶ Τρίτεια καὶ Ῥύπες
καὶ Αἴγιον καὶ Κερύνεια καὶ Βοῦρα, ἐπὶ ταύταις δὲ
Ἑλίκη καὶ Αἰγαί τε καὶ Αἴγειρα καὶ Πελλήνη πρὸς
τῆς Σικυωνίας ἐσχάτη· ἐς ταύτας οἱ Ἀχαιοὶ καὶ

baths, which are both wonderful and useful. Teos, too, has baths at Cape Macria, some in the clefts of the rock, filled by the tide, others made to display wealth. The Clazomenians have baths (incidentally they worship Agamemnon) and a cave called the cave of the mother of Pyrrhus; they tell a legend about Pyrrhus the shepherd. The Erythraeans have a district called Calchis, from which their third tribe takes its name, and in Calchis is a cape stretching into the sea, and on it are sea baths, the most useful baths in Ionia. The Smyrnaeans have the river Meles, with its lovely water, and at its springs is the grotto, where they say that Homer composed his poems. One of the sights of Chios is the grave of Oenopion, about whose exploits they tell certain legends. The Samians have on the road to the Heraeum the tomb of Rhadine and Leontichus, and those who are crossed in love are wont to go to the tomb and pray. Ionia, in fact, is a land of wonders that are but little inferior to those of Greece.

VI. When the Ionians were gone the Achaeans divided their land among themselves and settled in their cities. These were twelve in number, at least such as were known to all the Greek world; Dyme, the nearest to Elis, after it Olenus, Pharae, Triteia, Rhypes, Aegium, Ceryneia, Bura, Helice also and Aegae, Aegeira and Pellene, the last city on the side of Sicyonia. In them, which had previously

οἱ βασιλεῖς αὐτῶν ἐσῳκίζοντο πρότερον ἔτι ὑπὸ
2 Ἰώνων οἰκουμένας. ἦσαν δὲ οἱ τὸ μέγιστον ἐν [1]
τοῖς Ἀχαιοῖς ἔχοντες κράτος οἵ τε Τισαμενοῦ
παῖδες Δαϊμένης καὶ Σπάρτων καὶ Τέλλις τε καὶ
Λεοντομένης· Κομήτης δὲ ὁ πρεσβύτατος τῶν
Τισαμενοῦ παίδων πρότερον ἔτι διεβεβήκει
ναυσὶν ἐς τὴν Ἀσίαν. οὗτοί τε δὴ τηνικαῦτα
ἐν τοῖς Ἀχαιοῖς ἐδυνάστευον καὶ Δαμασίας ὁ
Πενθίλου τοῦ Ὀρέστου, τοῖς Τισαμενοῦ παισὶν
ἀνεψιὸς πρὸς πατρός. ἴσχυον δὲ ἐπ᾽ ἴσης τοῖς
κατειλεγμένοις καὶ Ἀχαιῶν τῶν ἐκ Λακεδαίμονος
Πρευγένης καὶ ὁ υἱός, ὄνομα δέ οἱ ἦν Πατρεύς·
καί σφισιν ὑπὸ τῶν Ἀχαιῶν ἐδόθη κτίσασθαι
πόλιν ἐν τῇ χώρᾳ, καὶ τὸ ὄνομα ἀπὸ τοῦ Πατρέως
ἐτέθη τῇ πόλει.

3 Τὰ δὲ ἐς πόλεμον τοιάδε ἦν τοῖς Ἀχαιοῖς.
κατὰ μὲν ἐς Ἴλιον ἐπιστρατείαν Ἀγαμέμνονος
Λακεδαίμονα ἔτι καὶ Ἄργος οἰκοῦντες μεγίστη τοῦ
Ἑλληνικοῦ μοῖρα ἦσαν· κατὰ δὲ τὴν Ξέρξου καὶ
Μήδων ἐπὶ τὴν Ἑλλάδα οὔτε Λεωνίδα τῆς ἐξόδου
τῆς ἐς Θερμοπύλας εἰσὶν οἱ Ἀχαιοὶ δῆλοι μετεσ-
χηκότες οὔτε Ἀθηναίοις ὁμοῦ καὶ Θεμιστοκλεῖ
πρὸς Εὐβοίᾳ καὶ Σαλαμῖνι ναυμαχήσαντες, οὐδὲ
σφᾶς κατάλογος συμμάχων ἔχει Λακωνικὸς ἢ
4 Ἀττικός. ὑστέρησαν δὲ καὶ ἔργου τοῦ Πλαταιᾶσι·
δῆλα γὰρ δὴ ὅτι ἐπὶ τῷ ἀναθήματι τῷ ἐν Ὀλυμπίᾳ
τῶν Ἑλλήνων μετῆν ἂν καὶ Ἀχαιοῖς γεγράφθαι.
δοκεῖν δέ μοι τὰς πατρίδας τε ὑπολειφθέντες
ἔκαστοι τὰς αὑτῶν ἔσωζον καὶ ἅμα διὰ τὸ ἔργον
τὸ πρὸς Τροίαν Λακεδαιμονίους Δωριεῖς ἀπηξίουν
σφίσιν ἡγεῖσθαι. ἐδήλωσαν δὲ καὶ ἀνὰ χρόνον·
Λακεδαιμονίων γὰρ ἐς τὸν πρὸς Ἀθηναίους πόλεμον

been inhabited by Ionians, settled the Achaeans and their princes. Those who held the greatest power among the Achaeans were the sons of Tisamenus, Daïmenes, Sparton, Tellis and Leontomenes; his eldest son, Cometes, had already crossed with a fleet to Asia. These then at the time held sway among the Achaeans along with Damasias, the son of Penthilus, the son of Orestes, who on his father's side was cousin to the sons of Tisamenus. Equally powerful with the chiefs already mentioned were two Achaeans from Lacedaemon, Preugenes and his son, whose name was Patreus. The Achaeans allowed them to found a city in their territory, and to it was given the name Patrae from Patreus.

The wars of the Achaeans were as follow. In the expedition of Agamemnon to Troy they furnished, while still dwelling in Lacedaemon and Argos, the largest contingent in the Greek army. When the Persians under Xerxes attacked Greece the Achaeans 480 B.C. it is clear had no part in the advance of Leonidas to Thermopylae, nor in the naval actions fought by the Athenians with Themistocles off Euboea and at Salamis, and they are not included in the Laconian or in the Attic list of allies. They were absent from the action at Plataea, for otherwise the Achaeans would surely have had their name inscribed on the offering of the Greeks at Olympia. My view is that they stayed at home to guard their several fatherlands, while because of the Trojan war they scorned to be led by Dorians of Lacedaemon. This became plain in course of time. For when later on the 432 B.C. Lacedaemonians began the war with the Athenians,

---

[1] ἐν added by Schubart.

καταστάντων ὕστερον, ἐς τὴν συμμαχίαν ἦσαν
οἱ Ἀχαιοὶ πρόθυμοι Πατρεῦσι, καὶ ἐς τοὺς
5 Ἀθηναίους οὐχ ἧσσον εἶχον γνώμην. πολέμων
δὲ τῶν πολεμηθέντων ὕστερον ὑπὸ τοῦ Ἕλλησι
κοινοῦ τοῦ μὲν ἐν Χαιρωνείᾳ Φιλίππου τε ἐναντία
καὶ Μακεδόνων οἱ Ἀχαιοὶ μετέσχον, ἐς δὲ τὴν
Θεσσαλίαν καὶ ἐπὶ τὸν πρὸς Λαμίᾳ καλούμενον
πόλεμον οὔ φασιν ἐκστρατεύσασθαι, οὐ γάρ πω
μετὰ τὸ πταῖσμα ἀνενηνοχέναι τὸ ἐν Βοιωτοῖς·
ὁ δὲ τῶν ἐπιχωρίων Πατρεῦσιν ἐξηγητὴς τὸν
παλαιστὴν Χίλωνα Ἀχαιῶν μόνον μετασχεῖν
6 ἔφασκε τοῦ ἔργου τοῦ[1] περὶ Λάμιαν. οἶδα δὲ
καὶ ἄνδρα αὐτὸς Λυδὸν Ἄδραστον ἰδίᾳ καὶ οὐκ
ἀπὸ τοῦ κοινοῦ τοῦ Λυδῶν ἀμύναντα Ἕλλησι·
τοῦ δὲ Ἀδράστου τούτου χαλκῆν εἰκόνα ἀνέθεσαν
οἱ Λυδοὶ πρὸ ἱεροῦ Περσικῆς Ἀρτέμιδος, καὶ
ἔγραψαν ἐπίγραμμα ὡς τελευτήσειεν ὁ Ἄδραστος
ἐναντίον Λεοννάτῳ μαχόμενος ὑπὲρ Ἑλλήνων.
7 ἡ δὲ ἐς Θερμοπύλας ἐπὶ τὴν Γαλατῶν στρατιὰν
ἔξοδος καὶ τοῖς πᾶσιν ὁμοίως παρώφθη Πελο-
ποννησίοις· ἅτε γὰρ πλοῖα οὐκ ἐχόντων τῶν
βαρβάρων, δεινὸν ἔσεσθαί σφισιν ἀπ' αὐτῶν
οὐδὲν ἤλπιζον, εἰ τὸν Κορινθίων ἰσθμὸν ἐκ
θαλάσσης τῆς κατὰ Λέχαιον ἀποτειχίσειαν ἐς
8 τὴν ἑτέραν τὴν ἐπὶ Κεγχρέαις θάλασσαν. τοῦτο
μὲν δὴ Πελοποννησίων ἦν τότε ἁπάντων βού-
λευμα· ἐπεὶ δὲ Γαλάται ναυσὶν ὅντινα δὴ
τρόπον διαβεβήκεσαν ἐς τὴν Ἀσίαν, ἐνταῦθα
εἶχεν οὕτω τὰ Ἑλλήνων. προεστήκεσαν κατ'
ἰσχὺν οὐδένες ἔτι τοῦ Ἑλληνικοῦ· Λακεδαιμο-
νίους μὲν γὰρ τὸ ἐν Λεύκτροις πταῖσμα καὶ ἅμα
οἵ τε Ἀρκάδες συνεληλυθότες ἐς Μεγάλην πόλιν

the Achaeans were eager for the alliance with Patrae, and were no less well disposed towards Athens. Of the wars waged afterwards by the confederate Greeks, the Achaeans took part in the battle of Chaeroneia against the Macedonians under 338 B.C. Philip, but they say that they did not march out into Thessaly to what is called the Lamian war, for 323 B.C. they had not yet recovered from the reverse in Boeotia. The local guide at Patrae used to say that the wrestler Chilon was the only Achaean who took part in the action at Lamia. I myself know that Adrastus, a Lydian, helped the Greeks as a private individual, although the Lydian commonwealth held aloof. A likeness of this Adrastus in bronze was dedicated in front of the sanctuary of Persian Artemis by the Lydians, who wrote an inscription to the effect that Adrastus died fighting for the Greeks against Leonnatus. The march to 279 B.C. Thermopylae against the army of the Gauls was left alone by all the Peloponnesians alike; for, as the barbarians had no ships, the Peloponnesians anticipated no danger from the Gauls, if only they walled off the Corinthian Isthmus from the sea at Lechaeum to the other sea at Cenchreae. This was the policy of all the Peloponnesians at this time. But when the Gauls had somehow crossed in ships to Asia, 278 B.C. the condition of the Greeks was as follows. No Greek state was pre-eminent in strength. For the Lacedaemonians were still prevented from recovering their former prosperity by the reverse at Leuctra combined with the union of the Arcadians at

---

[1] τοῦ is not in the MSS.

καὶ οἱ Μεσσήνιοι παροικοῦντες ἀνασώσασθαι τὴν
9 προτέραν ἔτι εὐδαιμονίαν ἐκώλυον· Θηβαίοις δὲ
ἐς τοσοῦτο ἠρήμωσεν 'Αλέξανδρος τὴν πόλιν, ὡς
ἔτεσιν ὕστερον οὐ πολλοῖς καταχθέντας ὑπὸ
Κασσάνδρου μηδὲ σώζειν τὰ οἰκεῖα ἀξιόχρεως
εἶναι· 'Αθηναίοις δὲ εὔνοια μὲν παρὰ τοῦ Ἑλλη-
νικοῦ τῶν ἔργων μάλιστα ὑπῆρχε τῶν ὕστερον,
ἀναπαύσασθαι δὲ οὔ ποτε ἐκ τοῦ Μακεδόνων
πολέμου παρῆν αὐτοῖς.

VII. Ἑλλήνων δὲ οὐ τασσομένων τηνικαῦτα
ἔτι ἐν κοινῷ, ἰδίᾳ δὲ ἑκάστων κατὰ σφᾶς συνιστα-
μένων, οἱ 'Αχαιοὶ μάλιστα ἴσχυον· τυράννων τε
γὰρ πλὴν Πελλήνης αἱ ἄλλαι πόλεις τὸν χρόνον
ἅπαντα ἀπείρως ἐσχήκεσαν αἵ τε ἐκ πολέμων καὶ
ἀπὸ τῆς νόσου συμφοραὶ τῆς λοιμώδους οὐκ ἐς
τοσοῦτο 'Αχαιοῖς ἐφ' ὅσον τοῖς ἄλλοις ἐγένοντο
Ἕλλησι. συνέδριόν τε οὖν 'Αχαϊκὸν καλού-
μενον καὶ ἀπὸ κοινοῦ λόγου βουλεύματά τε ἦν
2 'Αχαιοῖς καὶ τὰ ἔργα. ἀθροίζεσθαι δὲ ἐς Αἴγιόν
σφισιν ἔδοξεν· αὕτη γὰρ μετὰ Ἑλίκην ἐπι-
κλυσθεῖσαν πόλεων ἐν 'Αχαΐᾳ τῶν ἄλλων δόξῃ
προεῖχεν ἐκ παλαιοῦ καὶ ἴσχυεν ἐν τῷ τότε.
Ἑλλήνων δὲ τῶν λοιπῶν Σικυώνιοι συνεδρίου
πρῶτοι τοῦ 'Αχαιῶν μετέσχον, μετὰ δὲ Σικω-
νίους ἐσήεσαν ἤδη καὶ τῶν ἄλλων Πελοποννησίων
οἱ μὲν αὐτίκα, οἱ δὲ χρόνον τινὰ ἐπισχόντες·
τοὺς δὲ καὶ ἐκτὸς οἰκοῦντας τοῦ ἰσθμοῦ συντελεῖν
ἐς 'Αχαιοὺς ἔπειθεν, ὅτι ἐς πλέον ἰσχύος προϊὸν
3 ἑώρων ἀεὶ τὸ 'Αχαϊκόν. Λακεδαιμόνιοι δὲ Ἑλλή-
νων μόνοι διάφοροί τε 'Αχαιοῖς τὰ μάλιστα ἦσαν
καὶ ἐκ τοῦ φανεροῦ πόλεμόν σφισιν ἐπῆγον.
Πελλήνην μέν γε 'Αχαιῶν πόλιν 'Αγις εἶλεν ὁ

Megalopolis and the settlement of Messenians on their border. Thebes had been brought so low by Alexander that when, a few years later, Cassander 335 B.C. brought back her people, they were too weak even to hold their own. The Athenians had indeed the goodwill of Greece, especially for their later exploits, but they never found it possible to recover from the Macedonian war.

VII. When the Greeks no longer took concerted action, but each state acted for itself alone, the Achaeans enjoyed their greatest power. For except Pellene no Achaean city had at any time suffered from tyranny, while the disasters of war and of pestilence touched Achaia less than any other part of Greece. So we have what was called the Achaean League, and the Achaeans had a concerted policy and carried out concerted actions. As a place of assembly they resolved to have Aegium, for, after Helice had been swallowed up by the sea, Aegium from of old surpassed in reputation the other cities of Achaia, while at the time it enjoyed great power. Of the remaining Greeks the Sicyonians were the first to join the Achaean League, and after the Sicyonians there entered it yet other Peloponnesians, some forthwith and others after an interval. Some too who lived outside the Isthmus were persuaded to join the Achaean League by its unbroken growth in power. Alone among the Greeks the Lacedaemonians were the bitter enemies of the Achaeans and openly carried on war against them. Pellene, a city of the Achaeans, was captured by Agis, the son of Eudamidas, who was

Εὐδαμίδου βασιλεύων ἐν Σπάρτῃ, καὶ ἐξέπεσεν
αὐτίκα ἐκ Πελλήνης ὑπὸ Ἀράτου καὶ Σικυωνίων·
Κλεομένης δὲ ὁ Λεωνίδου τοῦ Κλεωνύμου,
βασιλεὺς οἰκίας τῆς ἑτέρας, ἀντικαθημένους
Ἄρατον καὶ Ἀχαιοὺς πρὸς Δύμῃ παρὰ πολύ τε
ἐκράτησεν ἐλθόντας ἐς χεῖρας καὶ ὕστερον
4 Ἀχαιοῖς καὶ Ἀντιγόνῳ συνέθετο εἰρήνην. Ἀντί-
γονος δὲ οὗτος τηνικαῦτα ἀρχὴν τὴν Μακεδόνων
εἶχεν, ἐπιτροπεύων Φίλιππον τὸν Δημητρίου
παῖδα ἔτι ἡλικίαν ὄντα· ἦν δὲ καὶ ἀνεψιὸς τῷ
Φιλίππῳ καὶ μητρὶ αὐτοῦ συνῴκει. πρὸς τοῦ-
τον οὖν τὸν Ἀντίγονον καὶ Ἀχαιοὺς ποιησάμενος
ὁ Κλεομένης σπονδὰς καὶ αὐτίκα παραβὰς ὅσα
ὤμοσεν ἠνδραποδίσατο Ἀρκάδων Μεγάλην πόλιν·
Λακεδαιμονίοις τε τὸ ἐν Σελλασίᾳ πταῖσμα πρὸς
Ἀχαιοὺς καὶ Ἀντίγονον Κλεομένους ἕνεκα καὶ
ἐπιορκίας τῆς ἐκείνου συνέβη. Κλεομένους μὲν
δὴ καὶ αὖθις ἐν λόγοις τοῖς Ἀρκαδικοῖς ἀφιξό-
5 μεθα ἐς μνήμην·¹ Φίλιππος δὲ ὁ Δημητρίου τὴν
Μακεδόνων ἀρχήν, ὡς ἀφίκετο ἐς ἄνδρας, παρὰ
ἑκόντος Ἀντιγόνου λαβὼν φόβον τοῖς πᾶσιν
Ἕλλησιν ἐνεποίησε, τὰ Φιλίππου τοῦ Ἀμύντου,
προγόνου μὲν οὐκ ὄντος αὐτῷ, τῷ δὲ ἀληθεῖ
λόγῳ δεσπότου, τά τε ἄλλα αὐτοῦ μιμούμενος
καὶ τὰ ἐς θεραπείαν ὅσοις πατρίδας ἀρεστὰ ἦν
ἐπ' οἰκείοις προδιδόναι κέρδεσι. προπίνειν δὲ
παρὰ τὰ συμπόσια ἐπὶ δεξιότητι καὶ φιλίᾳ
κύλικας οὐκ οἴνου, φαρμάκων δὲ ἐς ὄλεθρον
ἀνθρώποις, ἃ δὴ ὁ μὲν τοῦ Ἀμύντου Φίλιππος
οὐδ' ἐπενόησεν ἐμοὶ δοκεῖν ἀρχήν, Φιλίππῳ δὲ τῷ

---

¹ See Book VIII. xxvii. § 5.

king at Sparta; but he was immediately driven out
by the Sicyonians under Aratus. Cleomenes, the
son of Leonidas, the son of Cleonymus, king of the
other royal house, won a decisive victory at Dyme
over the Sicyonians under Aratus, who attacked
him, and afterwards concluded a peace with the
Achaeans and Antigonus. This Antigonus at the
time ruled over the Macedonians, being the guardian
of Philip, the son of Demetrius, who was still a boy.
He was also a cousin of Philip, whose mother he
had taken to wife. With this Antigonus then and
the Achaeans Cleomenes made peace, and immedi-
ately broke all the oaths he had sworn by reducing
to slavery Megalopolis, the city of the Arcadians.
Because of Cleomenes and his treachery the Lacedae-
monians suffered the reverse at Sellasia, where they 222 B.C.
were defeated by the Achaeans under Antigonus.
In my account of Arcadia [1] I shall again have
occasion to mention Cleomenes. When Philip, the
son of Demetrius, reached man's estate, and Anti-
gonus without reluctance handed over the sovereignty
of the Macedonians, he struck fear into the hearts
of all the Greeks. He copied Philip, the son of
Amyntas, who was not his ancestor but really his
master, especially by flattering those who were will-
ing to betray their country for their private advan-
tage. At banquets he would give the right hand of
friendship, offering cups filled not with wine but
with deadly poison, a thing which I believe never
entered the head of Philip the son of Amyntas, but
poisoning sat very lightly on the conscience of

Δημητρίου τὰ φάρμακα τόλμημα ἦν ἐλαφρότατον.
6 κατεῖχε δὲ[1] καὶ τρεῖς πόλεις φρουραῖς ὁρμητήρια
εἶναί οἱ κατὰ τῆς Ἑλλάδος, καὶ ὠνόμαζε δὲ ὑπὸ
τῆς ὕβρεως καὶ τῆς ἐς τὸ Ἑλληνικὸν ὑπεροψίας
κλεῖς τῆς Ἑλλάδος τὰς πόλεις ταύτας· ἐπὶ μέν
γε Πελοποννήσῳ Κόρινθος καὶ ἡ Κορινθίων ἀκρό-
πολις ἐτετείχιστο, ἐπὶ δὲ Εὐβοίᾳ καὶ Βοιωτοῖς
τε καὶ Φωκεῦσι Χαλκὶς ἡ πρὸς τῷ Εὐρίπῳ, κατὰ
δὲ Θεσσαλῶν τε αὐτῶν καὶ τοῦ Αἰτωλῶν ἔθνους
Μαγνησίαν τὴν ὑπὸ τὸ Πήλιον κατεῖχεν ὁ
Φίλιππος. μάλιστα δὲ Ἀθηναίους καὶ τὸ Αἰτω-
λικὸν ἐπιστρατείαις τε συνεχέσιν ἐπίεζε καὶ
7 λῃστῶν καταδρομαῖς· ἐμνημόνευσε δέ μοι καὶ
πρότερον ὁ λόγος ἐν τῇ Ἀτθίδι συγγραφῇ, ὅσοι
τε Ἑλλήνων ἢ βαρβάρων ἐναντία Φιλίππου
συνήραντο Ἀθηναίοις καὶ ὡς ὑπὸ ἀσθενείας τῶν
συμμάχων ἐπὶ Ῥωμαίους καὶ ἐπικουρίαν τὴν
ἐκεῖθεν κατέφευγον οἱ Ἀθηναῖοι. Ῥωμαῖοι δὲ
ἐπεπόμφεσαν καὶ οὐ πολλῷ τινι ἔμπροσθεν λόγῳ
μὲν ἐπικουρήσοντας Αἰτωλοῖς ἐναντία Φιλίππου,
τῷ δὲ ἔργῳ μᾶλλόν τι ἐπὶ κατασκοπῇ τῶν ἐν
8 Μακεδονίᾳ πραγμάτων· τότε δὲ ἀποστέλλουσιν
Ἀθηναίοις στρατιάν τε καὶ ἡγεμόνα Ὀτίλιον·
τοῦτο γάρ οἱ τῶν ὀνομάτων ἦν τὸ ἐκδηλότατον,
ἐπεὶ καλοῦνταί γε οὐ πατρόθεν οἱ Ῥωμαῖοι κατὰ
ταὐτὰ Ἕλλησιν, ἀλλὰ καὶ τρία ὁπότε ὀλίγιστα
καὶ ἔτι πλέονα ὀνόματα ἑκάστῳ τίθενται. τῷ δὲ
Ὀτιλίῳ προσετέτακτο ὑπὸ Ῥωμαίων ἀπείργειν
ἀπὸ Ἀθηναίων καὶ τοῦ Αἰτωλικοῦ τὸν Φιλίππου
9 πόλεμον. Ὀτίλιος δὲ τὰ μὲν ἄλλα τοῖς πράγ-
μασι κατὰ τὰ ἐπιτεταγμένα ἐχρῆτο, τάδε δὲ οὐ
κατὰ γνώμην οἱ τὴν Ῥωμαίων ἐστὶν εἰργασμένα·

Philip the son of Demetrius. He also occupied with garrisons three towns to be used as bases against Greece, and in his insolent contempt for the Greek people he called these cities the keys of Greece. To watch Peloponnesus Corinth was fortified with its citadel; to watch Euboea, the Boeotians and the Phocians, Chalcis on the Euripus; against the Thessalians themselves and the Aetolian people Philip occupied Magnesia at the foot of Mount Pelium. The Athenians especially and the Aetolians he harried with continual attacks and raids of bandits. Already, in my account of Attica[1] I have described the alliances of Greeks and barbarians with the Athenians against Philip, and how the weakness of their allies urged the Athenians to seek help from Rome. A short time before, the Romans had sent a force ostensibly to help the Aetolians against Philip, but really more to spy on the condition of Macedonia. At the appeal of Athens the Romans despatched an army under Otilius, to give him the name by which he was best known. For the Romans differ from the Greeks in their being called, not by the names of their fathers, but by three names at least, if not more, given to each man. Otilius had received orders from the Romans to protect Athenians and Aetolians from war with Philip. Otilius carried out his orders up to a point, but displeased the Romans in certain of

---

[1] See Book I. xxxvi. § 5.

---

[1] δὲ is not in the MSS.

Εὐβοέων γὰρ Ἑστίαιαν πόλιν καὶ Ἀντίκυραν
τὴν ἐν τῇ Φωκίδι ἑλών, ὑπηκόους κατ᾽ ἀνάγκην
οὔσας Φιλίππου, ἐποίησεν ἀναστάτους. καὶ
τοῦδε ἕνεκα ἐμοὶ δοκεῖν, ἐπεὶ ἐπύθετο ἡ βουλή,
ἀποστέλλουσιν Ὀτιλίῳ διάδοχον τῆς ἀρχῆς
Φλαμίνιον.

VIII. Τότε δὲ ἥκων ὁ Φλαμίνιος Ἐρετριάν τε
διήρπασε, τοὺς φρουροῦντας Μακεδόνων μάχῃ
νικήσας, καὶ αὖθις ἐλάσας ἐπὶ Κόρινθον κατεχο-
μένην ὑπὸ Φιλίππου φρουρᾷ αὐτός τε προσεκά-
θητο πολιορκῶν καὶ παρὰ Ἀχαιοὺς ἅμα ἀπο-
στέλλων ἐπήγγελλέ σφισιν ἀφικνεῖσθαι πρὸς
Κόρινθον στρατιᾷ, συμμάχους τε ἀξιωθησομένους
καλεῖσθαι Ῥωμαίων καὶ ἅμα εὐνοίᾳ τῇ ἐς τὸ
2 Ἑλληνικόν. Ἀχαιοὶ δὲ ἐποιοῦντο μὲν μεγάλως
καὶ αὐτὸν ἐν αἰτίᾳ Φλαμίνιον καὶ ἔτι πρότερον
Ὀτίλιον, οἳ μετεχειρίσαντο ὠμῶς οὕτω πόλεις
Ἑλληνίδας καὶ ἀρχαίας, ἀναμαρτήτους τε οὔσας
πρὸς Ῥωμαίους καὶ οὐ κατὰ γνώμην ὑπὸ Μακε-
δόνων ἀρχομένας· προεωρῶντο δὲ καὶ ὡς ἀντὶ
Φιλίππου καὶ Μακεδόνων Ῥωμαῖοι σφίσι τε
ἥκοιεν καὶ τῷ Ἑλληνικῷ δεσπόται προστάττειν.
ῥηθέντων δὲ ἐν τῷ συνεδρίῳ πολλῶν καὶ ἐναντίων
ἀλλήλοις, τέλος οἱ εὖνοι Ῥωμαίοις ἐνίκησαν καὶ
Ἀχαιοὶ Φλαμινίῳ Κόρινθον συνεπολιόρκησαν.
3 Κορίνθιοι δὲ ἀπὸ Μακεδόνων ἐλευθερωθέντες
μετέσχον αὐτίκα συνεδρίου τοῦ Ἀχαιῶν, μετα-
σχόντες καὶ πρότερον, ὅτε Ἄρατος καὶ Σικυώνιοι
φρουρὰν ἐκ τοῦ Ἀκροκορίνθου τὴν πᾶσαν ἐξή-
λασαν καὶ ἀπέκτειναν Περσαῖον ὑπὸ Ἀντιγόνου
ταχθέντα ἐπὶ τῇ φρουρᾷ. Ἀχαιοὶ δὲ τὸ ἀπὸ
τούτου σύμμαχοί τε ὠνομάζοντο Ῥωμαίων καὶ ἐς

his acts. Hestiaea in Euboea and Anticyra in Phocis, which had been compelled to submit to Philip, he utterly destroyed. It was, I think, for this reason that the senate, when they heard the news, sent Flamininus to succeed Otilius in his command.

VIII. On his arrival Flamininus sacked Eretria, defeating the Macedonians who were defending it. He then marched against Corinth, which was held by Philip with a garrison, and sat down to besiege it, while at the same time he sent to the Achaeans and bade them come to Corinth with an army, if they desired to be called allies of Rome and at the same time to show their goodwill to Greece. But the Achaeans greatly blamed Flamininus himself, and Otilius before him, for their savage treatment of ancient Greek cities which had done the Romans no harm, and were subject to the Macedonians against their will. They foresaw too that the Romans were coming to impose their domination both on Achaeans and on the rest of Greece, merely in fact to take the place of Philip and the Macedonians. At the meeting of the League many opposite views were put forward, but at last the Roman party prevailed, and the Achaeans joined Flamininus in besieging Corinth. On being delivered from the Macedonians the Corinthians at once joined the Achaean League; they had joined it on a previous occasion, when the Sicyonians under Aratus drove all the garrison out of Acrocorinth, killing Persaeus, who had been placed in command of the garrison by Antigonus. Hereafter the Achaeans were called allies of the Romans, and in all respects right zealous allies they

τὰ πάντα ἦσαν πρόθυμοι· καί σφισιν εἵποντο μὲν
ἐς Μακεδονίαν καὶ ἐπὶ Φίλιππον, μετέσχον δὲ καὶ
στρατείας ἐς Αἰτωλούς, τρίτα δὲ ὁμοῦ 'Ρωμαίοις
ἐμαχέσαντο ἐναντία 'Αντιόχου καὶ Σύρων.

4 Ὅσα μὲν δὴ 'Αχαιοὶ Μακεδόσιν ἢ στρατιᾷ τῇ
Σύρων ἐναντία ἐτάξαντο, φιλίᾳ τῇ πρὸς 'Ρωμαίους
ἔπραξαν· ἐς δὲ Αἰτωλοὺς ἐκ παλαιοῦ σφισιν ἦν
οἰκεῖα ἐγκλήματα. ἐπεὶ δὲ ἡ Νάβιδος ἐν Σπάρτῃ
τυραννὶς κατελέλυτο, ἐς πλείστην ὠμότητα
ἀνδρὸς ἀφικομένου, τὰ ἐς τοὺς Λακεδαιμονίους
5 αὐτίκα ἐνεπεπτώκει· καὶ σφᾶς ὑπὸ τὸν χρόνον
οἱ 'Αχαιοὶ τοῦτον ἐς σύλλογον ὑπάγονται τὸν
'Αχαϊκὸν καὶ δίκας τε ἐδίκαζόν σφισιν ἐς τὸ
ἀκριβέστατον καὶ τὰ τείχη τῆς Σπάρτης κατα-
βάλλουσιν ἐς ἔδαφος, οἰκοδομηθέντα μὲν καὶ
πρότερον ἔτι αὐτοσχεδίως ἐπί τε τῆς Δημητρίου
καὶ ὕστερον τῆς Πύρρου καὶ 'Ηπειρωτῶν στρα-
τείας, ἐπὶ δὲ τῆς τυραννίδος τῆς Νάβιδος καὶ ἐς
τὸ ἀσφαλέστατον ὀχυρωθέντα. τά τε οὖν τείχη
τῆς Σπάρτης οἱ 'Αχαιοὶ καθεῖλον καὶ τὰ ἐς
μελέτην τοῖς ἐφήβοις ἐκ τῶν Λυκούργου νόμων
καταλύσαντες ἐπέταξαν τοῖς 'Αχαιῶν ἐφήβοις
6 τὰ αὐτὰ ἐπιτηδεύειν. ταῦτα μὲν δὴ καὶ ἐς πλέον
ἐπέξεισιν αὖθίς μοι τὰ ἐς 'Αρκάδας. Λακεδαι-
μόνιοι δὲ ἅτε μεγάλως τοῖς ἐπιτάγμασιν ἀχθό-
μενοι τοῖς 'Αχαιῶν καταφεύγουσιν ἐπὶ Μέτελλον
καὶ ὅσοι σὺν Μετέλλῳ κατὰ πρεσβείαν ἧκον ἐκ
'Ρώμης. ἀφίκοντο δὲ οὗτοι Φιλίππῳ καὶ Μακε-
δόσι πόλεμον μὲν οὐδένα ἐπάξοντες ἅτε εἰρήνης
πρότερον ἔτι Φιλίππῳ καὶ 'Ρωμαίοις ὁμωμοσ-
μένης, ὁπόσα δὲ ἢ Θεσσαλοῖς ἢ τῶν ἐξ 'Ηπείρου
τισὶν ἐγκλήματα ἦν ἐς Φίλιππον, ταῦτα ἧκον οἱ

proved themselves to be. They followed the Romans
to Macedonia against Philip; they took part in the
campaign against the Aetolians; thirdly they fought
side by side with the Romans against the Syrians
under Antiochus.

All that the Achaeans did against the Macedonians
or the host of the Syrians they did because of their
friendship to the Romans; but against the Aetolians
they had a long-standing private quarrel to settle.
When the tyranny of Nabis in Sparta was put down,
a tyranny marked by extreme ferocity, the affairs of
Lacedaemon at once caught the attention of the
Achaeans. At this time the Achaeans brought the
Lacedaemonians into the Achaean confederacy,
exacted from them the strictest justice, and
razed the walls of Sparta to the ground. These had
been built at haphazard at the time of the invasion
of Demetrius, and afterwards of the Epeirots under
Pyrrhus, but under the tyranny of Nabis they had
been strengthened to the greatest possible degree
of safety. So the Achaeans destroyed the walls of
Sparta, and also repealed the laws of Lycurgus that
dealt with the training of the youths, at the same
time ordering the youths to be trained after the
Achaean method. I shall treat of this more fully in
my account of Arcadia.[1] The Lacedaemonians,
deeply offended by the ordinances of the Achaeans,
fled to Metellus and the other commissioners who had
come from Rome. They had come, not at all to
bring war upon Philip and the Macedonians, as
peace had already been made between Philip and
the Romans, but to judge the charges brought
against Philip by the Thessalians and certain

[1] See Book VIII. li.

7 ὁμοῦ Μετέλλῳ κρινοῦντες. ἔργῳ μὲν δὴ Φίλιπ-
πός τε αὐτὸς καὶ ἡ Μακεδόνων ἀκμὴ καθῄρητο
ὑπὸ Ῥωμαίων—μαχεσάμενος γὰρ Φλαμινίου καὶ
Ῥωμαίων ἐναντία Φίλιππος ἐν Κυνὸς καλου-
μέναις κεφαλαῖς [1] τὸ ἧττον ἠνέγκατο, ἀλλ᾽ ἅτε
δὴ κατὰ δύναμιν ἀγωνισάμενος αὐτὸς οὗτος ὁ
Φίλιππος τοσοῦτον ἐκρατήθη τῇ συμβολῇ, ὡς
στρατιᾶς τε ἣν ἦγεν ἀποβαλεῖν τὸ πολὺ καὶ ἐκ
τῶν πόλεων, ὅσας εἷλεν ἐν τῇ Ἑλλάδι πολέμῳ
παραστησάμενος, ἐξήγαγεν ἐξ ἁπασῶν τὰς
φρουρὰς κατὰ ὁμολογίαν πρὸς Ῥωμαίους—, κατὰ
8 μέντοι τοῦ λόγου τὸ εὐπρεπὲς παρὰ Ῥωμαίων
εὕρετο εἰρήνην δεήσεσί τε παντοίαις καὶ δαπάναις
χρημάτων μεγάλαις. τὰ δὲ ἐς Μακεδόνας δύνα-
μίν τε, ἣν ἐπὶ Φιλίππου περιεβάλοντο τοῦ
Ἀμύντου, καὶ ὡς ἐπὶ Φιλίππου τοῦ ὑστέρου τὰ
πράγματά σφισιν ἐφθάρη, Σίβυλλα οὐκ ἄνευ
θεοῦ προεθέσπισεν· ἔχει δὲ οὕτω τὰ χρησθέντα·

9   αὐχοῦντες βασιλεῦσι Μακεδόνες Ἀργεάδῃσιν,
    ὑμῖν κοιρανέων ἀγαθὸν καὶ πῆμα Φίλιππος.
    ἤτοι ὁ μὲν πρότερος πόλεσιν λαοῖσί τ᾽ ἄνακτας
    θήσει· ὁ δ᾽ ὁπλότερος τιμὴν ἀπὸ πᾶσαν
        ὀλέσσει,
    δμηθεὶς ἑσπερίοισιν ὑπ᾽ ἀνδράσιν ἠῴοις τε.

Ῥωμαῖοί τε δὴ τὰ πρὸς ἑσπέραν νεμόμενοι τῆς
Εὐρώπης καθεῖλον τὴν Μακεδόνων ἀρχὴν καὶ
τῶν ἐς τὸ συμμαχικὸν ταχθέντων Ἄτταλος . . . [2]
καὶ ἔτι ἐκ Μυσίας στρατιᾶς· πρὸς δὲ ἀνίσχοντα
ἥλιον μᾶλλόν τι ἡ Μυσία τέτραπται.

---

[1] The MSS. have here ἐν λόγοις. Clavier suggested
λόφοις·

Epeirots. In actual fact Philip himself and the Macedonian ascendancy had been put down by the Romans; Philip fighting against the Romans under Flamininus was worsted at the place called Dog's 197 B.C. Heads, where in spite of his desperate efforts Philip was so severely defeated in the encounter that he lost the greater part of his army and agreed with the Romans to evacuate all the cities in Greece that he had captured and forced to submit. By prayers of all sorts, however, and by vast expenditure he secured from the Romans a nominal peace. The history of Macedonia, the power she won under Philip the son of Amyntas, and her fall under the later Philip, were foretold by the inspired Sibyl. This was her oracle :—

> Ye Macedonians, boasting of your Argive kings,
> To you the reign of a Philip will be both good and
>   evil.
> The first will make you kings over cities and
>   peoples ;
> The younger will lose all the honour,
> Defeated by men from west and east.

Now those who destroyed the Macedonian empire were the Romans, dwelling in the west of Europe, and among the allies fighting on their side was Attalus . . . who also commanded the army from Mysia, a land lying under the rising sun.

---

² There is a hiatus here. Spiro would add τῆς ἐκ Περγά-μου συλλεχθείσης ἡγεμὼν.

IX. Τότε δὲ τῷ Μετέλλῳ καὶ τῇ ἄλλῃ πρεσ-
βείᾳ μὴ ὑπεριδεῖν Λακεδαιμονίων ἤρεσε καὶ
Ἀχαιῶν, τοὺς δὲ τὰς ἀρχὰς ἔχοντας ἐς τὸ
συνέδριον ἠξίουν συγκαλέσαι τοὺς Ἀχαιούς, ἵνα
ἐν κοινῷ διδάξωσιν αὐτοὺς ἠπιώτερον μεταχειρί-
ζεσθαι τὰ ἐν Λακεδαίμονι. οἱ δέ σφισιν ἀπεκρί-
ναντο μήτε ἐκείνοις Ἀχαιοὺς ἐς σύλλογον μήτε
ἄλλῳ συνάξειν, ὅστις μὴ ἐπὶ τῷ πράγματι ἐφ'
ὅτῳ ποιεῖται τὴν πρόσοδον παρὰ τῆς Ῥωμαίων
βουλῆς ἔχει δόγμα. Μέτελλος δὲ καὶ οἱ σὺν
αὐτῷ ὑπὸ τῶν Ἀχαιῶν περιυβρίσθαι νομίζοντες,
ἐπειδὴ ἀφίκοντο ἐς Ῥώμην, πολλὰ ἐπὶ τῆς
βουλῆς καὶ οὐ τὰ πάντα ἀληθῆ κατηγόρουν τῶν
2 Ἀχαιῶν. τούτων δὲ πλείονα ἐνεκάλουν Ἀχαιοῖς
Ἀρεὺς καὶ Ἀλκιβιάδας, Λακεδαιμόνιοι μὲν καὶ
δόκιμοι τὰ μάλιστα ἐν τῇ Σπάρτῃ, τὰ δὲ ἐς
Ἀχαιοὺς οὐ δίκαιοι· γενομένους γὰρ ὑπὸ Νάβιδος
φυγάδας ὑπεδέξαντο αὐτοὺς οἱ Ἀχαιοὶ καὶ ἀπο-
θανόντος Νάβιδος παρὰ γνώμην Λακεδαιμονίων
τοῦ δήμου κατάγουσιν ἐς Σπάρτην. τότε οὖν
ἀναβεβηκότες καὶ οὗτοι παρὰ τὴν βουλὴν προ-
θυμότατα ἐνέκειντο Ἀχαιοῖς· Ἀχαιοὶ δέ σφισιν
ἀπελθοῦσιν ἐπιβάλλουσιν ἐν τῷ συνεδρίῳ θάνα-
3 τον ζημίαν. Ῥωμαίων δὲ ἡ βουλὴ πέμπουσιν
ἄλλους τε ἄνδρας καὶ Ἄππιον Λακεδαιμονίοις
καὶ Ἀχαιοῖς τὰ δίκαια ὁρίσαι. Ἄππιος δὲ καὶ
οἱ σὺν αὐτῷ ἔμελλον μὲν οὐδὲ ὀφθέντες Ἀχαιοῖς
ἔσεσθαι καθ' ἡδονήν, οἳ Ἀρέα καὶ Ἀλκιβιάδαν
ἅμ' αὐτοῖς ἐπήγοντο ἐν τῷ τότε Ἀχαιοῖς ἐχθίσ-
τους· ἐλύπησαν δὲ καὶ ἐς πλέον τοὺς Ἀχαιούς,
ἐπειδὴ ἐς τὸν σύλλογον αὐτῶν ἐπελθόντες σὺν

IX. On the occasion to which I referred Metellus and the other commissioners resolved not to overlook the Lacedaemonians and the Achaeans, and asked the officers of the League to summon the Achaeans to a meeting, so that they might receive all together instructions to be gentler in their treatment of Lacedaemon. The officers replied that they would call a meeting of the Achaeans neither for them nor for anyone else who had not a decree of the Roman senate approving the proposal for which the assembly was to be held. Metellus and his colleagues, thinking that the conduct of the Achaeans was very insolent, on their arrival at Rome made before the senate many accusations against the Achaeans, not all of which were true. More accusations still against the Achaeans were made by Areus and Alcibiadas, Lacedaemonians of great distinction at Sparta but ungrateful to the Achaeans. For the Achaeans gave them a welcome when exiled by Nabis, and on the tyrant's death restored them to Sparta against the will of the Lacedaemonian people. On this occasion, therefore, they too arose and attacked the Achaeans with great vehemence before the senate; accordingly, the Achaeans, at a meeting of their League, passed sentence of death upon them. The Roman senate sent Appius and other commissioners to arbitrate between the Lacedaemonians and the Achaeans. The mere sight of Appius and his colleagues was sure to be displeasing to the Achaeans, for they brought with them Areus and Alcibiadas, detested by the Achaeans at that time beyond all other men. The commissioners vexed the Achaeans yet more when they came to the assembly and delivered

ὀργῇ μᾶλλον ἐποιοῦντο ἢ πειθοῖ τοὺς λόγους.
4 Λυκόρτας δὲ ὁ Μεγαλοπολίτης, οὔτε ἀξιώματι
οὐδενὸς Ἀρκάδων ὕστερος καί τι καὶ φρόνημα
κατὰ φιλίαν προσειληφὼς τὴν Φιλοποίμενος,
λόγῳ τε ἀπέφαινε τὰ ὑπὲρ τῶν Ἀχαιῶν δίκαια
καὶ ὁμοῦ τοῖς λόγοις καὶ μέμψιν τινὰ ὑπέτεινεν
ἐς τοὺς Ῥωμαίους. Ἄππιος δὲ καὶ οἱ σὺν αὐτῷ
Λυκόρταν λέγοντα ἐποιοῦντο ἐν χλευασμῷ καὶ
Ἀρέως ἀποψηφίζονται καὶ Ἀλκιβιάδα μηδὲν
ἀδίκημα ἐξ αὐτῶν ἐς Ἀχαιοὺς εἶναι, Λακεδαι-
μονίοις τε ἀποστεῖλαι πρέσβεις ἐφιᾶσιν ἐς
Ῥώμην, ἐναντία ἐφιέντες ἢ Ῥωμαίοις συγκείμενα
ἦν καὶ Ἀχαιοῖς· Ἀχαιῶν μὲν γὰρ εἴρητο ἀπὸ
τοῦ κοινοῦ παρὰ τὴν Ῥωμαίων βουλὴν ἀπιέναι
πρέσβεις, ἰδίᾳ δὲ ἀπείρητο μὴ πρεσβεύεσθαι τὰς
πόλεις ὅσαι συνεδρίου τοῦ Ἀχαιῶν μετεῖχον.
5 ἀντιπρεσβευσαμένων δὲ καὶ Ἀχαιῶν Λακεδαι-
μονίοις καὶ λόγων ῥηθέντων ὑπὸ ἀμφοτέρων ἐπὶ
τῆς βουλῆς, τοὺς αὐτοὺς ἀποστέλλουσιν αὖθις
οἱ Ῥωμαῖοι Λακεδαιμονίοις γενέσθαι καὶ Ἀχαιοῖς
δικαστάς, Ἄππιον καὶ ὅσοι σὺν ἐκείνῳ πρό-
τερον ἐς τὴν Ἑλλάδα ἀφίκοντο. οἱ δὲ τούς τε
ἐκβληθέντας ὑπὸ Ἀχαιῶν κατάγουσιν ἐς Σπάρ-
την καὶ ὅσων πρὸ κρίσεως ἀπελθόντων κατέγ-
νωστο ὑπὸ τῶν Ἀχαιῶν ἀδικεῖν, καὶ τὰ ἐπὶ
τούτοις τιμήματα ἔλυσαν· καὶ συντελείας μὲν
Λακεδαιμονίους τῆς[1] ἐς τὸ Ἀχαϊκὸν οὐκ ἀφιᾶσι,
περὶ δὲ τῇ ἑκάστου ψυχῇ ξενικά σφισι διδόα-
σιν εἶναι δικαστήρια, ὅσα δὲ ἄλλα ἐγκλήματα,
λαμβάνειν τε αὐτοὺς καὶ ἐν τῷ Ἀχαϊκῷ ὑπέχειν
τὰς κρίσεις. ἐτειχίσθη δὲ καὶ ἐξ ἀρχῆς αὖθις
6 Σπαρτιάταις ὁ κύκλος τοῦ ἄστεως. Λακεδαι-

speeches more angry than conciliatory. But
Lycortas of Megalopolis, than whom no man was
more highly esteemed among the Arcadians, and
whose friendship with Philopoemen had given him
something of his spirit, set forth the case for
the Achaeans in a speech suggesting that the
Romans were somewhat to blame. But Appius
and his colleagues greeted the speech of Lycortas
with jeers, acquitted Areus and Alcibiadas of any
offence against the Achaeans, and permitted the
Lacedaemonians to send an embassy to Rome.
Such permission was a contravention of the agree-
ment between the Romans and the Achaeans,
which allowed the Achaeans as a body to send a
deputation to the Roman senate but forbade any
city of the Achaean League to send a deputation
privately. A deputation of the Achaeans was sent
to oppose the Lacedaemonians, and after speeches
had been delivered by both sides before the senate,
the Romans again despatched the same com-
missioners, Appius and his former colleagues in
Greece, to arbitrate between the Lacedaemonians
and the Achaeans. This commission restored to
Sparta those whom the Achaeans had exiled, and
they remitted the penalties inflicted by the Achaeans
on those who had fled before their trial and had
been condemned in their absence. The Lacedae-
monian connection with the Achaean League was
not broken, but foreign courts were established to
deal with capital charges; all other charges were to
be submitted for judgment to the Achaean League.
The circuit of the city walls was restored by the
Spartans right from the foundations. The restored

---

[1] τῆς is not in the MSS.

μονίων δὲ οἱ κατελθόντες, βουλεύοντες παντοῖα
ἐπὶ Ἀχαιοῖς, λυπήσειν σφᾶς ἐπὶ τοιῷδε μάλιστα
ἤλπιζον. Μεσσηνίους τοὺς Φιλοποίμενι θανά-
του συναιτίους γενέσθαι νομισθέντας καὶ κατὰ
τὴν¹ αἰτίαν ταύτην ὑπὸ Ἀχαιῶν ἐκπεπτωκότας,
τούτους τε καὶ Ἀχαιῶν αὐτῶν τοὺς φεύγοντας
ἀναβῆναι πείθουσιν ἐς Ῥώμην· σὺν δέ σφισιν
ἀνεληλυθότες καὶ αὐτοὶ γενέσθαι τοῖς ἀνδράσιν
ἔπρασσον κάθοδον. ἅτε δὲ τοῦ Ἀππίου Λακε-
δαιμονίοις συμπροθυμουμένου μεγάλως, Ἀχαιοὶ
δὲ ἐπὶ παντὶ ἀντιβαίνοντος, ἔμελλεν οὐ χαλεπῶς
Μεσσηνίων καὶ Ἀχαιῶν τοῖς φεύγουσι τὰ βου-
λεύματα ἐς δέον χωρήσειν· γράμματά τε αὐτίκα
ὑπὸ τῆς βουλῆς ἔς τε Ἀθήνας κατεπέμπετο καὶ
ἐς Αἰτωλίαν κατάγειν σφᾶς Μεσσηνίους καὶ
7 Ἀχαιοὺς ἐπὶ τὰ οἰκεῖα. τοῦτο Ἀχαιοὺς ἐς τὰ
μάλιστα ἠνίασεν, ὡς οὔτε ἄλλως πάσχοντας
δίκαια ὑπὸ Ῥωμαίων καὶ ἐς τὸ ἀνωφελὲς προῦ-
πηργμένων σφίσιν ἐς αὐτούς, οἳ ἐπὶ τὰ Φιλίππου
καὶ Αἰτωλῶν ἐναντία καὶ αὖθις Ἀντιόχου στρα-
τεύσαντες χάριτι τῇ² ἐς Ῥωμαίους ἐγίνοντο
ὕστεροι φυγάδων ἀνθρώπων καὶ οὐ καθαρῶν
χεῖρας· ὅμως δὲ εἴκειν σφίσιν ἐδόκει.

X. Τότε μὲν δὴ ἐς τοσοῦτο ἐπράχθη· τολμη-
μάτων δὲ τὸ ἀνοσιώτατον, τὴν πατρίδα καὶ
ἄνδρας προδιδόναι πολίτας ἐπὶ οἰκείοις κέρδεσιν,
ἔμελλε καὶ Ἀχαιοῖς κακῶν ἄρξειν, οὔποτε ἐκ
τοῦ χρόνου παντὸς τὴν Ἑλλάδα ἐκλιπόν. ἐπὶ
μέν γε Δαρείου τοῦ Ὑστάσπου βασιλεύοντος
Περσῶν Ἴωσι τὰ πράγματα ἐφθάρη Σαμίων
πλὴν ἑνός τε καὶ δέκα ἀνδρῶν τῶν ἄλλων
τριηράρχων τὸ ναυτικὸν τὸ Ἰώνων προδόντων·

Lacedaemonian exiles carried on various intrigues against the Achaeans, hoping to vex them most by the following plot. They persuaded to go up to Rome the exiles of the Achaeans, along with the Messenians who had been held to be involved in the death of Philopoemen and banished on that account by the Achaeans. Going up with them to Rome they intrigued for the restoration of the exiles. As Appius was a zealous supporter of the Lacedaemonians and opposed the Achaeans in everything, the plans of the Messenian and Achaean exiles were bound to enjoy an easy success. Despatches were at once sent by the senate to Athens and Aetolia, with instructions to bring back the Messenians and Achaeans to their homes. This caused the greatest vexation to the Achaeans. They bethought themselves of the injustice they had suffered at the hands of the Romans, and how all their services had proved of no avail; to please the Romans they had made war against Philip, against the Aetolians and afterwards against Antiochus, and after all there was preferred before them a band of exiles, whose hands were stained with blood. Nevertheless, they decided to give way.

X. Such were the events that took place on this occasion. The most impious of all crimes, the betrayal for private gain of fatherland and fellow-citizens, was destined to be the beginning of woes for the Achaeans as for others, for it has never been absent from Greece since the birth of time. In the reign of Dareius, the son of Hystaspes, the king of Persia, the cause of the Ionians was ruined be- 494 B.C. cause all the Samian captains except eleven betrayed

---

¹ τὴν is not in the MSS.   ² τῇ is not in the MSS.

2 μετὰ δὲ "Ιωνας κεχειρωμένους ἠνδραποδίσαντο
καὶ Ἐρέτριαν Μῆδοι, προδόται δὲ ἐγένοντο οἱ
εὐδοκιμοῦντες μάλιστα ἐν Ἐρετρίᾳ Φίλαγρος
Κυνέου καὶ Εὔφορβος Ἀλκιμάχου. Ξέρξῃ δὲ
ἐπὶ τὴν Ἑλλάδα ἐλαύνοντι Θεσσαλία τε δι'
Ἀλευάδου προεδόθη, Θήβας δὲ Ἀτταγῖνος καὶ
Τιμηγενίδας προδιδόασι φερόμενοι τὰ πρῶτα ἐν
Θήβαις. Πελοποννησίων δὲ καὶ Ἀθηναίων πολε-
μησάντων Ξενίας Ἡλεῖος ἐπεχείρησεν Ἦλιν
3 Λακεδαιμονίοις καὶ Ἄγιδι προδοῦναι, οἵ τε
Λυσάνδρου καλούμενοι ξένοι χρόνον οὐδένα
ἀνίεσαν πατρίδας ἐγχειρίζοντες Λυσάνδρῳ τὰς
ἑαυτῶν. κατὰ δὲ τὴν Φιλίππου βασιλείαν τοῦ
Ἀμύντου Λακεδαίμονα πόλεων μόνην οὐ προδο-
θεῖσαν τῶν ἐν Ἕλλησιν εὕροι τις ἄν· αἱ δὲ ἄλλαι
πόλεις αἱ ἐν τῇ Ἑλλάδι ὑπὸ προδοσίας μᾶλλον
ἢ ὑπὸ νόσου πρότερον τῆς λοιμώδους ἐφθάρησαν.
Ἀλεξάνδρῳ δὲ τῷ Φιλίππου παρέσχεν ἡ εὐτυχία
μικρὰ ἀνδρῶν προδοτῶν καὶ οὐκ ἄξια λόγου
4 προσδεηθῆναι. ἐπεὶ δὲ τὸ ἐν Λαμίᾳ πταῖσμα
ἐγένετο Ἕλλησιν, Ἀντίπατρος μέν, ἅτε διαβῆναι
ποιούμενος σπουδὴν πρὸς τὸν ἐν τῇ Ἀσίᾳ πόλε-
μον, ἐβούλετο εἰρήνην ἐν τάχει συντίθεσθαι, καί
οἱ διέφερεν οὐδὲν εἰ Ἀθήνας τε ἐλευθέραν καὶ
τὴν πᾶσαν Ἑλλάδα ἀφήσει· Δημάδης δὲ καὶ
ὅσον προδοτῶν Ἀθήνησιν ἄλλο ἦν, ἀναπείθουσιν
Ἀντίπατρον μηδὲν ἐς Ἕλληνας φρονῆσαι φιλάν-
θρωπον, ἐκφοβήσαντες δὲ Ἀθηναίων τὸν δῆμον
ἔς τε Ἀθήνας καὶ πόλεων τῶν ἄλλων τὰς πολλὰς
ἐγένοντο αἴτιοι Μακεδόνων ἐσαχθῆναι φρουράς.
5 βεβαιοῖ δέ μοι καὶ τόδε τὸν λόγον· Ἀθηναῖοι γὰρ
μετὰ τὸ ἀτύχημα τὸ ἐν Βοιωτοῖς οὐκ ἐγένοντο

the Ionian fleet. After reducing Ionia the Persians enslaved Eretria also, the most famous citizens turning traitors, Philagrus, the son of Cyneas, and Euphorbus, the son of Alcimachus. When Xerxes 480 B.C. invaded Greece, Thessaly was betrayed by Aleuades,[1] and Thebes by Attaginus and Timegenidas, who were the foremost citizens of Thebes. After the Peloponnesian war, Xenias of Elis attempted to betray Elis to the Lacedaemonians under Agis, and the so-called "friends" of Lysander at no time relaxed their efforts to hand over their countries to him. In the reign of Philip, the son of Amyntas, Lacedaemon is the only Greek city to be found that was not betrayed; the other cities in Greece were ruined more by treachery than they had been previously by the plague. Alexander, the son of Philip, was so favoured by fortune that he had little need worth mentioning of traitors. But when the Greeks suffered defeat at Lamia, Antipater, in 322 B.C. his eagerness to cross over to the war in Asia, wished to patch up a peace quickly, and it mattered nothing to him if he left free Athens and the whole of Greece. But Demades and the other traitors at Athens persuaded Antipater to have no kindly thoughts towards the Greeks, and by frightening the Athenian people were the cause of Macedonian garrisons being brought into Athens and most other cities. My statement is confirmed by the following fact. The Athenians after the disaster in Boeotia did not become subjects of Philip,

---

[1] Sylburg would read 'Αλευαδῶν, "by the Aleuads."

Φιλίππου κατήκοοι, ἁλόντων μέν σφισι δισχι-
λίων, ὡς ἐκρατήθησαν, παρὰ τὸ ἔργον, χιλίων
δὲ φονευθέντων· ἐν Λαμίᾳ δὲ περὶ διακοσίους
πεσόντων καὶ οὐ πλέον τι, Μακεδόσιν ἐδουλώ-
θησαν. οὕτω μὲν οὔποτε τὴν Ἑλλάδα ἐπέλειπον
οἱ ἐπὶ προδοσίᾳ νοσήσαντες· Ἀχαιοὺς δὲ ἀνὴρ
Ἀχαιὸς Καλλικράτης τηνικαῦτα ἐς ἅπαν ἐποίει
Ῥωμαίοις ὑποχειρίους. ἀρχὴ δέ σφισιν ἐγίνετο
κακῶν Περσεὺς καὶ ἡ Μακεδόνων ἀρχὴ κατα-
λυθεῖσα ὑπὸ Ῥωμαίων.

6   Περσεῖ τῷ Φιλίππου πρὸς Ῥωμαίους ἄγοντι
εἰρήνην κατὰ συνθήκας, ἃς ὁ πατήρ οἱ Φίλιππος
ἐποιήσατο, ἐπῆλθεν ὑπερβῆναι τοὺς ὅρκους καὶ
ἐπί τε Σαπαίους καὶ¹ Σαπαίων τὸν βασιλέα
Ἀβρούπολιν στράτευμα ἀγαγὼν ἐποίησεν ἀνα-
στάτους Ῥωμαίων συμμάχους ὄντας· Σαπαίων
δὲ τούτων καὶ Ἀρχίλοχος ἐν ἰάμβῳ μνήμην
7 ἔσχε. Μακεδόνων δὲ καὶ Περσέως κεχειρω-
μένων πολέμῳ διὰ τὸ ἐς Σαπαίους ἀδίκημα,
ἄνδρες τῆς Ῥωμαίων βουλῆς δέκα ἐπέμφθησαν
καταστησόμενοι πρὸς τὸ ἐπιτηδειότατον Ῥω-
μαίοις τὰ ἐν Μακεδονίᾳ. ἥκοντας δὲ ἐς τὴν
Ἑλλάδα ὑπήρχετο ὁ Καλλικράτης οὔτε ἔργον
τῶν ἐς τὴν κολακείαν οὔτε λόγον οὐδένα ἐς
αὐτοὺς παριείς· ἕνα δέ τινα ἐξ αὐτῶν ἄνδρα
οὐδαμῶς ἐς δικαιοσύνην πρόθυμον, τοῦτον τὸν
ἄνδρα προσεποιήσατο ὁ Καλλικράτης ἐς τοσοῦ-
τον ὥστε αὐτὸν καὶ ἐς τὸ συνέδριον ἐσελθεῖν
8 τὸ Ἀχαιῶν ἔπεισεν. ὁ δὲ ὡς ἐς τὸν σύλλογον
ἐσῆλθεν, ἔλεγεν ὡς πολεμοῦντι πρὸς Ῥωμαίους
Περσεῖ χρήματα οἱ δυνατώτατοι τῶν Ἀχαιῶν
παράσχοιεν, συνάραιντο δὲ καὶ ἐς τὰ ἄλλα·

although they lost two thousand prisoners in the action and one thousand killed. But when about two hundred at most fell at Lamia they were enslaved by the Lacedaemonians. So the plague of treachery never failed to afflict Greece, and it was an Achaean, Callicrates, who at the time I speak of made the Achaeans completely subject to Rome. But the beginning of their troubles proved to be Perseus and the destruction by the Romans of the Macedonian empire.

Perseus, the son of Philip, who was at peace with Rome in accordance with a treaty his father Philip had made, resolved to break the oaths, and leading an army against the Sapaeans and their king Abrupolis, allies of the Romans, made their country desolate. These Sapaeans Archilochus[1] mentions in an iambic line. The Macedonians and Perseus were conquered because of this wrong done to the Sapaeans, and afterwards ten Roman senators were sent to arrange the affairs of Macedonia in the best interests of the Romans. When they came to Greece, Callicrates curried favour with them, no form of flattery, whether in word or in deed, being too gross for him to use. One member of the commission, a most dishonourable man, Callicrates so captivated that he actually persuaded him to attend the meeting of the Achaean League. When he entered the assembly he declared that while Perseus was at war with Rome the most influential Achaeans, besides helping him generally, had supplied him with money. So he required the

[1] Fr. 49 (Bergk).

---

[1] Σαπαίους καὶ added by Schleiermacher.

ἐκέλευσεν οὖν καταγνῶναι τοὺς Ἀχαιοὺς θάνατον·
εἰ δὲ ἐκεῖνοι καταγνοῖεν, τότε καὶ αὐτὸς τὰ
ὀνόματα ἐρεῖν ἔφασκε τῶν ἀνδρῶν. λέγειν τε δὴ
ἐδόκει παντάπασιν ἄδικα καὶ αὐτὸν ἠξίουν οἱ
ἐς τὸν σύλλογον ἐληλυθότες ἤδη, εἰ Περσεῖ τὰ
αὐτὰ Ἀχαιῶν τινες ἔπραξαν, ὀνομαστὶ αὐτῶν
ἑκάστου μνησθῆναι, πρότερον δὲ οὐ σφᾶς κατα-
9 γινώσκειν εἰκὸς εἶναι. ἔνθα δὴ ὡς ἠλέγχετο ὁ
Ῥωμαῖος, ἀπετόλμησεν εἰπεῖν ὡς οἱ ἐστρατηγη-
κότες Ἀχαιῶν ἐνέχονται πάντες τῇ αἰτίᾳ· πάντας
γὰρ φρονῆσαι τὰ Μακεδόνων τε καὶ Περσέως.
ὁ μὲν δὴ ταῦτα ἔλεγεν ὑπὸ διδασκαλίᾳ Καλ-
λικράτους· ἀναστὰς δὲ μετ᾽ αὐτὸν Ξένων—ἦν δὲ
ὁ Ξένων[1] οὗτος οὐκ ἐλαχίστου λόγου παρὰ
Ἀχαιοῖς—" οὕτως " ἔφη " κατὰ τὴν αἰτίαν ἔχει
ταύτην· ἐστρατήγησα μὲν Ἀχαιῶν καὶ ἐγώ,
ἀδικίας δὲ οὐδὲν ἐς Ῥωμαίους οὐδὲ εὐνοίας μοι
μέτεστιν ἐς Περσέα· καὶ τοῦδε ἕνεκα ἐθέλω μὲν
ἐν συνεδρίῳ τῷ Ἀχαιῶν, ἐθέλω δὲ καὶ ἐν αὐτοῖς
Ῥωμαίοις ὑπέχειν κρίσιν." ὁ μὲν δὴ ὑπὸ συνει-
10 δότος ἐπαρρησιάζετο ἀγαθοῦ· ὁ δὲ ἐπελάβετο
αὐτίκα ὁ Ῥωμαῖος τῆς προφάσεως, καὶ ὁπόσοις
Καλλικράτης ἐπῆγεν αἰτίαν Περσεῖ σφᾶς φρο-
νῆσαι τὰ αὐτά, ἀνέπεμπεν ἐν δικαστηρίῳ κρίσιν
τῷ Ῥωμαίων ὑφέξοντας. ὃ μή πω κατειλήφει
πρότερον Ἕλληνας· οὐδὲ γὰρ Μακεδόνων οἱ
ἰσχύσαντες μέγιστον, Φίλιππος Ἀμύντου καὶ
Ἀλέξανδρος, τοὺς ἀνθεστηκότας σφίσιν Ἑλλή-
νων ἐς Μακεδονίαν ἐβιάσαντο ἀποσταλῆναι,
διδόναι δὲ αὐτοὺς ἐν Ἀμφικτύοσιν εἴων λόγον.
11 τότε δὲ ἐκ τοῦ Ἀχαιῶν ἔθνους ὅντινα καὶ ἀναίτιον
Καλλικράτης ἐθελήσειεν αἰτιάσασθαι, ἀνάγεσθαι

Achaeans to condemn them to death. After their condemnation, he said, he would himself disclose the names of the culprits. His words were regarded as absolutely unfair, and the members present demanded that, if certain Achaeans had sided with Perseus, their individual names should be mentioned, it being unreasonable to condemn them before this was done. Thereupon the Roman, as he was getting the worst of the argument, brazenly asserted that every Achaean who had held the office of general was included in his accusation, since one and all had favoured the cause of the Macedonians and Perseus. This he said at the bidding of Callicrates. After him rose Xenon, a man of great repute among the Achaeans, and said: "The truth about this accusation is as follows. I myself have served the Achaeans as their general, but I am guilty neither of treachery to Rome nor of friendship to Perseus. I am therefore ready to submit to trial either before the Achaean diet or before the Romans themselves." This frank speech was prompted by a clear conscience, but the Roman at once grasped the pretext, and sent for trial before the Roman court all those whom Callicrates accused of supporting Perseus. Never before had Greeks been so treated, for not even the most powerful of the Macedonians, Philip, the son of Amyntas, and Alexander, despatched by force to Macedonia the Greeks who were opposed to them, but allowed them to plead their case before the Amphictyons. But on this 167 B.C. occasion it was decided to send up to Rome every one of the Achaean people, however innocent, whom

---

[1] ἦν δὲ ὁ Ξένων added by Dindorf.

πάντα τινὰ ἐκεκύρωτο ἐς ῾Ρώμην· καὶ ἐγένοντο
ὑπὲρ χιλίους οἱ ἀναχθέντες. τούτους ὑπὸ
᾿Αχαιῶν οἱ ῾Ρωμαῖοι προκατεγνῶσθαι νομίζοντες
ἔς τε Τυρσηνίαν καὶ ἐς τὰς ἐκεῖ διέπεμψαν
πόλεις, καὶ ᾿Αχαιῶν ἄλλοτε ἄλλας ὑπὲρ τῶν
ἀνδρῶν πρεσβείας τε καὶ ἱκεσίας ἐπιπεμπόντων
12 λόγον ἐποιοῦντο οὐδένα. ἑπτακαιδεκάτῳ δὲ
ὕστερον ἔτει τριακοσίους ἢ καὶ ἐλάσσονας, οἳ
μόνοι περὶ ᾿Ιταλίαν ᾿Αχαιῶν ἔτι ἐλείποντο, ἀφιᾶ-
σιν, ἀποχρώντως κολασθῆναι σφᾶς ἡγούμενοι.
ὅσοι δὲ ἀποδράντες ᾤχοντο ἢ εὐθὺς ἡνίκα ἀνή-
γοντο ἐς ῾Ρώμην ἢ ὕστερον ἐκ τῶν πόλεων ἐς
ἃς ὑπὸ ῾Ρωμαίων ἐπέμφθησαν, πρόφασις οὐδεμία
ἦν τούτους ἁλόντας μὴ ὑποσχεῖν δίκην.

XI. ῾Ρωμαῖοι δὲ αὖθις ἄνδρα ἐκ τῆς βουλῆς
καταπέμπουσιν ἐς τὴν ῾Ελλάδα· ὄνομα μὲν τῷ
ἀνδρὶ ἦν Γάλλος, ἀπέσταλτο δὲ Λακεδαιμονίοις
καὶ ᾿Αργείοις ὑπὲρ γῆς ἀμφισβητουμένης γενέσ-
θαι δικαστής. οὗτος ὁ Γάλλος ἐς τὸ ῾Ελληνικὸν
πολλὰ μὲν εἶπε, πολλὰ δὲ καὶ ἔπραξεν ὑπερή-
φανα, Λακεδαιμονίους δὲ καὶ ᾿Αργείους τὸ παρά-
2 παν ἔθετο ἐν χλευασίᾳ· πόλεσι γὰρ ἐς τοσοῦτο
ἡκούσαις ἀξιώματος καὶ ὑπὲρ τῶν ὅρων τῆς
χώρας τὰ μὲν παλαιότερα ἐς οὐκ ἀφανῆ πόλεμον
καὶ ἔργα οὕτως ἀφειδῆ προαχθείσαις, κριθείσαις
δὲ καὶ ὕστερον παρὰ δικαστῇ κοινῷ Φιλίππῳ τῷ
᾿Αμύντου, αὐτὸς μέν σφισιν ὁ Γάλλος ἀπηξίωσε
δικαστὴς καταστῆναι, Καλλικράτει δὲ ἀπάσης
τῆς ῾Ελλάδος ἀνδρὶ ἀλάστορι ἐπιτρέπει τὴν
3 κρίσιν. ἀφίκοντο δὲ ὡς τὸν Γάλλον καὶ Αἰτωλῶν
οἱ Πλευρῶνα οἰκοῦντες, συντελείας τῆς ἐς ᾿Αχαιοὺς
ἐθέλοντες ἄφεσιν εὕρασθαι· καὶ αὐτοῖς ἐπετράπη

Callicrates chose to accuse. They amounted to over a thousand men. The Romans, holding that all these had already been condemned by the Achaeans, distributed them throughout Etruria and its cities, and though the Achaeans sent embassy after embassy to plead on behalf of the men, no notice was taken of the petitions. Sixteen years later, 151 B.C. when the number of Achaeans in Italy was reduced to three hundred at most, the Romans set them free, considering that their punishment was sufficient. But those who ran away, either at once when they were being brought up to Rome, or later on from the cities to which the Romans sent them, were saved from punishment by no defence if they were recaptured.

XI. The Romans again despatched a senator to Greece. His name was Gallus, and his instructions were to arbitrate between the Lacedaemonians and the Argives in the case of a disputed piece of territory. This Gallus on many occasions behaved towards the Greek race with great arrogance, both in word and deed, while he made a complete mock of the Lacedaemonians and Argives. These states had reached the highest degree of renown, and in a famous war of old had poured out their blood like water because of a dispute about boundaries, while later Philip, the son of Amyntas, had acted as arbitrator to settle their differences; yet now Gallus disdained to arbitrate in person, and entrusted the decision to Callicrates, the most abominable wretch in all Greece. There also came to Gallus the Aetolians living at Pleuron, who wished to detach themselves from the Achaean confederacy. Gallus

μὲν ὑπὸ τοῦ Γάλλου πρεσβείαν ἐπὶ σφῶν αὐτῶν
ἰδίᾳ παρὰ Ῥωμαίους ἀποστεῖλαι, ἐπετράπη δὲ
ὑπὸ Ῥωμαίων συνεδρίου τοῦ[1] Ἀχαιῶν ἀποστῆ-
ναι. προσεπεστάλη δὲ ὑπὸ τῆς βουλῆς τῷ
Γάλλῳ πόλεις ὁπόσας ἐστὶν οἷός τε[2] πλείστας
ἀφεῖναι συλλόγου τοῦ Ἀχαιῶν.

4 Ὁ μὲν δὴ τὰ ἐντεταλμένα ἐποίει, Ἀθηναίων δὲ
ὁ δῆμος ἀνάγκῃ πλέον ἢ ἑκουσίως διαρπάζουσιν
Ὠρωπὸν ὑπήκοον σφισιν οὖσαν· πενίας γὰρ ἐς
τὸ ἔσχατον Ἀθηναῖοι τηνικαῦτα ἧκον ἅτε ὑπὸ
Μακεδόνων πολέμῳ[3] πιεσθέντες μάλιστα Ἑλλή-
νων. καταφεύγουσιν οὖν ἐπὶ τὴν Ῥωμαίων
βουλὴν οἱ Ὠρώπιοι· καὶ δόξαντες παθεῖν οὐ
δίκαια, ἐπεστάλη Σικυωνίοις ὑπὸ τῆς βουλῆς
ἐπιβάλλειν σφᾶς Ἀθηναίοις ἐς Ὠρωπίους
ζημίαν κατὰ τῆς βλάβης ἧς ἦρξαν τὴν ἀξίαν.

5 Σικυώνιοι μὲν οὖν οὐκ ἀφικομένοις ἐς καιρὸν τῆς
κρίσεως Ἀθηναίοις ζημίαν πεντακόσια τάλαντα
ἐπιβάλλουσι, Ῥωμαίων δὲ ἡ βουλὴ δεηθεῖσιν
Ἀθηναίοις ἀφίησι πλὴν ταλάντων ἑκατὸν τὴν
ἄλλην ζημίαν· ἐξέτισαν δὲ οὐδὲ ταῦτα οἱ
Ἀθηναῖοι, ἀλλὰ ὑποσχέσεσι καὶ δώροις ὑπελ-
θόντες Ὠρωπίους ὑπάγονται σφᾶς ἐς ὁμολογίαν
φρουράν τε Ἀθηναίων ἐσελθεῖν ἐς Ὠρωπὸν καὶ
ὁμήρους λαβεῖν παρὰ Ὠρωπίων Ἀθηναίους· ἢν
δὲ αὖθις ἐς Ἀθηναίους γένηται ἔγκλημα Ὠρω-
πίοις, τὴν φρουρὰν τότε ἀπάγειν παρ' αὐτῶν
Ἀθηναίους, ἀποδοῦναι δὲ καὶ ὀπίσω τοὺς ὁμή-

6 ρους. χρόνος τε δὴ οὐ πολὺς ὁ μεταξὺ ἤνυστο,
καὶ τῶν φρουρῶν ἀδικοῦσιν ἄνδρες Ὠρωπίους.

---

[1] τοῦ added by Dindorf.

allowed them to send on their own an embassy
to Rome, and the Romans allowed them to secede
from the Achaean League. The senate also com-
missioned Gallus to separate from the Achaean
confederacy as many states as he could.

While he was carrying out his instructions, the
Athenian populace sacked Oropus, a state subject to
them. The act was one of necessity rather than of
free-will, as the Athenians at the time suffered the
direst poverty, because the Macedonian war had
crushed them more than any other Greeks. So the
Oropians appealed to the Roman senate. It decided
that an injustice had been committed, and instructed
the Sicyonians to inflict a fine on the Athenians
commensurate with the unprovoked harm done by
them to Oropus. When the Athenians did not
appear in time for the trial, the Sicyonians inflicted
on them a fine of five hundred talents, which the
Roman senate on the appeal of the Athenians re-
mitted with the exception of one hundred talents.
Not even this reduced fine did the Athenians pay,
but by promises and bribes they beguiled the
Oropians into an agreement that an Athenian
garrison should enter Oropus, and that the Athenians
should take hostages from the Oropians. If in the
future the Oropians should have any complaint to
make against the Athenians, then the Athenians
were to withdraw their garrison from Oropus and
give the hostages back again. After no long
interval the Oropians were wronged by certain of

---

2 Before πλείστας the MSS. have ὡς.
3 For πολέμῳ the MSS. have πολέμου.

οἱ μὲν δὴ ἐς τὰς Ἀθήνας ἀπέστελλον ὁμήρους
τε ἀπαιτήσοντας καὶ φρουρὰν σφισιν ἐξάγειν
κατὰ τὰ συγκείμενα ἐροῦντας· Ἀθηναῖοι δὲ
οὐδέτερα ἔφασαν ποιήσειν, ἀνθρώπων γὰρ τῶν[1]
ἐπὶ τῇ φρουρᾷ καὶ οὐ τοῦ Ἀθηναίων δήμου τὸ
ἁμάρτημα εἶναι· τοὺς μέντοι αὐτὰ εἰργασμένους
7 ἐπηγγέλλοντο ὑφέξειν δίκην. οἱ δὲ Ὠρώπιοι
καταφεύγοντες ἐπὶ Ἀχαιοὺς ἐδέοντο τιμωρῆσαί
σφισιν· Ἀχαιοῖς δὲ ἤρεσκε μὴ τιμωρεῖν φιλίᾳ τε
καὶ αἰδοῖ τῇ Ἀθηναίων. ἐνταῦθα οἱ Ὠρώπιοι
Μεναλκίδα, Λακεδαιμονίῳ μὲν γένος, στρατη-
γοῦντι δὲ ἐν τῷ τότε Ἀχαιῶν, ὑπισχνοῦνται
δέκα ταλάντων δόσιν, ἤν σφισιν ἐπικουρεῖν
Ἀχαιοὺς ἄγῃ· ὁ δὲ ἀπὸ τῶν χρημάτων μετα-
δώσειν Καλλικράτει τὸ ἥμισυ ὑπισχνεῖτο,
ἰσχύοντι διὰ φιλίαν τὴν Ῥωμαίων ἐν Ἀχαιοῖς
8 μέγιστον. προσγενομένου δὲ τοῦ Καλλικράτους
πρὸς τὴν Μεναλκίδου γνώμην ἐκεκύρωτο κατὰ
Ἀθηναίων ἀμύνειν Ὠρωπίοις. καί τις ἐξαγγέλλει
ταῦτα ἐς τοὺς Ἀθηναίους· οἱ δὲ ὡς ἔκαστος
τάχους εἶχεν ἐς τὸν Ὠρωπὸν ἐλθόντες καὶ αὖθις
κατασύραντες εἴ τι ἐν ταῖς προτέραις παρεῖτό
σφισιν ἁρπαγαῖς, ἀπάγουσι τὴν φρουράν.
Ἀχαιοὺς δὲ ὑστερήσαντας τῆς βοηθείας Μεναλ-
κίδας μὲν καὶ Καλλικράτης ἐσβάλλειν ἐς τὴν
Ἀττικὴν ἔπειθον· ἀνθισταμένων δὲ ἄλλων τε
αὐτοῖς καὶ οὐχ ἥκιστα τῶν ἐκ Λακεδαίμονος,
ἀνεχώρησεν ὀπίσω τὸ στράτευμα.

XII. Ὠρώπιοι δὲ καὶ ὠφελείας σφισιν οὐ
γενομένης τῆς παρὰ Ἀχαιῶν, ὅμως ὑπὸ Μεναλκίδα
τὰ χρήματα ἐξεπράχθησαν· ὁ δὲ ὡς τὸ δωροδό-
κημα εἶχεν ἐν χειρί, ἐποιεῖτο συμφορὰν εἰ καὶ

the garrison. They accordingly despatched envoys to Athens to ask for the restoration of their hostages and to request that the garrison be withdrawn according to the agreement. The Athenians refused to do either of these things, saying that the blame lay, not with the Athenian people, but with the men of the garrison. They promised, however, that the culprits should be brought to account. The Oropians then appealed to the Achaeans for aid, but these refused to give it out of friendship and respect for the Athenians. Thereupon the Oropians promised Menalcidas, a Lacedaemonian who was then general of the Achaeans, a gift of ten talents if he would induce the Achaeans to help them. Menalcidas promised half of the money to Callicrates, who on account of his friendship with the Romans had most influence among the Achaeans. Callicrates was persuaded to adopt the plan of Menalcidas, and it was decided to help the Oropians against the Athenians. News of this was brought to the Athenians, who, with all the speed each could, came to Oropus, again dragged away anything they had overlooked in the previous raids, and brought away the garrison. As the Achaeans were too late to render help, Menalcidas and Callicrates urged them to invade Attica. But they met with opposition, especially from Lacedaemon, and the army withdrew.

XII. Though the Oropians had received no help from the Achaeans, nevertheless Menalcidas extorted the money from them. But when he had the bribe in his hands, he began to think it hard luck that he

---

[1] τῶν is not in the MSS.

Καλλικράτει μεταδώσει τῶν λημμάτων. τὰ μὲν
δὴ πρῶτα ἀναβολαῖς καὶ ἀπάταις ἐχρῆτο ἐς τὴν
δόσιν, μετὰ δὲ οὐ πολὺ ἐτόλμησεν ἀποστερεῖν
2 ἐκ τοῦ εὐθέος. βεβαιοῖ δὴ τὸ λεγόμενον ὡς ἄρ'
ἦν καὶ πῦρ ἐς πλέον ἄλλου πυρὸς καῖον καὶ
λύκος ἀγριώτερος λύκων ἄλλων καὶ ὠκύτερος
ἱέραξ ἱέρακος πέτεσθαι, εἴγε καὶ Καλλικράτην
ἀνοσιώτατον τῶν τότε Μεναλκίδας[1] ὑπερῆρεν
ἀπιστίᾳ, Καλλικράτην, ὃς ἐλάσσων παντοίου
λήμματος καὶ ἐπὶ οὐδενὶ οἰκείῳ κέρδει πόλει τῇ
Ἀθηναίων ἀπηχθημένος παυσάμενον[2] τῆς ἀρχῆς
Μεναλκίδαν ἐδίωκεν ἐν τοῖς Ἀχαιοῖς θανάτου
δίκην· πρεσβεῦσαί τε γὰρ Ἀχαιῶν ἐναντία
ἔφασκεν αὐτὸν ἐς Ῥώμην καὶ ἐς τὰ μάλιστα
γενέσθαι πρόθυμον ἐξελέσθαι τὴν Σπάρτην
3 συνεδρίου τοῦ Ἀχαιῶν. ἐνταῦθα ὡς ἀφικνεῖτο
ἐς πᾶν ὁ Μεναλκίδας κινδύνου, μεταδίδωσι
τάλαντα τρία τῶν ἐξ Ὠρωποῦ Μεγαλοπολίτῃ
Διαίῳ. ἐγεγόνει δὲ αὐτῷ καὶ ἀρχῆς διάδοχος
τῆς Ἀχαιῶν ὁ Δίαιος· τότε δὲ ὑπὲρ τοῦ λήμ-
ματος προθυμούμενος ἔμελλε Μεναλκίδα καὶ
ἀκόντων Ἀχαιῶν σωτηρίαν παρέξειν. Ἀχαιοὶ
δὲ ἐπὶ μὲν τῇ ἀφέσει τοῦ Μεναλκίδα ἰδίᾳ τε
ἕκαστος καὶ ἐν κοινῷ Δίαιον ἐποιοῦντο ἐν αἰτίᾳ·
Δίαιος δὲ σφᾶς ἀπὸ τῶν ἐς αὐτὸν ἐγκλημάτων
μετῆγεν ἐς πραγμάτων ἐλπίδα μειζόνων, προφάσει
4 χρώμενος τοιᾷδε ἐς τὴν ἀπάτην. Λακεδαιμόνιοι
περὶ ἀμφισβητησίμου χώρας καταφεύγουσιν ἐπὶ
τὴν Ῥωμαίων βουλήν· καταφεύγουσι δὲ αὐτοῖς
προεῖπεν ἡ βουλὴ δικάζεσθαι τὰ ἄλλα πλὴν
ψυχῆς ἐν συνεδρίῳ τῷ Ἀχαιῶν. ἡ μὲν δὴ ταῦτα

[1] Before ὑπερῆρεν the MSS. read μέν.

had to share his gains with Callicrates. At first he
had recourse to procrastination and deceit about
payment, but shortly he plucked up courage and
flatly refused to give anything. It confirms the
truth of the proverb that one fire burns more fiercely
than another, one wolf is more savage than other
wolves, one hawk swifter than another, that Menal-
cidas outdid in treachery Callicrates, the worst rascal
of his time, one who could never resist a bribe of
any kind. He fell foul of the Athenians without
gaining anything, and, when Menalcidas laid down
his office, accused him before the Achaeans on a
capital charge. He said that Menalcidas, when on
an embassy to Rome, had worked against the
Achaeans and had done all he could to separate
Sparta from the Achaean League. Thereupon, as
the danger he ran was extreme, Menalcidas gave
three of the talents he received from Oropus to
Diaeüs of Megalopolis, who had succeeded him as
general of the Achaeans, and on this occasion was
so active, because of the bribe, that he succeeded in
saving Menalcidas in spite of the opposition of the
Achaeans. The Achaeans, individually and as a
body, held Diaeüs responsible for the acquittal of
Menalcidas, but he distracted their attention from
the charges made against him by directing it towards
more ambitious hopes, using to deceive them the
following pretext. The Lacedaemonians appealed
to the Roman senate about a disputed territory,
and the senate replied to the appeal by decreeing
that all except capital cases should be under the
jurisdiction of the Achaean League. Such was the

---

[2] Before τῆς the MSS. read μέν.

ἀπεκρίνατο· Δίαιος δὲ οὐ τὸν ὄντα ἔλεγεν
Ἀχαιοῖς λόγον, ψυχαγωγῶν δὲ αὐτοὺς ἔφασκε
παρὰ τῆς Ῥωμαίων σφίσιν ἐφεῖσθαι βουλῆς καὶ
θάνατον ἀνδρὸς καταγνῶναι τῶν ἐκ Σπάρτης.
5 οἱ μὲν δὴ δικάζειν Λακεδαιμονίοις ἠξίουν καὶ
ὑπὲρ τῆς ἑκάστου ψυχῆς, Λακεδαιμόνιοι δὲ οὔτε
ἀληθῆ συνεχώρουν Δίαιον λέγειν καὶ ἀνάγειν
ἤθελον ἐπὶ τὴν Ῥωμαίων βουλήν. Ἀχαιοὶ δὲ
ἀντελαμβάνοντο αὖθις ἄλλου λόγου, πόλεις
ὅσαι τελοῦσιν ἐς Ἀχαιοὺς μηδεμίαν ἐφ’ ἑαυτῆς
καθεστηκέναι κυρίαν ἄνευ τοῦ κοινοῦ τοῦ Ἀχαιῶν
παρὰ Ῥωμαίους ἰδίᾳ πρεσβείαν ἀποστέλλειν.
6 πόλεμός τε δὴ ἀπὸ τῶν ἀμφισβητημάτων τούτων
Ἀχαιοῖς καὶ Λακεδαιμονίοις ἤρχετο καὶ Λακε-
δαιμόνιοι συνιέντες οὐκ ἀξιόμαχοι πρὸς Ἀχαιοὺς
εἶναι πρεσβείαις ἐχρῶντο πρὸς τὰς πόλεις αὐτῶν
καὶ ἰδίᾳ πρὸς τὸν Δίαιον λόγοις. αἱ μὲν δὴ κατὰ
τὰ αὐτὰ αἱ πόλεις ἐποιοῦντο τὰς ἀποκρίσεις, οὐ
σφίσιν ἔξοδον ἐπαγγέλλοντος στρατηγοῦ παρ-
ακούειν εἶναι νόμον· Δίαιος γὰρ ἦρχε τῶν Ἀχαιῶν
καὶ ἔφασκεν οὐ τῇ Σπάρτῃ, τοῖς δὲ ταράσσουσιν
7 αὐτὴν πολεμήσων ἀφίξεσθαι. ἐρομένων δὲ τῶν
γερόντων ὁπόσους ἡγοῖτο ἀδικεῖν, ἐσπέμπει σφίσι
τεσσάρων ὀνόματα ἀνδρῶν καὶ εἴκοσι πρωτευόν-
των τὰ πάντα ἐν Σπάρτῃ. ἐνταῦθα Ἀγασισ-
θένους ἐνίκησε γνώμη δοκίμου καὶ τὰ πρότερα
ὄντος, ἀπὸ δὲ τῆς παραινέσεως ταύτης προελ-
θόντος καὶ ἐς πλέον δόξης· ὃς τοὺς ἄνδρας τού-
τους ἐκέλευσεν ἐκ Λακεδαίμονος ἐθελοντὰς
φεύγειν μηδὲ αὐτοῦ μένοντας ἐργάσασθαι τῇ
Σπάρτῃ πόλεμον, φυγόντας δὲ ἐς Ῥώμην καταχ-
θήσεσθαι σφᾶς οὐ μετὰ πολὺ ἔφασκεν ὑπὸ

senate's answer, but Diaeüs did not tell the Achaeans
the truth, but cajoled them by the declaration that
the Roman senate had committed to them the right
to condemn a Spartan to death. So the Achaeans
claimed the right to try a Lacedaemonian on a capital
charge, but the Lacedaemonians would not admit
that Diaeüs spoke the truth, and wished to refer the
point to the Roman senate. But the Achaeans
seized another pretext, that no state belonging to
the Achaean League had the right to send an em-
bassy on its own to the Roman senate, but only in
conjunction with the rest of the League. These
disputes were the cause of a war between the Lace-
daemonians and the Achaeans, and the former,
realising that they were not a match for their
opponents, sent envoys to their cities and entered
into personal negotiations with Diaeüs. The cities
all made the same reply, that it was unlawful
to turn a deaf ear to their general when he pro-
claimed a campaign; for Diaeüs, who was in com-
mand of the Achaeans, declared that he would
march to make war, not on Sparta but on those that
were troubling her. When the Spartan senate
inquired how many he considered were guilty, he
reported to them the names of twenty-four citizens
of the very front rank in Sparta. Thereupon was
carried a motion of Agasisthenes, whose advice on
this occasion enhanced the already great reputation
he enjoyed. He bade the twenty-four to go into
voluntary exile from Lacedaemon, instead of bringing
war upon Sparta by remaining where they were;
if they exiled themselves to Rome, he declared, they
would before long be restored to their country by

8 Ῥωμαίων. καὶ οἱ μὲν ἀπελθόντες ὑπήγοντο ὑπὸ
Σπαρτιατῶν ἐς δικαστήριον τῷ λόγῳ καὶ ἀποθα-
νεῖν ἦσαν κατεγνωσμένοι· ἀπεστάλησαν δὲ καὶ
ὑπὸ Ἀχαιῶν Καλλικράτης ἐς Ῥώμην καὶ Δίαιος
τοῖς φεύγουσιν ἐκ Σπάρτης ἀντιδικήσοντες ἐπὶ
τῆς βουλῆς. καὶ αὐτῶν ὁ μὲν κατὰ τὴν ὁδὸν
Καλλικράτης τελευτᾷ νόσῳ, οὐδὲ οἶδα εἰ ἀφικό-
μενος ἐς Ῥώμην ὠφέλησεν ἄν τι Ἀχαιοὺς ἢ
κακῶν σφισιν ἐγένετο μειζόνων ἀρχή· Δίαιος δὲ
ἐς ἀντιλογίαν Μεναλκίδᾳ καταστὰς ἐπὶ τῆς
βουλῆς πολλὰ μὲν εἶπε, τὰ δὲ ἤκουσεν οὐ σὺν
9 κόσμῳ. καὶ σφισιν ἀπεκρίνατο ἡ βουλὴ ἀπο-
στέλλειν πρέσβεις, οἳ κρινοῦσιν ὅσα Λακεδαι-
μονίοις καὶ Ἀχαιοῖς διάφορα ἦν ἐς ἀλλήλους.
καὶ τοῖς ἐκ Ῥώμης πρέσβεσι σχολαιτέρα πως
ἐγίνετο ἡ ὁδός, ὥστε ἐξαπατᾶν ὑπῆρχεν ἐξ
ἀρχῆς Διαίῳ τε Ἀχαιοὺς καὶ Μεναλκίδᾳ Λακε-
δαιμονίους· τοὺς μὲν δὴ παρῆγεν ὁ Δίαιος ὡς τὰ
πάντα ἕπεσθαι Λακεδαιμόνιοί σφισιν ὑπὸ τῆς
Ῥωμαίων βουλῆς εἰσιν ἐγνωσμένοι, Λακεδαι-
μονίους δὲ ὁ Μεναλκίδας ἠπάτα παντελῶς τοῦ
συνεδρεύειν ἐς τὸ Ἀχαϊκὸν ὑπὸ Ῥωμαίων αὐτοὺς
ἀπηλλάχθαι.

XIII. Αὖθις οὖν ἐκ τῶν ἀντιλογιῶν Λακεδαι-
μονίοις ὥρμηντο Ἀχαιοὶ πολεμεῖν, καὶ στρατὸς
ἐπὶ τὴν Σπάρτην ἠθροίζετο ὑπὸ Δαμοκρίτου
στρατηγεῖν τηνικαῦτα Ἀχαιῶν ᾑρημένου. περὶ
δὲ τὸν αὐτὸν χρόνον τοῦτον ἀφίκετο ἐς Μακε-
δονίαν στρατιά τε Ῥωμαίων καὶ ἡγεμὼν ἐπ᾽
αὐτῇ Μέτελλος, Ἀνδρίσκῳ τῷ Περσέως τοῦ
Φιλίππου πολεμήσοντες ἀφεστηκότι ἀπὸ Ῥω-
μαίων. καὶ ὁ μὲν ἐν Μακεδονίᾳ πόλεμος ἔμελλεν

the Romans. So they departed, underwent a nominal trial at Sparta, and were condemned to death. The Achaeans on their side despatched to Rome Callicrates and Diaeüs to oppose the exiles from Sparta before the senate. Callicrates died of disease on the journey, and even if he had reached Rome I do not know that he would have been of any assistance to the Achaeans—perhaps he would have been the cause of greater troubles. The debate between Diaeüs and Menalcidas before the senate was marked by fluency rather than by decency on either side. The answer of the senate to their remarks was that they were sending envoys to settle the disputes between the Lacedaemonians and the Achaeans. The journey of the envoys from Rome proved rather slow, giving Diaeüs a fresh opportunity of deceiving the Achaeans and Menalcidas of deceiving the Lacedaemonians. Diaeüs misled the Achaeans into the belief that the Roman senate had decreed the complete subjection to them of the Lacedaemonians; Menalcidas deceived the Lacedaemonians into thinking that the Romans had entirely freed them from the Achaean League.

XIII. So the result of the debate was that the Achaeans again came near to actual war with the Lacedaemonians, and Damocritus, who had been elected general of the Achaeans at this time, proceeded to mobilise an army against Sparta. But about this time there arrived in Macedonia a Roman force under Metellus, whose object was to put down the rebellion of Andriscus, the son of Perseus, the son of Philip. The war in Macedonia, it turned

239

ὡς ῥᾷστα κατὰ τὸ ἐπιτηδειότατον Ῥωμαίοις
2 κριθήσεσθαι· Μέτελλος δὲ ἄνδρας ὑπὸ τῆς
Ῥωμαίων ἀπεσταλμένους βουλῆς ἐπὶ τὰ ἐν τῇ
Ἀσίᾳ πράγματα ἐκέλευε, πρὶν ἢ ἐς τὴν Ἀσίαν
διαβῆναι, τοῖς ἡγεμόσιν αὐτοὺς τοῖς Ἀχαιῶν ἐς
λόγους ἐλθεῖν, ὅπλα μὲν ἐπὶ τὴν Σπάρτην μὴ
ἐπιφέρειν σφίσιν ἀπαγορεύσοντας, τὴν δὲ ἐκ
Ῥώμης παρουσίαν τῶν ἀνδρῶν προεροῦντας
μένειν, οἳ κατὰ τοῦτο ἦσαν ἀπεσταλμένοι Λακε-
3 δαιμονίοις δικασταὶ καὶ Ἀχαιοῖς γενέσθαι. οἱ
μὲν δὴ τὰ ἐντεταλμένα Δαμοκρίτῳ καὶ Ἀχαιοῖς
ἐπήγγελλον ἐφθακόσιν ἔξοδον ἐπὶ Λακεδαίμονα
πεποιῆσθαι καὶ—ἑώρων γὰρ πρὸς τὴν παραίνεσιν
ἀνθεστηκότα τὰ¹ Ἀχαιῶν—ἀπηλλάσσοντο ἐς
τὴν Ἀσίαν· Λακεδαιμόνιοι δὲ ὑπὸ φρονήματος
μᾶλλον ἢ ἰσχύος ἔλαβον μὲν τὰ ὅπλα καὶ
ἐπεξῆλθον ἀμυνοῦντες τῇ οἰκείᾳ, βιασθέντες δὲ
οὐ μετὰ πολύ, ὅσον μὲν ἐς χιλίους οἱ ἡλικίᾳ
μάλιστα αὐτῶν καὶ τόλμαις ἀκμάζοντες πίπτου-
σιν ἐν τῇ μάχῃ, τὸ δὲ ἄλλο στρατιωτικόν, ὡς
ἕκαστος τάχους εἶχεν, ἔφευγον πρὸς τὴν πόλιν.
4 εἰ δὲ ὁ Δαμόκριτος προθυμίαν ἐποιήσατο, τοῖς
φεύγουσιν ἐκ τῆς παρατάξεως ὁμοῦ καὶ Ἀχαιοῖς
ἐσδραμεῖν ὑπῆρξεν ἂν ἐς τὸ τεῖχος τῆς Σπάρτης·
νῦν δὲ αὐτίκα τε ἀνεκάλεσεν ἀπὸ τῆς διώξεως
τοὺς Ἀχαιοὺς καὶ ἐχρῆτο καὶ ἐς τὸ ἔπειτα κατα-
δρομαῖς μᾶλλον καὶ ἁρπαγαῖς ἐκ τῆς χώρας ἢ
5 συντόνῳ πολιορκίᾳ. Δαμοκρίτῳ μὲν οὖν ἀπαγα-
γόντι ὀπίσω τὴν στρατιὰν ἐπιβάλλουσιν οἱ
Ἀχαιοὶ ζημίαν πεντήκοντα ἅτε ἀνδρὶ προδότῃ
τάλαντα, καὶ—οὐ γὰρ εἶχεν ἐκτῖσαι—φεύγων
ᾤχετο ἐκ Πελοποννήσου· Δίαιος δὲ Ἀχαιῶν

out, was easily decided in favour of the Romans,
but Metellus urged the envoys, sent by the Roman
senate to settle the affairs of Asia, to parley with the
chiefs of the Achaeans before making the crossing.
They were to order them not to attack Sparta, but
to await the arrival from Rome of the envoys sent
for the purpose of arbitrating between the Lacedae-
monians and the Achaeans. They delivered their
instructions to the Achaeans under Damocritus when
these had already begun a campaign against Lace-
daemon, and so, realising that the Achaeans were
set against their advice, proceeded on their way to
Asia. The Lacedaemonians, with a spirit greater
than their strength, took up arms, and sallied forth
to defend their country. But they were soon
crushed; a thousand of their bravest youths fell in
the battle, and the rest of the soldiery fled towards
the city with all the haste they could. If Damo-
critus had made a vigorous effort, the Achaeans
could have dashed into the walls of Sparta along
with the fugitives from the field of battle. As it
was, he at once recalled the Achaeans from the
pursuit, and confined his future operations to raids
and plunder, instead of prosecuting the siege with
energy. So Damocritus withdrew his army, and the
Achaeans sentenced him to pay a fine of fifty talents
for his treachery. Being unable to pay, he left the
Peloponnesus and went into exile. Diaeüs, who was

---

[1] τὰ added by Bekker.

μετὰ Δαμόκριτον στρατηγεῖν ἡρημένος ἀποστεί-
λαντι αὖθις Μετέλλῳ πρέσβεις ὡμολόγησε
μηδένα ἐπάξειν Λακεδαιμονίοις πόλεμον, ἀλλὰ
ἔστ᾽ ἂν ἥκωσιν ἐκ Ῥώμης ἀναμενεῖν τοὺς διαλ-
6 λακτάς. στρατήγημα δὲ ἄλλο ἐς τοὺς Λακεδαι-
μονίους παρεῦρε τοιόνδε· τὰ ἐν κύκλῳ τῆς
Σπάρτης πολίσματα ἐς τὴν Ἀχαιῶν ὑπηγάγετο
εὔνοιαν, ἐσήγαγε δὲ ἐς αὐτὰ καὶ φρουράς, ὁρμη-
7 τήρια ἐπὶ τὴν Σπάρτην Ἀχαιοῖς εἶναι. Μεναλ-
κίδας δὲ ᾕρητο μὲν ὑπὸ Λακεδαιμονίων ἐναντία
Διαίῳ στρατηγεῖν· ἐχόντων δὲ αὐτῶν ἔς τε τὴν
πᾶσαν πολέμου παρασκευὴν καὶ οὐχ ἥκιστα τοῖς
χρήμασιν ἀσθενῶς, πρὸς δὲ καὶ τῆς γῆς σφισιν
ἀσπόρου μεμενηκυίας, ἐτόλμησεν[1] ὅμως τὰς
σπονδὰς ὑπερβῆναι καὶ πόλισμα Ἴασον ἑλὼν ἐξ
ἐπιδρομῆς ἐπόρθησεν, ἐν ὅροις μὲν χώρας τῆς
Λακωνικῆς, Ἀχαιῶν δὲ ἐν τῷ τότε ὑπήκοον.
8 ἐξεγείρας δὲ αὖθις Λακεδαιμονίοις καὶ Ἀχαιοῖς
πόλεμον ἐν ἐγκλήμασί τε ἦν ὑπὸ τῶν πολιτῶν
καὶ—οὐ γάρ τινα ἐκ τοῦ προσδοκωμένου
κινδύνου Λακεδαιμονίοις σωτηρίαν εὕρισκεν—
ἀφίησιν ἑκουσίως τὴν ψυχὴν πιὼν φάρμακον.
καὶ Μεναλκίδα μὲν τέλος τοιοῦτον ἐγένετο,
ἄρξαντι ἐν τῷ[2] τότε μὲν Λακεδαιμονίων ὡς ἂν ὁ
ἀμαθέστατος στρατηγός, πρότερον δὲ ἔτι τοῦ
Ἀχαιῶν ἔθνους ὡς ἀνθρώπων ὁ ἀδικώτατος.

XIV. Ἀφίκοντο δὲ ἐς τὴν Ἑλλάδα καὶ οἱ
ἀποσταλέντες ἐκ Ῥώμης Λακεδαιμονίοις δικασταὶ
καὶ Ἀχαιοῖς γενέσθαι, ἄλλοι τε καὶ Ὀρέστης·

---

[1] The MSS. have διας here or πείθει. Krüger suggested
ἐτόλμησεν. Frazer keeps πείθει, in spite of the preceding
genitive.

elected general after Damocritus, agreed, when Metellus sent another embassy, to involve the Lacedaemonians in no war, but to await the arrival of the arbitrators from Rome. But he invented another trick to embarrass the Lacedaemonians. He induced the towns around Sparta to be friendly to the Achaeans, and even introduced garrisons into them, to be Achaean bases against Sparta. The Lacedaemonians elected Menalcidas to be their general against Diaeüs, and although they were utterly unprepared for war, being especially ill-provided with money, while in addition their land had remained unsown, he nevertheless dared to break the truce, and took by assault and sacked Iasus, a town on the borders of Laconia, but at that time subject to the Achaeans. Having again stirred up war between Lacedaemonians and Achaeans he incurred blame at the hands of his countrymen, and, failing to find a way of escape for the Lacedaemonians from the peril that threatened them, he took his own life by poison. Such was the end of Menalcidas. At the time he was in command of the Lacedaemonians, and previously he had commanded the Achaeans. In the former office he proved a most stupid general, in the latter an unparalleled villain.

XIV. There also arrived in Greece the envoys despatched from Rome to arbitrate between the Lacedaemonians and the Achaeans, among them being

---

² Here MSS. have ἑαυτοῦ νῷ.

ὁ δὲ¹ τούς τε ἐν ἑκάστῃ πόλει τῶν Ἀχαιῶν
ἔχοντας τὰς ἀρχὰς καὶ Δίαιον ἐκάλει παρ' αὑτόν.
ἀφικομένοις δὲ ἔνθα ἔτυχεν αὐτὸς ἐσῳκισμένος,
ἀπεγύμνου τὸν πάντα σφίσιν ἤδη λόγον, ὡς
δίκαια ἡγοῖτο ἡ Ῥωμαίων βουλὴ μήτε Λακεδαι-
μονίους τελεῖν ἐς τὸ Ἀχαϊκὸν μήτε αὐτὴν Κόριν-
θον, ἀφεῖσθαι δὲ καὶ Ἄργος καὶ Ἡράκλειαν τὴν
πρὸς Οἴτῃ καὶ Ὀρχομενίους Ἀρκάδας συνεδρίου
τοῦ Ἀχαιῶν· γένους τε γὰρ αὐτοῖς οὐδὲν τοῦ
Ἀχαιῶν μετεῖναι καὶ ὕστερον τὰς πόλεις προσ-
2 χωρῆσαι ταύτας πρὸς τὸ Ἀχαϊκόν. ταῦτα
Ὀρέστου λέγοντος οἱ ἄρχοντες τῶν Ἀχαιῶν
οὐδὲ τὸν πάντα ὑπομείναντες ἀκοῦσαι λόγον
ἔθεον ἐς τὸ ἐκτὸς τῆς οἰκίας καὶ ἐκάλουν
Ἀχαιοὺς ἐς ἐκκλησίαν· οἱ δὲ ὡς τὰ ἐγνωσμένα
ἐπύθοντο ὑπὸ Ῥωμαίων, αὐτίκα ἐτρέποντο ἐπὶ
τοὺς Σπαρτιάτας οἳ Κορίνθῳ τότε ἔτυχον ἐπιδη-
μοῦντες, συνήρπαζον δὲ πάντα τινὰ καὶ ὃν Λακε-
δαιμόνιον σαφῶς ὄντα ἠπίσταντο καὶ ὅτῳ κουρᾶς
ἢ ὑποδημάτων ἕνεκα ἢ ἐπὶ τῇ ἐσθῆτι ἢ κατ'
ὄνομα προσγένοιτο ὑπόνοια· τοὺς δὲ αὐτῶν καὶ
καταφυγεῖν ἔνθα Ὀρέστης ᾤκει φθάνοντας ὅμως
3 καὶ ἐντεῦθεν ἐβιάζοντο ἕλκειν. Ὀρέστης δὲ καὶ
οἱ σὺν αὐτῷ τῆς τε τόλμης ἐπέχειν τοὺς Ἀχαιοὺς
ἐπειρῶντο καὶ ἐκέλευον μεμνῆσθαι σφᾶς ὡς
ἀδικημάτων καὶ ὕβρεως ἄρχουσιν ἐς Ῥωμαίους.
ἡμέραις δὲ ὕστερον οὐ πολλαῖς οἱ Ἀχαιοὶ Λακε-
δαιμονίων μὲν αὐτῶν ὅσους εἶχον συνειληφότες,
κατατίθενται σφᾶς ἐς δεσμωτήριον, τοὺς ξένους
δὲ ἀπ' αὐτῶν διακρίνοντες ἠφίεσαν. ἀποστέλ-
λουσι δὲ καὶ ἐς Ῥώμην ἄλλους τε Ἀχαιῶν τῶν
ἐν τέλει καὶ Θεαρίδαν· ὡς δὲ ἀπῆλθον, ἐντυχόντες

Orestes. He invited to visit him the magistrates in each of the Greek cities, along with Diaeüs. When they arrived at his lodging, he proceeded to disclose to them the whole story, that the Roman senate decreed that neither the Lacedaemonians nor yet Corinth itself should belong to the Achaean League, and that Argos, Heracleia by Mount Oeta and the Arcadian Orchomenus should be released from the Achaean confederacy. For they were not, he said, related at all to the Achaeans, and but late-comers to the League. The magistrates of the Achaeans did not wait for Orestes to conclude, but while he was yet speaking ran out of the house and summoned the Achaeans to an assembly. When the Achaeans heard the decision of the Romans, they at once turned against the Spartans who happened to be then residing in Corinth, and arrested every one, not only those whom they knew for certain to be Lacedaemonians, but also all those they suspected to be such from the cut of their hair, or because of their shoes, their clothes or even their names. Some of them, who succeeded in taking refuge in the lodging of Orestes, they actually attempted even from there to drag away by force. Orestes and his colleagues tried to check their violence, reminding them that they were committing unprovoked acts of criminal insolence against the Romans. A few days afterwards the Achaeans shut up in prison the Lacedaemonians they held under arrest, but separated from them the foreigners and let them go. They also despatched to Rome Thearidas, with certain other members of the Achaean government. These

---

[1] ὁ δὲ is not in the MSS.

κατὰ τὴν ἄνοδον Ῥωμαίων πρέσβεσιν ἐπὶ τὰ
Λακεδαιμονίων καὶ Ἀχαιῶν ὕστερον ἢ Ὀρέστης
ἀπεσταλμένοις, ὀπίσω καὶ αὐτοὶ τρέπονται.
4 Διαίῳ δὲ ἐξήκοντος τοῦ χρόνου τῆς ἀρχῆς
στρατηγεῖν ὑπὸ Ἀχαιῶν ᾑρέθη Κριτόλαος. τοῦ-
τον δριμὺς καὶ σὺν οὐδενὶ λογισμῷ τὸν Κριτόλαον
πολεμεῖν πρὸς Ῥωμαίους ἔρως ἔσχε· καὶ—ἔτυχον
γὰρ τότε ἤδη οἱ παρὰ Ῥωμαίων ἥκοντες τὰ
Λακεδαιμονίων καὶ Ἀχαιῶν δικάσαι—ἀφίκετο
μὲν ἐν Τεγέᾳ τῇ Ἀρκάδων τοῖς ἀνδράσιν ἐς
λόγους ὁ Κριτόλαος, ἀθροῖσαι δὲ Ἀχαιούς
σφισιν ἐς κοινὸν σύλλογον οὐδαμῶς ἤθελεν,
ἀλλὰ ἐς μὲν ἐπήκοον τῶν Ῥωμαίων ἔπεμπεν
ἀγγέλους κελεύων τοὺς συνέδρους καλεῖν ἐς τὸ
Ἀχαϊκόν, ἰδίᾳ δὲ τοῖς συνέδροις ἐπέστελλεν ἐς
τὰς πόλεις ἀπολείπεσθαι σφᾶς τοῦ συλλόγου.
5 ὡς δὲ οὐκ ἀφίκοντο οἱ συνεδρεύσοντες, ἐνταῦθα ὁ
Κριτόλαος μάλιστα ἐπεδείκνυτο ἀπάτῃ πρὸς
Ῥωμαίους χρώμενος, ὃς ἄλλην ἐκέλευεν ἀναμέ-
νειν αὐτοὺς Ἀχαιῶν σύνοδον, ἐς μῆνα ἐσομένην
ἕκτον· αὐτὸς δὲ οὐδὲν ἰδίᾳ διαλέξεσθαί σφισιν
ἄνευ τοῦ κοινοῦ τοῦ Ἀχαιῶν ἔφασκε. καὶ
οἱ μὲν ἐπεὶ ἀπατώμενοι συνῆκαν, ἀπηλλάσ-
σοντο ἐς Ῥώμην· Κριτόλαος δὲ ἐς Κόρινθον
Ἀχαιοὺς ἀθροίσας ἀνέπεισε μὲν ἐπιφέρειν ὅπλα
ἐπὶ τὴν Σπάρτην, ἀνέπεισε δὲ καὶ Ῥωμαίοις ἐκ
6 τοῦ εὐθέος πόλεμον ἄρασθαι. τὸ μὲν δὴ ἄνδρα
βασιλέα καὶ πόλιν ἀνελέσθαι πόλεμον καὶ μὴ
εὐτυχῆσαι συνέβη φθόνῳ μᾶλλον ἔκ του δαιμόνων
ἢ τοῖς πολεμήσασι ποιεῖ[1] τὸ ἔγκλημα· θρασύτης
δὲ ἡ μετὰ ἀσθενείας μανία ἂν[2] μᾶλλον ἢ ἀτυχία

---

[1] Another, perhaps better, reading is ποιεῖται (omitting τὸ).

set out, but meeting on the journey the Roman envoys who had been sent after Orestes to deal with the dispute between the Lacedaemonians and the Achaeans, they too turned back. When the time came for Diaeüs to relinquish his office, Critolaüs was elected general by the Achaeans. This Critolaüs was seized with a keen but utterly unthinking passion to make war against the Romans. The envoys from the Romans had by this time already arrived to adjudicate on the dispute between the Lacedaemonians and the Achaeans, and Critolaüs had a conference with them at Tegea in Arcadia, being most unwilling to summon the Achaeans to meet them in a general assembly. However, in the hearing of the Romans he sent messengers with instructions to summon the deputies to the assembly, but privately he sent orders to the deputies of the various cities to absent themselves from the meeting. When the deputies did not attend, Critolaüs showed very clearly how he was hoodwinking the Romans. He urged them to wait for another meeting of the Achaeans, to take place five months later, declaring that he would not confer with them without the general assembly of the Achaeans. When the envoys realised that they were being deceived, they departed for Rome; but Critolaüs summoned a meeting of the Achaeans at Corinth, and persuaded them both to take up arms against Sparta and also to declare war openly on Rome. For a king or state to undertake a war and be unlucky is due to the jealousy of some divinity rather than to the fault of the combatants; but audacity combined with weakness should be called madness rather than ill-luck.

---

³ ἂν is not in the MSS.

καλοῖτο. ὃ δὴ καὶ Κριτόλαον καὶ Ἀχαιοὺς
ἔβλαψε. παρώξυνε δὲ καὶ Ἀχαιοὺς Πυθέας
βοιωταρχῶν τηνικαῦτα ἐν Θήβαις, καὶ οἱ
Θηβαῖοι συνεπιλήψεσθαι προθύμως ἐπηγγέλ-
7 λοντο τοῦ πολέμου· ἐαλώκεσαν δὲ οἱ Θηβαῖοι
πρώτην δίκην Μετέλλου δικάζοντος Φωκεῦσιν
ἐκτῖσαι ζημίαν, ὅτι ἐσέβαλον σὺν ὅπλοις ἐς γῆν
τὴν Φωκίδα, δευτέραν Εὐβοεῦσιν, ἐδῄωσαν γὰρ καὶ
Εὐβοέων τὴν χώραν, τρίτην δὲ Ἀμφισσεῦσι,
τεμόντες καὶ τὴν Ἀμφισσέων περὶ ἀκμὴν σίτου.

XV. Ῥωμαῖοι δὲ παρά τε τῶν ἀνδρῶν δι-
δαχθέντες οὓς ἐς τὴν Ἑλλάδα ἀπέστειλαν καὶ
ἐκ τῶν γραμμάτων ἃ Μέτελλος ἐπέστελλεν,
ἀδικεῖν Ἀχαιῶν κατέγνωσαν· καὶ ἦν γὰρ Μόμ-
μιός σφισιν ὕπατος τότε ᾑρημένος, τοῦτον ναῦς
τε καὶ στρατιὰν πεζὴν ἐκέλευον ἐπ᾽ Ἀχαιοὺς
ἄγειν. Μέτελλος δὲ παραυτίκα ἐπέπυστο ὡς
Μόμμιος καὶ ὁ σὺν αὐτῷ στρατὸς ἐπὶ Ἀχαιοὺς
ἀφίκοιτο[1] καὶ ἐποιεῖτο σπουδήν, εἰ ἐπιθεὶς αὐτὸς
πέρας τῷ πολέμῳ φανῇ πρὶν ἢ Μόμμιον ἐς τὴν
2 Ἑλλάδα ἀφῖχθαι. ἀγγέλους οὖν παρὰ τοὺς
Ἀχαιοὺς ἀπέστελλεν, ἀφιέναι κελεύων σφᾶς
συντελείας Λακεδαιμονίους καὶ πόλεις ἄλλας
ὁπόσας εἴρητο ὑπὸ Ῥωμαίων, τῆς τε ἐκ τοῦ
χρόνου τοῦ προτέρου σφίσιν ἀπειθείας οὐδεμίαν
παρὰ Ῥωμαίων ὑπισχνεῖτο ὀργὴν γενήσεσθαι.
ἅμα τε δὴ ταῦτα ἐπεκηρυκεύετο καὶ ἤλαυνεν ἐκ
Μακεδονίας[2] τὸν στρατόν, διὰ Θεσσαλίας τὴν
πορείαν καὶ παρὰ τὸν Λαμιακὸν ποιούμενος
κόλπον. Κριτόλαος δὲ καὶ Ἀχαιοὶ λόγον

---

[1] It has been proposed to read ἀφίκοιτο.
[2] The MSS. read ἐς μακεδονίαν.

But it was such a combination that overthrew Critolaüs and the Achaeans. The Achaeans were also encouraged by Pytheas, who at that time was Boeotarch at Thebes, and the Thebans promised to give enthusiastic support in the war. The Thebans had been sentenced, at the first ruling given by Metellus, to pay a fine for invading the territory of Phocis with an armed force ; at the second to compensate the Euboeans for laying waste Euboea; at the third to compensate the people of Amphissa for ravaging their territory when the corn was ripe for harvest.

XV. The Romans, learning the news from the envoys sent to Greece and from the despatches of Metellus, decided that the Achaeans were in the wrong, and they ordered Mummius, the consul elected for that year, to lead a fleet with a land force against them. As soon as Metellus learned that Mummius and his army were coming [1] to fight the Achaeans, he was full of enthusiasm to bring the war to a conclusion without help before Mummius reached Greece. So he despatched envoys to the Achaeans, bidding them release from the League the Lacedaemonians and the other states mentioned in the order of the Romans, promising that the Romans would entirely forgive them for their disobedience on the previous occasion. While making these proposals for peace he marched from Macedonia through Thessaly and along the gulf of Lamia. But Critolaüs and the Achaeans would listen to no sug-

---

[1] The reading of the MSS., ἀφίκοιτο, should mean "had arrived," a meaning inconsistent with the end of the sentence. It seems likely, therefore, that Kayser's emendation, ἀφίξοιτο, is right.

μὲν φέροντα ἐς σύμβασιν προσίεντο οὐδένα,
Ἡράκλειαν δὲ προσεκάθηντο πολιορκοῦντες οὐ
3 βουλομένους ἐς τὸ Ἀχαϊκὸν συντελεῖν. τότε
δὲ ὡς παρὰ τῶν κατασκόπων ἐπυνθάνετο ὁ
Κριτόλαος Μέτελλον καὶ Ῥωμαίους διαβεβηκέναι
τὸν Σπερχειόν, ἀπέφευγεν ἐς Σκάρφειαν τὴν
Λοκρῶν, οὐδὲ κατὰ τὸ στενὸν τὸ Ἡρακλείας τε
μεταξὺ καὶ Θερμοπυλῶν τοὺς Ἀχαιοὺς τάξας
ἐτόλμησεν ὑπομεῖναι Μέτελλον· ἀλλὰ ἐς τοσοῦτο
ἀφίκετο δείματος ὡς μηδὲ αὐτὸ ποιήσασθαι τὸ
χωρίον πρὸς ἀμείνονος ἐλπίδος, ἔνθα ἦν μὲν
Λακεδαιμονίοις ὑπὲρ τῶν Ἑλλήνων τὰ ἐς Μήδους,
ἦν δὲ καὶ Ἀθηναίοις τὰ ἐς Γαλάτας οὐδὲν
4 ἀφανέστερα ἐκείνων τολμήματα. ὑποφεύγοντας
δὲ Κριτόλαον καὶ Ἀχαιοὺς αἱροῦσιν ὀλίγον
πρὸ τῆς Σκαρφείας οἱ ὁμοῦ τῷ Μετέλλῳ, καὶ
ἀπέκτεινάν τε πλήθει πολλοὺς καὶ ἔλαβον
ζῶντας ὅσον χιλίους. Κριτόλαος δὲ οὔτε ὤφθη
ζῶν μετὰ τὴν μάχην οὔτε ἐν τοῖς νεκροῖς εὑρέθη·
εἰ δὲ ἐτόλμησε τῆς πρὸς τῇ Οἴτῃ θαλάσσης ἐς
ταύτης καταδῦναι τὸ τέλμα, παντάπασιν ἔμελλεν
ἄγνωστός τε καὶ ἄπυστος οἰχήσεσθαι κατὰ τοῦ
5 βυθοῦ. ἐς μὲν οὖν τὴν Κριτολάου τελευτὴν καὶ
ἄλλα πάρεστιν εἰκάζειν· Ἀρκάδων δὲ ἐξεστρα-
τευμένοι λογάδες χίλιοι, οἳ Κριτολάῳ τοῦ ἔργου
μετέσχον, προῆλθον μὲν ἄχρι Ἐλατείας τῆς
Φωκέων καὶ ἐς τὴν πόλιν ὑπ᾽ αὐτῶν κατὰ
συγγένειαν δή τινα παλαιὰν ἐδέχθησαν· ὡς δὲ
τοῖς Φωκεῦσιν ἡ Κριτολάου συμφορὰ καὶ Ἀχαιῶν
ἀπηγγέλλετο, ἀπελθεῖν ἐκ τῆς Ἐλατείας κε-
6 λεύουσι τοὺς Ἀρκάδας. ἀπιοῦσι δὲ ὀπίσω σφίσιν
ἐς τὴν Πελοπόννησον Μέτελλος καὶ Ῥωμαῖοι

gestions for an agreement, and sat down to besiege
Heracleia, which refused to join the Achaean League.
Then, when Critolaüs was informed by his scouts
that the Romans under Metellus had crossed the
Spercheiüs, he fled to Scarpheia in Locris, without
daring even to draw up the Achaeans in the pass
between Heracleia and Thermopylae, and to await
Metellus there. To such a depth of terror did he
sink that brighter hopes were not suggested even
by the spot itself, the site of the Lacedaemonian 480 B.C.
effort to save Greece, and of the no less glorious
exploit of the Athenians against the Gauls. Crito- 279 B.C.
laüs and the Achaeans took to flight, but at a short
distance from Scarpheia they were overtaken by the
men of Metellus, who killed many and took about
a thousand prisoners. Critolaüs was neither seen
alive after the battle nor found among the dead.
If he dared to plunge into the marsh of the sea
at the foot of Mount Oeta he must inevitably have
sunk into the depths without leaving a trace to tell
the tale. So the end of Critolaüs offers a wide
field for conjecture. A thousand picked troops of
Arcadia, who had joined Critolaüs in his enterprise,
took the field and advanced as far as Elateia in
Phocis, into which city they were received by the
inhabitants on the ground of some supposed ancient
connexion between them. But when the Phocians
heard of the disaster to Critolaüs and the Achaeans,
they ordered the Arcadians to depart from Elateia.
As they were retreating to the Peloponnesus the
Romans under Metellus fell upon them near

περὶ Χαιρώνειαν ἐπιφαίνονται· ἔνθα δὴ ἐπε-
λάμβανε τοὺς Ἀρκάδας ἐκ θεῶν δίκη τῶν
Ἑλληνικῶν, οἳ ἐν Χαιρωνείᾳ Φιλίππου καὶ
Μακεδόνων ἐναντία ἀγωνιζομένους ἐγκαταλι-
πόντες Ἕλληνας τότε ἐν χωρίῳ τῷ αὐτῷ ἐκτεί-
νοντο ὑπὸ Ῥωμαίων.

7 Ἀχαιοῖς δὲ αὖθις ἐπὶ τὴν ἡγεμονίαν τοῦ
στρατεύματος παρῄει Δίαιος· καὶ δούλους τε ἐς
ἐλευθερίαν ἠφίει, τὸ Μιλτιάδου καὶ Ἀθηναίων
βούλευμα τὸ[1] πρὸ τοῦ ἔργου τοῦ ἐν Μαραθῶνι
μιμούμενος, καὶ Ἀχαιῶν συνέλεγε καὶ Ἀρκάδων
ἀπὸ τῶν πόλεων τοὺς ἐν ἡλικίᾳ· ἐγένετο δέ,
ἀναμεμιγμένων ὁμοῦ καὶ οἰκετῶν, τὸ ἀθροισθὲν
ἐς ἑξακοσίους μὲν μάλιστα ἀριθμὸν ἱππεῖς, τὸ
8 δὲ ὁπλιτεῦον τετρακισχίλιοί τε καὶ μύριοι. ἐν-
ταῦθα ὁ Δίαιος ἐς ἅπαν ἀφίκετο ἀνοίας, ὃς
Κριτόλαον καὶ πᾶσαν τὴν Ἀχαιῶν ἐπιστάμενος
παρασκευὴν κακῶς οὕτως ἀγωνισαμένην πρὸς
Μέτελλον ἀπέλεξεν αὐτὸς ὅσον τετρακισχιλίους·
καὶ ἄρχοντα ἐπ᾽ αὐτοῖς ἔταξεν Ἀλκαμένην.
ἀπεστέλλοντο δὲ ἐς Μέγαρα φρουρά τε εἶναι
Μεγαρεῦσι τοῦ ἄστεως καί, ἢν Μέτελλος ἐπίῃ
καὶ οἱ Ῥωμαῖοι, τοῦ πρόσω σφᾶς κωλύειν.

9 Μέτελλος δὲ ὡς οἱ περὶ Χαιρώνειαν λογάδες
κατέστρωντο οἱ Ἀρκάδων, ἀναστήσας τὸ στρά-
τευμα ἤλαυνεν ἐπὶ τὰς Θήβας· Ἡράκλειάν τε
γὰρ ἐπολιόρκησαν οἱ Θηβαῖοι μετὰ Ἀχαιῶν καὶ
ἀγῶνος τοῦ πρὸς Σκάρφειαν μετεσχήκεσαν. τότε
δὲ αὐτοί τε καὶ γυναῖκες ἐκλελοιπότες πᾶσα
ἡλικία τὴν πόλιν ἐπλανῶντο ἀνὰ τὴν Βοιωτίαν
10 καὶ ἐς τῶν ὀρῶν τὰ ἄκρα ἀνέφευγον. Μέτελλος
δὲ οὔτε ἱερὰ ἐμπιπράναι θεῶν οὔτε οἰκοδομήματα

Chaeroneia. It was then that the vengeance of the Greek gods overtook the Arcadians, who were slain by the Romans on the very spot on which they had deserted from the Greeks who were struggling at Chaeroneia against the Macedonians under Philip.

Diaeüs once more came forward to command the Achaean army. He proceeded to set free slaves, following the example of Miltiades and the Athenians before the battle of Marathon, and enlisted from the cities of the Achaeans and Arcadians those who were of military age. The muster, including the slaves, amounted roughly to six hundred cavalry and fourteen thousand foot. And here Diaeüs sank into utter folly. Although he knew that Critolaüs and the whole force of Achaia had put up such a poor fight against Metellus, he nevertheless detached about four thousand, put them under the command of Alcamenes, and despatched them to Megara to garrison the city, and to stay the advance of Metellus and the Romans, should they march that way. When the picked Arcadian troops had been overthrown near Chaeroneia, Metellus moved his army and marched against Thebes, for the Thebans had joined the Achaeans in investing Heracleia, and had taken part in the engagement of Scarpheia. Then the inhabitants, of both sexes and of all ages, abandoned the city and wandered about Boeotia, or took refuge on the tops of the mountains. But Metellus would not allow either the burning of sanctuaries of the gods or the destruction of

---

[1] τὸ is not in the MSS.

καθαιρεῖν εἴα, Θηβαίων τε τῶν ἄλλων μήτε
ἀποκτεῖναι μηδένα μήτε αἱρεῖν φεύγοντα ἀπη-
γόρευε· Πυθέαν δὲ ἢν ἕλωσιν, ἀνάγειν ἐκέλευσεν
ὡς αὑτόν· ἐξεύρητό τε δὴ αὐτίκα ὁ Πυθέας καὶ
ἀναχθεὶς δίκην εἶχεν. ὡς δὲ πλησίον Μεγάρων
ἐγίνετο ὁ στρατός, οὔτε ὑπέμειναν οἱ περὶ τὸν
Ἀλκαμένην καὶ αὐτίκα ἐς Κόρινθον παρὰ τὸ
11 στρατόπεδον τὸ Ἀχαιῶν ᾤχοντο φεύγοντες. καὶ
Μεγαρεῖς μὲν παραδιδόασιν ἀμαχεὶ Ῥωμαίοις
τὴν πόλιν, Μέτελλος δὲ ὡς ἀφίκετο παρὰ τὸν
ἰσθμόν, ἐπεκηρυκεύετο καὶ τότε Ἀχαιοῖς ἐς[1]
εἰρήνην καὶ ὁμολογίας προκαλούμενος· ἰσχυρὸς
γάρ τις ἐνέκειτο αὐτῷ πόθος τὰ ἐν Μακεδονία
τε ὁμοῦ καὶ τὰ Ἀχαιῶν κατεργασθῆναι δι' αὑτοῦ.

XVI. Τούτῳ μὲν ταῦτα ἐσπευκότι Δίαιος
ἠναντιοῦτο ὑπὸ ἀγνωμοσύνης· Μόμμιος δὲ Ὀρέσ-
την ἅμα ἀγόμενος, τὸν πρότερον ἐπὶ τῇ Λακε-
δαιμονίων διαφορᾷ καὶ Ἀχαιῶν ἐλθόντα, ἀφίκετο
μὲν περὶ ὄρθρον ἐς τὸ τῶν Ῥωμαίων στράτευμα,
ἀποπέμψας δὲ ἐς Μακεδονίαν Μέτελλον καὶ
ὅσον εἵπετο ἐκείνῳ, ἀνέμενεν αὐτὸς ἐν τῷ ἰσθμῷ
τὴν πᾶσαν ἀθροισθῆναι παρασκευήν. ἀφίκετο
δὲ ἱππικὸν μὲν πεντακόσιοί τε καὶ τρισχίλιοι,
τοῦ πεζοῦ δὲ ἀριθμὸς ἐγένετο ἐς μυριάδας δύο
προσόντων καὶ τούτοις τρισχιλίων· ἐπῆλθον δὲ
καὶ τοξόται Κρῆτες καὶ ἐκ Περγάμου τῆς ὑπὲρ
Καΐκου Φιλοποίμην στρατιώτας ἄγων παρὰ
2 Ἀττάλου. Μόμμιος μὲν δὴ τῶν τε ἐξ Ἰταλίας
τινὰς καὶ τὰ ἐπικουρικὰ ἀπωτέρω δύο τε καὶ
δέκα ἔταξε σταδίοις, πρὸ τοῦ παντὸς εἶναι
στρατεύματος φυλακήν· Ἀχαιοὶ δέ, ἐχόντων
ἀφυλακτότερον ὑπὸ φρονήματος τῶν Ῥωμαίων,

buildings, and he forbade his men to kill any Theban
or take prisoner any fugitive. If, however, Pytheas
should be caught, he was to be brought before him.
Pytheas was discovered immediately, brought before
Metellus and punished. When the army approached
Megara, Alcamenes and his men did not face it, but
straightway fled to the camp of the Achaeans at
Corinth. The Megarians surrendered their city to
the Romans without a blow, and when Metellus
came to the Isthmus he again made overtures to
the Achaeans for an agreed peace. For he was
possessed of a strong desire to settle by himself the
affairs of both Macedonia and Achaia. His efforts,
however, were thwarted by the senselessness of
Diaeüs.

XVI. Mummius, bringing with him Orestes, the
commissioner sent earlier to deal with the dispute
between the Lacedaemonians and the Achaeans,
reached the Roman army at early dawn, and sending
Metellus and his forces to Macedonia, himself waited
at the Isthmus for his whole force to assemble.
There came three thousand five hundred cavalry,
while the infantry amounted to twenty-three thou-
sand. They were joined by a company of Cretan
archers and by Philopoemen, at the head of some
troops sent by Attalus from Pergamus on the
Caïcus. Certain of the Italian troops along with
the auxiliaries were stationed by Mummius twelve
stades away, to be an outpost for the whole army.
The contempt of the Romans made them keep a
careless look-out, and the Achaeans, attacking them

---

[1] ἐς is not in the MSS.

ἐπιτίθενται[1] ἐπὶ φυλακῆς αὐτοῖς τῆς πρώτης,
καὶ τοὺς μὲν φονεύουσι, πλείονας δὲ ἔτι ἐς τὸ
στρατόπεδον κατεῖρξαν, καὶ ἀσπίδας ὅσον τε
πεντακοσίας εἷλον. ἀπὸ τούτου δὲ τοῦ ἔργου
καὶ ἐπήρθησαν οἱ Ἀχαιοὶ ποιήσασθαι τὴν ἔξο-
δον πρότερον πρὶν ἢ Ῥωμαίους ἄρχειν μάχης·
3 ὡς δὲ ἀντεπῆγε καὶ ὁ Μόμμιος, οἱ μὲν ἐς τὸ
ἱππικὸν τῶν Ἀχαιῶν ταχθέντες αὐτίκα ᾤχοντο
φεύγοντες, τῆς Ῥωμαίων ἵππου μηδὲ τὴν πρώτην
ἔφοδον ὑπομείναντες· ὁ δὲ πεζὸς στρατὸς ἀθύμως
μὲν εἶχεν ἐπὶ τῶν ἱππέων τῇ τροπῇ, δεξάμενοι
δὲ τὴν ἐμβολὴν τοῦ ὁπλιτικοῦ τοῦ Ῥωμαίων
βιαζόμενοί τε τῷ πλήθει καὶ ἀπαγορεύοντες τοῖς
τραύμασιν ὅμως ἀντεῖχον ὑπὸ τοῦ θυμοῦ, πρίν
γε δὴ Ῥωμαίων λογάδες χίλιοι προσπεσόντες
κατὰ τὰ πλάγια ἐς τελέαν τοὺς Ἀχαιοὺς φυγὴν
4 κατέστησαν. εἰ δὲ ἐτόλμησεν ἐσδραμεῖν μετὰ
τὴν μάχην Δίαιος ἐς Κόρινθον καὶ ὑποδέξασθαι
τῷ τείχει τοὺς διαπίπτοντας ἐκ τῆς φυγῆς, κἂν
εὕρασθαί τι παρὰ Μομμίου οἱ Ἀχαιοὶ φιλάνθρω-
πον ἐδυνήθησαν, ἐς πολιορκίαν καὶ τριβὴν πολέ-
μου καταστάντες· νῦν δὲ ἀρχομένων ἔτι ἐνδιδόναι
τῶν Ἀχαιῶν εὐθὺ Μεγάλης πόλεως ἔφευγεν ὁ
Δίαιος, οὐδέν τι γενόμενος ἐς Ἀχαιοὺς ὅμοιος
ἢ καὶ Καλλίστρατος ὁ Ἐμπέδου πρὸς Ἀθηναίους.
5 τούτῳ γὰρ τῷ ἀνδρὶ ἱππαρχήσαντι ἐν Σικελίᾳ,
ὅτε Ἀθηναῖοι καὶ ὅσοι ἄλλοι τοῦ στόλου μετεσχή-
κεσαν ἀπώλλυντο πρὸς τῷ ποταμῷ[2] τῷ Ἀσινάρῳ,
τούτῳ τότε τῷ Καλλιστράτῳ παρέστη[3] τόλμα
διεκπαῖσαι διὰ τῶν πολεμίων ἄγοντι τοὺς ἱππέας·
ὡς δὲ τὸ πολὺ ἀπέσωσεν αὐτῶν ἐς Κατάνην,
ἀνέστρεφεν ὀπίσω τὴν αὐτὴν αὖθις ὁδὸν ἐς

in the first watch, killed some, drove yet more back
to the camp, and took some five hundred shields.
Puffed up with this success the Achaeans marched
out to battle before the Romans began their attack.
But when Mummius advanced to meet them, the
Achaean horse at once took to flight, without waiting
for even the first charge of the Roman cavalry. The
infantry were depressed at the rout of their horse,
but nevertheless received the onslaught of the
Roman men-at-arms; overwhelmed by numbers and
faint with their wounds they offered a spirited re-
sistance, until a thousand picked Romans fell upon
their flank and utterly routed them. If after the
battle Diaeüs had boldly thrown himself into Corinth
and received the fugitives within the walls, the
Achaeans might have been able to get favourable
terms from Mummius, by putting him to the trouble
of a protracted siege. As it was, when the Achaeans
were but beginning to yield, Diaeüs fled straight for
Megalopolis, his conduct towards the Achaeans show-
ing a marked contrast to that of Callistratus, the
son of Empedus, towards the Athenians. This man
commanded some cavalry in Sicily, and when the
Athenians and their partners in the expedition were
being massacred at the river Asinarus, he courage-
ously cut a way through the enemy at the head of
his horsemen. He brought most of them safe to
Catana, and then returned by the same way back

---

[1] Before ἐπὶ the MSS. have τοῖς.
[2] Before τῷ the MSS. have τότε.
[3] For παρέστη the MSS. have παρέσχε.

Συρακούσας, διαρπάζοντας δὲ ἔτι εὑρὼν τὸ
Ἀθηναίων στρατόπεδον καταβάλλει τε ὅσον
πέντε ἐξ αὐτῶν, καὶ τραύματα ἐπίκαιρα αὐτὸς
6 καὶ ὁ ἵππος λαβόντες ἀφιᾶσι τὴν ψυχήν. οὗτος
μὲν δὴ ἀγαθὴν δόξαν Ἀθηναίοις καὶ αὑτῷ
κτώμενος περιεποίησέ τε ὧν ἦρχε καὶ ἐτελεύ-
τησεν αὐτὸς ἑκουσίως· Δίαιος δὲ Ἀχαιοὺς ἀπο-
λωλεκὼς Μεγαλοπολίταις κακῶν τῶν ἐφεστη-
κότων ἧκεν ἄγγελος, ἀποκτείνας δὲ αὐτοχειρὶ
τὴν γυναῖκα, ἵνα δὴ μὴ γένοιτο αἰχμάλωτος,
τελευτᾷ πιὼν φάρμακον, ἐοικυῖαν μὲν παρασχό-
μενος Μεναλκίδᾳ τὴν ἐς χρήματα πλεονεξίαν,
ἐοικυῖαν δὲ καὶ τὴν ἐς τὸν θάνατον δειλίαν.
7   Ἀχαιῶν δὲ οἱ ἐς Κόρινθον ἀποσωθέντες μετὰ
τὴν μάχην ἀπεδίδρασκον ὑπὸ νύκτα εὐθύς· ἀπε-
δίδρασκον δὲ καὶ αὐτῶν Κορινθίων οἱ πολλοί.
Μόμμιος δὲ τὸ μὲν παραυτίκα, ἀναπεπταμένων
ὅμως τῶν πυλῶν, ἐπεῖχεν ἐς τὴν Κόρινθον παρελ-
θεῖν, ὑποκαθῆσθαί τινα ἐντὸς τοῦ τείχους ὑποπ-
τεύων ἐνέδραν· τρίτῃ δὲ ἡμέρᾳ μετὰ τὴν μάχην
8 ᾕρει τε κατὰ κράτος καὶ ἔκαιε Κόρινθον. τῶν
δὲ ἐγκαταληφθέντων τὸ μὲν πολὺ οἱ Ῥωμαῖοι
φονεύουσι, γυναῖκας δὲ καὶ παῖδας ἀπέδοτο
Μόμμιος· ἀπέδοτο δὲ καὶ οἰκέτας, ὅσοι τῶν ἐς
ἐλευθερίαν ἀφεθέντων καὶ μαχεσαμένων μετὰ
Ἀχαιῶν μὴ εὐθὺς ὑπὸ τοῦ πολέμου τὸ ἔργον
ἐτεθνήκεσαν. ἀναθημάτων δὲ καὶ τοῦ ἄλλου
κόσμου τὰ μὲν μάλιστα ἀνήκοντα ἐς θαῦμα
ἀνήγετο, τὰ δὲ ἐκείνοις οὐχ ὁμοίου λόγου Φιλο-
ποίμενι ὁ Μόμμιος τῷ παρ᾽ Ἀττάλου στρατηγῷ
δίδωσι· καὶ ἦν Περγαμηνοῖς καὶ ἐς ἐμὲ ἔτι
9 λάφυρα Κορίνθια. πόλεων δέ, ὅσαι Ῥωμαίων

to Syracuse. Finding the enemy still plundering the Athenian camp, he cut down some five of them, and then both he and his horse received mortal wounds and died. So he won glory for the Athenians and for himself, by saving the men under his command and seeking his own death. But Diaeüs having ruined the Achaeans came to tell the tidings of disaster to the people of Megalopolis, killed his wife with his own hand, just to save her from being taken prisoner, and then committed suicide by drinking poison. He may be compared to Menalcidas for his avarice, and proved equally like him in the cowardice of his death.

As soon as night fell, the Achaeans who had escaped to Corinth after the battle fled from the city, and there fled with them most of the Corinthians themselves. At first Mummius hesitated to enter Corinth, although the gates were open, as he suspected that an ambush had been laid within the walls. But on the third day after the battle he proceeded to storm Corinth and to set it on fire. The majority of those found in it were put to the sword by the Romans, but the women and children Mummius sold into slavery. He also sold all the slaves who had been set free, had fought on the side of the Achaeans, and had not fallen at once on the field of battle. The most admired votive offerings and works of art were carried off by Mummius; those of less account he gave to Philopoemen, the general sent by Attalus; even in my day there were Corinthian spoils at Pergamus. The walls of all the cities that had

ἐναντία ἐπολέμησαν, τείχη μὲν ὁ Μόμμιος κατέλυε
καὶ ὅπλα ἀφῃρεῖτο πρὶν ἢ καὶ συμβούλους
ἀποσταλῆναι παρὰ Ῥωμαίων· ὡς δὲ ἀφίκοντο
οἱ σὺν αὐτῷ βουλευσόμενοι, ἐνταῦθα δημοκρατίας
μὲν κατέπαυε, καθίστα δὲ ἀπὸ τιμημάτων τὰς
ἀρχάς· καὶ φόρος τε ἐτάχθη τῇ Ἑλλάδι καὶ
οἱ τὰ χρήματα ἔχοντες ἐκωλύοντο ἐν τῇ ὑπερορίᾳ
κτᾶσθαι· συνέδριά τε κατὰ ἔθνος τὰ ἑκάστων,
Ἀχαιῶν καὶ τὸ ἐν Φωκεῦσιν ἢ Βοιωτοῖς ἢ
ἑτέρωθί που τῆς Ἑλλάδος, κατελέλυτο ὁμοίως
10 πάντα. ἔτεσι δὲ οὐ πολλοῖς ὕστερον ἐτράποντο
ἐς ἔλεον Ῥωμαῖοι τῆς Ἑλλάδος, καὶ συνέδριά
τε κατὰ ἔθνος ἀποδιδόασιν ἑκάστοις τὰ ἀρχαῖα
καὶ τὸ ἐν τῇ ὑπερορίᾳ κτᾶσθαι, ἀφῆκαν δὲ καὶ
ὅσοις ἐπεβεβλήκει Μόμμιος ζημίαν· Βοιωτούς
τε γὰρ Ἡρακλεώταις καὶ Εὐβοεῦσι τάλαντα
ἑκατὸν καὶ Ἀχαιοὺς Λακεδαιμονίοις διακόσια
ἐκέλευσεν ἐκτῖσαι. τούτων μὲν δὴ ἄφεσιν παρὰ
Ῥωμαίων εὕροντο Ἕλληνες, ἡγεμὼν δὲ ἔτι καὶ
ἐς ἐμὲ ἀπεστέλλετο· καλοῦσι δὲ οὐχ Ἑλλάδος,
ἀλλὰ Ἀχαΐας ἡγεμόνα οἱ Ῥωμαῖοι, διότι ἐχειρώ-
σαντο Ἕλληνας δι᾽[1] Ἀχαιῶν τότε τοῦ Ἑλληνικοῦ
προεστηκότων. ὁ δὲ πόλεμος ἔσχεν οὗτος τέλος
Ἀντιθέου μὲν Ἀθήνῃσιν ἄρχοντος, ὀλυμπιάδι δὲ
ἑξηκοστῇ πρὸς ταῖς ἑκατόν, ἣν ἐνίκα Διόδωρος
Σικυώνιος.

XVII. Ἐς ἅπαν δὲ ἀσθενείας τότε μάλιστα
κατῆλθεν ἡ Ἑλλάς, λυμανθεῖσα κατὰ μέρη

[1] Frazer would omit δι᾽.

---

[1] With Frazer's reading: "when the Romans subdued
Greece, Achaia was at the head, etc."

made war against Rome Mummius demolished, disarming the inhabitants, even before assistant commissioners were despatched from Rome, and when these did arrive, he proceeded to put down democracies and to establish governments based on a property qualification. Tribute was imposed on Greece, and those with property were forbidden to acquire possessions in a foreign country. Racial confederacies, whether of Achaeans, or Phocians, or Boeotians, or of any other Greek people, were one and all put down. A few years later the Romans took pity on Greece, restored the various old racial confederacies, with the right to acquire property in a foreign country, and remitted the fines imposed by Mummius. For he had ordered the Boeotians to pay a hundred talents to the people of Heracleia and Euboea, and the Achaeans to pay two hundred to the Lacedaemonians. Although the Romans granted the Greeks remission of these payments, yet down to my day a Roman governor has been sent to the country. The Romans call him the Governor, not of Greece, but of Achaia, because the cause of the subjection of Greece was the Achaeans, at that time at the head of the Greek nation.[1] This war came to an end when Antitheüs was archon at Athens, in the hundred and sixtieth Olympiad,[2] at which Diodorus of Sicyon was 140 B.C. victorious.

XVII. It was at this time that Greece was struck with universal and utter prostration, although parts of it from the beginning had suffered ruin and

[2] Pausanias seems to have made a mistake, as Corinth was taken in 146 B.C.

καὶ διαπορθηθεῖσα ἐξ ἀρχῆς ὑπὸ τοῦ δαίμονος.
Ἄργος μέν, ἐς πλεῖστον ἀφικομένην δυνάμεως
πόλιν ἐπὶ τῶν καλουμένων ἡρώων, ὁμοῦ τῇ μετα-
βολῇ τῇ ἐς Δωριέας ἐπέλιπε τὸ ἐκ τῆς τύχης
2 εὐμενές· τὸ δὲ ἔθνος τὸ Ἀττικόν, ἀπὸ τοῦ
Πελοποννησίων πολέμου καὶ νόσου τῆς λοιμώδους
ἀνενεγκόν τε καὶ αὖθις ἀνανηξάμενον, ἔτεσιν
ἔμελλεν οὐ πολλοῖς ὕστερον ἢ Μακεδόνων ἀκμὴ
καθαιρήσειν· κατέσκηψε δὲ ἐκ Μακεδονίας καὶ
ἐς τὰς Βοιωτίας Θήβας τὸ Ἀλεξάνδρου μήνιμα.
Λακεδαιμονίοις δὲ Ἐπαμινώνδας ὁ Θηβαῖος καὶ
αὖθις ὁ Ἀχαιῶν πόλεμος ἐγένετο[1] ὅτε δὲ καὶ
μόγις, ἅτε ἐκ δένδρου λελωβημένου καὶ αὔου
τὰ πλείονα, ἀνεβλάστησεν ἐκ τῆς Ἑλλάδος τὸ
Ἀχαϊκόν, καὶ αὐτὸ ἡ κακία τῶν στρατηγησάντων
3 ἐκόλουσεν ἔτι αὐξανόμενον. χρόνῳ δὲ ὕστερον
ἐς Νέρωνα ἡ βασιλεία περιῆλθεν ἡ Ῥωμαίων,
καὶ ἐλεύθερον ὁ Νέρων ἀφίησιν ἁπάντων, ἀλλαγὴν
πρὸς δῆμον ποιησάμενος τὸν Ῥωμαίων· Σαρδὼ
γὰρ τὴν νῆσον ἐς τὰ μάλιστα εὐδαίμονα ἀντὶ
Ἑλλάδος σφίσιν ἀντέδωκεν. ἀπιδόντι οὖν ἐς
τοῦτό μοι τοῦ Νέρωνος τὸ ἔργον ὀρθότατα
εἰρηκέναι Πλάτων ἐφαίνετο ὁ Ἀρίστωνος, ὁπόσα
ἀδικήματα μεγέθει καὶ τολμήματί ἐστιν ὑπερ-
ηρκότα, οὐ τῶν ἐπιτυχόντων εἶναι ταῦτα ἀνθρώ-
πων, ψυχῆς δὲ γενναίας ὑπὸ ἀτόπου παιδείας
4 διεφθαρμένης. οὐ μὴν Ἕλλησί γε ἐξεγένετο
ὄνασθαι τοῦ δώρου· Οὐεσπασιανοῦ γὰρ μετὰ
Νέρωνα ἄρξαντος ἐς ἐμφύλιον στάσιν προήχθη-

---

[1] It has been suggested to read ἐσίνετο for ἐγένετο, with
Λακεδαιμονίους, the reading of some MSS., or to add συμφορά
or ὄλεθρος.

devastation at the hand of heaven. Argos, a city that reached the zenith of its power in the days of the heroes, as they are called, was deserted by its good fortune at the Dorian revolution. The people of Attica, reviving after the Peloponnesian war and the plague, raised themselves again only to be struck down a few years later by the ascendancy of Macedonia. From Macedonia the wrath of Alexander swooped like a thunderbolt on Thebes of Boeotia. The Lacedaemonians suffered injury through Epaminondas of Thebes and again through the war with the Achaeans. And when painfully, like a shoot from a mutilated and mostly withered trunk, the Achaean power sprang up, it was cut short, while still growing, by the cowardice [1] of its generals. At a later time, when the Roman imperial power devolved upon Nero, he gave to the Roman people the very prosperous island of Sardinia in exchange for Greece, and then bestowed upon the latter complete freedom. When I considered this act of Nero it struck me how true is the remark of Plato, the son of Ariston, who says that the greatest and most daring crimes are committed, not by ordinary men, but by a noble soul ruined by a perverted education. [2] The Greeks, however, were not to profit by the gift. For in the reign of Vespasian, the next emperor after Nero, they be-

---

[1] κακία means literally "badness," and includes in this context all the bad qualities a στρατηγός could have—disloyalty and corruptibility as well as cowardice.

[2] Plato, *Rep.* 491 E.

σαν, καὶ σφᾶς ὑποτελεῖς τε αὖθις ὁ Οὐεσπασιανὸς
εἶναι φόρων καὶ ἀκούειν ἐκέλευσεν ἡγεμόνος,
ἀπομεμαθηκέναι φήσας τὴν ἐλευθερίαν τὸ
Ἑλληνικόν.

5 Τάδε μὲν οὕτω συμβάντα εὕρισκον· Ἀχαιοῖς
δὲ ὅροι καὶ Ἠλείοις τῆς χώρας ποταμός τε
Λάρισος καὶ Ἀθηνᾶς ἐπὶ τῷ ποταμῷ ναός ἐστι
Λαρισαίας, καὶ Ἀχαιῶν πόλις Δύμη σταδίους
ὅσον τε τριάκοντα[1] ἀπέχει τοῦ Λαρίσου. ταύ-
την Φίλιππος ὁ Δημητρίου πολεμῶν[2] μόνην τῶν
Ἀχαϊκῶν ἔσχεν ὑπήκοον, καὶ ἐπὶ τῇ αἰτίᾳ ταύτῃ
Σουλπίκιος, ἡγεμὼν καὶ οὗτος Ῥωμαίων, ἐπέ-
τρεψε τῇ στρατιᾷ διαρπάσαι τὴν Δύμην· Αὔ-
γουστος δὲ ὕστερον καὶ προσένειμεν αὐτὴν Πατ-
6 ρεῦσιν. ἐκαλεῖτο δὲ τὰ μὲν ἀρχαιότερα Πάλεια·
ἐχόντων δὲ ἔτι Ἰώνων ὄνομά οἱ μετέθεντο τὸ[3]
ἐφ᾽ ἡμῶν, σαφῶς δὲ οὐκ οἶδα εἴτε ἀπὸ γυναικὸς
ἐπιχωρίας Δύμης εἴτε ἀπὸ Δύμαντος τοῦ Αἰγι-
μίου. ὑπὸ δὲ τοῦ ἐλεγείου τοῦ Ὀλυμπίασιν ἐπὶ
τῇ εἰκόνι τῇ Οἰβώτα οὐ προαχθείη ἄν[4] τις ἐς
ἀλογίαν. Οἰβώτα γὰρ ἀνδρὶ Δυμαίῳ, σταδίου
μὲν ἀνελομένῳ νίκην ὀλυμπιάδι ἕκτῃ, εἰκόνος δὲ
ἐν Ὀλυμπίᾳ περὶ τὴν ὀγδοηκοστὴν ὀλυμπιάδα
κατὰ μάντευμα ἐκ Δελφῶν ἀξιωθέντι, ἐπίγραμμά
ἐστιν ἐπ᾽ αὐτῷ λέγον·

7   Οἰνία Οἰβώτας στάδιον νικῶν ὅδ᾽ Ἀχαιὸς
        πατρίδα Πάλειαν θῆκ᾽ ὀνομαστοτέραν.

τοῦτο οὖν οὐκ ἄν τινι ἀλογίαν παραστήσειεν, εἰ

---

[1] The MSS. have τριακοσίους or τετρακοσίους.
[2] πόλεων has been suggested.

came embroiled in a civil war; Vespasian ordered that they should again pay tribute and be subject to a governor, saying that the Greek people had forgotten how to be free.

To resume after my researches into Achaean history. The boundary between Achaia and Elis is the river Larisus, and by the river is a temple of Larisaean Athena; about thirty stades distant from the Larisus is Dyme, an Achaean city. This was the only Achaean city that in his wars Philip the son of Demetrius made subject to him, and for this reason Sulpicius, another Roman governor, handed over Dyme to be sacked by his soldiery. Afterwards Augustus annexed it to Patrae. Its more ancient name was Paleia, but the Ionians changed this to its modern name while they still occupied the city; I am uncertain whether they named it after Dyme, a native woman, or after Dymas, the son of Aegimius. But nobody is likely to be led into a fallacy by the inscription on the statue of Oebotas at Olympia. Oebotas was a man of Dyme, who won the foot-race at the sixth Festival and was honoured, because of a Delphic 756 B.C. oracle, with a statue erected in the eighteenth Olympiad. On it is an inscription which says:— 460–457 B.C.

This Oebotas, an Achaean, the son of Oenias, by winning the foot-race,
Added to the renown of his fatherland Paleia.

This inscription should mislead nobody, although it

---

³ τὸ is not in the MSS.
⁴ ἄν is not in the MSS.

Πάλειαν ἀλλὰ μὴ Δύμην τὸ ἐπίγραμμα καλεῖ
τὴν πόλιν· τὰ γὰρ ἀρχαιότερα ὀνόματα ἐς
ποίησιν ἐπάγεσθαι ἀντὶ [1] τῶν ὑστέρων καθεστη-
κός ἐστιν Ἕλλησι, καὶ Ἀμφιάραόν τε καὶ
Ἄδραστον Φορωνείδας καὶ Ἐρεχθείδην ἐπονομά-
ζουσι τὸν Θησέα.

8 Ὀλίγον δὲ πρὸ τοῦ ἄστεώς ἐστι τοῦ Δυμαίων
ἐν δεξιᾷ τῆς ὁδοῦ τάφος Σωστράτου· μειράκιον
δὲ ἦν τῶν ἐπιχωρίων, γενέσθαι δὲ Ἡρακλέους
ἐρώμενόν φασιν αὐτόν, καὶ—ἀποθανεῖν γὰρ τὸν
Σώστρατον Ἡρακλέους ἔτι ὄντος μετὰ ἀνθρώπων
—οὕτως οἱ τὸν Ἡρακλέα τό τε μνῆμα αὐτὸν
εἶναι τὸν ποιήσαντα καὶ ἀπαρχὰς ἀπὸ τῶν ἐν
τῇ κεφαλῇ τριχῶν δοῦναι. ἐπίθημα δὲ καὶ ἐς
ἐμὲ ἔτι στήλη τε ἦν ἐπὶ τοῦ χώματος καὶ
Ἡρακλῆς ἐπειργασμένος· ἐλέγετο δὲ ὡς οἱ
ἐπιχώριοι καὶ ἐναγίζουσι τῷ Σωστράτῳ.

9 Δυμαίοις δὲ ἔστι μὲν Ἀθηνᾶς ναὸς καὶ ἄγαλμα
ἐς τὰ μάλιστα ἀρχαῖον, ἔστι δὲ καὶ ἄλλο ἱερόν
σφισι Δινδυμήνῃ μητρὶ καὶ Ἄττῃ πεποιημένον.
Ἄττης δὲ ὅστις ἦν, οὐδὲν οἷός τε ἦν ἀπόρρητον [2]
ἐς αὐτὸν ἐξευρεῖν, ἀλλὰ Ἑρμησιάνακτι μὲν τῷ
τὰ ἐλεγεῖα γράψαντι πεποιημένα ἐστὶν ὡς υἱός
τε ἦν Καλαοῦ Φρυγὸς καὶ ὡς οὐ τεκνοποιὸς ὑπὸ
τῆς μητρὸς τεχθείη· ἐπεὶ δὲ ηὔξητο, μετῴκησεν
ἐς Λυδίαν τῷ Ἑρμησιάνακτος λόγῳ καὶ Λυδοῖς
ὄργια ἐτέλει Μητρός, ἐς τοσοῦτο ἥκων παρ᾽ αὐτῇ
τιμῆς ὡς Δία αὐτῇ [3] νεμεσήσαντα ὗν ἐπὶ τὰ ἔργα

_____
[1] ἀντὶ is not in the MSS.

calls the city Paleia and not Dyme. For it is the custom of Greek poets to use ancient names instead of more modern ones, just as they surname Amphiaraüs and Adrastus Phoronids, and Theseus an Erechthid.

A little before the city of Dyme there is, on the right of the road, the grave of Sostratus. He was a native youth, loved they say by Heracles, who outliving Sostratus made him his tomb and gave him some hair from his head as a primal offering. Even to-day there is a slab on the top of the mound, with a figure of Heracles in relief. I was told that the natives also sacrifice to Sostratus as to a hero.

The people of Dyme have a temple of Athena with an extremely ancient image; they have as well a sanctuary built for the Dindymenian mother and Attis. As to Attis, I could learn no secret about him,[1] but Hermesianax, the elegiac poet, says in a poem that he was the son of Calaüs the Phrygian, and that he was a eunuch from birth. The account of Hermesianax goes on to say that, on growing up, Attis migrated to Lydia and celebrated for the Lydians the orgies of the Mother; that he rose to such honour with her that Zeus, being wroth at it,[2] sent a boar to destroy the tillage of the

[1] Or, with the proposed addition of ὅν: "Who Attis was I could not discover, as it is a religious secret."
[2] Or, reading αὐτοῖς and Ἄττῃ: "honour with them that Zeus, being wroth with him, sent, etc."

---

[2] After ἀπόρρητον it has been suggested that ὅν has fallen out.
[3] Ἄττῃ has been suggested for αὐτῇ and αὐτοῖς for the αὐτῇ preceding.

10 ἐπιπέμψαι τῶν Λυδῶν. ἐνταῦθα ἄλλοι τε τῶν
Λυδῶν καὶ αὐτὸς Ἄττης ἀπέθανεν ὑπὸ τοῦ ὑός·
καί τι ἑπόμενον τούτοις Γαλατῶν δρῶσιν οἱ
Πεσσινοῦντα ἔχοντες, ὑῶν οὐχ ἁπτόμενοι. νομί-
ζουσί γε μὴν οὐχ οὕτω τὰ ἐς τὸν Ἄττην, ἀλλὰ
ἐπιχώριός ἐστιν ἄλλος σφίσιν ἐς αὐτὸν λόγος,
Δία ὑπνωμένον ἀφεῖναι σπέρμα ἐς γῆν, τὴν δὲ
ἀνὰ χρόνον ἀνεῖναι δαίμονα διπλᾶ ἔχοντα αἰδοῖα,
τὰ μὲν ἀνδρός, τὰ δὲ αὐτῶν γυναικός· ὄνομα δὲ
Ἄγδιστιν αὐτῷ τίθενται. θεοὶ δὲ Ἄγδιστιν
δείσαντες[1] τὰ αἰδοῖά οἱ τὰ ἀνδρὸς ἀποκόπτουσιν.

11 ὡς δὲ ἀπ᾽ αὐτῶν ἀναφῦσα ἀμυγδαλῆ εἶχεν
ὡραῖον τὸν καρπόν, θυγατέρα τοῦ Σαγγαρίου
ποταμοῦ λαβεῖν φασι τοῦ καρποῦ·[2] ἐσθεμένης
δὲ ἐς τὸν κόλπον καρπὸς μὲν ἐκεῖνος ἦν αὐτίκα
ἀφανής, αὐτὴ δὲ ἐκύει· τεκούσης δὲ τράγος
περιεῖπε τὸν παῖδα ἐκκείμενον. ὡς δὲ αὐξανο-
μένῳ κάλλους οἱ μετῆν πλέον ἢ κατὰ εἶδος
ἀνθρώπου, ἐνταῦθα τοῦ παιδὸς ἔρως ἔσχεν
Ἄγδιστιν. αὐξηθέντα δὲ Ἄττην ἀποστέλλου-
σιν ἐς Πεσσινοῦντα οἱ προσήκοντες συνοική-

12 σοντα τοῦ βασιλέως θυγατρί· ὑμέναιος δὲ ᾔδετο
καὶ Ἄγδιστις ἐφίσταται καὶ τὰ αἰδοῖα ἀπέκοψε
μανεὶς ὁ Ἄττης, ἀπέκοψε δὲ καὶ ὁ τὴν θυγατέρα
αὐτῷ διδούς· Ἄγδιστιν δὲ μετάνοιά ἔσχεν οἷα
Ἄττην ἔδρασε, καί οἱ παρὰ Διὸς εὕρετο μήτε
σήπεσθαί τι Ἄττῃ τοῦ σώματος μήτε τήκεσθαι.

13 τάδε μὲν ἐς Ἄττην τὰ γνωριμώτατα· ἐν δὲ τῇ
χώρᾳ τῇ Δυμαίᾳ καὶ τοῦ δρομέως Οἰβώτα τάφος
ἐστί· τούτῳ τῷ Οἰβώτᾳ[3] νικήσαντι Ὀλύμπια
Ἀχαιῶν πρώτῳ γέρας οὐδὲν ἐξαίρετον παρ᾽

---

[1] δήσαντες has been suggested.

Lydians. Then certain Lydians, with Attis himself, were killed by the boar, and it is consistent with this that the Gauls who inhabit Pessinus abstain from pork. But the current view about Attis is different, the local legend about him being this. Zeus, it is said, let fall in his sleep seed upon the ground, which in course of time sent up a demon, with two sexual organs, male and female. They call the demon Agdistis. But the gods, fearing[1] Agdistis, cut off the male organ. There grew up from it an almond-tree with its fruit ripe, and a daughter of the river Sangarius, they say, took of the fruit and laid it in her bosom, when it at once disappeared, but she was with child. A boy was born, and exposed, but was tended by a he-goat. As he grew up his beauty was more than human, and Agdistis fell in love with him. When he had grown up, Attis was sent by his relatives to Pessinus, that he might wed the king's daughter. The marriage-song was being sung, when Agdistis appeared, and Attis went mad and cut off his genitals, as also did he who was giving him his daughter in marriage. But Agdistis repented of what he had done to Attis, and persuaded Zeus to grant that the body of Attis should neither rot at all nor decay. These are the most popular forms of the legend of Attis. In the territory of Dyme is also the grave of Oebotas the runner. Although this Oebotas was the first Achaean to win an Olympic

---

[1] With δήσαντες the meaning is: "bound Agdistis and cut off."

---

[2] The MSS. have τοὺς καρπούς.

[3] The words τάφος . . . Οἰβώτα were added by Bekker.

αὐτῶν ἐγένετο εὕρασθαι· καὶ ἐπὶ τούτῳ κατάρας
ὁ Οἰβώτας ἐποιήσατο μηδενὶ Ὀλυμπικὴν νίκην
ἔτι Ἀχαιῶν γενέσθαι. καὶ—ἦν γάρ τις θεῶν ᾧ
τοῦ Οἰβώτα τελεῖσθαι τὰς κατάρας οὐκ ἀμελὲς
ἦν—διδάσκονταί ποτε οἱ Ἀχαιοὶ καθ᾽ ἥντινα
αἰτίαν στεφάνου τοῦ Ὀλυμπίασιν ἡμάρτανον,
14 διδάσκονται δὲ ἀποστείλαντες ἐς Δελφούς· οὕτω
καὶ ἄλλα ἐς τιμήν σφισι τοῦ Οἰβώτα ποιήσασι
καὶ τὴν εἰκόνα ἀναθεῖσιν ἐς Ὀλυμπίαν Σώστρα-
τος Πελληνεὺς σταδίου νίκην ἔσχεν ἐν παισί.
διαμένει δὲ ἐς ἐμὲ ἔτι Ἀχαιῶν τοῖς ἀγωνίζεσθαι
μέλλουσι τὰ Ὀλύμπια ἐναγίζειν τῷ Οἰβώτᾳ, καὶ
ἢ κρατήσωσιν, ἐν Ὀλυμπίᾳ στεφανοῦν τοῦ Οἰβώτα
τὴν εἰκόνα.

XVIII. Σταδίους δὲ ὅσον τεσσαράκοντα προελ-
θόντι ἐκ Δύμης ποταμὸς Πεῖρος ἐς θάλατταν
κάτεισι, καὶ Ἀχαιῶν πόλις ποτὲ Ὤλενος ᾠκεῖτο
παρὰ τῷ Πείρῳ. ὁπόσοι δὲ ἐς Ἡρακλέα καὶ
τὰ ἔργα αὐτοῦ πεποιήκασιν, ἔστιν οὐκ ἐλάχιστά
σφισι δείγματα τοῦ λόγου Δεξαμενὸς ὁ ἐν Ὠλένῳ
βασιλεὺς καὶ ὁποίων Ἡρακλῆς παρ᾽ αὐτῷ ξενίων
ἔτυχε. καὶ ὅτι μὲν ἦν πόλισμα ἐξ ἀρχῆς μικρὸν
ἡ Ὤλενος, μαρτυρεῖ τῷ λόγῳ μου καὶ ἐλεγεῖον ἐς
Εὐρυτίωνα Κένταυρον ὑπὸ Ἑρμησιάνακτος πε-
ποιημένον· ἀνὰ χρόνον δὲ τοὺς οἰκήτορας ἐκλι-
πεῖν ὑπὸ ἀσθενείας φασὶ τὴν Ὤλενον καὶ ἐς
Πειράς τε καὶ ἐς Εὐρυτειὰς ἀποχωρῆσαι.

2 Τοῦ δὲ Πείρου ποταμοῦ περὶ τοὺς ὀγδοήκοντα
ἀφέστηκε σταδίους Πατρέων ἡ πόλις· οὐ πόρρω
δὲ αὐτῆς ποταμὸς Γλαῦκος ἐκδίδωσιν ἐς θάλασ-
σαν. Πατρέων δὲ οἱ τὰ ἀρχαιότατα μνημο-
νεύοντές φασιν Εὔμηλον αὐτόχθονα οἰκῆσαι

victory, he yet received from them no special prize.
Wherefore Oebotas pronounced a curse that no
Achaean in future should win an Olympic victory.
There must have been some god who was careful
that the curse of Oebotas should be fulfilled, but
the Achaeans by sending to Delphi at last learned
why it was that they had been failing to win the
Olympic crown. So they dedicated the statue of
Oebotas at Olympia and honoured him in other
ways, and then Sostratus of Pellene won the foot-
race for boys. It is still to-day a custom for the
Achaeans who are going to compete at Olympia
to sacrifice to Oebotas as to a hero, and, if they are
successful, to place a wreath on the statue of Oebotas
at Olympia.

XVIII. Some forty stades from Dyme the river
Peirus flows down into the sea; on the Peirus once
stood the Achaean city of Olenus. The poets who
have sung of Heracles and his labours have found a
favourite subject in Dexamenus, king of Olenus,
and the entertainment Heracles received at his
court. That Olenus was from the beginning a
small town I find confirmed in an elegiac poem
composed by Hermesianax about Eurytion the
Centaur. In course of time, it is said, the inhabi-
tants, owing to their weakness, left Olenus and
migrated to Peirae and Euryteiae.

About eighty stades from the river Peirus is
the city of Patrae. Not far from Patrae the river
Glaucus flows into the sea. The historians of ancient
Patrae say that it was an aboriginal, Eumelus, who

271

πρῶτον ἐν τῇ χώρᾳ, βασιλεύοντα αὐτὸν ἀνθρώ-
πων οὐ πολλῶν. Τριπτολέμου δὲ ἐκ τῆς Ἀττικῆς
ἀφικομένου τόν τε καρπὸν λαμβάνει τὸν ἥμερον
καὶ οἰκίσαι [1] διδαχθεὶς πόλιν Ἀρόην ὠνόμασεν

3 ἐπὶ τῇ ἐργασίᾳ τῆς γῆς. ὡς δὲ πρὸς ὕπνον
ἐτράπετο ὁ Τριπτόλεμος, ἐνταῦθα Ἀνθείαν παῖδα
Εὐμήλου τοὺς δράκοντάς φασιν ὑπὸ τοῦ Τριπτο-
λέμου τὸ ἅρμα ζεύξαντα ἐθελῆσαι καὶ αὐτὸν
σπεῖραι· καὶ τὸν μὲν ἐπιλαμβάνει τὸ χρεὼν
ἐκπεσόντα τοῦ ἅρματος, Τριπτόλεμος δὲ καὶ
Εὔμηλος Ἄνθειαν πόλιν οἰκίζουσιν ἐν κοινῷ,

4 τοῦ Εὐμήλου παιδὸς ἐπώνυμον. ᾠκίσθη δὲ καὶ
τρίτη μεταξὺ Ἀνθείας καὶ Ἀρόης Μεσάτις πόλις.
ὁπόσα δὲ οἱ Πατρεῖς περὶ Διονύσου λέγουσι,
τραφῆναί τε αὐτὸν ἐν τῇ Μεσάτει καὶ ἐνταῦθα
ἐπιβουλευθέντα ὑπὸ Τιτάνων ἐς παντοῖον ἀφι-
κέσθαι κίνδυνον, οὐκ ἐναντιούμενος τοῖς Πατρεῦ-
σιν τῆς Μεσάτεως τὸ ὄνομα [2] αὐτοῖς σφισιν

5 ἐξηγεῖσθαι παρίημι. Ἀχαιῶν δὲ ὕστερον ἐκβα-
λόντων Ἴωνας, Πατρεὺς ὁ Πρευγένους τοῦ
Ἀγήνορος ἐς μὲν Ἄνθειαν καὶ ἐς Μεσάτιν μὴ
ἐνοικίζεσθαι τοῖς Ἀχαιοῖς ἀπεῖπε, περίβολον δὲ
τείχους πρὸς τῇ Ἀρόῃ βαλόμενος μείζονα, ἵνα
ἐντός οἱ τοῦ περιβόλου καὶ ἡ Ἀρόη γένηται,
ὄνομα ἔθετο ἀφ' ἑαυτοῦ Πάτρας τῇ πόλει.
Ἀγήνωρ δὲ ὁ πατὴρ τοῦ Πρευγένους Ἀρέως παῖς
ἦν τοῦ Ἄμπυκος, ὁ δὲ Ἄμπυξ Πελίου τοῦ Αἰγινή-
του τοῦ Δηρείτου τοῦ Ἁρπάλου τοῦ Ἀμύκλα τοῦ

6 Λακεδαίμονος. Πατρεῖ μὲν τοιαῦτα ἐς τοὺς προ-
γόνους ὑπάρχοντα ἦν· ἰδίᾳ δὲ ἀνὰ χρόνον
Πατρεῖς διέβησαν ἐς Αἰτωλίαν Ἀχαιῶν μόνοι
κατὰ φιλίαν τὴν Αἰτωλῶν, τὸν πόλεμόν σφισι

first settled in the land, and that he was king over
but a few subjects. But when Triptolemus came
from Attica, he received from him cultivated corn,
and, learning how to found a city, named it Aroë
from the tilling of the soil. It is said that Tripto-
lemus once fell asleep, and that then Antheias, the
son of Eumelus, yoked the dragons to the car
of Triptolemus and tried to sow the seed himself.
But Antheias fell off the car and was killed, and
so Triptolemus and Eumelus together founded a
city, and called it Antheia after the son of Eumelus.
Between Antheia and Aroë was founded a third
city, called Mesatis. The stories told of Dionysus
by the people of Patrae, that he was reared in
Mesatis and incurred there all sorts of perils
through the plots of the Titans, I will not con-
tradict,¹ but will leave it to the people of Patrae
to explain the name Mesatis² as they choose. When
afterwards the Achaeans had driven out the Ionians,
Patreus, the son of Preugenes, the son of Agenor,
forbade the Achaeans to settle in Antheia and
Mesatis, but built at Aroë a wall of greater circum-
ference so as to include Aroë within it, and named the
city Patrae after himself. Agenor, the father of
Preugenes, was the son of Areus, the son of Ampyx,
and Ampyx was a son of Pelias, the son of Aeginetes,
the son of Dereites, the son of Harpalus, the son
of Amyclas, the son of Lacedaemon. Such was
the genealogy of Patreus. In course of time the
people of Patrae on their own account crossed
into Aetolia; they did this out of friendship for
the Aetolians, to help them in their war with

¹ The MSS. have οἰκῆσαι. Kayser would read ἀρόσαι.
² It has been suggested to omit τῆς Μεσάτεως τὸ ὄνομα.

τὸν πρὸς Γαλάτας συνδιοίσοντες. προσπταί-
σαντες δ' ἐν ταῖς μάχαις λόγου μειζόνως καὶ ὑπὸ
πενίας ἅμα οἱ πολλοὶ πιεζόμενοι Πάτρας μὲν
πλὴν ὀλίγων τινῶν ἐκλείπουσιν· οἱ δὲ ἄλλοι
κατὰ χώραν ὑπὸ φιλεργίας ἐσκεδάσθησαν καὶ
πολίσματα παρὲξ αὐτὰς Πάτρας τοσάδε ἄλλα
ᾤκησαν, Μεσάτιν καὶ Ἄνθειαν καὶ Βολίνην καὶ
7 Ἀργυρᾶν τε καὶ Ἄρβαν. Αὔγουστος δὲ ἢ τοῦ
παράπλου νομίζων κεῖσθαι καλῶς τὰς Πάτρας
ἢ κατ' ἄλλην τινὰ αἰτίαν ἐπανήγαγεν αὖθις ἐκ
τῶν πολισμάτων τῶν ἄλλων τοὺς ἄνδρας ἐς τὰς
Πάτρας, προσσυνῴκισε δέ σφισι καὶ Ἀχαιοὺς
τοὺς ἐκ Ῥυπῶν, καταβαλὼν ἐς ἔδαφος Ῥύπας·
καὶ ἔδωκε μὲν ἐλευθέροις Ἀχαιῶν μόνοις τοῖς
Πατρεῦσιν εἶναι, ἔδωκε δὲ καὶ ἐς[1] τὰ ἄλλα γέρα
σφίσιν, ὁπόσα τοῖς ἀποίκοις νέμειν οἱ Ῥωμαῖοι
νομίζουσι.

8 Πατρεῦσι δὲ ἐν ἄκρᾳ τῇ πόλει Λαφρίας ἱερόν
ἐστιν Ἀρτέμιδος· ξενικὸν μὲν τῇ θεῷ τὸ ὄνομα,
ἐσηγμένον δὲ ἑτέρωθεν καὶ τὸ ἄγαλμα. Καλυ-
δῶνος γὰρ καὶ Αἰτωλίας τῆς ἄλλης ὑπὸ Αὐγού-
στου βασιλέως ἐρημωθείσης διὰ τὸ ἐς τὴν[2]
Νικόπολιν τὴν ὑπὲρ τοῦ Ἀκτίου συνοικίζεσθαι
καὶ τὸ Αἰτωλικόν, οὕτω τὸ ἄγαλμα τῆς Λαφρίας
9 οἱ Πατρεῖς ἔσχον. ὡσαύτως δὲ καὶ ὅσα ἄλλα
ἀγάλματα ἔκ τε Αἰτωλίας καὶ παρὰ Ἀκαρνάνων,
τὰ μὲν πολλὰ ἐς τὴν Νικόπολιν κομισθῆναι,
Πατρεῦσι δὲ ὁ Αὔγουστος ἄλλα τε τῶν ἐκ
Καλυδῶνος λαφύρων καὶ δὴ καὶ τῆς Λαφρίας
ἔδωκε τὸ ἄγαλμα, ὃ δὴ καὶ ἐς ἐμὲ ἔτι ἐν τῇ
ἀκροπόλει τῇ Πατρέων εἶχε τιμάς. γενέσθαι δὲ
ἐπίκλησιν τῇ θεῷ Λαφρίαν ἀπὸ ἀνδρὸς Φωκέως

the Gauls, and no other Achaeans joined them.
But suffering unspeakable disasters in the fighting,
and most of them being also crushed by poverty,
all with the exception of a few left Patrae, and
scattered, owing to their love of agriculture, up
and down the country, dwelling in, besides Patrae,
the following towns : Mesatis, Antheia, Bolina,
Argyra and Arba.   But Augustus, for some reason,
perhaps because he thought that Patrae was a
convenient port of call, brought back again to
Patrae the men from the other towns, and united
with them the Achaeans also from Rhypes, which
town he razed to the ground.   He granted freedom
to the Patraeans, and to no other Achaeans ; and he
granted also all the other privileges that the Romans
are accustomed to bestow on their colonists.

On the acropolis of Patrae is a sanctuary of
Artemis Laphria.   The surname of the goddess is a
foreign one, and her image too was brought in from
elsewhere.   For after Calydon with the rest of
Aetolia had been laid waste by the Emperor Augus-
tus in order that the Aetolian people might be
incorporated into Nicopolis above Actium, the
people of Patrae thus secured the image of Laphria.
Most of the images out of Aetolia and from Acar-
nania were brought by Augustus' orders to Nico-
polis, but to Patrae he gave, with other spoils from
Calydon, the image of Laphria, which even in my
time was still worshipped on the acropolis of Patrae.
It is said that the goddess was surnamed Laphria
after a man of Phocis, because the ancient image of

---

[1] ἐς should probably be omitted.
[2] In the MSS. τὴν is before ἐς.

φασί· Λάφριον γὰρ τὸν Κασταλίου τοῦ Δελφοῦ
Καλυδωνίοις ἱδρύσασθαι τὸ ἄγαλμα τῆς Ἀρτέ-
10 μιδος τὸ ἀρχαῖον. οἱ δὲ τῆς Ἀρτέμιδος τὸ μήνιμα
τὸ ἐς Οἰνέα ἀνὰ χρόνον τοῖς Καλυδωνίοις ἐλαφρό-
τερον γενέσθαι λέγουσι καὶ αἰτίαν τῇ θεῷ τῆς
ἐπικλήσεως ἐθέλουσιν εἶναι ταύτην. τὸ μὲν
σχῆμα τοῦ ἀγάλματος θηρεύουσά ἐστιν, ἐλέ-
φαντος δὲ καὶ χρυσοῦ πεποίηται, Ναυπάκτιοι δὲ
Μέναιχμος καὶ Σοΐδας εἰργάσαντο· τεκμαίρονται[1]
σφᾶς Κανάχου τοῦ Σικυωνίου καὶ τοῦ Αἰγινήτου
Κάλλωνος οὐ πολλῷ γενέσθαι τινὶ ἡλικίαν
11 ὑστέρους. ἄγουσι δὲ καὶ Λάφρια ἑορτὴν τῇ
Ἀρτέμιδι οἱ Πατρεῖς ἀνὰ πᾶν ἔτος, ἐν ᾗ τρόπος
ἐπιχώριος θυσίας ἐστὶν αὐτοῖς. περὶ μὲν τὸν
βωμὸν ἐν κύκλῳ ξύλα ἱστᾶσιν ἔτι χλωρὰ καὶ ἐς
ἑκκαίδεκα ἕκαστον πήχεις· ἐντὸς δὲ ἐπὶ τοῦ
βωμοῦ τὰ αὐότατά σφισι τῶν ξύλων κεῖται.
μηχανῶνται δὲ ὑπὸ τὸν καιρὸν τῆς ἑορτῆς καὶ
ἄνοδον ἐπὶ τὸν βωμὸν λειοτέραν, ἐπιφέροντες γῆν
12 ἐπὶ τοῦ βωμοῦ τοὺς ἀναβασμούς. πρῶτα μὲν
δὴ πομπὴν μεγαλοπρεπεστάτην τῇ Ἀρτέμιδι
πομπεύουσι, καὶ ἡ ἱερωμένη παρθένος ὀχεῖται
τελευταία τῆς πομπῆς ἐπὶ ἐλάφων ὑπὸ τὸ ἅρμα
ἐζευγμένων· ἐς δὲ τὴν ἐπιοῦσαν τηνικαῦτα ἤδη
δρᾶν τὰ ἐς τὴν θυσίαν νομίζουσι, δημοσίᾳ τε
ἡ πόλις καὶ οὐχ ἧσσον ἐς τὴν ἑορτὴν οἱ ἰδιῶται
φιλοτίμως ἔχουσιν. ἐσβάλλουσι γὰρ ζῶντας ἐς
τὸν βωμὸν ὄρνιθάς τε τοὺς ἐδωδίμους καὶ ἱερεῖα
ὁμοίως ἅπαντα, ἔτι δὲ ὗς ἀγρίους καὶ ἐλάφους
τε καὶ δορκάδας, οἱ δὲ καὶ λύκων καὶ ἄρκτων
σκύμνους, οἱ δὲ καὶ τὰ τέλεια τῶν θηρίων· κατα-
τιθέασι δὲ ἐπὶ τὸν βωμὸν καὶ δένδρων καρπὸν

Artemis was set up at Calydon by Laphrius, the son of Castalius, the son of Delphus. Others say that the wrath of Artemis against Oeneus weighed as time went on more lightly (*elaphroteron*) on the Calydonians, and they believe that this was why the goddess received her surname. The image represents her in the guise of a huntress; it is made of ivory and gold, and the artists were Menaechmus and Soïdas of Naupactus, who, it is inferred, lived not much later than Canachus of Sicyon and Callon of Aegina. Every year too the people of Patrae celebrate the festival Laphria in honour of their Artemis, and at it they employ a method of sacrifice peculiar to the place. Round the altar in a circle they set up logs of wood still green, each of them sixteen cubits long. On the altar within the circle is placed the driest of their wood. Just before the time of the festival they construct a smooth ascent to the altar, piling earth upon the altar steps. The festival begins with a most splendid procession in honour of Artemis, and the maiden officiating as priestess rides last in the procession upon a car yoked to deer. It is, however, not till the next day that the sacrifice is offered, and the festival is not only a state function but also quite a popular general holiday. For the people throw alive upon the altar edible birds and every kind of victim as well; there are wild boars, deer and gazelles; some bring wolf-cubs or bear-cubs, others the full-grown beasts. They also place upon the altar fruit of

---

¹ Schubart would read τεκμαίρομαι.

13 τῶν ἡμέρων. τὸ δὲ ἀπὸ τούτου πῦρ ἐνιᾶσιν ἐς
τὰ ξύλα. ἐνταῦθά που καὶ ἄρκτον καὶ ἄλλο τι
ἐθεασάμην τῶν ζῴων, τὰ μὲν ὑπὸ τὴν πρώτην
ὁρμὴν τοῦ πυρὸς βιαζόμενα ἐς τὸ ἐκτός, τὰ δὲ
καὶ ἐκφεύγοντα ὑπὸ ἰσχύος· ταῦτα οἱ ἐμβαλόντες
ἐπανάγουσιν αὖθις ἐς τὴν πυράν. τρωθῆναι δὲ
οὐδένα ὑπὸ τῶν θηρίων μνημονεύουσιν.

XIX. Ἔστι δὲ ἐν τῷ μεταξὺ τοῦ ναοῦ τε τῆς
Λαφρίας καὶ τοῦ βωμοῦ πεποιημένον μνῆμα
Εὐρυπύλου. τὰ δὲ ὅστις τε ὢν καὶ καθ' ἥντινα
αἰτίαν ἀφίκετο ἐς τὴν γῆν ταύτην, δηλώσει μοι
καὶ ταῦτα ὁ λόγος προδιηγησαμένῳ πρότερον
ὁποῖα ὑπὸ τοῦ Εὐρυπύλου τὴν ἐπιδημίαν τοῖς
ἐνταῦθα ἦν τὰ παρόντα ἀνθρώποις. Ἰώνων τοῖς
Ἀρόην καὶ Ἄνθειαν καὶ Μεσάτιν οἰκοῦσιν ἦν
ἐν κοινῷ τέμενος καὶ ναὸς Ἀρτέμιδος Τρικλαρίας
ἐπίκλησιν, καὶ ἑορτὴν οἱ Ἴωνες αὐτῇ καὶ παννυ-
χίδα ἦγον ἀνὰ πᾶν ἔτος. ἱερωσύνην δὲ εἶχε τῆς
θεοῦ παρθένος, ἐς ὃ ἀποστέλλεσθαι παρὰ ἄνδρα
2 ἔμελλε. λέγουσιν οὖν συμβῆναί ποτε ὡς ἱερᾶσ-
θαι μὲν τῆς θεοῦ Κομαιθὼ τὸ εἶδος καλλίστην
παρθένον, τυγχάνειν δὲ αὐτῆς ἐρῶντα Μελάνιπ-
πον, τά τε ἄλλα τοὺς ἡλικιώτας καὶ ὄψεως
εὐπρεπείᾳ μάλιστα ὑπερηρκότα. ὡς δὲ ὁ
Μελάνιππος ἐς τὸ ἴσον τοῦ ἔρωτος ὑπηγάγετο
τὴν παρθένον, ἐμνᾶτο αὐτὴν παρὰ τοῦ πατρός.
ἕπεται δέ πως τῷ γήρᾳ τά τε ἄλλα ὡς τὸ πολὺ
ἐναντιοῦσθαι νέοις καὶ οὐχ ἥκιστα ἐς τοὺς
ἐρῶντας τὸ ἀνάλγητον, ὅπου καὶ Μελανίππῳ
τότε ἐθέλοντι ἐθέλουσαν ἄγεσθαι Κομαιθὼ οὔτε
παρὰ τῶν ἑαυτοῦ γονέων οὔτε παρὰ τῶν Κομαι-
3 θοῦς ἥμερον ἀπήντησεν οὐδέν. ἐπέδειξε δὲ ἐπὶ
278

cultivated trees. Next they set fire to the wood. At this point I have seen some of the beasts, including a bear, forcing their way outside at the first rush of the flames, some of them actually escaping by their strength. But those who threw them in drag them back again to the pyre. It is not remembered that anybody has ever been wounded by the beasts.

XIX. Between the temple of Laphria and the altar stands the tomb of Eurypylus. Who he was and for what reason he came to this land I shall set forth presently; but I must first describe what the condition of affairs was at his arrival. The Ionians who lived in Aroë, Antheia and Mesatis had in common a precinct and a temple of Artemis surnamed Triclaria, and in her honour the Ionians used to celebrate every year a festival and an all-night vigil. The priesthood of the goddess was held by a maiden until the time came for her to be sent to a husband. Now the story is that once upon a time it happened that the priestess of the goddess was Comaetho, a most beautiful maiden, who had a lover called Melanippus, who was far better and handsomer than his fellows. When Melanippus had won the love of the maiden, he asked the father for his daughter's hand. It is somehow a characteristic of old age to oppose the young in most things, and especially is it insensible to the desires of lovers. So Melanippus found it; although both he and Comaetho were eager to wed, he met with nothing but harshness from both his own parents and from those of his lover. The history of

πολλῶν τε δὴ ἄλλων καὶ ἐν τοῖς Μελανίππου
παθήμασιν, ὡς μέτεστιν ἔρωτι καὶ ἀνθρώπων
συγχέαι νόμιμα καὶ ἀνατρέψαι θεῶν τιμάς, ὅπου
καὶ τότε ἐν τῷ τῆς Ἀρτέμιδος ἱερῷ Κομαιθὼ
καὶ Μελάνιππος καὶ ἐξέπλησαν τοῦ ἔρωτος τὴν
ὁρμήν. καὶ οἱ μὲν ἔμελλον τῷ ἱερῷ καὶ ἐς τὸ
ἔπειτα ἴσα καὶ θαλάμῳ χρήσεσθαι· τοὺς δὲ
ἀνθρώπους αὐτίκα ἐξ Ἀρτέμιδος μήνιμα ἔφθειρε,
τῆς τε γῆς καρπὸν οὐδένα ἀποδιδούσης καὶ νόσοι
σφίσιν οὐ κατὰ τὰ εἰωθότα καὶ ἀπ' αὐτῶν
4 θάνατοι πλείονες ἢ τὰ πρότερα ἐγίνοντο. κατα-
φυγόντων δὲ αὐτῶν ἐπὶ χρηστήριον τὸ ἐν Δελφοῖς,
ἤλεγχεν ἡ Πυθία Μελάνιππον καὶ Κομαιθώ· καὶ
ἐκείνους τε αὐτοὺς μάντευμα ἀφίκετο θῦσαι τῇ
Ἀρτέμιδι καὶ ἀνὰ πᾶν ἔτος παρθένον καὶ παῖδα
οἳ τὸ εἶδος εἶεν κάλλιστοι τῇ θεῷ θύειν. ταύτης
μὲν δὴ τῆς θυσίας ἕνεκα ὁ ποταμὸς ὁ πρὸς τῷ
ἱερῷ τῆς Τρικλαρίας Ἀμείλιχος ἐκλήθη· τέως δὲ
5 ὄνομα εἶχεν οὐδέν. παίδων δὲ καὶ παρθένων ὁπόσοι
μὲν ἐς τὴν θεὸν οὐδὲν εἰργασμένοι Μελανίππου
καὶ Κομαιθοῦς ἕνεκα ἀπώλλυντο, αὐτοί τε
οἰκτρότατα καὶ οἱ προσήκοντές σφισιν ἔπασχον,
Μελάνιππον δὲ καὶ Κομαιθὼ συμφορᾶς ἐκτὸς
γενέσθαι τίθεμαι· μόνον[1] γὰρ δὴ ἀνθρώπῳ
ψυχῆς ἐστιν ἀντάξιον κατορθῶσαί τινα ἐρασ-
6 θέντα. παύσασθαι δὲ οὕτω λέγονται θύοντες
τῇ Ἀρτέμιδι ἀνθρώπους. ἐκέχρητο δὲ αὐτοῖς
πρότερον ἔτι ἐκ Δελφῶν ὡς βασιλεὺς ξένος
παραγενόμενός σφισιν ἐπὶ τὴν γῆν, ξενικὸν ἅμα
ἀγόμενος δαίμονα, τὰ ἐς τὴν θυσίαν τῆς Τρι-
κλαρίας παύσει. Ἰλίου δὲ ἁλούσης καὶ νεμο-
μένων τὰ λάφυρα τῶν Ἑλλήνων, Εὐρύπυλος ὁ

Melanippus, like that of many others, proved that love is apt both to break the laws of men and to desecrate the worship of the gods, seeing that this pair had their fill of the passion of love in the sanctuary of Artemis. And hereafter also were they to use the sanctuary as a bridal-chamber. Forthwith the wrath of Artemis began to destroy the inhabitants; the earth yielded no harvest, and strange diseases occurred of an unusually fatal character. When they appealed to the oracle at Delphi the Pythian priestess accused Melanippus and Comaetho. The oracle ordered that they themselves should be sacrificed to Artemis, and that every year a sacrifice should be made to the goddess of the fairest youth and the fairest maiden. Because of this sacrifice the river flowing by the sanctuary of Triclaria was called Ameilichus (*relentless*). Previously the river had no name. The innocent youths and maidens who perished because of Melanippus and Comaetho suffered a piteous fate, as did also their relatives; but the pair, I hold, were exempt from suffering, for the one thing [1] that is worth a man's life is to be successful in love. The sacrifice to Artemis of human beings is said to have ceased in this way. An oracle had been given from Delphi to the Patraeans even before this, to the effect that a strange king would come to the land, bringing with him a strange divinity, and this king would put an end to the sacrifice to Triclaria. When Troy was captured, and the Greeks divided the spoils, Eurypylus the

[1] With the reading of the MSS. : "for to man only is it worth one's life to be successful in love."

---

[1] The MSS. have μόνῳ.

Εὐαίμονος λαμβάνει λάρνακα· Διονύσου δὲ
ἄγαλμα ἦν ἐν τῇ λάρνακι, ἔργον μὲν ὥς φασιν
Ἡφαίστου, δῶρον δὲ ὑπὸ Διὸς ἐδόθη Δαρδάνῳ.
7 λέγονται δὲ καὶ ἄλλοι λόγοι δύο ἐς αὐτήν, ὡς ὅτε
ἔφυγεν Αἰνείας, ἀπολίποι ταύτην τὴν λάρνακα·
οἱ δὲ ῥιφῆναί φασιν αὐτὴν ὑπὸ Κασσάνδρας
συμφορὰν τῷ εὑρόντι Ἑλλήνων. ἤνοιξε δ᾽ οὖν
ὁ Εὐρύπυλος τὴν λάρνακα καὶ εἶδε τὸ ἄγαλμα
καὶ αὐτίκα ἦν ἔκφρων μετὰ τὴν θέαν· τὰ μὲν δὴ
πλείονα ἐμαίνετο, ὀλιγάκις δὲ ἐγίνετο ἐν ἑαυτῷ.
ἅτε δὲ οὕτω διακείμενος οὐκ ἐς τὴν Θεσσαλίαν
τὸν πλοῦν ἐποιεῖτο, ἀλλ᾽ ἐπί τε Κίρραν καὶ ἐς
τὸν ταύτῃ κόλπον· ἀναβὰς δὲ ἐς Δελφοὺς
8 ἐχρᾶτο ὑπὲρ τῆς νόσου. καὶ αὐτῷ γενέσθαι
λέγουσι μάντευμα, ἔνθα ἂν ἐπιτύχῃ θύουσιν
ἀνθρώποις θυσίαν ξένην, ἐνταῦθα ἱδρύσασθαί
τε τὴν λάρνακα καὶ αὐτὸν οἰκῆσαι. ὁ μὲν δὴ
ἄνεμος τὰς ναῦς τοῦ Εὐρυπύλου κατήνεγκεν ἐπὶ
τὴν πρὸς τῇ Ἀρόῃ θάλασσαν· ἐκβὰς δὲ ἐς τὴν
γῆν καταλαμβάνει παῖδα καὶ παρθένον ἐπὶ τὸν
βωμὸν τῆς Τρικλαρίας ἠγμένους. καὶ ὁ μὲν
ἔμελλεν οὐ χαλεπῶς συνήσειν τὰ ἐς τὴν θυσίαν·
ἀφίκοντο δὲ ἐς μνήμην καὶ οἱ ἐπιχώριοι τοῦ
χρησμοῦ, βασιλέα τε ἰδόντες ὃν οὔπω πρότερον
ἑωράκεσαν καὶ ἐς τὴν λάρνακα ὑπενόησαν ὡς εἴη
9 τις ἐν αὐτῇ θεός. καὶ οὕτω τῷ Εὐρυπύλῳ τε ἡ
νόσος καὶ τοῖς ἐνταῦθα ἀνθρώποις τὰ ἐς τὴν
θυσίαν ἐπαύσθη, τό τε ὄνομα ἐτέθη τὸ νῦν τῷ
ποταμῷ Μείλιχος. ἔγραψαν δὲ ἤδη τινὲς οὐ τῷ
Θεσσαλῷ συμβάντα Εὐρυπύλῳ τὰ εἰρημένα,
ἀλλὰ Εὐρύπυλον Δεξαμενοῦ παῖδα τοῦ ἐν
Ὠλένῳ βασιλεύσαντος ἐθέλουσιν ἅμα Ἡρακλεῖ

son of Euaemon got a chest. In it was an image of
Dionysus, the work, so they say, of Hephaestus, and
given as a gift by Zeus to Dardanus. But there are
two other accounts of it. One is that this chest was
left by Aeneas when he fled; the other that it was
thrown away by Cassandra to be a curse to the
Greek who found it. Be this as it may, Eurypylus
opened the chest, saw the image, and forthwith on
seeing it went mad. He continued to be insane for
the greater part of the time, with rare lucid intervals.
Being in this condition he did not proceed on his
voyage to Thessaly, but made for the town and gulf
of Cirrha. Going up to Delphi he inquired of the
oracle about his illness. They say that the oracle
given him was to the effect that where he should
come across a people offering a strange sacrifice,
there he was to set down the chest and make his
home. Now the ships of Eurypylus were carried
down by the wind to the sea off Aroë. On landing
he came across a youth and a maiden who had been
brought to the altar of Triclaria. So Eurypylus
found it easy to understand about the sacrifice, while
the people of the place remembered their oracle;
seeing a king whom they had never seen before, they
also suspected that the chest had some god inside it.
And so the malady of Eurypylus and the sacrifice of
these people came to an end, and the river was given
its present name Meilichus. Certain writers have said
that the events I have related happened not to the
Thessalian Eurypylus, but to Eurypylus the son of
Dexamenus who was king in Olenus, holding that

283

στρατεύσαντα ἐς ᾿Ἴλιον λαβεῖν παρὰ τοῦ
Ἡρακλέους τὴν λάρνακα· τὰ δὲ ἄλλα κατὰ τὰ
10 αὐτὰ εἰρήκασι καὶ οὗτοι. ἐγὼ δὲ οὔτε Ἡρακλέα
ἀγνοῆσαι τὰ ἐς τὴν λάρνακα εἰ δὴ τοιαύτη ἦν
πείθομαι οὔτε τὰ ἐς αὐτὴν ἐπιστάμενος δοκεῖ μοί
ποτε ἂν δοῦναι δῶρον συμμαχήσαντι ἀνδί ί· οὔτε
μὴν οἱ Πατρεῖς ἄλλον τινὰ ἢ τὸν Εὐαίμονος
ἔχουσιν Εὐρύπυλον ἐν μνήμῃ, καὶ οἱ καὶ ἐναγί-
ζουσιν ἀνὰ πᾶν ἔτος, ἐπειδὰν τῷ Διονύσῳ τὴν
ἑορτὴν ἄγωσι.

XX. Τῷ θεῷ δὲ τῷ ἐντὸς τῆς λάρνακος
ἐπίκλησις μέν ἐστιν Αἰσυμνήτης, οἱ δὲ αὐτὸν ἐς
τὰ μάλιστα θεραπεύοντες ἐννέα τέ εἰσιν ἄνδρες,
οὓς ἂν ἐκ πάντων ὁ δῆμος προέληται κατ᾽
ἀξίωμα, καὶ ἴσαι γυναῖκες τοῖς ἀνδράσι. μιᾷ δὲ
ἐν τῇ ἑορτῇ νυκτὶ ἐς τὸ ἐκτὸς φέρει τὴν λάρνακα
ὁ ἱερεύς. αὕτη μὲν δὴ ἡ νὺξ γέρας τοῦτο εἴληφε,
καταβαίνουσι δὲ καὶ ὁπόσοι δὴ τῶν ἐπιχωρίων
παῖδες ἐπὶ τὸν Μείλιχον ἀστάχυσιν ἐστεφανω-
μένοι τὰς κεφαλάς· ἐκόσμουν δὲ οὕτω καὶ τὸ
2 ἀρχαῖον οὓς ἄγοιεν τῇ Ἀρτέμιδι θύσοντες. τὰ
δὲ ἐφ᾽ ἡμῶν στεφάνους μὲν τῶν ἀσταχύων
ἀποτίθενται παρὰ τῇ θεῷ, λουσάμενοι δὲ τῷ
ποταμῷ καὶ αὖθις στεφάνους ἐπιθέμενοι κισσοῦ
πρὸς τὸ ἱερὸν ἴασι τοῦ Αἰσυμνήτου. ταῦτα μέν
σφισιν οὕτω δρᾶν καθέστηκε, τοῦ περιβόλου δέ
ἐστιν ἐντὸς τῆς Λαφρίας καὶ Ἀθηνᾶς ναὸς ἐπί-
κλησιν Παναχαΐδος· ἐλέφαντος τὸ ἄγαλμα καὶ
χρυσοῦ.

3 Ἐρχομένῳ δὲ ἐς τὴν κάτω πόλιν Μητρὸς
Δινδυμήνης ἐστὶν ἱερόν, ἐν δὲ αὐτῷ καὶ Ἄττης
ἔχει τιμάς. τούτου μὲν δὴ[1] ἄγαλμα οὐδὲν
284

this man joined Heracles in his campaign against Troy and received the chest from Heracles. The rest of their story is the same as mine. But I cannot bring myself to believe that Heracles did not know the facts about the chest, if they were as described, nor, if he were aware of them, do I think that he would ever have given it to an ally as a gift. Further, the people of Patrae have no tradition of a Eurypylus save the son of Euaemon, and to him every year they sacrifice as to a hero, when they celebrate the festival in honour of Dionysus.

XX. The surname of the god inside the chest is Aesymnetes (*Dictator*), and his chief attendants are nine men, elected by the people from all the citizens for their reputation, and women equal in number to the men. On one night of the festival the priest carries the chest outside. Now this is a privilege that this night has received, and there go down to the river Meilichus a certain number of the native children, wearing on their heads garlands of corn-ears. It was in this way that they used to array of old those whom they led to be sacrificed to Artemis. But at the present day they lay aside the garlands of corn-ears by the goddess, and after bathing in the river and putting on fresh garlands, this time made of ivy, they go to the sanctuary of the Dictator. This then is their established ritual, and within the precincts of Laphria is a temple of Athena surnamed Panachaean. The image is of ivory and gold.

On the way to the lower city there is a sanctuary of the Dindymenian Mother, and in it Attis too is worshipped. Of him they have no image to show;

---

[1] After δὴ the MSS. have τὸ.

ἀποφαίνουσι· τὸ δὲ τῆς Μητρὸς λίθου πεποίηται.
ἔστι δὲ ἐν τῇ ἀγορᾷ Διὸς ναὸς Ὀλυμπίου, αὐτός
τε ἐπὶ θρόνου καὶ ἑστῶσα Ἀθηνᾶ παρὰ τὸν
θρόνον, τῆς τε Ἥρας ἄγαλμα τοῦ Ὀλυμπίου
πέραν ἱερόν τε Ἀπόλλωνος πεποίηται καὶ
Ἀπόλλων χαλκοῦς, γυμνὸς ἐσθῆτος· ὑποδήματα
δὲ ὑπὸ τοῖς ποσίν ἐστιν αὐτῷ, καὶ τῷ ἑτέρῳ ποδὶ
4 ἐπὶ κρανίου βέβηκε βοός. βουσὶ γὰρ χαίρειν
μάλιστα Ἀπόλλωνα Ἀλκαῖός τε ἐδήλωσεν ἐν
ὕμνῳ τῷ ἐς Ἑρμῆν, γράψας ὡς ὁ Ἑρμῆς βοῦς
ὑφέλοιτο τοῦ Ἀπόλλωνος, καὶ ἔτι πρότερον ἢ
Ἀλκαῖον γενέσθαι πεποιημένα ἦν Ὁμήρῳ βοῦς
Ἀπόλλωνα Λαομέδοντος ἐπὶ μισθῷ νέμειν·
Ποσειδῶνι περιέθηκεν ἐν Ἰλιάδι τὰ ἔπη,

5   ἤτοι ἐγὼ Τρώεσσι πόλιν πέρι τεῖχος ἔδειμα,
    εὐρύ τε καὶ μάλα καλόν, ἵν’ ἄρρηκτος πόλις
    εἴη·
    Φοῖβε, σὺ δ’ εἰλίποδας ἕλικας βοῦς βουκο-
    λέεσκες.

τὰ μὲν δὴ ἐς τὸ κρανίον τοῦ βοὸς ἐπὶ τοιῷδε ἄν
τις εἰκάσειε πεποιῆσθαι· ἔστι δὲ ἐν ὑπαίθρῳ τῆς
ἀγορᾶς ἄγαλμά τε Ἀθηνᾶς καὶ πρὸ αὐτοῦ
Πατρέως τάφος.
6   Ἔχεται δὲ τῆς ἀγορᾶς τὸ Ὠιδεῖον, καὶ Ἀπόλ-
λων ἐνταῦθα ἀνάκειται θέας ἄξιος· ἐποιήθη δὲ
ἀπὸ λαφύρων, ἡνίκα ἐπὶ τὸν στρατὸν τῶν Γαλατῶν
οἱ Πατρεῖς ἤμυναν Αἰτωλοῖς Ἀχαιῶν μόνοι.
κεκόσμηται δὲ καὶ ἐς ἄλλα τὸ Ὠιδεῖον ἀξιολογώ-
τατα τῶν ἐν Ἕλλησι, πλήν γε δὴ τοῦ Ἀθήνησι·
τοῦτο γὰρ μεγέθει τε καὶ ἐς τὴν πᾶσαν ὑπερῆρκε
κατασκευήν, ἀνὴρ δὲ Ἀθηναῖος ἐποίησεν Ἡρώδης

that of the Mother is of stone. In the market-place is a temple of Olympian Zeus; the god himself is on a throne with Athena standing by it. Beyond the Olympian is an image of Hera and a sanctuary of Apollo. The god is of bronze, and naked. On his feet are sandals, and one foot stands upon the skull of an ox. That Apollo takes great pleasure in oxen is shown by Alcaeüs [1] in his hymn to Hermes, who writes how Hermes stole cows of Apollo, and even before Alcaeüs was born Homer made Apollo tend cows of Laomedon for a wage. In the *Iliad* [2] he puts these verses in the mouth of Poseidon :—

Verily I built a wall for the Trojans about their city,
A wide wall and very beautiful, that the city might be impregnable;
And thou, Phoebus, didst tend the shambling cows with crumpled horns.

This, it may be conjectured, is the reason for the ox skull. On the market-place, in the open, is an image of Athena with the grave of Patreus in front of it.

Next to the market-place is the Music Hall, where has been dedicated an Apollo well worth seeing. It was made from the spoils taken when alone of the Achaeans the people of Patrae helped the Aetolians against the army of the Gauls. The Music Hall is in every way the finest in Greece, except, of course, the one at Athens. This is unrivalled in size and magnificence, and was built by Herodes, an Athenian,

[1] *Fr.* 7 (Bergk).
[2] *Iliad*, xxi. 446.

ἐς μνήμην ἀποθανούσης γυναικός. ἐμοὶ δὲ ἐν τῇ
Ἀτθίδι συγγραφῇ τὸ ἐς τοῦτο παρείθη τὸ
Ὠιδεῖον, ὅτι πρότερον ἔτι ἐξείργαστό μοι τὰ ἐς
Ἀθηναίους ἢ ὑπῆρκτο Ἡρώδης τοῦ οἰκοδομή-
7 ματος. ἐν Πάτραις δὲ ἰόντι ἐκ τῆς ἀγορᾶς, ᾗ
τὸ ἱερὸν τοῦ Ἀπόλλωνος, πύλη κατὰ τὴν ἔξοδόν
ἐστι ταύτην, καὶ ἐπιθήματα ἐπὶ τῆς πύλης
ἀνδριάντες εἰσὶν ἐπίχρυσοι, Πατρεύς τε καὶ
Πρευγένης καὶ Ἀθερίων, οἳ Πατρέως ἡλικίαν
παιδὸς ἔχοντος καὶ αὐτοὶ παῖδές εἰσι. τῆς δὲ
ἀγορᾶς ἄντικρυς κατὰ ταύτην τὴν διέξοδον
τέμενός ἐστιν Ἀρτέμιδος καὶ ναὸς Λιμνάτιδος.
8 ἐχόντων δὲ ἤδη Λακεδαίμονα καὶ Ἄργος Δωριέων,
ὑφελέσθαι Πρευγένην τῆς Λιμνάτιδος τὸ ἄγαλμα
κατὰ ὄψιν ὀνείρατος λέγουσιν ἐκ Σπάρτης,
κοινωνῆσαι δὲ αὐτῷ τοῦ ἐγχειρήματος τῶν δούλων
τὸν εὐνούστατον. τὸ δὲ ἄγαλμα τὸ ἐκ τῆς
Λακεδαίμονος τὸν μὲν ἄλλον χρόνον ἔχουσιν
ἐν Μεσόᾳ, ὅτι καὶ ἐξ ἀρχῆς ὑπὸ τοῦ Πρευγένους
ἐς τοῦτο ἐκομίσθη τὸ χωρίον· ἐπειδὰν δὲ τῇ
Λιμνάτιδι τὴν ἑορτὴν ἄγωσι, τῆς θεοῦ τις τῶν
οἰκετῶν ἐκ Μεσόας ἔρχεται τὸ ξόανον κομίζων
9 τὸ ἀρχαῖον ἐς τὸ τέμενος τὸ ἐν τῇ πόλει. τούτου
δὲ τοῦ τεμένους ἐγγύς¹ ἐστι καὶ ἄλλα τοῖς
Πατρεῦσιν ἱερά· πεποίηται δὲ ταῦτα οὐκ ἐν
ὑπαίθρῳ, ἀλλὰ ἔσοδος ἐς αὐτὰ διὰ τῶν στοῶν
ἐστι. τὸ μὲν δὴ ἄγαλμα τοῦ Ἀσκληπιοῦ, πλὴν
ἐσθῆτος, λίθου τὰ ἄλλα· Ἀθηνᾶ δὲ ἐλέφαντος
εἴργασται καὶ χρυσοῦ. πρὸ δὲ τῆς Ἀθηνᾶς τοῦ
ἱεροῦ Πρευγένους μνῆμά ἐστιν· ἐναγίζουσι δὲ καὶ
τῷ Πρευγένει κατὰ ἔτος, ὡσαύτως δὲ καὶ Πατρεῖ,
τὴν ἑορτὴν τῇ Λιμνάτιδι ἄγοντες. τοῦ θεάτρου

in memory of his dead wife. The reason why I omitted to mention this Music Hall in my history of Attica is that my account of the Athenians was finished before Herodes began the building. As you leave the market-place of Patrae, where the sanctuary of Apollo is, at this exit is a gate, upon which stand gilt statues, Patreus, Preugenes, and Atherion; the two latter are represented as boys, because Patreus is a boy in age. Opposite the market-place by this exit is a precinct and temple of Artemis, the Lady of the Lake. When the Dorians were now in possession of Lacedaemon and Argos, it is said that Preugenes, in obedience to a dream, stole from Sparta the image of our Lady of the Lake, and that he had as partner in his exploit the most devoted of his slaves. The image from Lacedaemon is usually kept at Mesoa, because it was to this place that it was originally brought by Preugenes. But when the festival of our Lady is being held, one of the slaves of the goddess comes from Mesoa bringing the ancient wooden image to the precinct in the city. Near this precinct the people of Patrae have other sanctuaries. These are not in the open, but there is an entrance to them through the porticoes. The image of Asclepius, save for the drapery, is of stone; Athena is made of ivory and gold. Before the sanctuary of Athena is the tomb of Preugenes. Every year they sacrifice to Preugenes as to a hero, and likewise to Patreus also, when the festival of our Lady is being held. Not far from the theatre is

---

[1] ἐγγύς is not in the MSS.

δὲ οὐ πόρρω Νεμέσεως ναὸς καὶ ἕτερός ἐστιν
Ἀφροδίτης· μεγέθει μεγάλα λίθου λευκοῦ τὰ
ἀγάλματα.

XXI. Καὶ Διονύσου κατὰ τοῦτο τῆς πόλεώς
ἐστιν ἱερὸν ἐπίκλησιν Καλυδωνίου· μετεκομίσθη
γὰρ καὶ τοῦ Διονύσου τὸ ἄγαλμα ἐκ Καλυδῶνος.
ὅτε δὲ ᾠκεῖτο ἔτι Καλυδών, ἄλλοι τε Καλυδωνίων
ἐγένοντο ἱερεῖς τῷ θεῷ καὶ δὴ καὶ Κόρεσος, ὃν
ἀνθρώπων μάλιστα ἐπέλαβεν ἄδικα ἐξ ἔρωτος
παθεῖν. ἦρα μὲν Καλλιρόης παρθένου· ὁπόσον
δὲ ἐς Καλλιρόην ἔρωτος Κορέσῳ μετῆν, τοσοῦτο
2 εἶχεν ἀπεχθείας ἐς αὐτὸν ἡ παρθένος. ὡς δὲ τοῦ
Κορέσου δεήσεις τε ποιουμένου πάσας καὶ δώρων
ὑποσχέσεις παντοίας οὐκ ἐνετρέπετο ἡ γνώμη
τῆς παρθένου, ἐκομίζετο ἱκέτης ἤδη παρὰ τοῦ
Διονύσου τὸ ἄγαλμα. ὁ δὲ ἤκουσέ τε εὐχομένου
τοῦ ἱερέως καὶ οἱ Καλυδώνιοι τὸ παραυτίκα
ὥσπερ ὑπὸ μέθης ἐγίνοντο ἔκφρονες καὶ ἡ
τελευτὴ σφᾶς παραπλῆγας ἐπελάμβανε. κατα-
φεύγουσιν οὖν ἐπὶ τὸ χρηστήριον τὸ ἐν Δωδώνῃ·
τοῖς γὰρ τὴν ἤπειρον ταύτην οἰκοῦσι, τοῖς τε
Αἰτωλοῖς καὶ τοῖς προσχώροις αὐτῶν Ἀκαρνᾶσι
καὶ Ἠπειρώταις, αἱ πέλειαι καὶ τὰ ἐκ τῆς δρυὸς
μαντεύματα μετέχειν μάλιστα ἐφαίνετο ἀληθείας.
3 τότε δὲ τὰ χρησθέντα ἐκ Δωδώνης Διονύσου μὲν
ἔλεγεν εἶναι τὸ μήνιμα, ἔσεσθαι δὲ οὐ πρότερον
λύσιν πρὶν ἢ θύσῃ τῷ Διονύσῳ Κόρεσος ἢ αὐτὴν
Καλλιρόην ἢ τὸν ἀποθανεῖν ἀντ᾽ ἐκείνης τολμή-
σαντα. ὡς δὲ οὐδὲν ἐς σωτηρίαν εὑρίσκετο ἡ
παρθένος, δεύτερα ἐπὶ τοὺς θρεψαμένους κατα-
φεύγει· ἁμαρτάνουσα δὲ καὶ τούτων, ἐλείπετο
4 οὐδὲν ἔτι ἢ αὐτὴν φονεύεσθαι. προεξεργασθέν-

a temple of Nemesis, and another of Aphrodite.
The images are colossal and of white marble.

XXI. In this part of the city is also a sanctuary
of Dionysus surnamed Calydonian, for the image of
Dionysus too was brought from Calydon. When
Calydon was still inhabited, among the Calydonians
who became priests of the god was Coresus, who
more than any other man suffered cruel wrongs
because of love. He was in love with Callirhoë, a
maiden. But the love of Coresus for Callirhoë was
equalled by the maiden's hatred of him. When the
maiden refused to change her mind, in spite of the
many prayers and promises of Coresus, he then went
as a suppliant to the image of Dionysus. The god
listened to the prayer of his priest, and the Caly-
donians at once became raving as though through
drink, and they were still out of their minds when
death overtook them. So they appealed to the
oracle at Dodona. For the inhabitants of this part
of the mainland, the Aetolians and their Acarnanian
and Epeirot neighbours, considered that the truest
oracles were the doves and the responses from the
oak. On this occasion the oracles from Dodona
declared that it was the wrath of Dionysus that
caused the plague, which would not cease until
Coresus sacrificed to Dionysus either Callirhoë her-
self or one who had the courage to die in her stead.
When the maiden could find no means of escape,
she next appealed to her foster parents. These too
failing her, there was no other way except for her
to be put to the sword. When everything had been

των δὲ ὁπόσα ἐς τὴν θυσίαν ἄλλα ἐκ Δωδώνης
μεμαντευμένα ἦν, ἡ μὲν ἱερείου τρόπον ἧκτο ἐπὶ
τὸν βωμόν, Κόρεσος δὲ ἐφειστήκει μὲν τῇ θυσίᾳ,
τῷ δὲ ἔρωτι εἴξας καὶ οὐ τῷ θυμῷ ἑαυτὸν ἀντὶ
Καλλιρόης διεργάζεται. ὁ μὲν δὴ ἀπέδειξεν
ἔργῳ[1] ἀνθρώπων ὧν ἴσμεν διατεθεὶς ἐς ἔρωτα
5 ἀπλαστότατα· Καλλιρόη τε ὡς Κόρεσον τεθνεῶτα
εἶδεν, μετέπεσε τῇ παιδὶ ἡ γνώμη, καὶ—ἐσῄει
γὰρ αὐτὴν Κορέσου τε ἔλεος καὶ ὅσα ἐς αὐτὸν
εἴργασται αἰδώς—ἀπέσφαξέ τε αὐτὴν ἐς τὴν
πηγήν, ἢ ἐν Καλυδῶνί ἐστιν οὐ πόρρω τοῦ
λιμένος,[2] καὶ ἀπ' ἐκείνης οἱ ἔπειτα ἄνθρωποι
Καλλιρόην τὴν πηγὴν καλοῦσι.

6 Τοῦ θεάτρου δὲ ἐγγὺς πεποίηται Πατρεῦσι
γυναικὸς ἐπιχωρίας τέμενος. Διονύσου δέ ἐστιν
ἐνταῦθα ἀγάλματα, ἴσοι τε τοῖς ἀρχαίοις πολίσ-
μασι καὶ ὁμώνυμοι· Μεσατεὺς γὰρ καὶ Ἀνθεύς
τε καὶ Ἀροεύς ἐστιν αὐτοῖς τὰ ὀνόματα. ταῦτα
τὰ ἀγάλματα ἐν τῇ Διονύσου[3] ἑορτῇ κομίζουσιν
ἐς τὸ ἱερὸν τοῦ Αἰσυμνήτου· τὸ δὲ ἱερὸν τοῦτο ἐς
τὰ ἐπὶ θαλάσσῃ τῆς πόλεως ἐρχομένοις ἔστιν ἐκ
7 τῆς ἀγορᾶς ἐν δεξιᾷ τῆς ὁδοῦ. ἀπὸ δὲ τοῦ
Αἰσυμνήτου κατωτέρω ἰόντι ἄλλο ἱερὸν καὶ
ἄγαλμα λίθου· καλεῖται μὲν Σωτηρίας, ἱδρύσασ-
θαι δὲ αὐτὸ ἐξ ἀρχῆς ἀποφυγόντα φασὶ τὴν
μανίαν Εὐρύπυλον. πρὸς δὲ τῷ λιμένι Ποσει-
δῶνός τε ναὸς καὶ ἄγαλμά ἐστιν ὀρθὸν λίθου.
Ποσειδῶνι δὲ παρὲξ ἢ ὁπόσα ὀνόματα ποιηταῖς
πεποιημένα ἐστιν ἐς ἐπῶν κόσμον καὶ ἰδίᾳ σφίσιν
ἐπιχώρια ὄντα ἕκαστοι τίθενται, τοσαίδε ἐς
ἅπαντας[4] γεγόνασιν ἐπικλήσεις αὐτῷ, Πελαγαῖος
8 καὶ Ἀσφάλιός τε καὶ Ἵππιος. ὠνομάσθαι δὲ

prepared for the sacrifice according to the oracle
from Dodona, the maiden was led like a victim to
the altar. Coresus stood ready to sacrifice, when,
his resentment giving way to love, he slew himself
in place of Callirhoë. He thus proved in deed that
his love was more genuine than that of any other
man we know. When Callirhoë saw Coresus lying
dead, the maiden repented. Overcome by pity for
Coresus, and by shame at her conduct towards him,
she cut her throat at the spring in Calydon not far
from the harbour, and later generations call the
spring Callirhoë after her.

Near to the theatre there is a precinct sacred to a
native lady. Here are images of Dionysus, equal in
number to the ancient cities, and named after them
Mesateus, Antheus and Aroeus. These images at
the festival of Dionysus they bring into the sanctuary
of the Dictator. This sanctuary is on the right of
the road from the market-place to the sea-quarter of
the city. As you go lower down from the Dictator
there is another sanctuary with an image of stone.
It is called the sanctuary of Recovery, and the story
is that it was originally founded by Eurypylus on
being cured of his madness. At the harbour is a
temple of Poseidon with a standing image of stone.
Besides the names given by poets to Poseidon to
adorn their verses, and in addition to his local
names, all men give him the following sur-
names—Marine, Giver of Safety, God of Horses.

---

[1] ἔργον MSS. ? ἔργῳ Sylburg.

[2] τοῦ λιμένος is placed in the MSS. after πηγήν. It was
transposed by Sylburg.

[3] Here the MSS. have τῇ.

[4] The MSS. have ἅπαντα.

Ἵππιον τὸν θεὸν πείθοιτο μὲν ἄν τις καὶ ἐπ᾿
αἰτίαις ἄλλαις· ἐγὼ δὲ εὑρετὴν ἱππικῆς ὄντα ἀπὸ
τούτου σχεῖν καὶ τὸ ὄνομα εἰκάζω. Ὅμηρος μέν
γε ἐν ἵππων ἄθλοις Μενελάῳ κατὰ τοῦ θεοῦ
τούτου πρόκλησιν περιέθηκεν ὅρκου·

ἵππων ἁψάμενος, γαιήοχον ἐννοσίγαιον
ὄμνυθι μηδὲν ἑκὼν τὸ ἐμὸν δόλῳ ἅρμα πεδῆσαι.

9 Πάμφως δέ, ὃς Ἀθηναίοις τοὺς ἀρχαιοτάτους
τῶν [1] ὕμνων ἐποίησεν, εἶναί φησι τὸν Ποσειδῶνα

ἵππων τε δωτῆρα νεῶν τ᾿ ἰθυκρηδέμνων.

οὕτω διὰ τὴν ἱππικὴν καὶ οὐκ ἀπὸ ἑτέρας προ-
φάσεως τὸ ὄνομα ἔσχηκεν.

10 Ἐν Πάτραις δὲ οὐ πολὺ ἀπωτέρω τοῦ
Ποσειδῶνος ἱερά ἐστιν Ἀφροδίτης· τὸ δὲ ἕτερον
τῶν ἀγαλμάτων γενεᾷ πρότερον ἢ κατ᾿ ἐμὲ ἁλιεῖς
ἄνδρες ἀνείλκυσαν ἐν δικτύῳ. ἔστι δὲ καὶ ἀγάλ-
ματα τοῦ λιμένος ἐγγυτάτω χαλκοῦ πεποιημένα
Ἄρεως, τὸ δὲ Ἀπόλλωνος· καὶ Ἀφροδίτης, ἧς
καὶ πρὸς τῷ λιμένι ἐστὶ τέμενος, λίθου μὲν
πρόσωπον καὶ ἄκραι χεῖρες καὶ πόδες, ξύλου
11 δὲ τὰ λοιπὰ εἴργασται. ἔστι δέ σφισι καὶ
ἄλσος ἐπὶ θαλάσσῃ, δρόμους τε ἐπιτηδειοτάτους
καὶ ἐς τἄλλα δίαιταν ἡδεῖαν ὥρᾳ παρεχόμενον
θερινῇ. ἐν τούτῳ τῷ ἄλσει καὶ ναοὶ θεῶν,
Ἀπόλλωνος, ὁ δὲ Ἀφροδίτης· πεποίηται λίθου
καὶ τούτοις τὰ ἀγάλματα. τοῦ δὲ ἄλσους ἱερὸν
ἔχεται Δήμητρος· αὕτη μὲν καὶ ἡ παῖς ἑστᾶσι,

---

[1] τῶν added by Dindorf.

[1] Homer, *Iliad*, xxiii. 584–5.

Various reasons could be plausibly assigned for the last of these surnames having been given to the god, but my own conjecture is that he got this name as the inventor of horsemanship. Homer, at any rate, when describing the chariot-race, puts into the mouth of Menelaüs a challenge to swear an oath by this god :—

> Touch the horses, and swear by the earth-holder, earth-shaker,
> That thou didst not intentionally, through guile, obstruct my chariot.[1]

Pamphos also, who composed for the Athenians the most ancient of their hymns, says that Poseidon is—

> Giver of horses and of ships with sails set.

So it is from horsemanship that he has acquired his name, and not for any other reason.

In Patrae, not far from that of Poseidon, are sanctuaries of Aphrodite. One of the two images was drawn up by fishermen in a net a generation before my time. There are also quite near to the harbour two images of bronze, one of Ares and the other of Poseidon. The image of Aphrodite, whose precinct too is by the harbour, has its face, hands and feet of stone, while the rest of the figure is made of wood. They have also a grove by the sea, affording in summer weather very agreeable walks and a pleasant means generally of passing the time. In this grove are also two temples of divinities, one of Apollo, the other of Aphrodite. The images of these too are made of stone. Next to the grove is a sanctuary of Demeter ; she and her daughter are standing, but the image

12 τὸ δὲ ἄγαλμα τῆς Γῆς ἐστι καθήμενον. πρὸ δὲ
τοῦ ἱεροῦ τῆς Δήμητρός ἐστι πηγή· ταύτης τὰ
μὲν πρὸς [1] τοῦ ναοῦ λίθων ἀνέστηκεν αἱμασιά,
κατὰ δὲ τὸ ἐκτὸς κάθοδος ἐς αὐτὴν πεποίηται.
μαντεῖον δὲ ἐνταῦθά ἐστιν ἀψευδές, οὐ μὲν ἐπὶ
παντί γε πράγματι, ἀλλὰ ἐπὶ τῶν καμνόντων.
κάτοπτρον καλωδίῳ τῶν λεπτῶν δήσαντες κα-
θιᾶσι, σταθμώμενοι μὴ πρόσω καθικέσθαι τῆς
πηγῆς, ἀλλ' ὅσον ἐπιψαῦσαι τοῦ ὕδατος τῷ
κύκλῳ τοῦ κατόπτρου. τὸ δὲ ἐντεῦθεν εὐξάμενοι
τῇ θεῷ καὶ θυμιάσαντες ἐς τὸ κάτοπτρον βλέ-
πουσι· τὸ δέ σφισι τὸν νοσοῦντα ἤτοι ζῶντα ἢ
13 καὶ τεθνεῶτα ἐπιδείκνυσι. τούτῳ μὲν τῷ ὕδατι
ἐς τοσοῦτο μέτεστιν ἀληθείας, Κυανεῶν δὲ τῶν
πρὸς Λυκίᾳ πλησιαίτατα χρηστήριον Ἀπόλλωνός
ἐστι Θυρξέως· παρέχεται δὲ ὕδωρ τὸ πρὸς ταῖς
Κυανέαις ἔσω ἐνιδόντα τινὰ ἐς τὴν πηγὴν ὁμοίως
πάντα ὁπόσα θέλει θεάσασθαι. ἐν Πάτραις δὲ
πρὸς τῷ ἄλσει καὶ ἱερὰ δύο ἐστὶ Σαράπιδος·
ἐν δὲ τῷ ἑτέρῳ πεποίηται μνῆμα Αἰγύπτου τοῦ
Βήλου. φυγεῖν δὲ ἐς τὴν Ἀρόην οἱ Πατρεῖς
φασιν αὐτὸν τοῖς τε ἐς τοὺς παῖδας παθήμασι
καὶ τὸ ὄνομα αὐτὸ πεφρικότα τοῦ Ἄργους καὶ
14 ἐς πλέον τοῦ Δαναοῦ δείματι. ἔστι δὲ καὶ ἱερὸν
Πατρεῦσιν Ἀσκληπιοῦ· τοῦτο τὸ ἱερὸν ὑπὲρ τὴν
ἀκρόπολιν τῶν πυλῶν ἐστιν ἐγγὺς αἱ ἐπὶ Μεσάτιν
ἄγουσιν.

Αἱ δὲ γυναῖκές εἰσιν ἐν ταῖς Πάτραις ἀριθμὸν
μὲν καὶ ἐς δὶς τῶν ἀνδρῶν· Ἀφροδίτης δέ, εἴπερ
ἄλλαις γυναιξί, μέτεστι καὶ ταύταις. βίος δὲ
αὐτῶν ταῖς πολλαῖς ἐστιν ἀπὸ [2] τῆς βύσσου τῆς

[1] πρὸς an emendation of Bekker for the MSS. reading πρό.

of Earth is seated. Before the sanctuary of Demeter
is a spring. On the side of this towards the
temple stands a wall of stones, while on the outer
side has been made a descent to the spring.
Here there is an infallible oracle, not indeed for
everything, but only in the case of sick folk. They
tie a mirror to a fine cord and let it down, judging
the distance so that it does not sink deep into the
spring, but just far enough to touch the water with
its rim.[1] Then they pray to the goddess and burn
incense, after which they look into the mirror,
which shows them the patient either alive or dead.
This water partakes to this extent of truth, but
close to Cyaneae by Lycia, where there is an oracle
of Apollo Thyrxeus, the water shows to him who
looks into the spring all the things that he wants
to behold. By the grove in Patrae are also two
sanctuaries of Serapis. In one is the tomb of
Aegyptus, the son of Belus. He is said by the
people of Patrae to have fled to Aroë because of
the misfortunes of his children and because he
shuddered at the mere name of Argos, and even
more through dread of Danaüs. There is also at
Patrae a sanctuary of Asclepius. This sanctuary
is beyond the acropolis near the gate leading to
Mesatis.

The women of Patrae outnumber the men by two
to one. These women are amongst the most charm-
ing in the world. Most of them gain a livelihood

[1] Or, possibly, "disk." The round mirror might be
lowered vertically or horizontally (face upwards).

---

[2] The MSS. have ὑπὸ : ἀπὸ is an emendation of Sylburg.

ἐν τῇ Ἤλιδι φυομένης· κεκρυφάλους τε γὰρ ἀπ'
αὐτῆς καὶ ἐσθῆτα ὑφαίνουσι τὴν ἄλλην.

XXII. Φαραὶ δέ, Ἀχαιῶν πόλις, τελοῦσι μὲν
ἐς Πάτρας δόντος Αὐγούστου, ὁδὸς δὲ ἐς Φαρὰς
Πατρέων μὲν ἐκ τοῦ ἄστεως στάδιοι πεντήκοντά
εἰσι καὶ ἑκατόν, ἀπὸ θαλάσσης δὲ ἄνω πρὸς
ἤπειρον περὶ ἑβδομήκοντα. ποταμὸς δὲ ῥεῖ
πλησίον Φαρῶν Πίερος, ὁ αὐτὸς ἐμοὶ δοκεῖν ὃς
καὶ τὰ Ὠλένου παρέξεισιν ἐρείπια, ὑπὸ ἀνθρώ-
πων τῶν πρὸς θαλάσσῃ καλούμενος Πεῖρος.
πρὸς δὲ τῷ ποταμῷ πλατάνων ἐστὶν ἄλσος,
κοῖλαί τε ὑπὸ παλαιότητος αἱ πολλαὶ καὶ
ἥκουσαι μεγέθους ἐς τοσοῦτο ὥστε καὶ ἑστιῶνται
τῶν χηραμῶν ἐντός, καὶ ὁπόσοις ἂν κατὰ γνώμην
2 ᾖ, καὶ ἐγκαθεύδουσι. περίβολος δὲ ἀγορᾶς
μέγας κατὰ τρόπον τὸν ἀρχαιότερόν ἐστιν ἐν
Φαραῖς, Ἑρμοῦ δὲ ἐν μέσῃ τῇ ἀγορᾷ λίθου
πεποιημένον ἄγαλμα ἔχον καὶ γένεια· ἑστηκὼς
δὲ πρὸς αὐτῇ τῇ γῇ[1] παρέχεται μὲν τὸ τετρά-
γωνον σχῆμα, μεγέθει δέ ἐστιν οὐ μέγας. καὶ
αὐτῷ καὶ ἐπίγραμμα ἔπεστιν, ἀναθεῖναι αὐτὸ
Μεσσήνιον Σιμύλον· καλεῖται μὲν δὴ Ἀγοραῖος,
παρὰ δὲ αὐτῷ καὶ χρηστήριον καθέστηκε. κεῖται
δὲ πρὸ τοῦ ἀγάλματος ἑστία, λίθου καὶ αὐτή,
μολίβδῳ δὲ πρὸς τὴν ἑστίαν προσέχονται[2]
3 λύχνοι χαλκοῖ. ἀφικόμενος οὖν περὶ ἑσπέραν
ὁ[3] τῷ θεῷ χρώμενος λιβανωτόν τε ἐπὶ τῆς ἑστίας
θυμιᾷ καὶ ἐμπλήσας τοὺς λύχνους ἐλαίου καὶ
ἐξάψας τίθησιν ἐπὶ τὸν βωμὸν τοῦ ἀγάλματος
ἐν δεξιᾷ νόμισμα ἐπιχώριον—καλεῖται δὲ χαλ-
κοῦς τὸ νόμισμα—καὶ ἐρωτᾷ πρὸς τὸ οὖς τὸν
θεὸν ὁποῖόν τι καὶ ἑκάστῳ τὸ ἐρώτημά ἐστι. τὸ

from the fine flax that grows in Elis, weaving from it nets for the head as well as dresses.

XXII. Pharae, a city of the Achaeans, belongs to Patrae, having been given to it by Augustus. The road from the city of Patrae to Pharae is a hundred and fifty stades, while Pharae is about seventy stades inland from the coast. Near to Pharae runs the river Pierus, which in my opinion is the same as the one flowing past the ruins of Olenus, called by the men of the coast the Peirus. Near the river is a grove of plane-trees, most of which are hollow through age, and so huge that they actually feast in the holes, and those who have a mind to do so sleep there as well. The market-place of Pharae is of wide extent after the ancient fashion, and in the middle of it is an image of Hermes, made of stone and bearded. Standing right on the earth, it is of square shape, and of no great size. On it is an inscription, saying that it was dedicated by Simylus the Messenian. It is called Hermes of the Market, and by it is established an oracle. In front of the image is placed a hearth, which also is of stone, and to the hearth bronze lamps are fastened with lead. Coming at eventide, the inquirer of the god, having burnt incense upon the hearth, filled the lamps with oil and lighted them, puts on the altar on the right of the image a local coin, called a "copper," and asks in the ear of the god the particular question he wishes to put to him.

---

¹ Sylburg would read Γῆ.
² The MSS. have προσέχοντες.
³ ὁ is not in the MSS.

ἀπὸ τούτου δὲ ἄπεισιν ἐκ τῆς ἀγορᾶς ἐπιφραξά-
μενος τὰ ὦτα· προελθὼν δὲ ἐς τὸ ἐκτὸς τὰς
χεῖρας ἀπέσχεν ἀπὸ τῶν ὤτων, καὶ ἧστινος ἂν
4 ἐπακούσῃ φωνῆς, μάντευμα ἡγεῖται. τοιαύτη καὶ
Αἰγυπτίοις ἑτέρα περὶ τοῦ Ἄπιδος τὸ ἱερὸν
μαντεία καθέστηκεν· ἐν Φαραῖς δὲ καὶ ὕδωρ
ἱερόν ἐστι τοῦ Ἑρμοῦ· Ἑρμοῦ [1] νᾶμα μὲν τῇ
πηγῇ τὸ ὄνομα, τοὺς δὲ ἰχθῦς οὐχ αἱροῦσιν ἐξ
αὐτῆς, ἀνάθημα εἶναι τοῦ θεοῦ νομίζοντες.
ἑστήκασι δὲ ἐγγύτατα τοῦ ἀγάλματος τετρά-
γωνοι λίθοι τριάκοντα μάλιστα ἀριθμόν· τούτους
σέβουσιν οἱ Φαρεῖς, ἑκάστῳ θεοῦ τινὸς ὄνομα
ἐπιλέγοντες. τὰ δὲ ἔτι παλαιότερα καὶ τοῖς
πᾶσιν Ἕλλησι τιμὰς θεῶν ἀντὶ ἀγαλμάτων
5 εἶχον ἀργοὶ λίθοι. Φαρεῦσι δὲ ὅσον πέντε
σταδίους καὶ δέκα ἀπωτέρω τῆς πόλεώς ἐστιν
ἄλσος Διοσκούρων. δάφναι μάλιστα ἐν αὐτῷ
πεφύκασι, ναὸς δὲ οὐκ ἦν ἐν αὐτῷ οὐδὲ ἀγάλματα·
κομισθῆναι δὲ οἱ ἐπιχώριοί φασιν ἐς Ῥώμην τὰ
ἀγάλματα. ἐν Φαραῖς δὲ ἐν τῷ ἄλσει βωμὸς
λίθων λογάδων ἐστί. πυθέσθαι δὲ οὐκ εἶχον εἰ [2]
Φάρης ὁ Φιλοδαμείας τῆς Δαναοῦ σφισιν ἢ
ὁμώνυμος ἐκείνῳ τις ἐγένετο οἰκιστής.

6   Τρίτεια δέ, Ἀχαιῶν καὶ [3] αὕτη πόλις, ἐν
μεσογαίῳ μὲν ᾤκισται, τελοῦσι δὲ ἐς Πάτρας
καὶ αὐτοὶ βασιλέως δόντος· στάδιοι δὲ ἐς
Τρίτειαν εἴκοσί τε καὶ ἑκατὸν εἰσιν ἐκ Φαρῶν.
πρὶν δὲ ἢ ἐς τὴν πόλιν ἐσελθεῖν, μνῆμά ἐστι
λευκοῦ λίθου, θέας καὶ ἐς τὰ ἄλλα ἄξιον καὶ
οὐχ ἥκιστα ἐπὶ ταῖς γραφαῖς αἵ εἰσιν ἐπὶ τοῦ
τάφου, τέχνη Νικίου· θρόνος τε ἐλέφαντος καὶ
γυνὴ νέα καὶ εἴδους εὖ ἔχουσα ἐπὶ τῷ θρόνῳ,

After that he stops his ears and leaves the market-place. On coming outside he takes his hands from his ears, and whatever utterance he hears he considers oracular. There is a similar method of divination practised at the sanctuary of Apis in Egypt. At Pharae there is also a water sacred to Hermes. The name of the spring is Hermes' stream, and the fish in it are not caught, being considered sacred to the god. Quite close to the image stand square stones, about thirty in number. These the people of Pharae adore, calling each by the name of some god. At a more remote period all the Greeks alike worshipped uncarved stones instead of images of the gods. About fifteen stades from Pharae is a grove of the Dioscuri. The trees in it are chiefly laurels; I saw in it neither temple nor images, the latter, according to the natives, having been carried away to Rome. In the grove at Pharae is an altar of unshaped stones. I could not discover whether the founder of Pharae was Phares, son of Phylodameia, daughter of Danaüs, or someone else with the same name.

Triteia, also a city of Achaia, is situated inland, but like Pharae belongs to Patrae, having been annexed by the emperor. The distance to Triteia from Pharae is a hundred and twenty stades. Before you enter the city is a tomb of white marble, well worth seeing, especially for the paintings on the grave, the work of Nicias. There is an ivory chair on which is a young and beautiful woman, by

---

1 The MSS. have ἅμα μὲν without Ἑρμοῦ.
2 After εἰ the MSS. have ὁ.
3 καὶ is not in the MSS.

θεράπαινα δὲ αὐτῇ προσέστηκε[1] σκιάδιον φέρου-
7 σα· καὶ νεανίσκος ὀρθὸς οὐκ ἔχων πω γενειά
ἐστι χιτῶνα ἐνδεδυκὼς καὶ χλαμύδα ἐπὶ τῷ
χιτῶνι φοινικῆν· παρὰ δὲ αὐτὸν οἰκέτης ἀκόντια
ἔχων ἐστὶ καὶ ἄγει κύνας ἐπιτηδείας θηρεύουσιν
ἀνθρώποις. πυθέσθαι μὲν δὴ τὰ ὀνόματα αὐτῶν
οὐκ εἴχομεν· ταφῆναι δὲ ἄνδρα καὶ γυναῖκα ἐν
8 κοινῷ παρίστατο ἅπασιν εἰκάζειν. Τριτείας δὲ
οἰκιστὴν οἱ μὲν Κελβίδαν γενέσθαι λέγουσιν,
ἀφικόμενον ἐκ Κύμης τῆς ἐν Ὀπικοῖς· οἱ δὲ ὡς
Ἄρης συγγένοιτο Τριτείᾳ θυγατρὶ Τρίτωνος,
ἱερᾶσθαι δὲ τῆς Ἀθηνᾶς τὴν παρθένον, Μελά-
νιππον δὲ παῖδα Ἄρεως καὶ Τριτείας οἰκίσαι τε
ὡς ηὐξήθη τὴν πόλιν καὶ θέσθαι τὸ ὄνομα ἀπὸ
9 τῆς μητρός. ἐν Τριτείᾳ δὲ ἔστι μὲν ἱερὸν καλου-
μένων Μεγίστων θεῶν, ἀγάλματα δέ σφισι
πηλοῦ πεποιημένα· τούτοις κατὰ ἔτος ἑορτὴν
ἄγουσιν, οὐδέν τι ἀλλοίως ἢ καὶ τῷ Διονύσῳ
δρῶσιν Ἕλληνες. ἔστι δὲ καὶ Ἀθηνᾶς ναός, τὸ
δὲ ἄγαλμα λίθου τὸ ἐφ᾽ ἡμῶν· τὸ δὲ ἀρχαῖον ἐς
Ῥώμην, καθὰ οἱ Τριταιεῖς λέγουσιν, ἐκομίσθη.
θύειν δὲ οἱ ἐνταῦθα καὶ Ἄρει καὶ τῇ Τριτείᾳ
νομίζουσιν.
10   Αἵδε μὲν οὖν θαλάσσης τέ εἰσιν ἀπωτέρω
πόλεις καὶ ἠπειρώτιδες βεβαίως· πλέοντι δὲ ἐς
Αἴγιον ἐκ Πατρῶν ἄκρα πρῶτόν ἐστιν ὀνομαζο-
μένη Ῥίον, σταδίους δὲ Πατρῶν πεντήκοντα
ἀπέχουσα, λιμὴν δὲ ὁ Πάνορμος σταδίοις πέντε
καὶ δέκα ἀπωτέρω τῆς ἄκρας. τοσούτους δὲ
ἀφέστηκεν ἑτέρους ἀπὸ Πανόρμου τὸ Ἀθηνᾶς
καλούμενον τεῖχος. ἐς δὲ λιμένα Ἐρινεὸν ἐξ
Ἀθηνᾶς τείχους παράπλους ἐνενήκοντά εἰσι

whose side is a handmaid carrying a sunshade. There is also a young man, who is standing. He is too young for a beard, and wears a tunic with a purple cloak over it. By his side is a servant carrying javelins and leading hounds. I could not discover their names, but anyone can conjecture that here man and wife share a common grave. The founder of Triteia is said by some to have been Celbidas, who came from Cumae in the country of the Opici. Others say that Ares mated with Triteia the daughter of Triton, that this maiden was priestess to Athena, and that Melanippus, the son of Ares and Triteia, founded the city when he grew up, naming it after his mother. In Triteia is a sanctuary of the gods called Almighty, and their images are made of clay. In honour of these every year they celebrate a festival, exactly the same sort of festival as the Greeks hold in honour of Dionysus. There is also a temple of Athena, and the modern image is of stone. The ancient image, as the folk of Triteia say, was carried to Rome. The people here are accustomed to sacrifice both to Ares and to Triteia.

These cities are at some distance from the sea and completely inland. As you sail to Aegium from Patrae you come first to the cape called Rhium, fifty stades from Patrae, the harbour of Panormus being fifteen stades farther from the cape. It is another fifteen stades from Panormus to what is known as the Fort of Athena. From the Fort of Athena to the harbour of Erineüs is a

---

[1] προέστηκε MSS. ; προσέστηκε Sylburg.

στάδιοι, ἑξήκοντα δὲ ἐς Αἴγιον ἀπὸ τοῦ Ἐρινεοῦ· ὁδὸς δὲ ἡ πεζὴ σταδίους τεσσαράκοντα μάλιστα ἐς τὸν ἀριθμὸν ἀποδεῖ τὸν εἰρημένον.

11 Οὐ πόρρω δὲ τοῦ Πατρέων ἄστεως ποταμός τε ὁ Μείλιχος καὶ τὸ ἱερὸν τῆς Τρικλαρίας ἐστίν, ἄγαλμα οὐδὲν ἔτι ἔχον. τοῦτο μὲν δή ἐστιν ἐν δεξιᾷ, προελθόντι δὲ ἀπὸ τοῦ Μειλίχου ποταμός ἐστιν ἄλλος· ὄνομα μὲν τῷ ποταμῷ Χάραδρος, ὥρᾳ δὲ ἦρος πίνοντα ἐξ αὐτοῦ τὰ βοσκήματα ὀφείλει [1] τίκτειν ἄρρενα ὡς τὰ πλείω συμβαίνει, καὶ τοῦδε ἕνεκα οἱ νομεῖς ἑτέρωσε αὐτὰ τῆς χώρας μεθιστᾶσι πλήν γε δὴ τὰς βοῦς· ταύτας δὲ αὐτοῦ καταλείπουσιν ἐπὶ τῷ ποταμῷ, διότι καὶ πρὸς θυσίας οἱ ταῦροί σφισι καὶ ἐς τὰ ἔργα ἐπιτηδειότεροι θηλειῶν βοῶν εἰσιν, ἐπὶ δὲ τοῖς ἄλλοις κτήνεσι τὸ θῆλυ ἐπὶ πλέον τετίμηται.

XXIII. Μετὰ δὲ τὸν Χάραδρον ἐρείπια οὐκ ἐπιφανῆ πόλεώς ἐστιν Ἀργυρᾶς, καὶ πηγή τε Ἀργυρᾶ ἐν δεξιᾷ τῆς λεωφόρου καὶ Σέλεμνος ποταμὸς κατιὼν ἐς θάλασσαν. λόγος δὲ τῶν ἐπιχωρίων ἐς αὐτόν ἐστι, Σέλεμνον μειράκιον ὡραῖον ποιμαίνειν ἐνταῦθα, Ἀργυρᾶν δὲ εἶναι μὲν τῶν ἐν θαλάσσῃ νυμφῶν, ἐρασθεῖσαν δὲ αὐτὴν Σελέμνου φοιτᾶν τε ὡς αὐτόν φασιν ἐκ θαλάσσης ἀνιοῦσαν, καὶ καθεύδειν παρ᾽ αὐτῷ·
2 μετὰ δὲ οὐ πολὺν χρόνον οὔτε ὡραῖος ἔτι ἐφαίνετο Σέλεμνος οὔτε ὡς αὐτὸν φοιτήσειν ἔμελλεν ἡ νύμφη, Σέλεμνον δὲ μονωθέντα Ἀργυρᾶς καὶ τελευτήσαντα ὑπὸ τοῦ ἔρωτος ἐποίησεν Ἀφροδίτη ποταμόν. λέγω δὲ τὰ ὑπὸ Πατρέων λεγόμενα. καὶ—ἦρα γὰρ καὶ ὕδωρ γενόμενος Ἀργυρᾶς,

coastal voyage of ninety stades, and from Erineüs to Aegium is sixty. But the land route is about forty stades less than the number here given.

Not far from the city of Patrae is the river Meilichus, and the sanctuary of Triclaria, which no longer has an image. This is on the right. Advancing from the Meilichus you come to another river, the name of which is the Charadrus. The flocks and herds that drink of this river in spring are bound to have male young ones for the most part, and for this reason the herdsmen remove all except the cows to another part of the country. The cows they leave behind by the river, because for sacrifices and for agriculture bulls are more suitable than cows, but in the case of other cattle the females are preferred.

XXIII. After the Charadrus you come to some ruins, not at all remarkable, of the city Argyra, to the spring Argyra, on the right of the high road, and to the river Selemnus going down to the sea. The local legend about Selemnus is that he was a handsome lad who used to feed his flocks here. Argyra, they say, was a sea-nymph, who fell in love with Selemnus and used to come up out of the sea to visit him, sleeping by his side. After no long while Selemnus no longer seemed so handsome, and the nymph would not visit him. So Selemnus, deserted by Argyra, died of love, and Aphrodite turned him into a river. This is what the people of Patrae say. As Selemnus continued to love Argyra even when he was turned into water, just

---

[1] Some would omit this word.

καθότι ἔχει καὶ ἐπὶ τῷ Ἀλφειῷ λόγος Ἀρεθούσης
ἔτι ἐρᾶν αὐτόν—δωρεῖται καὶ τῷδε Ἀφροδίτη
Σέλεμνον· ἐς λήθην ἄγει τὸν ποταμὸν Ἀργυρᾶς.
3 ἤκουσα δὲ καὶ ἄλλον ἐπ' αὐτῷ λόγον, τὸ ὕδωρ
τοῦ Σελέμνου σύμφορον καὶ ἀνδράσιν εἶναι καὶ
γυναιξὶν ἐς ἔρωτος ἴαμα, λουομένοις ἐν τῷ
ποταμῷ λήθην ἔρωτος γίνεσθαι. εἰ δὲ μέτεστιν
ἀληθείας τῷ λόγῳ, τιμιώτερον χρημάτων πολλῶν
ἐστιν ἀνθρώποις τὸ ὕδωρ τοῦ Σελέμνου.

4   Ἀπωτέρω δὲ Ἀργυρᾶς ποταμός ἐστιν ὀνομαζό-
μενος Βολιναῖος, καὶ πόλις ποτὲ ᾠκεῖτο πρὸς
αὐτῷ Βολίνα. παρθένου δὲ ἐρασθῆναι Βολίνης
Ἀπόλλωνα, τὴν δὲ φεύγουσαν ἐς τὴν ταύτῃ
φασὶν ἀφεῖναι θάλασσαν αὐτήν, καὶ[1] ἀθάνατον
γενέσθαι χάριτι τοῦ Ἀπόλλωνος. ἐφεξῆς δὲ
ἄκρα τε ἐς τὴν θάλασσαν ἔχει, καὶ ἐπ' αὐτῇ
λέγεται λόγος ὡς Κρόνος τῆς θαλάσσης ἐν-
ταῦθα ἔρριψε τὸ δρέπανον, ᾧ τὸν πατέρα
Οὐρανὸν ἐλυμήνατο· ἐπὶ τούτῳ δὲ καὶ τὴν ἄκραν
Δρέπανον ὀνομάζουσιν. ὀλίγον δὲ ὑπὲρ τὴν
λεωφόρον Ῥυπῶν ἐστι τὰ ἐρείπια· σταδίους δὲ
Αἴγιον περὶ τοὺς τριάκοντα ἀπέχει Ῥυπῶν.

5   Αἰγίου δὲ τὴν χώραν διέξεισι μὲν ποταμὸς
Φοῖνιξ, διέξεισι δὲ καὶ ἕτερος Μειγανίτας, ἐς
θάλασσαν ῥέοντες. στοὰ δὲ τῆς πόλεως πλη-
σίον ἐποιήθη Στράτωνι ἀθλητῇ, Ὀλυμπίασιν
ἐπὶ ἡμέρας τῆς αὐτῆς παγκρατίου καὶ πάλης
ἀνελομένῳ νίκας. αὕτη μὲν ἐγγυμνάζεσθαι τούτῳ
τῷ ἀνδρὶ ἐποιήθη· Αἰγιεῦσι δὲ Εἰλειθυίας ἱερόν
ἐστιν ἀρχαῖον, καὶ ἡ Εἰλείθυια ἐς ἄκρους ἐκ
κεφαλῆς τοὺς πόδας ὑφάσματι κεκάλυπται
λεπτῷ, ξόανον πλὴν προσώπου τε καὶ χειρῶν

as Alpheius in the legend continued to love
Arethusa, Aphrodite bestowed on him a further
gift, by blotting out the memory of Argyra. I
heard too another tale about the water, how that
it is a useful remedy for both men and women
when in love; if they wash in the river they forget
their passion. If there is any truth in the story the
water of the Selemnus is of more value to mankind
than great wealth.

At some distance from Argyra is a river named
Bolinaeus, and by it once stood a city Bolina.
Apollo, says a legend, fell in love with a maiden
called Bolina, who fleeing to the sea here threw
herself into it, and by the favour of Apollo became
an immortal. Next to it a cape juts out into the
sea, and of it is told a story how Cronus threw
into the sea here the sickle with which he mutilated
his father Uranus. For this reason they call the
cape Drepanum.[1] Beyond the high road are the
ruins of Rhypes. Aegium is about thirty stades
distant from Rhypes.

The territory of Aegium is crossed by a river
Phoenix, and by another called Meiganitas, both of
which flow into the sea. A portico near the city
was made for Straton, an athlete who won at
Olympia on the same day victories in the pancratium
and in wrestling. The portico was built that this
man might exercise himself in it. At Aegium is
an ancient sanctuary of Eileithyia, and her image
is covered from head to foot with finely-woven
drapery; it is of wood except the face, hands and

---

[1] Drepanum means "sickle."

---

[1] The MSS. have καὶ αὐτήν.

6 ἄκρων καὶ ποδῶν, ταῦτα δὲ τοῦ Πεντελησίου
λίθου πεποίηται· καὶ ταῖς χερσὶ τῇ μὲν ἐς εὐθὺ
ἐκτέταται, τῇ δὲ ἀνέχει δᾷδα. Εἰλειθυίᾳ δὲ
εἰκάσαι τις ἂν εἶναι δᾷδας, ὅτι γυναιξὶν ἐν ἴσῳ
καὶ πῦρ εἰσιν αἱ ὠδῖνες· ἔχοιεν δ᾽ ἂν λόγον καὶ
ἐπὶ τοιῷδε αἱ δᾷδες, ὅτι Εἰλείθυιά ἐστιν ἡ ἐς
φῶς ἄγουσα τοὺς παῖδας. ἔργον δὲ τοῦ Μεσσηνίου
Δαμοφῶντός ἐστι τὸ ἄγαλμα.

7 Τῆς δὲ Εἰλειθυίας οὐ μακρὰν Ἀσκληπιοῦ τέ
ἐστι τέμενος καὶ ἀγάλματα Ὑγείας καὶ Ἀσκλη-
πιοῦ· ἰαμβεῖον δὲ ἐπὶ τῷ βάθρῳ τὸν Μεσσήνιον
Δαμοφῶντα εἶναι τὸν εἰργασμένον φησίν. ἐν
τούτῳ τοῦ Ἀσκληπιοῦ τῷ ἱερῷ ἐς ἀντιλογίαν
ἀφίκετο ἀνήρ μοι Σιδόνιος, ὃ ἐγνωκέναι τὰ ἐς
τὸ θεῖον ἔφασκε Φοίνικας [1] τά τε ἄλλα Ἑλλήνων
βέλτιον καὶ δὴ καὶ Ἀσκληπιῷ πατέρα μὲν σφᾶς
Ἀπόλλωνα ἐπιφημίζειν, θνητὴν δὲ γυναῖκα οὐδε-
8 μίαν μητέρα· Ἀσκληπιὸν μὲν γὰρ ἀέρα γένει τε
ἀνθρώπων εἶναι καὶ πᾶσιν ὁμοίως ζῴοις ἐπιτή-
δειον πρὸς ὑγίειαν, Ἀπόλλωνα δὲ ἥλιον, καὶ
αὐτὸν ὀρθότατα Ἀσκληπιῷ πατέρα ἐπονομάζεσ-
θαι, ὅτι ἐς τὸ ἁρμόζον ταῖς ὥραις ποιούμενος ὁ
ἥλιος τὸν δρόμον μεταδίδωσι καὶ τῷ ἀέρι ὑγιείας.
ἐγὼ δὲ ἀποδέχεσθαι μὲν τὰ εἰρημένα, οὐδὲν δέ τι
Φοινίκων μᾶλλον ἢ καὶ Ἑλλήνων ἔφην τὸν λόγον,
ἐπεὶ καὶ ἐν Τιτάνῃ τῆς Σικυωνίων τὸ αὐτὸ
ἄγαλμα Ὑγείαν τε ὀνομάζεσθαι καὶ . . . [2] δῆλα
ὡς τὸν ἡλιακὸν δρόμον ἐπὶ γῆς ὑγίειαν ποιοῦντα
ἀνθρώποις.

---

[1] The MSS. have καὶ after Φοίνικας.
[2] The MSS. have παιδὶ ἦν or εἶναι. Ἡλιάδα Madvig :
Ἀσκληπιὸν Kayser.

feet, which are made of Pentelic marble. One hand is stretched out straight; the other holds up a torch. One might conjecture that torches are an attribute of Eileithyia because the pangs of women are just like fire. The torches might also be explained by the fact that it is Eileithyia who brings children to the light. The image is a work of Damophon the Messenian.

Not far from Eileithyia is a precinct of Asclepius, with images of him and of Health. An iambic line on the pedestal says that the artist was Damophon the Messenian. In this sanctuary of Asclepius a man of Sidon entered upon an argument with me. He declared that the Phoenicians had better notions about the gods than the Greeks, giving as an instance that to Asclepius they assign Apollo as father, but no mortal woman as his mother. Asclepius, he went on, is air, bringing health to mankind and to all animals likewise; Apollo is the sun, and most rightly is he named the father of Asclepius, because the sun, by adapting his course to the seasons, imparts to the air its healthfulness. I replied that I accepted his statements, but that the argument was as much Greek as Phoenician ; for at Titane in Sicyonia the same image is called both Health and . . . [1] thus clearly showing that it is the course of the sun that brings health to mankind.

[1] The MSS. reading παιδὶ ἦν is meaningless. Scholars for the most part consider that a name has fallen out of the text. Madvig's emendation would mean "Daughter of the Sun," and Kayser's would mean "Asclepius."

9 Αἰγιεῦσι δὲ Ἀθηνᾶς τε ναὸς καὶ Ἥρας ἐστὶν
ἄλσος. Ἀθηνᾶς μὲν δὴ δύο ἀγάλματα λευκοῦ
λίθου· τῆς δὲ Ἥρας τὸ ἄγαλμα ὅτι μὴ γυναιξίν,
ἢ ἂν τὴν ἱερωσύνην ἔχῃ, ἄλλῳ γε δὴ οὐδενὶ ἔστι
θεάσασθαι. Διονύσου δὲ πρὸς τῷ θεάτρῳ πε-
ποίηταί σφισιν ἱερὸν καὶ ἄγαλμα, οὐκ ἔχων πω
γένεια. ἔστι δὲ καὶ Διὸς ἐπίκλησιν Σωτῆρος ἐν
τῇ ἀγορᾷ τέμενος καὶ ἀγάλματα ἐσελθόντων ἐν
ἀριστερᾷ, χαλκοῦ μὲν ἀμφότερα, τὸ δὲ οὐκ ἔχον
10 πω γένεια ἐφαίνετο ἀρχαιότερον εἶναί μοι. ἐν
δὲ οἰκήματι κατευθὺ τῆς ἐσόδου,[1] χαλκοῦ καὶ
ταῦτα, ἔστι μὲν Ποσειδῶν καὶ Ἡρακλῆς, ἔστι δὲ
Ζεύς τε καὶ Ἀθηνᾶ· θεοὺς δὲ σφᾶς καλοῦσιν ἐξ
Ἄργους, ὡς μὲν ὁ Ἀργείων ἔχει λόγος, ὅτι
ἐποιήθησαν ἐν τῇ πόλει τῇ Ἀργείων, ὡς δὲ αὐτοὶ
λέγουσιν οἱ Αἰγιεῖς, παρακαταθήκη σφίσιν ὑπὸ
11 Ἀργείων ἐδόθη τὰ[2] ἀγάλματα. καὶ αὐτοῖς καὶ
τάδε ἔτι προσταχθῆναί φασιν, ἑκάστῃ τοῖς
ἀγάλμασιν ἡμέρᾳ θύειν· αὐτοὶ δὲ σόφισμα
εὑρόντες θύειν μὲν πλεῖστα ὅσα, κατευωχου-
μένοις δὲ τὰ ἱερεῖα ἐν κοινῷ ἀνάλωμα οὐδὲν ἐς
αὐτὰ γίνεσθαι· τέλος δὲ ἀπαιτεῖσθαι ὑπὸ τῶν
Ἀργείων καὶ αὐτοὺς τὰ ἐς τὰς θυσίας ἀναλούμενα
ἀπαιτεῖν· τοὺς δὲ—οὐ γὰρ ἔχειν ἐκτῖσαι—κατα-
λιπεῖν σφισιν αὐτοὺς τὰ ἀγάλματα.

XXIV. Αἰγιεῦσι δὲ ἔστι μὲν πρὸς τῇ ἀγορᾷ
ναὸς Ἀπόλλωνι καὶ Ἀρτέμιδι ἐν κοινῷ, ἔστι δὲ
ἐν τῇ ἀγορᾷ ἱερὸν Ἀρτέμιδος, τοξευούσῃ δὲ
εἴκασται, καὶ Ταλθυβίου τοῦ κήρυκος τάφος·
κέχωσται δὲ τῷ Ταλθυβίῳ καὶ ἄλλο μνῆμα ἐν

---

[1] For ὁδοῦ of the MSS. Siebelis conjectured ἐσόδου.
[2] τὰ added by Sylburg.

At Aegium you find a temple of Athena and a grove of Hera. Of Athena there are two images of white marble; the image of Hera may be seen by nobody except the woman who happens to hold the office of priestess to the goddess. Near the theatre they have a sanctuary of Dionysus with an image of the god as a beardless youth. There is also in the market-place a precinct of Zeus surnamed Saviour, with two images, both of bronze, on the left as you go in; the one without a beard seemed to me the more ancient. In a building right in front of the entrance are images, of bronze like the others, representing Poseidon, Heracles, Zeus and Athena. They are called gods from Argos. The Argives say it is because they were made in Argos; the people of Aegium themselves say that the images were deposited by the Argives with them on trust. They say further that they were ordered to sacrifice each day to the images. But bethinking themselves of a trick they sacrificed a vast number of animals, but the victims they ate up at public feasts, so that they were not put to any expense. At last the Argives asked for the images to be returned, whereupon the people of Aegium asked for the cost of the sacrifices. As the Argives had not the means to pay, they left the images at Aegium.

XXIV. By the market-place at Aegium is a temple shared by Apollo and Artemis in common; and in the market-place there is a sanctuary of Artemis, who is represented in the act of shooting an arrow, and also the grave of Talthybius the herald. There is also at Sparta a barrow serving as a tomb to

Σπάρτῃ, καὶ αὐτῷ αἱ πόλεις ἐναγίζουσιν ἀμφό-
2 τεραι. πρὸς θαλάσσῃ δὲ Ἀφροδίτης ἱερὸν ἐν
Αἰγίῳ καὶ μετ' αὐτὸ Ποσειδῶνος, Κόρης τε
πεποίηται τῆς Δήμητρος καὶ τέταρτον Ὁμα-
γυρίῳ Διί. ἐνταῦθα Διὸς καὶ Ἀφροδίτης ἐστὶ
καὶ Ἀθηνᾶς ἀγάλματα· Ὁμαγύριος δὲ ἐγένετο
τῷ Διὶ ἐπίκλησις, ὅτι Ἀγαμέμνων ἤθροισεν ἐς
τοῦτο τὸ χωρίον τοὺς λόγου μάλιστα ἐν τῇ
Ἑλλάδι ἀξίους, μεθέξοντας ἐν κοινῷ βουλῆς καθ'
ὅντινα χρὴ τρόπον ἐπὶ ἀρχὴν τὴν Πριάμου
στρατεύεσθαι. Ἀγαμέμνονι δὲ καὶ ἄλλα ἐστὶν
ἐς ἔπαινον καὶ ὅτι τοῖς ἐξ ἀρχῆς ἀκολουθήσασι
καὶ οὐδεμιᾶς ἐπελθούσης ὕστερον στρατιᾶς τήν
τε Ἴλιον ἐπόρθησε καὶ ὅσαι περίοικοι πόλεις
3 ἦσαν. ἐφεξῆς δὲ τῷ Ὁμαγυρίῳ Διὶ Παναχαιᾶς
ἐστι Δήμητρος. παρέχεται δὲ ὁ αἰγιαλός, ἐν ᾧ
καὶ τὰ ἱερὰ Αἰγιεῦσίν ἐστι τὰ εἰρημένα, ὕδωρ
ἄφθονον θεάσασθαί τε καὶ πιεῖν ἐκ πηγῆς ἡδύ.
ἔστι δέ σφισι καὶ Σωτηρίας ἱερόν. ἰδεῖν μὲν δὴ
τὸ ἄγαλμα οὐδενὶ πλὴν τῶν ἱερωμένων ἔστι,
δρῶσι δὲ ἄλλα τοιαῦτα· λαμβάνοντες παρὰ τῆς
θεοῦ πέμματα ἐπιχώρια ἀφιᾶσιν ἐς θάλασσαν,
πέμπειν δὲ τῇ ἐν Συρακούσαις Ἀρεθούσῃ φασὶν
4 αὐτά. ἔστι δὲ καὶ ἄλλα Αἰγιεῦσιν ἀγάλματα
χαλκοῦ πεποιημένα, Ζεύς τε ἡλικίαν παῖς καὶ
Ἡρακλῆς, οὐδὲ οὗτος ἔχων πω γένεια, Ἀγελάδα
τέχνη τοῦ Ἀργείου. τούτοις κατὰ ἔτος ἱερεῖς
αἱρετοὶ γίνονται, καὶ ἑκάτερα τῶν ἀγαλμάτων
ἐπὶ ταῖς οἰκίαις μένει τοῦ ἱερωμένου. τὰ δὲ ἔτι
παλαιότερα προεκέκριτο ἐκ τῶν παίδων ἱερᾶσθαι
τῷ Διὶ ὁ νικῶν κάλλει· ἀρχομένων δὲ αὐτῷ
γενείων ἐς ἄλλον παῖδα ἡ ἐπὶ τῷ κάλλει μετήει

Talthybius, and both cities sacrifice to him as to a hero. By the sea at Aegium is a sanctuary of Aphrodite, and after it one of Poseidon; there is also one of the Maiden, daughter of Demeter, and one to Zeus Homagyrius (*Assembler*). Here are images of Zeus, of Aphrodite and of Athena. The surname Assembler was given to Zeus because in this place Agamemnon assembled the most eminent men in Greece, in order that they might consult together how to make war on the empire of Priam. Among the claims of Agamemnon to renown is that he destroyed Troy and the cities around her [1] with the forces that followed him originally, without any later reinforcements. Adjoining Zeus the Assembler is a sanctuary of Demeter Panachaean. The beach, on which the people of Aegium have the sanctuaries I have mentioned, affords a plentiful supply of water from a spring; it is pleasing both to the eye and to the taste. They have also a sanctuary of Safety. Her image may be seen by none but the priests, and the following ritual is performed. They take cakes of the district from the goddess and throw them into the sea, saying that they send them to Arethusa at Syracuse. There are at Aegium other images made of bronze, Zeus as a boy and Heracles as a beardless youth, the work of Ageladas of Argos. Priests are elected for them every year, and each of the two images remains at the house of the priest. In a more remote age there was chosen to be priest for Zeus from the boys he who won the prize for beauty. When his beard began to grow the honour

---

[1] Or "vassal cities," like the περίοικοι round Sparta. So Frazer.

τιμή. ταῦτα μὲν οὕτως ἐνομίζετο· ἐς δὲ Αἴγιον
καὶ ἐφ᾽ ἡμῶν ἔτι συνέδριον τὸ Ἀχαιῶν ἀθροί-
ζεται, καθότι ἐς Θερμοπύλας τε καὶ ἐς Δελφοὺς
οἱ Ἀμφικτύονες.

5   Ἰόντι δὲ ἐς τὸ πρόσω Σελινοῦς τε ποταμὸς καὶ
ἀπωτέρω τεσσαράκοντα Αἰγίου σταδίοις ἐπὶ
θαλάσσῃ χωρίον ἐστὶν Ἑλίκη. ἐνταῦθα ᾤκητο
Ἑλίκη πόλις καὶ Ἴωσιν ἱερὸν ἁγιώτατον Ποσει-
δῶνος ἦν Ἑλικωνίου. διαμεμένηκε δέ σφισι, καὶ
ὡς ὑπὸ Ἀχαιῶν ἐκπεσόντες ἐς Ἀθήνας καὶ
ὕστερον ἐξ Ἀθηνῶν ἐς τὰ παραθαλάσσια ἀφί-
κοντο τῆς Ἀσίας, σέβεσθαι Ποσειδῶνα Ἑλικώ-
νιον· καὶ Μιλησίοις τε ἰόντι ἐπὶ τὴν πηγὴν
τὴν Βιβλίδα Ποσειδῶνος πρὸ τῆς πόλεώς ἐστιν
Ἑλικωνίου βωμὸς καὶ ὡσαύτως ἐν Τέῳ περίβολός
τε καὶ βωμός ἐστι τῷ Ἑλικωνίῳ θέας ἄξιος.

6   ἔστι δὲ καὶ Ὁμήρῳ πεποιημένα ἐς Ἑλίκην καὶ
τὸν Ἑλικώνιον Ποσειδῶνα. χρόνῳ δὲ ὕστερον
Ἀχαιοῖς τοῖς ἐνταῦθα, ἱκέτας ἄνδρας ἀποστή-
σασιν ἐκ τοῦ ἱεροῦ καὶ ἀποκτείνασιν, οὐκ ἐμέλλησε
τὸ μήνιμα ἐκ τοῦ Ποσειδῶνος, ἀλλὰ σεισμὸς ἐς
τὴν χώραν σφίσιν αὐτίκα κατασκήψας τῶν τε
οἰκοδομημάτων τὴν κατασκευὴν καὶ ὁμοῦ τῇ
κατασκευῇ καὶ αὐτὸ τῆς πόλεως τὸ ἔδαφος

7 ἀφανὲς ἐς τοὺς ἔπειτα ἐποίησε. τὰ μὲν οὖν
ἄλλα ἐπὶ τοῖς σεισμοῖς, ὅσοι μεγέθει τε ὑπερήρ-
κασι καὶ ἐπὶ μήκιστον διικνοῦνται τῆς γῆς,
προσημαίνειν ὁ θεὸς κατὰ τὰ αὐτὰ ὡς τὸ ἐπίπαν
εἴωθεν—ἢ γὰρ ἐπομβρίαι συνεχεῖς ἢ αὐχμοὶ πρὸ
τῶν σεισμῶν συμβαίνουσιν ἐπὶ χρόνον πλείονα,
καὶ ὁ ἀὴρ παρὰ τὴν ἑκάστοτε τοῦ ἔτους ὥραν
χειμῶνός τε γίνεται καυματωδέστερος καὶ ἐν

for beauty passed to another boy. Such were the customs. Even in my time the Achaean assembly still meets at Aegium, just as the Amphictyons do at Thermopylae and at Delphi.

Going on further you come to the river Selinus, and forty stades away from Aegium is a place on the sea called Helice. Here used to be situated a city Helice, where the Ionians had a very holy sanctuary of Heliconian Poseidon. Their worship of Heliconian Poseidon has remained, even after their expulsion by the Achaeans to Athens, and subsequently from Athens to the coasts of Asia. At Miletus too on the way to the spring Biblis there is before the city an altar of Heliconian Poseidon, and in Teos likewise the Heliconian has a precinct and an altar, well worth seeing. There are also passages in Homer[1] referring to Helice and the Heliconian Poseidon. But later on the Achaeans of the place removed some suppliants from the sanctuary and killed them. But the wrath of Poseidon visited them without delay; an earthquake promptly struck their land and swallowed up, without leaving a trace for posterity to see, both the buildings and the very site on which the city stood. Warnings, usually the same in all cases, are wont to be sent by the god before violent and far-reaching earthquakes. Either continuous storms of rain or else continuous droughts occur before earthquakes for an unusual length of time, and the weather is unseasonable. In winter it turns too hot, and in summer along with a

[1] See *Iliad*, ii. 575, viii. 203, xx. 404.

θέρει μετὰ ἀχλύος μᾶλλον ὁ κύκλος παρέχεται
τοῦ ἡλίου τὴν χρόαν παρὰ τὸ εἰωθὸς ἤτοι ἐς τὸ
ἐρυθρότερον ἢ καὶ ἡσυχῇ ῥέπουσαν [1] ἐς τὸ μελάν-
8 τερον· τῶν τε ὑδάτων ὡς τὸ πολὺ ἐπιλείπουσιν
αἱ πηγαί, καὶ ἀνέμων ἔστιν οἷς ἐνέπεσον ἐς τὴν
χώραν ἐμβολαὶ περιτρέπουσαι τὰ δένδρα, καί
που καὶ ἐν τῷ οὐρανῷ διαδρομαὶ σὺν πολλῇ τῇ
φλογί, τὰ δὲ καὶ ἀστέρων ὤφθη σχήματα οὔτε
ἐγνωσμένα ὑπὸ τῶν πρότερον καὶ μεγάλην τοῖς
ὁρῶσιν ἐμποιοῦντα ἔκπληξιν, ἔτι δὲ καὶ τῆς γῆς
κάτω πνευμάτων ὑπήχησις [2] ἰσχυρά, ἄλλα τε
πολλὰ ὁ θεὸς ἐπὶ τοῖς βιαίοις τῶν σεισμῶν
9 ἐθέλει προενδείκνυσθαι·—τῆς δὲ κινήσεως αὐτῆς
καθέστηκεν οὐχ εἷς τρόπος, ἀλλ᾽ οἱ φροντίσαντες
τὰ τοιαῦτα ἐξ ἀρχῆς καὶ οἱ παρ᾽ ἐκείνων διδαχ-
θέντες ἰδέας καταμαθεῖν ἐδυνήθησαν τοσάσδε ἐπὶ
τοῖς σεισμοῖς. ἠπιώτατος μέν ἐστιν αὐτῶν, ἢν
δὴ ἐν κακῷ γε τοσούτῳ ῥᾳστώνην ἐνεῖναί τινα
ἡγησώμεθα, ἐπειδὰν ὁμοῦ τῇ κινήσει τῇ ἀρξαμένῃ
τὸ πρῶτον καὶ τῇ ἐς τὸ ἔδαφος τροπῇ τῶν οἰκο-
δομημάτων ἀντιστᾶσα ἐναντία κίνησις ἐξεγείρῃ
10 τὰ ἤδη τραπέντα,—καὶ ἐν τῇ τοιᾷδε ἰδέᾳ τοῦ
σεισμοῦ κίονας ὁρᾶν ἔστιν ἀνορθουμένους οἳ
ὀλίγου ἐδέησαν ἐς ἅπαν ἐκριφῆναι, καὶ ὁπόσα
διέστη τοίχων συνερχόμενα ἐς τὸ ἐξ ἀρχῆς·
δοκοὶ δέ, ὅσας ἐκτὸς ὀλισθεῖν ἐποίησεν ἡ κίνησις,
ἐπανίασιν αὖθις ἐς τὰς ἕδρας· ὡσαύτως δὲ καὶ
ὀχετῶν κατασκευῆς καὶ εἰ δή τι ἄλλο ἐπὶ ὕδατος
ῥοαῖς προάγει,[3] καὶ τούτων συνδεῖ τὰ διεσπασ-
μένα μᾶλλον [4] ἀνθρώπων τεκτόνων·—ὁ δὲ δὴ
δεύτερος τῶν σεισμῶν ἀπώλειάν τε τῶν ἑτοιμο-

The MSS. have τρέπουσαν.

tendency to haze the orb of the sun presents an unusual colour, slightly inclining to red or else to black. Springs of water generally dry up; blasts of wind sometimes swoop upon the land and overturn the trees; occasionally great flames dart across the sky; the shapes of stars too appear such as have never been witnessed before, producing consternation in those that witness them; furthermore there is a violent rumbling of winds beneath the earth— these and many other warnings is the god wont to send before violent earthquakes occur. The shock itself is not of one fixed type, but the original inquirers into such matters and their pupils have been able to discover the following forms of earthquake. The mildest form—that is, if such a calamity admits of mitigation—is when there coincides with the original shock, which levels the buildings with the ground, a shock in the opposite direction, counteracting the first and raising up the buildings already knocked over. In this form of earthquake pillars may be seen righting themselves which have been almost entirely uprooted, split walls coming together to their original position; beams, dislocated by the shock, go back to their places, and likewise channels, and such-like means of furthering the flow of water, have their cracks cemented better than they could be by human craftsmen. Now the second form of earthquake brings destruction to anything liable to it, and it

---

[2] The MSS. have ὑφήγησις.

[3] προύργου has been suggested.

[4] The MSS. have ἤ after μᾶλλον. If it is kept, read τέκτονες.

τέρων φέρει καί, ἐφ' ὅ τι ἂν βάλῃ τὴν ὁρμήν,
ἀνέκλινεν αὐτίκα τοῖς ἐς πολιορκίαν μηχανήμασιν
11 ὁμοίως. τὸν δὲ αὐτῶν ὀλεθριώτατον τοιῷδέ τινι
ἐθέλουσιν εἰκάζειν, τὸ ἐντὸς τοῦ ἀνθρώπου πνεῦμα
εἰ συνεχεῖ πυρετῷ πυκνότερόν τε καὶ ὑπὸ πολλῆς
ἄνω τῆς βίας ὠθοῖτο· τοῦτο δὲ ἀλλαχοῦ τε τοῦ
σώματος ἐπισημαίνει καὶ ἐν ταῖς χερσὶν ὑπὸ
ἑκάτερον μάλιστα τὸν καρπόν. κατὰ ταῦτα οὖν
καὶ τὸν σεισμὸν εὐθὺ ὑποδύεσθαι τῶν οἰκοδομη-
μάτων καὶ θεμέλια ἀναπάλλειν φασὶν αὐτῶν,[1]
καθότι καὶ τὰ ἔργα[2] τῶν σφαλάκων ἐκ μυχοῦ
τῆς γῆς ἀναπέμπεται· μόνη τε ἡ τοιαύτη κίνησις
οὐδὲ τοῦ οἰκισθῆναί ποτε ὑπολείπει σημεῖα ἐν
12 τῇ γῇ. τότε δὲ ἰδέαν μὲν ταύτην ἐπὶ τῇ Ἑλίκῃ
τοῦ σεισμοῦ τὴν ἐς τὸ ἔδαφος ἀνακινοῦσαν, σὺν
δὲ αὐτῇ καὶ ἄλλο πῆμα τοιόνδε οἱ ἐπιγε-
νέσθαι φασὶν ὥρᾳ χειμῶνος. ἐπῆλθε γάρ
σφισιν ἐπὶ πολὺ τῆς χώρας ἡ θάλασσα καὶ τὴν
Ἑλίκην περιέλαβεν ἐν κύκλῳ πᾶσαν· καὶ δὴ καὶ
τὸ ἄλσος τοῦ Ποσειδῶνος ἐπὶ τοσοῦτον ἐπέσχεν
ὁ κλύδων ὡς τὰ ἄκρα τῶν δένδρων σύνοπτα εἶναι
μόνον. σείσαντος δὲ ἐξαίφνης τοῦ θεοῦ καὶ ὁμοῦ
τῷ σεισμῷ τῆς θαλάσσης ἀναδραμούσης, καθείλ-
13 κυσεν αὔτανδρον τὸ κῦμα τὴν Ἑλίκην. τοιοῦτό
γε δὴ κατέλαβεν, ἕτερον τὴν ἰδέαν, ἐν Σιπύλῳ
πόλιν ἐς χάσμα ἀφανισθῆναι·[3] ἐξ ὅτου δὲ[4]
κατεάγη τοῦ ὄρους, ὕδωρ αὐτόθεν ἐρρύη, καὶ
λίμνη τε ὀνομαζομένη Σαλόη τὸ χάσμα ἐγένετο
καὶ ἐρείπια πόλεως δῆλα ἦν ἐν τῇ λίμνῃ, πρὶν ἢ

---

[1] Should we read αὐτῶν?   [2] Madvig suggests ἔρνη.
[3] The MSS. reading is very harsh, and there is probably
deep-seated corruption.

throws over at once, as it were by a battering-ram, whatever meets the force of its impact. The most destructive kind of earthquake the experts are wont to liken to the symptoms of a man suffering from a non-intermittent fever, the breathing of such a patient being rapid and laboured. There are symptoms of this to be found in many parts of the body, especially at each wrist. In the same way, they say, the earthquake dives directly under buildings and shakes up their foundations, just as molehills come up from the bowels of the earth. It is this sort of shock alone that leaves no trace on the ground that men ever dwelt there. This was the type of earthquake, they say, that on the occasion referred to levelled Helice to the ground, and that it was accompanied by another disaster in the season of winter. The sea flooded a great part of the land, and covered up the whole of Helice all round. Moreover, the tide was so deep in the grove of Poseidon that only the tops of the trees remained visible. What with the sudden earthquake, and the invasion of the sea that accompanied it, the tidal wave swallowed up Helice and every man in it. A similar fate, though different in type,[1] came upon a city on Mount Sipylus, so that it vanished into a chasm. The mountain split, water welled up from the fissure, and the chasm became a lake called Saloë. The ruins of the city were to be seen in the lake,

---

[1] Perhaps we should delete the commas at κατέλαβεν and ἰδέαν, take ἕτερον to mean "a second," and construe τὴν ἰδέαν with τοιοῦτο; "another, similar in type."

---

[4] After δὲ the MSS. have ἡ ἰδέα.

τὸ ὕδωρ ἀπέκρυψεν αὐτὰ τοῦ χειμάρρου. σύνοπτα
δὲ καὶ Ἑλίκης ἐστὶ τὰ ἐρείπια, οὐ μὴν ἔτι γε
ὁμοίως, ἅτε ὑπὸ τῆς ἅλμης λελυμασμένα.

XXV. Τὸ δὲ τοῦ Ἱκεσίου μήνιμα πάρεστι μὲν
τοῖς ἐς τὴν Ἑλίκην, πάρεστι δὲ καὶ ἄλλοις διδαχ-
θῆναι πολλοῖς ὡς ἔστιν ἀπαραίτητον· φαίνεται
δὲ καὶ ὁ θεὸς παραινῶν ὁ ἐν Δωδώνῃ νέμειν ἐς
ἱκέτας αἰδῶ. Ἀθηναίοις γὰρ ἐπὶ ἡλικίας μάλιστα
τῆς Ἀφείδαντος ἀφίκετο παρὰ τοῦ ἐν Δωδώνῃ
Διὸς τὰ ἔπη τάδε·

φράζεο δ' Ἄρειόν τε πάγον βωμούς τε θυώδεις
Εὐμενίδων, ὅθι χρὴ Λακεδαιμονίους σ' ἱκετεῦσαι
δουρὶ πιεζομένους. τοὺς μὴ σὺ κτεῖνε σιδήρῳ,
μηδ' ἱκέτας ἀδικεῖν· ἱκέται δ' ἱεροί τε καὶ
ἁγνοί.

2 ταῦτα Ἕλλησιν ἦλθεν ἐς μνήμην, ὅτε ἀφίκοντο
ἐπὶ Ἀθήνας Πελοποννήσιοι, τότε Κόδρου τοῖς
Ἀθηναίοις τοῦ Μελάνθου βασιλεύοντος. ὁ μὲν
δὴ ἄλλος στρατὸς τῶν Πελοποννησίων ἀπε-
χώρησεν ἐκ τῆς Ἀττικῆς, ἐπειδὴ ἐπύθοντο τοῦ
Κόδρου τὴν τελευτὴν καὶ ὅντινα ἐγένετο αὐτῷ
τρόπον· οὐ γὰρ εἶναι νίκην ἔτι σφίσι κατὰ
τὸ ἐκ Δελφῶν μάντευμα ἤλπιζον· Λακεδαιμονίων
δὲ ἄνδρες γενόμενοι μὲν ἐντὸς τείχους λανθάνου-
σιν ἐν τῇ νυκτί, ἅμα δὲ ἡμέρᾳ τούς τε ἑαυτῶν
ἀπεληλυθότας αἰσθάνονται καὶ ἀθροιζομένων ἐπ'
αὐτοὺς τῶν Ἀθηναίων καταφεύγουσιν ἐς τὸν
Ἄρειον πάγον καὶ ἐπὶ τῶν θεῶν αἳ Σεμναὶ
3 καλοῦνται τοὺς βωμούς. Ἀθηναῖοι δὲ τότε μὲν
διδόασι τοῖς ἱκέταις ἀπελθεῖν ἀζημίοις, χρόνῳ
δὲ ὕστερον αὐτοὶ οἱ ἔχοντες τὰς ἀρχὰς διέφθειραν

until the water of the torrent hid them from view. The ruins of Helice too are visible, but not so plainly now as they were once, because they are corroded by the salt water.

XXV. The disaster that befell Helice is but one of the many proofs that the wrath of the God of Suppliants is inexorable. The god at Dodona too manifestly advises us to respect suppliants. For about the time of Apheidas the Athenians received from Zeus of Dodona the following verses :—

Consider the Areopagus, and the smoking altars
Of the Eumenides, where the Lacedaemonians are
    to be thy suppliants,
When hard-pressed in war. Kill them not with
    the sword,
And wrong not suppliants. For suppliants are
    sacred and holy.

The Greeks were reminded of these words when Peloponnesians arrived at Athens at the time when the Athenian king was Codrus, the son of Melanthus. Now the rest of the Peloponnesian army, on learning of the death of Codrus and of the manner of it, departed from Attica, the oracle from Delphi making them despair of success in the future; but certain Lacedaemonians, who got unnoticed within the walls in the night, perceived at daybreak that their friends had gone, and when the Athenians gathered against them, they took refuge in the Areopagus at the altars of the goddesses called August. On this occasion the Athenians allowed the suppliants to go away unharmed, but subsequently the magistrates themselves put to death the suppliants of Athena,

τῆς Ἀθηνᾶς ἱκέτας τῶν Κύλωνι ὁμοῦ τὴν ἀκρόπο-
λιν κατειληφότων· καὶ αὐτοί τε οἱ ἀποκτείναντες
ἐνομίσθησαν καὶ οἱ ἐξ ἐκείνων ἐναγεῖς τῆς θεοῦ.
Λακεδαιμονίοις δέ, ἀποκτείνασι καὶ τούτοις
ἄνδρας ἐς τὸ ἱερὸν καταπεφευγότας τὸ ἐπὶ
Ταινάρῳ τοῦ Ποσειδῶνος, οὐ μετὰ πολὺ ἐσείσθη
σφίσιν ἡ πόλις συνεχεῖ τε ὁμοῦ καὶ ἰσχυρῷ τῷ
σεισμῷ, ὥστε οἰκίαν μηδεμίαν τῶν ἐν Λακεδαί-
4 μονι ἀντισχεῖν. ἐγένετο δὲ τῆς Ἑλίκης ἀπώλεια
Ἀστείου μὲν Ἀθήνησιν ἔτι ἄρχοντος, τετάρτῳ δὲ
ἔτει τῆς πρώτης ὀλυμπιάδος ἐπὶ ταῖς ἑκατόν, ἣν
Δάμων Θούριος ἐνίκα τὸ πρῶτον. Ἑλικαέων δὲ
οὐκέτι ὄντων νέμονται τὴν χώραν οἱ Αἰγιεῖς.
5 Μετὰ δὲ Ἑλίκην ἀποτραπήσῃ τε ἀπὸ θαλάσσης
ἐς δεξιὰν καὶ ἥξεις ἐς πόλισμα Κερύνειαν· ᾤκισται
δὲ ὑπὲρ τὴν λεωφόρον ἐν ὄρει, καί οἱ τὸ ὄνομα ἢ
δυνάστης ἐπιχώριος ἢ ὁ Κερυνίτης ποταμὸς
πεποίηκεν, ὃς ἐξ Ἀρκαδίας καὶ ὄρους Κερυνείας
ῥέων Ἀχαιοὺς τοὺς ταύτῃ παρέξεισι. παρὰ
τούτους σύνοικοι Μυκηναῖοι κατὰ συμφορὰν
ἀφίκοντο ἐκ τῆς Ἀργολίδος. Μυκηναίοις γὰρ
τὸ μὲν τεῖχος ἁλῶναι κατὰ τὸ ἰσχυρὸν οὐκ
6 ἐδύνατο ὑπὸ Ἀργείων, ἐτετείχιστο γὰρ κατὰ
ταὐτὰ τῷ ἐν Τίρυνθι ὑπὸ τῶν Κυκλώπων καλου-
μένων, κατὰ ἀνάγκην δὲ ἐκλείπουσι Μυκηναῖοι
τὴν πόλιν ἐπιλειπόντων σφᾶς τῶν σιτίων, καὶ
ἄλλοι μέν τινες ἐς Κλεωνὰς ἀποχωροῦσιν ἐξ
αὐτῶν, τοῦ δήμου δὲ πλέον μὲν ἥμισυ ἐς Μακε-
δονίαν καταφεύγουσι παρὰ Ἀλέξανδρον, ᾧ Μαρ-
δόνιος ὁ Γωβρύου τὴν ἀγγελίαν ἐπίστευσεν ἐς
Ἀθηναίους ἀπαγγεῖλαι· ὁ δὲ ἄλλος δῆμος ἀφί-
κοντο ἐς τὴν Κερύνειαν, καὶ δυνατωτέρα τε ἡ

when Cylon and his supporters had seized the Acropolis. So the slayers themselves and also their descendants were regarded as accursed to the goddess. The Lacedaemonians too put to death men who had taken refuge in the sanctuary of Poseidon at Taenarum. Presently their city was shaken by an earthquake so continuous and violent that no house in Lacedaemon could resist it. The destruction of Helice occurred while Asteius was still archon at Athens, in the fourth year of the hundred and first Olympiad, whereat Damon of 373 B.C. Thurii was victorious for the first time. As none of the people of Helice were left alive, the land is occupied by the people of Aegium.

After Helice you will turn from the sea to the right and you will come to the town of Ceryneia. It is built on a mountain above the high road, and its name was given to it either by a native potentate or by the river Cerynites, which, flowing from Arcadia and Mount Ceryneia, passes through this part of Achaia. To this part came as settlers Mycenaeans from Argolis because of a catastrophe. Though the Argives could not take the wall of Mycenae by storm, built as it was like the wall of Tiryns by the Cyclopes, as they are called, yet the Mycenaeans were forced to leave their city through lack of provisions. Some of them departed for Cleonae, but more than half of the population took refuge with Alexander in Macedonia, to whom Mardonius, the son of Gobryas, entrusted the message to be given to the Athenians.[1] The rest of the population came to Ceryneia, and the addition of the

[1] See Herodotus, viii. 136.

Κερύνεια οἰκητόρων πλήθει καὶ ἐς τὸ ἔπειτα
ἐγένετο ἐπιφανεστέρα διὰ την συνοίκησιν τῶν
7 Μυκηναίων· ἐν Κερυνείᾳ δὲ ἱερόν ἐστιν Εὐμενί-
δων· ἱδρύσασθαι δὲ αὐτὸ 'Ορέστην λέγουσιν.
ὃς δ' ἂν ἐνταῦθα ἢ αἵματι ἢ ἄλλῳ τῳ μιάσματι
ἔνοχος ἢ καὶ ἀσεβὴς ἐσέλθῃ θέλων θεάσασθαι,
αὐτίκα λέγεται δείμασιν ἐκτὸς τῶν φρενῶν
γίνεσθαι· καὶ τοῦδε ἕνεκα οὐ τοῖς πᾶσιν ἡ
ἔσοδος οὐδὲ ἐξ ἐπιδρομῆς ἐστι. τοῖς μὲν δὴ
ἀγάλμασι ξύλων εἰργασμένοις . . . μέγεθός
εἰσιν οὐ μεγάλοι, κατὰ δὲ τὴν ἔσοδον ἐς τὸ ἱερὸν
γυναικῶν εἰκόνες λίθου τέ εἰσιν εἰργασμέναι καὶ
ἔχουσαι τέχνης εὖ· ἐλέγοντο δὲ ὑπὸ τῶν ἐπι-
χωρίων ἱέρειαι ταῖς Εὐμενίσιν αἱ γυναῖκες
γενέσθαι.

8   'Εκ Κερυνείας δὲ ἐπανελθόντι ἐς τὴν λεωφόρον
καὶ ὁδεύσαντι οὐκ ἐπὶ πολὺ δεύτερα ἔστιν ἐς
Βοῦραν ἀποτραπέσθαι· θαλάσσης δὲ ἐν δεξιᾷ[1]
ἡ Βοῦρα ἐν ὄρει κεῖται. τεθῆναι δέ φασι τῇ
πόλει τὸ ὄνομα ἀπὸ γυναικὸς Βούρας, θυγατέρα
δ' αὐτὴν "Ιωνος τοῦ Ξούθου καὶ 'Ελίκης εἶναι.
ὅτε δὲ 'Ελίκην ἐποίησεν ἄδηλον ἐξ ἀνθρώπων ὁ
θεός, τότε καὶ τὴν Βοῦραν σεισμὸς ἐπέλαβεν
ἰσχυρός, ὡς μηδὲ τὰ ἀγάλματα ἐν τοῖς ἱεροῖς
9 ὑπολειφθῆναι τὰ ἀρχαῖα. ὁπόσοι δὲ τηνικαῦτα
ἀποδημοῦντες ἢ στρατείας ἕνεκα ἔτυχον ἢ κατὰ
πρόφασιν ἀλλοίαν, μόνοι τε οὗτοι Βουρέων
ἐλείφθησαν καὶ αὐτοὶ τῆς Βούρας ἐγένοντο οἰκισ-
ταί. ναὸς ἐνταῦθα Δήμητρος, ὁ δὲ 'Αφροδίτης
Διονύσου τέ ἐστι, καὶ ἄλλος Εἰλειθυίας· λίθου
τοῦ Πεντελησίου τὰ ἀγάλματα, 'Αθηναίου δὲ ἔργα

----

[1] The MSS. here have καί.

Mycenaeans made Ceryneia more powerful, through the increase of the population, and more renowned for the future. In Ceryneia is a sanctuary of the Eumenides, which they say was established by Orestes. Whosoever enters with the desire to see the sights, if he be guilty of bloodshed, defilement or impiety, is said at once to become insane with fright, and for this reason the right to enter is not given to all and sundry. The images made of wood . . . they are not very large in size, and at the entrance to the sanctuary are statues of women, made of stone and of artistic workmanship. The natives said that the women are portraits of the former priestesses of the Eumenides.

On returning from Ceryneia to the high road, if you go along it for a short distance you may turn aside again to Bura, which is situated on a mountain to the right of the sea. It is said that the name was given to the city from a woman called Bura, who was the daughter of Ion, son of Xuthus, and of Helice. When the god wiped off Helice from the face of the earth, Bura too suffered a severe earthquake, so that not even the ancient images were left in the sanctuaries. The only Burians to survive were those who chanced to be absent at the time, either on active service or for some other reason, and these became the second founders of Bura. There is a temple here of Demeter, one of Aphrodite and Dionysus, and a third of Eileithyia. The images are of Pentelic marble, and were made by Eucleides of Athens.

Εὐκλείδου· καὶ τῇ Δήμητρί ἐστιν ἐσθής. πεποίη-
ται δὲ καὶ Ἴσιδι ἱερόν.

10 Καταβάντων δὲ ἐκ Βούρας ὡς ἐπὶ θάλασσαν
ποταμός τε Βουραϊκὸς ὀνομαζόμενος καὶ Ἡρακλῆς
οὐ μέγας ἐστὶν ἐν σπηλαίῳ· ἐπίκλησις μὲν καὶ
τούτου Βουραϊκός, μαντείας δὲ ἐπὶ[1] πίνακί τε
καὶ ἀστραγάλοις ἔστι λαβεῖν. εὔχεται μὲν γὰρ
πρὸ τοῦ ἀγάλματος ὁ τῷ θεῷ χρώμενος, ἐπὶ δὲ
τῇ εὐχῇ λαβὼν ἀστραγάλους—οἱ δὲ ἄφθονοι
παρὰ τῷ Ἡρακλεῖ κεῖνται—τέσσαρας ἀφίησιν
ἐπὶ τῆς τραπέζης· ἐπὶ δὲ παντὶ ἀστραγάλων[2]
σχήματι γεγραμμένα ἐν πίνακι ἐπίτηδες ἐξήγησιν
11 ἔχει τοῦ σχήματος. σταδίων ἐπὶ τὸν Ἡρακλέα
ὡς τριάκοντα ἐξ Ἑλίκης ὁδὸς ἡ εὐθεῖά ἐστι.
προελθόντι δὲ ἀπὸ τοῦ Ἡρακλέους ποταμὸς ἐς
θάλασσαν ἐκδίδωσιν ἀέναος ἐξ ὄρους Ἀρκαδικοῦ
κατερχόμενος, ὄνομα δὲ αὐτῷ τε[3] τῷ ποταμῷ
Κρᾶθις καὶ ἔνθα αἱ πηγαὶ τοῦ ποταμοῦ τῷ ὄρει·
ἀπὸ ταύτης τῆς Κράθιδος καὶ πρὸς Κρότωνι τῇ
12 ἐν Ἰταλίᾳ ποταμὸς ὄνομα ἔσχηκε. πρὸς δὲ τῇ
Ἀχαϊκῇ Κράθιδι Ἀχαιῶν ποτε ᾠκεῖτο Αἰγαὶ
πόλις· ἐκλειφθῆναι δὲ αὐτὴν ἀνὰ χρόνον ὑπὸ
ἀσθενείας λέγουσι. τούτων δὲ καὶ Ὅμηρος τῶν
Αἰγῶν ἐν Ἥρας λόγοις ἐποιήσατο μνήμην,

---

[1] The MSS. have ὑπό.
[2] ἀστραγάλῳ MSS. : ἀστραγάλου Spiro : ἀστραγάλων Emper.
[3] καὶ MSS. : τε Bekker.

---

[1] This means either that the other images were undraped or
that for Demeter raiment was kept in the temple for solemn
occasions.
[2] I am very uncertain about the meaning of this passage.
Frazer's note shows that divination by dice usually took the

There is drapery for Demeter.[1] Isis too has a sanctuary.

On descending from Bura towards the sea you come to a river called Buraïcus, and to a small Heracles in a cave. He too is surnamed Buraïcus, and here one can divine by means of a tablet and dice. He who inquires of the god offers up a prayer in front of the image, and after the prayer he takes four dice, a plentiful supply of which are placed by Heracles, and throws them upon the table. For every figure made by the dice there is an explanation expressly written on the tablet.[2] The straight road from Helice to the Heracles is about thirty stades. Going on from the Heracles you come to the mouth of a river that descends from a mountain in Arcadia and never dries up. The river itself is called the Crathis, which is also the name of the mountain where the river has its source. From this Crathis the river too by Crotona in Italy has been named. By the Achaean Crathis once stood Aegae, a city of the Achaeans. In course of time, it is said, it was abandoned because its people were weak.[3] This Aegae is mentioned by Homer in Hera's speech :—[4]

form of interpreting the sequences of numbers obtained by throwing several dice on to a board. This cannot be the meaning here, as σχῆμα can hardly denote a number on the face of a die, and in any case ἐξήγησιν τοῦ σχήματος must mean "explanation of the shape." I have accordingly adopted the emendation ἀστραγάλων, but ἐπίτηδες seems to have no point. Frazer, reading apparently ἐπὶ δὲ παντὶ ἀστραγάλῳ σχῆμά τι κ.τ.ἑ., translates: "Each die has a certain figure marked upon it, and the meaning of each figure is explained on the tablet."

[3] Probably because the population declined. It is just possible that the site became unhealthy. The word ἀσθένεια admits of either interpretation.   [4] *Iliad*, viii. 203.

οἱ δέ τοι εἰς Ἑλίκην τε καὶ Αἰγὰς δῶρ' ἀνά-
γουσι,

δῆλον ὡς γέρα τοῦ Ποσειδῶνος ἐπ' ἴσης ἔν τε
13 Ἑλίκη καὶ ἐν ταῖς Αἰγαῖς ἔχοντος. οὐ πολὺ δὲ
ἀπωτέρω Κράθιδος σῆμά τε ἐν δεξιᾷ τῆς ὁδοῦ
καὶ ἄνδρα εὑρήσεις ἐπὶ τῷ μνήματι ἵππῳ παρεσ-
τῶτα, ἀμυδρὰν γραφήν. ὁδὸς δὲ ἀπὸ τοῦ τάφου
σταδίων ὅσον τριάκοντα ἐπὶ τὸν καλούμενον
Γαῖον· Γῆς δὲ ἱερόν ἐστιν ὁ Γαῖος ἐπίκλησιν
Εὐρυστέρνου, ξόανον δὲ τοῖς μάλιστα ὁμοίως
ἐστὶν ἀρχαῖον. γυνὴ δὲ ἡ ἀεὶ τὴν ἱερωσύνην
λαμβάνουσα ἁγιστεύει μὲν τὸ ἀπὸ τούτου, οὐ
μὴν οὐδὲ τὰ πρότερα ἔσται πλέον ἢ ἑνὸς ἀνδρὸς
ἐς πεῖραν ἀφιγμένη. πίνουσαι δὲ αἷμα ταύρου
δοκιμάζονται· ἣ δ' ἂν αὐτῶν τύχῃ μὴ ἀλη-
θεύουσα, αὐτίκα ἐκ τούτου τὴν δίκην ἔσχεν.
ἢν δὲ ὑπὲρ τῆς ἱερωσύνης ἀφίκωνται γυναῖκες
ἐς ἀμφισβήτησιν πλέονες, ἡ τῷ κλήρῳ λαχοῦσα
προτετίμηται.

XXVI. Ἐς δὲ τὸ ἐπίνειον τὸ Αἰγειρατῶν—
ὄνομα τὸ αὐτὸ ἥ τε πόλις καὶ τὸ ἐπίνειον
ἔχει—, ἐς οὖν τὸ ἐπίνειον Αἰγειρατῶν δύο καὶ
ἑβδομήκοντα ἀπὸ τοῦ κατὰ τὴν ὁδὸν τὴν Βου-
ραϊκὴν εἰσιν Ἡρακλέους στάδιοι. ἐπὶ θαλάσσῃ
μὲν δὴ Αἰγειράταις οὐδέν ἐστιν ἐς μνήμην, ὁδὸς
δὲ ἐκ τοῦ ἐπινείου δύο σταδίων καὶ δέκα ἐς τὴν
2 ἄνω πόλιν. Ὁμήρου δὲ ἐν τοῖς ἔπεσιν Ὑπερησία
ὠνόμασται· τὸ δὲ ὄνομα τὸ νῦν ἐγένετο Ἰώνων
ἔτι οἰκούντων,[1] ἐγένετο δὲ ἐπ' αἰτίᾳ τοιᾷδε.
Σικυωνίων ἀφίξεσθαι στρατὸς ἔμελλεν αὐτοῖς
πολέμιος ἐς τὴν γῆν· οἱ δὲ—οὐ γὰρ ἐδόκουν

They bring thee gifts up to Helice and to Aegae.

Hence it is plain that Poseidon was equally honoured at Helice and at Aegae. At no great distance from the Crathis you will find a tomb on the right of the road, and on the tombstone a man standing by the side of a horse; the colours of the painting have faded. From the grave it is a journey of about thirty stades to what is called the Gaeüs, a sanctuary of Earth surnamed Broadbosomed, whose wooden image is one of the very oldest. The woman who from time to time is priestess henceforth remains chaste, and before her election must not have had intercourse with more than one man. The test applied is drinking bull's blood. Any woman who may chance not to speak the truth is immediately punished as a result of this test. If several women compete for the priesthood, lots are cast for the honour.

XXVI. To the port of Aegeira, which has the same name as the city, it is seventy-two stades from the Heracles that stands on the road to Bura. The coast town of Aegeira presents nothing worth recording; from the port to the upper city is twelve stades. Homer in his poem calls the city Hyperesia.[1] Its present name was given it while the Ionians were still dwelling there, and the reason for the name was as follows. A hostile army of Sicyonians was about to invade their territory. As they thought them-

[1] *Iliad*, ii. 573

---

[1] ἔτι οἰκούντων Schubart : ἐποικούντων MSS.

ἀξιόμαχοι τοῖς Σικυωνίοις εἶναι—ἀθροίζουσιν
αἶγας, ὁπόσαι σφίσιν ἦσαν ἐν τῇ χώρᾳ, συλ-
λέξαντες δὲ ἔδησαν πρὸς τοῖς κέρασιν αὐτῶν
δᾷδας, καὶ ὡς πρόσω νυκτὸς ἦν, ἐξάπτουσι τὰς
3 δᾷδας. Σικυώνιοι δὲ—ἰέναι γὰρ συμμάχους τοῖς
Ὑπερησιεῦσιν ἤλπιζον καὶ εἶναι τὴν φλόγα ἐκ
τοῦ ἐπικουρικοῦ πυρός—οἱ μὲν οἴκαδε ἐπανήρ-
χοντο, Ὑπερησιεῖς δὲ τῇ τε πόλει τὸ ὄνομα τὸ
νῦν μετέθεντο ἀπὸ τῶν αἰγῶν, καὶ καθότι αὐτῶν
ἡ καλλίστη καὶ ἡγουμένη τῶν ἄλλων ὤκλασεν,
Ἀρτέμιδος Ἀγροτέρας ἐποιήσαντο ἱερόν, τὸ
σόφισμα ἐς τοὺς Σικυωνίους οὐκ ἄνευ τῆς
4 Ἀρτέμιδός σφισιν ἐπελθεῖν νομίζοντες. οὐ μὴν
καὶ αὐτίκα γε ἐξενίκησεν Αἴγειραν ἀντὶ Ὑπε-
ρησίας καλεῖσθαι, ἐπεὶ κατ᾽ ἐμὲ ἦσαν ἔτι οἳ
Ὠρεὸν τὴν ἐν Εὐβοίᾳ τῷ ὀνόματι Ἑστίαιαν
ἐκάλουν τῷ ἀρχαίῳ. παρείχετο δὲ ἡ Αἴγειρα
ἐς συγγραφὴν ἱερὸν Διὸς καὶ ἄγαλμα καθήμενον
λίθου τοῦ Πεντελησίου, Ἀθηναίου δὲ ἔργον
Εὐκλείδου. ἐν τούτῳ τῷ ἱερῷ καὶ Ἀθηνᾶς
ἄγαλμα ἕστηκε· πρόσωπόν τε καὶ ἄκραι χεῖρες
ἐλέφαντος καὶ οἱ πόδες, τὸ δὲ ἄλλο ξόανον
χρυσῷ τε ἐπιπολῆς διηνθισμένον ἐστὶ καὶ φαρ-
5 μάκοις. Ἀρτέμιδός τε ναὸς καὶ ἄγαλμα τέχνης
τῆς ἐφ᾽ ἡμῶν· ἱερᾶται δὲ παρθένος, ἔστ᾽ ἂν ἐς
ὥραν ἀφίκηται γάμου. ἕστηκε δὲ καὶ ἄγαλμα
ἐνταῦθα ἀρχαῖον, Ἰφιγένεια ἡ Ἀγαμέμνονος, ὡς
οἱ Αἰγειρᾶταί φασιν· εἰ δὲ ἀληθῆ λέγουσιν οὗτοι,
δῆλός ἐστιν ἐξ ἀρχῆς Ἰφιγενείᾳ ποιηθεὶς ὁ ναός.
6 ἔστι καὶ Ἀπόλλωνος ἱερὸν ἐς τὰ μάλιστα
ἀρχαῖον τό τε ἱερὸν αὐτὸ καὶ ὁπόσα ἐν τοῖς
ἀετοῖς, ἀρχαῖον δὲ καὶ τοῦ θεοῦ τὸ ξόανον,

selves no match for the Sicyonians, they collected
all the goats they had in the country, and gathering
them together they tied torches to their horns, and
when the night was far advanced they set the torches
alight. The Sicyonians, suspecting that allies were
coming to the help of the Hyperesians, and that the
flames came from their fires, set off home again. The
Hyperesians gave their city its present name of
Aegeira from the goats (*aiges*), and where the most
beautiful goat, which led the others, crouched, they
built a sanctuary of Artemis the Huntress, believing
that the trick against the Sicyonians was an inspira-
tion of Artemis. The name Aegeira, however, did
not supersede Hyperesia at once, just as even in my
time there were still some who called Oreüs in
Euboea by its ancient name of Hestiaea. The sights
of Aegeira worth recording include a sanctuary of
Zeus with a sitting image of Pentelic marble, the
work of Eucleides the Athenian. In this sanctuary
there also stands an image of Athena. The face,
hands and feet are of ivory, the rest is of wood, with
ornamentation of gilt work and of colours. There
is also a temple of Artemis, with an image of the
modern style of workmanship. The priestess is a
maiden, who holds office until she reaches the age
to marry. There stands here too an ancient image,
which the folk of Aegeira say is Iphigeneia, the
daughter of Agamemnon. If they are correct, it
is plain that the temple must have been built
originally for Iphigeneia. There is also a sanctuary
of Apollo; the sanctuary itself, with the sculptures
on the pediments, are very old; the wooden image of
the god also is old, the figure being nude and of

γυμνός, μεγέθει μέγας· τὸν ποιήσαντα δὲ εἶχεν
οὐδεὶς τῶν ἐπιχωρίων εἰπεῖν· ὅστις δὲ ἤδη τὸν
Ἡρακλέα τὸν ἐν Σικυῶνι ἐθεάσατο, τεκμαίροιτο
ἂν καὶ ἐν Αἰγείρᾳ τὸν Ἀπόλλωνα ἔργον εἶναι
7 τοῦ αὐτοῦ Φλιασίου Λαφάους. Ἀσκληπιοῦ δὲ
ἀγάλματα ὀρθά ἐστιν ἐν ναῷ καὶ Σαράπιδος
ἑτέρωθι καὶ Ἴσιδος, λίθου καὶ ταῦτα Πεντελη-
σίου. τὴν δὲ Οὐρανίαν σέβουσι μὲν τὰ μάλιστα,
ἐσελθεῖν δὲ ἐς τὸ ἱερὸν οὐκ ἔστιν ἀνθρώποις.
θεοῦ δὲ ἦν Συρίαν ἐπονομάζουσιν, ἐς ταύτης τὸ
ἱερὸν ἐσίασιν ἐν ἡμέραις ῥηταῖς, ἄλλα τε ὅσα
νομίζουσι προκαθαριεύσαντες καὶ ἐς τὴν δίαιταν.
8 οἶδα καὶ οἴκημα ἐν Αἰγείρᾳ θεασάμενος· ἄγαλμα
ἦν ἐν τῷ οἰκήματι Τύχης, τὸ κέρας φέρουσα τὸ
Ἀμαλθείας· παρὰ δὲ αὐτὴν Ἔρως πτερὰ ἔχων
ἐστίν, ἐθέλει δὲ σημαίνειν ὅτι ἀνθρώποις καὶ τὰ
ἐς ἔρωτα τύχῃ μᾶλλον ἢ ὑπὸ κάλλους κατορ-
θοῦται. ἐγὼ μὲν οὖν Πινδάρου τά τε ἄλλα
πείθομαι τῇ ᾠδῇ καὶ Μοιρῶν τε εἶναι μίαν τὴν
9 Τύχην καὶ ὑπὲρ τὰς ἀδελφάς τι ἰσχύειν· ἐν
Αἰγείρᾳ δὲ ἐν τούτῳ τῷ οἰκήματι ἀνήρ τε ἤδη
γέρων ἴσα καὶ ὀδυρόμενος καὶ γυναῖκες τρεῖς
ἀφαιρούμεναι ψέλιά εἰσι καὶ ἴσοι νεανίσκοι ταῖς
γυναιξί, ἐνδεδυκὼς δὲ θώρακα εἷς.[1] τοῦτόν φασιν
Ἀχαιοῖς γενομένου πολέμου μαχεσάμενον ἀνδρειό-
τατα Αἰγειρατῶν τελευτῆσαι, καὶ αὐτοῦ τὸν
θάνατον οἱ λοιποὶ τῶν ἀδελφῶν οἴκαδε ἀπήγ-
γειλαν· καὶ τοῦδε ἔνεκα αἵ τε ἀδελφαὶ διὰ τὸ
ἐπ' αὐτῷ πένθος ἀποκοσμοῦνται καὶ τὸν πατέρα

---

[1] The MSS. have θώρακα. ἐς: the emendation is due to
Madvig.

colossal size. None of the inhabitants could give
the name of the artist, but anyone who has already
seen the Heracles at Sicyon would be led to con-
jecture that the Apollo in Aegeira was also a work
of the same artist, Laphaës the Phliasian. There
are in a temple standing images of Asclepius, and
elsewhere images of Serapis and of Isis, these too
being of Pentelic marble. They worship most de-
voutly the Heavenly Goddess, but human beings
must not enter her sanctuary. But into the sanctuary
of the goddess they surname Syrian they enter on
stated days, but they must submit beforehand to
certain customary purifications, especially in the
matter of diet. I remember observing at Aegeira
a building in which was an image of Fortune carrying
the horn of Amaltheia. By her side is a winged
Love, the moral of which is that even success in
love depends for mankind on fortune rather than
on beauty. Now I am in general agreement with
Pindar's ode, and especially with his making Fortune
one of the Fates, and more powerful than her
sisters.[1] In this building at Aegeira is also an
old man in the attitude of a mourner, three women
taking off their bracelets, and likewise three lads,
with a man wearing a breastplate. They say that in
a war of the Achaeans this last man fought more
bravely than any other soldier of Aegeira, but was
killed. His surviving brothers carried home the
news of his death, and therefore in mourning for
him his sisters are discarding their ornaments, and

---

[1] *Frag.* 41 (Schroeder).

ἐπονομάζουσιν οἱ ἐπιχώριοι Συμπαθῆ, ἅτε ἐλεεινὸν
καὶ ἐν τῇ εἰκόνι.

10 Ὁδὸς δὲ ἐξ Αἰγείρας εὐθεῖα ἀπὸ τοῦ ἱεροῦ
τοῦ Διὸς διά τε ὀρῶν καὶ ἀνάντης ἐστί· μῆκος
μὲν οὖν τῆς ὁδοῦ τεσσαράκοντά εἰσι στάδιοι,
ἄγει δὲ ἐς Φελλόην, πόλισμα οὐκ ἐπιφανές, ὃ
οὐδὲ[1] ἀεὶ ᾠκεῖτο καὶ Ἰώνων ἔτι ἐχόντων τὴν
γῆν. τὰ δὲ περὶ τὴν Φελλόην ἐς φυτείαν ἀμπέλων
ἐστὶν ἐπιτήδεια· καὶ ὅσα πετρώδη τῆς χώρας,
δρῦς τέ εἰσι καὶ θηρία, ἔλαφοι καὶ ὗς ἄγριοι·
11 εἰ δέ τινα τῶν ἐν Ἕλλησι πολισματίων ἀφθόνῳ
καταρρεῖται τῷ ὕδατι, ἀριθμεῖν καὶ τὴν Φελλόην
ἔστιν ἐν τούτοις. θεῶν δὲ ἱερὰ Διονύσου καὶ
Ἀρτέμιδός ἐστιν· ἡ μὲν χαλκοῦ πεποίηται, βέλος
δὲ ἐκ φαρέτρας λαμβάνουσα· τῷ Διονύσῳ δὲ ὑπὸ
κινναβάρεως τὸ ἄγαλμά ἐστιν ἐπηνθισμένον. ἐς
δὲ τὸ ἐπίνειον καταβᾶσιν ἐξ Αἰγείρας καὶ αὖθις
ἐς τὰ πρόσω βαδίζουσιν ἔστιν ἐν δεξιᾷ τῆς ὁδοῦ
τὸ ἱερὸν τῆς Ἀγροτέρας, ἔνθα τὴν αἶγα ὀκλάσαι
λέγουσιν.

12 Τῆς δὲ Αἰγειρατῶν ἔχονται Πελληνεῖς· πρὸς
Σικυῶνος δὲ οὗτοι καὶ μοίρας τῆς Ἀργολίδος
Ἀχαιῶν οἰκοῦσιν ἔσχατοι. τὸ δὲ ὄνομα ἐγένετο
τῇ πόλει λόγῳ μὲν τῷ Πελληνέων ἀπὸ Πάλ-
λαντος, τῶν Τιτάνων δὲ καὶ Πάλλαντα εἶναι
λέγουσι, δόξῃ δὲ τῇ Ἀργείων ἀπὸ ἀνδρὸς Ἀργείου
Πέλληνος· Φόρβαντος δὲ εἶναι τοῦ Τριόπα παῖδα
13 αὐτὸν λέγουσιν. Αἰγείρας δὲ ἐν τῷ μεταξὺ καὶ
Πελλήνης πόλισμα ὑπήκοον Σικυωνίων Δονοῦσσα
καλουμένη ἐγένετο μὲν ὑπὸ τῶν Σικυωνίων ἀνάσ-

---

[1] The MSS. have οὐδὲ ὡς ἀεί, or οὐδὲ ἀεί, without δ. Spiro
conjectures τὸ δὲ ἀεί.

the natives call the father Sympathes, because even in the statue he is a piteous figure.

There is a straight road from the sanctuary of Zeus at Aegeira, passing through the mountains and steep. It is forty stades long, and leads to Phelloë, an obscure town, which was not always inhabited even when the Ionians still occupied the land.[1] The district round Phelloë is well suited for the growth of the vine; the rocky parts are covered with oaks, the home of deer and wild boars. You may reckon Phelloë one of the towns in Greece best supplied with flowing water. There are sanctuaries of Dionysus and of Artemis. The goddess is of bronze, and is taking an arrow from her quiver. The image of Dionysus is painted with vermilion. On going down from Aegeira to the port, and walking on again, we see on the right of the road the sanctuary of the Huntress, where they say the goat crouched.

The territory of Aegeira is bounded by that of Pellene, which is the last city of Achaia in the direction of Sicyon and the Argolid. The city got its name, according to the account of the Pellenians, from Pallas, who was, they say, one of the Titans, but the Argives think it was from Pellen, an Argive. And they say that he was the son of Phorbas, the son of Triopas. Between Aegeira and Pellene once stood a town, subject to the Sicyonians and called Donussa, which was laid waste by the Sicyonians;

---

[1] This rendering would be much more natural with οὐδὲ instead of καὶ before Ἰώνων. It is therefore likely that Spiro's suggestion should be adopted. This would give: "an obscure town, but one which has always been inhabited, even when the Ionians dwelt in the land."

τατος, μνημονεύειν δὲ καὶ "Ομηρον ἐν καταλόγῳ
τῶν σὺν 'Αγαμέμνονί φασιν αὐτῆς ποιήσαντα
ἔπος

οἵ θ' 'Υπερησίην τε καὶ αἰπεινὴν Δονόεσσαν·

Πεισίστρατον δέ, ἡνίκα ἔπη τὰ 'Ομήρου διεσπασ-
μένα τε καὶ ἄλλα[1] ἀλλαχοῦ μνημονευόμενα
ἤθροιζε, τότε αὐτὸν Πεισίστρατον ἢ τῶν τινα
ἑταίρων μεταποιῆσαι τὸ ὄνομα ὑπὸ ἀγνοίας.
14 ἔστι δὲ 'Αριστοναῦται Πελληνεῦσιν ἐπίνειον.
ἐς τοῦτο ἐξ Αἰγείρας τῆς ἐπὶ θαλάσσῃ σταδίων
ἐστὶν εἴκοσιν ὁδὸς καὶ ἑκατόν· ταύτης δὲ ἡμίσεια
ἐς Πελλήνην ἀπὸ τοῦ ἐπινείου. ὄνομα δὲ 'Αριστο-
ναύτας γενέσθαι τῷ ἐπινείῳ λέγουσιν, ὅτι καὶ
ἐς τοῦτον τὸν λιμένα ὡρμίσαντο οἱ πλεύσαντες
ἐπὶ τῆς 'Αργοῦς.
XXVII. Πελληνεῦσι δὲ ἡ πόλις ἐστὶν ἐπὶ
λόφου κατὰ ἄκραν τὴν κορυφὴν ἐς ὀξὺ ἀνεστη-
κότος. τοῦτο μὲν δὴ ἀπότομον καὶ δι' αὐτό
ἐστιν ἀοίκητον· τῷ δὲ χθαμαλωτέρῳ ἐπιπεπό-
λισταί[2] σφισιν οὐ συνεχὴς ἡ πόλις, ἐς δὲ
μοίρας νενεμημένη δύο ὑπὸ τῆς ἄκρας μεταξὺ
ἀνεχούσης. ἰόντων δὲ ἐς Πελλήνην ἄγαλμά
ἐστιν 'Ερμοῦ κατὰ τὴν ὁδόν, ἐπίκλησιν μὲν
Δόλιος, εὐχὰς δὲ ἀνθρώπων ἕτοιμος τελέσαι·
σχῆμα δὲ αὐτῷ τετράγωνον, γένειά τε ἔχει καὶ
2 ἐπὶ τῇ κεφαλῇ πῖλον[3] εἰργασμένον. κατὰ δὲ
τὴν ὁδὸν ἐς αὐτὴν τὴν πόλιν ἐστὶν 'Αθηνᾶς
λίθου μὲν ἐπιχωρίου ναός, ἐλέφαντος δὲ τὸ
ἄγαλμα καὶ χρυσοῦ· Φειδίαν δὲ εἶναι τὸν

---

[1] ἄλλα was added by Schaefer.
[2] πεπόλισται MSS. : ἐπιπεπόλισταί Hitzig.

it is mentioned, they say, in a verse of Homer[1]
that occurs in the list of those who accompanied
Agamemnon :—

And the men of Hyperesia and those of steep
Donoessa.

They go on to say that when Peisistratus collected
the poems of Homer, which were scattered and
handed down by tradition, some in one place and
some in another, then either he or one of his
colleagues perverted the name through ignorance.
The port of Pellene is Aristonautae. Its distance
from Aegeira on the sea is one hundred and twenty
stades, and to Pellene from this port is half that
distance. They say that the name of Aristonautae[2]
was given to that port because it was one of the
harbours into which the Argonauts entered.

XXVII. The city of Pellene is on a hill which
rises to a sharp peak at its summit. This part then
is precipitous, and therefore uninhabited, but on
the lower slopes they have built their city, which
is not continuous, but divided into two parts by the
peak that rises up between. As you go to Pellene
there is, by the roadside, an image of Hermes, who,
in spite of his surname of Crafty, is ready to
fulfill the prayers of men. He is of square shape
and bearded, and on his head is carved a cap. On
the way to the city, close up to it, is a temple of
Athena, built of local stone, but the image is of
ivory and gold. They say that Pheidias made it

[1] *Iliad*, ii. 573.
[2] The Greek word means "best sailors."

---

[3] It has been suggested to read εὖ before εἰργασμένον.

εἰργασμένον φασὶ πρότερον ἔτι ἢ ἐν τῇ ἀκρο-
πόλει τε αὐτὸν τῇ Ἀθηναίων καὶ ἐν Πλαταιαῖς
ποιῆσαι τῆς Ἀθηνᾶς τὰ ἀγάλματα. λέγουσι
δὲ οἱ Πελληνεῖς καὶ εἶναι τῆς Ἀθηνᾶς καθήκειν
ἐς βάθος τῆς γῆς, εἶναι δὲ τὸ ἄδυτον τοῦτο ὑπὸ
τοῦ ἀγάλματος τῷ βάθρῳ, καὶ τὸν ἀέρα ἐκ τοῦ
ἀδύτου νότιόν τε εἶναι καὶ δι᾽ αὐτὸ τῷ ἐλέφαντι
3 ἐπιτήδειον. ὑπὲρ δὲ τὸν ναὸν τῆς Ἀθηνᾶς ἐστιν
ἄλσος περιῳκοδομημένον τείχει Σωτείρας ἐπί-
κλησιν Ἀρτέμιδος, καὶ ὀμνύουσιν ἐπὶ μεγίστοις
αὐτήν· ἔσοδός τε πλὴν τοῖς ἱερεῦσιν ἄλλῳ γε
οὐδενὶ ἔστιν ἀνθρώπων. ἱερεῖς δὲ ἄνδρες τῶν
ἐπιχωρίων εἰσὶ κατὰ δόξαν γένους μάλιστα
αἱρούμενοι. τοῦ δὲ ἄλσους τῆς Σωτείρας ἱερὸν
ἀπαντικρὺ Διονύσου Λαμπτῆρός ἐστιν ἐπίκλησιν·
τούτῳ καὶ Λαμπτήρια ἑορτὴν ἄγουσι, καὶ δᾷδάς
τε ἐς τὸ ἱερὸν κομίζουσιν ἐν νυκτὶ καὶ οἴνου
4 κρατῆρας ἱστᾶσιν ἀνὰ τὴν πόλιν πᾶσαν. ἔστι
καὶ Ἀπόλλωνος Θεοξενίου Πελληνεῦσιν ἱερόν,
τὸ δὲ ἄγαλμα χαλκοῦ πεποίηται· καὶ ἀγῶνα
ἐπιτελοῦσι Θεοξένια τῷ Ἀπόλλωνι, τιθέντες
ἀργύριον ἆθλα τῆς νίκης, καὶ ἄνδρες ἀγωνίζονται
τῶν ἐπιχωρίων. πλησίον δὲ τοῦ Ἀπόλλωνος
ναός ἐστιν Ἀρτέμιδος· τοξευούσης δὲ ἡ θεὸς
παρέχεται σχῆμα. ᾠκοδόμηται δὲ καὶ ἔλυτρον
κρήνης ἐν τῇ ἀγορᾷ, καὶ λουτρά ἐστιν αὐτοῖς
τὸ ὕδωρ τὸ ἐκ τοῦ θεοῦ, ἐπεί τοι πίνειν πηγαί
σφισιν ὑπὸ τὴν πόλιν εἰσὶν οὐ πολλαί· τὸ δὲ
χωρίον, ἔνθα αἱ πηγαί, Γλυκείας ὀνομάζουσι.
5 γυμνάσιον δὲ ἀρχαῖον ἐς ἐφήβων μάλιστα ἀνεῖται
μελέτην· οὐδὲ ἐς τὴν πολιτείαν ἐγγραφῆναι πρό-
τερον καθέστηκεν οὐδενὶ πρὶν ἂν ἐφηβεύσωσιν.

before he made the images of Athena on the
Athenian acropolis and at Plataea. The people of
Pellene also say that a shrine of Athena sinks deep
into the ground, that this shrine is under the
pedestal of the image, and that the air from the
shrine is damp, and consequently good for the ivory.
Above the temple of Athena is a grove, surrounded
by a wall, of Artemis surnamed Saviour, by whom
they swear their most solemn oaths. No man may
enter the grove except the priests. These priests
are natives, chosen chiefly because of their high
birth. Opposite the grove of the Saviour is a
sanctuary of Dionysus surnamed Torch. In his
honour they celebrate a festival called the Feast
of Torches, when they bring by night firebrands
into the sanctuary, and set up bowls of wine through-
out the whole city. There is also at Pellene a
sanctuary of Apollo, the Strangers' God, and the
image is made of bronze. They hold in honour
of Apollo games that they call Theoxenia, with
money as the prizes of victory, the competitors
being the natives. Near the sanctuary of Apollo
is a temple of Artemis, the goddess being represented
in the attitude of shooting. In the market-place
is built a tank, and for bathing they use rain-water,
since for drinking there are a few springs beneath
the city. The place where the springs are they
name Glyceiae (*Sweet Springs*). There is an old
gymnasium chiefly given up to the exercises of the
youths. No one may be enrolled on the register
of citizens before he has been on the register of

ἐνταῦθα ἀνὴρ Πελληνεὺς ἔστηκε Πρόμαχος ὁ
Δρύωνος, ἀνελόμενος παγκρατίου νίκας, τὴν μὲν
Ὀλυμπίασι, τρεῖς δ᾽ Ἰσθμίων καὶ Νεμέᾳ δύο·
καὶ αὐτοῦ καὶ εἰκόνας ποιήσαντες οἱ Πελληνεῖς
τὴν μὲν ἐς Ὀλυμπίαν ἀνέθεσαν, τὴν δὲ ἐν τῷ
6 γυμνασίῳ, λίθου ταύτην καὶ οὐ χαλκοῦ. λέγεται
δὲ καὶ ὡς Κορινθίου συνεστῶτος πολέμου Πελ-
ληνεῦσιν ἀποκτείνειεν ὁ Πρόμαχος πλείστους τῶν
ἀντιτεταγμένων. λέγεται δὲ καὶ ὡς Πουλυδά-
μαντος τοῦ Σκοτουσσαίου κρατήσειεν ἐν Ὀλυμ-
πίᾳ· τὸν δὲ Πουλυδάμαντα δεύτερα τότε ἐς τὸν
ἀγῶνα ἀφῖχθαι τὸν Ὀλυμπικὸν παρὰ βασιλέως
τοῦ Περσῶν ἀνασωθέντα οἴκαδε. Θεσσαλοὶ δὲ
ἡσσηθῆναι Πουλυδάμαντα οὐχ ὁμολογοῦντες
παρέχονται καὶ ἄλλα ἐς πίστιν καὶ ἐλεγεῖον ἐπὶ
τῷ Πουλυδάμαντι·

ὦ τροφὲ Πουλυδάμαντος ἀνικάτου Σκοτόεσσα.

7 Πελληνεῖς δ᾽ οὖν Πρόμαχον τὰ μάλιστα ἄγουσιν
ἐν τιμῇ. Χαίρωνα δὲ δύο ἀνελόμενον πάλης νίκας
Ἰσθμικὰς[1] καὶ ἐν Ὀλυμπίᾳ τέσσαρας οὐδὲ ἀρχὴν
ἐθέλουσιν ὀνομάζειν, ὅτι κατέλυσε πολιτείαν ἐμοὶ
δοκεῖν τὴν ἐν Πελλήνῃ, δῶρον τὸ ἐπιφθονώτατον
παρὰ Ἀλεξάνδρου τοῦ Φιλίππου λαβών, τύραν-
8 νος πατρίδος τῆς αὑτοῦ καταστῆναι. ἔστι δὲ καὶ
Εἰλειθυίας Πελληνεῦσιν ἱερόν· τοῦτο ἐν μοίρᾳ
τῆς πόλεως τῇ ἐλάσσονί ἐστιν ἱδρυμένον. τὸ δὲ
ὀνομαζόμενον Ποσείδιον τὰ μὲν ἀρχαιότερα ἦν
δῆμος, ἔρημον δὲ ἐφ᾽ ἡμῶν. ἔστι μὲν δὴ τὸ
Ποσείδιον τοῦτο ὑπὸ τὸ γυμνάσιον, διαμεμένηκε

---

[1] Ἰσθμικὰς is not in the MSS., but was added by Boeckh.

youths. Here stands a man of Pellene called Pro-
machus, the son of Dryon, who won prizes in the
pancratium, one at Olympia, three at the Isthmus
and two at Nemea. The Pellenians made two
statues of him, dedicating one at Olympia and one
in the gymnasium; the latter is of stone, not bronze.
It is said too that when a war arose between Corinth
and Pellene, Promachus killed a vast number of the
enemy. It is said that he also overcame at Olympia
Pulydamas of Scotusa, this being the occasion
when, after his safe return home from the king of
Persia, he came for the second time to compete in
the Olympic games. The Thessalians, however,
refuse to admit that Pulydamas was beaten; one
of the pieces of evidence they bring forward is a
verse about Pulydamas:—

> Scotoessa, nurse of unbeaten Pulydamas.

Be this as it may, the people of Pellene hold
Promachus in the highest honour. But Chaeron,
who carried off two prizes for wrestling at the
Isthmian games and four at the Olympian, they will
not even mention by name. This I believe is because
he overthrew the constitution of Pellene, and re-
ceived from Alexander, the son of Philip, the most
invidious of all gifts, to be set up as tyrant of one's
own fatherland. Pellene has also a sanctuary of
Eileithyia, which is situated in the lesser portion
of the city. What is called the Poseidium in more
ancient days was a township, but to-day it is un-
inhabited. This Poseidium is below the gymnasium,

δὲ καὶ ἐς τόδε ἔτι αὐτῷ Ποσειδῶνος ἱερὸν νομίζεσθαι.

9 Πελλήνης δὲ ὅσον στάδια ἑξήκοντα ἀπέχει τὸ Μύσαιον, ἱερὸν Δήμητρος Μυσίας· ἱδρύσασθαι δὲ αὐτὸ Μύσιόν φασιν ἄνδρα Ἀργεῖον, ἐδέξατο δὲ οἴκῳ Δήμητρα καὶ ὁ Μύσιος λόγῳ τῷ Ἀργείων. ἔστι δὲ ἄλσος ἐν τῷ Μυσαίῳ, δένδρα ὁμοίως τὰ πάντα, καὶ ὕδωρ ἄφθονον ἄνεισιν ἐκ πηγῶν. ἄγουσι δὲ καὶ ἑορτὴν τῇ Δήμητρι ἐνταῦθα ἡμε-
10 ρῶν ἑπτά· τρίτῃ δὲ ἡμέρᾳ τῆς ἑορτῆς ὑπεξίασιν οἱ ἄνδρες ἐκ τοῦ ἱεροῦ, καταλειπόμεναι δὲ αἱ γυναῖκες δρῶσιν ἐν τῇ νυκτὶ ὁπόσα νόμος ἐστὶν αὐταῖς· ἀπελαύνονται δὲ οὐχ οἱ ἄνδρες μόνον ἀλλὰ καὶ τῶν κυνῶν τὸ ἄρρεν. ἐς δὲ τὴν ἐπιοῦσαν ἀφικομένων ἐς τὸ ἱερὸν τῶν ἀνδρῶν, αἱ γυναῖκές τε ἐς αὐτοὺς καὶ ἀνὰ μέρος ἐς τὰς γυναῖκας οἱ ἄνδρες γέλωτί τε ἐς ἀλλήλους
11 χρῶνται καὶ σκώμμασιν. ἀπωτέρω δὲ οὐ πολὺ ἀπὸ τοῦ Μυσαίου ἱερόν ἐστιν Ἀσκληπιοῦ καλού-μενον Κύρος, καὶ ἰάματα ἀνθρώποις παρὰ τοῦ θεοῦ γίνεται. ὕδωρ δὲ καὶ ἐνταῦθα ἀνέδην ἐστί, καὶ ἐπὶ τῇ μεγίστῃ τῶν πηγῶν τοῦ Ἀσκληπιοῦ τὸ ἄγαλμα ἵδρυται. ποταμοὶ δὲ ἐκ τῶν ὀρῶν κατέρχονται τῶν [1] ὑπὲρ τὴν Πελλήνην, πρὸς μὲν Αἰγείρας καλούμενος Κριός· ἔχειν δὲ αὐτὸν
12 τὸ ὄνομα ἀπὸ Τιτᾶνος Κριοῦ· Κριὸς δὲ καὶ ἄλλος ὠνόμασται ποταμός, ὃς ἀρχόμενος ἐκ Σιπύλου τοῦ ὄρους ἐς τὸν Ἕρμον κάτεισι. καθότι δὲ Πελληνεῦσιν ὅροι τῆς χώρας πρὸς Σικυωνίους εἰσί, κατὰ τοῦτο ποταμὸς σφισι Σύθας, ἔσχατος ποταμῶν τῶν Ἀχαϊκῶν, ἐς τὴν Σικυωνίαν ἐκδίδωσι θάλασσαν.

and down to the present day it has been considered sacred to Poseidon.

About sixty stades distant from Pellene is the Mysaeum, a sanctuary of the Mysian Demeter. It is said that it was founded by Mysius, a man of Argos, who according to Argive tradition gave Demeter a welcome in his home. There is a grove in the Mysaeum, containing trees of every kind, and in it rises a copious supply of water from springs. Here they also celebrate a seven days' festival in honour of Demeter. On the third day of the festival the men withdraw from the sanctuary, and the women are left to perform on that night the ritual that custom demands. Not only men are excluded, but even male dogs. On the following day the men come to the sanctuary, and the men and the women laugh and jeer at one another in turn. At no great distance from the Mysaeum is a sanctuary of Asclepius, called Cyrus, where cures of patients are effected by the god. Here too there is a copious supply of water, and at the largest of the springs stands the image of Asclepius. Rivers come down from the mountains above Pellene, the one on the side nearest Aegeira being called Crius, after, it is said, a Titan of the same name. There is another river called Crius, which rises in Mount Sipylus and is a tributary of the Hermus. Where the territory of Pellene borders on that of Sicyon is a Pellenian river Sythas, the last of the Achaean rivers, which flows into the Sicyonian sea.

---

[1] τῶν is not in the MSS., but was added by Schubart.

BOOK VIII—ARCADIA

Η΄

ΑΡΚΑΔΙΚΑ

I. Ἀρκάδων δὲ τὰ πρὸς τῆς Ἀργείας Τεγεᾶταί τε ἔχουσι καὶ Μαντινεῖς, νέμονται δὲ οὗτοί τε καὶ τὸ ἄλλο Ἀρκαδικὸν τὸ μεσόγαιον τῆς Πελοποννήσου. Κορίνθιοι γὰρ οἰκοῦσιν ἐπὶ τῷ ἰσθμῷ πρῶτοι· Κορινθίοις δὲ τὰ πρὸς θαλάσσης εἰσὶν Ἐπιδαύριοι γείτονες· τὰ δὲ ἐς Ἐπίδαυρον καὶ Τροιζῆνά τε καὶ Ἑρμιόνα ὁ κόλπος ἐστὶν ὁ Ἀργολικὸς καὶ ὅσα ἐπιθαλάσσια τῆς Ἀργείας· ταύτης δὲ ἔχονται τῆς χώρας Λακεδαιμονίων περίοικοι, τούτοις δὲ ὅμορος ἡ Μεσσηνία· καταβαίνει γὰρ μέχρι θαλάσσης ἐς Μοθώνην καὶ
2 Πύλον καὶ ἐπὶ Κυπαρισσιάς. τὰ δὲ πρὸς Λεχαίου Κορινθίοις Σικυώνιοι προσοικοῦσιν ἔσχατοι ταύτῃ μοίρας τῆς Ἀργολίδος· μετὰ δὲ Σικυῶνα Ἀχαιοὶ τὸ ἐντεῦθέν εἰσιν οἱ παρὰ τὸν αἰγιαλὸν οἰκοῦντες· τὸ δὲ ἕτερον Πελοποννήσου πέρας τὸ ἀπαντικρὺ τῶν Ἐχινάδων οἰκοῦσιν Ἠλεῖοι· τῆς δὲ γῆς τῆς Ἠλείας κατὰ μὲν Ὀλυμπίαν καὶ τοῦ Ἀλφειοῦ τὰς ἐκβολὰς πρὸς τὴν Μεσσηνίαν εἰσὶν ὅροι, τὰ δὲ πρὸς Ἀχαΐαν
3 Δυμαίων εἰσὶν ὅμοροι. τούτων τῶν κατειλεγμένων καθηκόντων ἐπὶ θάλασσαν Ἀρκάδες τὸ ἐντὸς οἰκοῦσιν ἀποκλειόμενοι θαλάσσης πανταχόθεν· ὅθεν σφᾶς καὶ Ὅμηρος ἀφικέσθαι φησὶν

346

BOOK VIII

ARCADIA

I. The part of Arcadia that lies next to the Argive land is occupied by Tegeans and Mantineans, who with the rest of the Arcadians inhabit the interior of the Peloponnesus. The first people within the peninsula are the Corinthians, living on the Isthmus, and their neighbours on the side seawards are the Epidaurians. Along Epidaurus, Troezen, and Hermion, come the Argolic Gulf and the coast of Argolis. Next to Argolis come the vassals of Lacedaemon, and these border on Messenia, which comes down to the sea at Mothone, Pylus and Cyparissiae. On the side of Lechaeum the Corinthians are bounded by the Sicyonians, who dwell in the extreme part of Argolis on this side. After Sicyon come the Achaeans who live along the coast; at the other end of the Peloponnesus, opposite the Echinadian islands, dwell the Eleans. The land of Elis, on the side of Olympia and the mouth of the Alpheius, borders on Messenia; on the side of Achaia it borders on the land of Dyme. These that I have mentioned extend to the sea, but the Arcadians are shut off from the sea on every side and dwell in the interior. Hence, when they

ἐς Τροίαν παρ' Ἀγαμέμνονος πλοῖα εἰληφότας
καὶ οὐχὶ ναυσὶν οἰκείαις.

4 Φασὶ δὲ Ἀρκάδες ὡς Πελασγὸς γένοιτο ἐν τῇ
γῇ ταύτῃ πρῶτος. εἰκὸς δὲ ἔχει τοῦ λόγου καὶ
ἄλλους ὁμοῦ τῷ Πελασγῷ μηδὲ αὐτὸν Πελασγὸν
γενέσθαι μόνον· ποίων γὰρ ἂν καὶ ἦρχεν ὁ
Πελασγὸς ἀνθρώπων; μεγέθει μέντοι καὶ κατὰ
ἀλκὴν καὶ κάλλος προεῖχεν ὁ Πελασγὸς καὶ
γνώμην ὑπὲρ τοὺς ἄλλους ἦν, καὶ τούτων ἕνεκα
αἱρεθῆναί μοι δοκεῖ βασιλεύειν ὑπ' αὐτῶν. πε-
ποίηται δὲ καὶ Ἀσίῳ τοιάδε ἐς αὐτόν·

> Ἀντίθεον δὲ Πελασγὸν ἐν ὑψικόμοισιν ὄρεσσι
> γαῖα μέλαιν' ἀνέδωκεν, ἵνα θνητῶν γένος εἴη.

5 Πελασγὸς δὲ βασιλεύσας τοῦτο μὲν ποιήσασθαι
καλύβας ἐπενόησεν, ὡς μὴ ῥιγοῦν τε καὶ ὕεσθαι
τοὺς ἀνθρώπους μηδὲ ὑπὸ τοῦ καύματος ταλαι-
πωρεῖν· τοῦτο δὲ τοὺς χιτῶνας τοὺς ἐκ τῶν
δερμάτων τῶν οἰῶν,[1] οἷς καὶ νῦν περί τε Εὔβοιαν
ἔτι χρῶνται καὶ ἐν τῇ Φωκίδι ὁπόσοι βίου σπανί-
ζουσιν, οὗτός ἐστιν ὁ ἐξευρών. καὶ δὴ καὶ τῶν
φύλλων τὰ ἔτι χλωρὰ καὶ πόας τε καὶ ῥίζας
οὐδὲ ἐδωδίμους, ἀλλὰ καὶ ὀλεθρίους ἐνίας σιτου-
μένους τοὺς ἀνθρώπους τούτων μὲν ἔπαυσεν ὁ
6 Πελασγός· ὁ δὲ τὸν καρπὸν τῶν δρυῶν οὔτι που
πασῶν, ἀλλὰ τὰς βαλάνους τῆς φηγοῦ τροφὴν
ἐξεῦρεν εἶναι. παρέμεινέ τε ἐνίοις ἐς τοσοῦτο
ἀπὸ Πελασγοῦ τούτου ἡ δίαιτα, ὡς καὶ τὴν
Πυθίαν, ἡνίκα Λακεδαιμονίοις γῆς τῆς Ἀρκάδων
ἀπηγόρευεν ἅπτεσθαι, καὶ τάδε εἰπεῖν τὰ ἔπη·

---

[1] οἰῶν is an emendation of the MS. reading ὑῶν.

went to Troy, so Homer says, they did not sail in their own ships, but in vessels lent by Agamemnon.

The Arcadians say that Pelasgus was the first inhabitant of this land. It is natural to suppose that others accompanied Pelasgus, and that he was not by himself; for otherwise he would have been a king without any subjects to rule over. However, in stature and in prowess, in beauty and in wisdom, Pelasgus excelled his fellows, and for this reason, I think, he was chosen to be king by them. Asius the poet says of him :—

> The godlike Pelasgus on the wooded mountains
> Black earth gave up, that the race of mortals
>   might exist.

Pelasgus on becoming king invented huts that humans should not shiver, or be soaked by rain, or oppressed by heat. Moreover, he it was who first thought of coats of sheep-skins, such as poor folk still wear in Euboea and Phocis. He too it was who checked the habit of eating green leaves, grasses, and roots always inedible and sometimes poisonous. But he introduced as food the nuts of trees, not those of all trees but only the acorns of the edible oak. Some people have followed this diet so closely since the time of Pelasgus that even the Pythian priestess, when she forbade the Lacedaemonians to touch the land of the Arcadians, uttered the following verses :—

πολλοὶ ἐν Ἀρκαδίη βαλανηφάγοι ἄνδρες
    ἔασιν,
οἵ σ᾿ ἀποκωλύσουσιν· ἐγὼ δέ τοι οὔ τι
    μεγαίρω.

Πελασγοῦ δὲ βασιλεύοντος γενέσθαι καὶ τῇ
χώρᾳ Πελασγίαν φασὶν ὄνομα.

II. Λυκάων δὲ ὁ Πελασγοῦ τοσάδε εὗρεν ἢ ὁ
πατήρ οἱ σοφώτερα· Λυκόσουράν τε γὰρ πόλιν
ᾤκισεν ἐν τῷ ὄρει τῷ Λυκαίῳ καὶ Δία ὠνόμασε
Λυκαῖον καὶ ἀγῶνα ἔθηκε Λύκαια. οὐκέτι δὲ τὰ
παρ᾿ Ἀθηναίοις Παναθήναια τεθῆναι πρότερα
ἀποφαίνομαι· τούτῳ γὰρ τῷ ἀγῶνι Ἀθήναια
ὄνομα ἦν, Παναθήναια δὲ κληθῆναί φασιν ἐπὶ
Θησέως, ὅτι ὑπὸ Ἀθηναίων ἐτέθη συνειλεγμένων
2 ἐς μίαν ἁπάντων πόλιν. ὁ δὲ ἀγὼν ὁ Ὀλυμ-
πικὸς—ἐπανάγουσι γὰρ δὴ αὐτὸν ἐς τὰ ἀνωτέρω
τοῦ ἀνθρώπων γένους, Κρόνον καὶ Δία αὐτόθι
παλαῖσαι λέγοντες καὶ ὡς Κούρητες δράμοιεν
πρῶτοι—τούτων ἕνεκα ἐκτὸς ἔστω μοι τοῦ
παρόντος λόγου. δοκῶ δὲ ἔγωγε Κέκροπι ἡλι-
κίαν τῷ βασιλεύσαντι Ἀθηναίων καὶ Λυκάονι
εἶναι τὴν αὐτήν, σοφίᾳ δὲ οὐχ ὁμοίᾳ σφᾶς ἐς τὸ
3 θεῖον χρήσασθαι. ὁ μὲν γὰρ Δία τε ὠνόμασεν
Ὕπατον πρῶτος, καὶ ὁπόσα ἔχει ψυχήν, τούτων
μὲν ἠξίωσεν οὐδὲν θῦσαι, πέμματα δὲ ἐπιχώρια
ἐπὶ τοῦ βωμοῦ καθήγισεν, ἃ πελάνους καλοῦσιν
ἔτι καὶ ἐς ἡμᾶς Ἀθηναῖοι· Λυκάων δὲ ἐπὶ τὸν
βωμὸν τοῦ Λυκαίου Διὸς βρέφος ἤνεγκεν ἀνθρώ-
που καὶ ἔθυσε τὸ βρέφος καὶ ἔσπεισεν ἐπὶ τοῦ
βωμοῦ τὸ αἷμα, καὶ αὐτὸν αὐτίκα ἐπὶ τῇ θυσίᾳ
4 γενέσθαι λύκον φασὶν ἀντὶ ἀνθρώπου. καὶ ἐμέ

In Arcadia are many men who eat acorns,
Who will prevent you ; though I do not grudge it
    you.

It is said that it was in the reign of Pelasgus that
the land was called Pelasgia.

II. Lycaon the son of Pelasgus devised the
following plans, which were more clever than those
of his father. He founded the city Lycosura on
Mount Lycaeüs, gave to Zeus the surname Lycaeüs
and founded the Lycaean games. I hold that the
Panathenian festival was not founded before the
Lycaean. The early name for the former festival
was the Athenian, which was changed to the
Panathenian in the time of Theseus, because it was
then established by the whole Athenian people
gathered together in a single city. The Olympic
games I leave out of the present account, because
they are traced back to a time earlier than the
human race, the story being that Cronus and Zeus
wrestled there, and that the Curetes were the first
to race at Olympia. My view is that Lycaon was
contemporary with Cecrops, the king of Athens, but
that they were not equally wise in matters of
religion. For Cecrops was the first to name Zeus
the Supreme god, and refused to sacrifice anything
that had life in it, but burnt instead on the altar
the national cakes which the Athenians still call
pelanoi. But Lycaon brought a human baby to the
altar of Lycaean Zeus, and sacrificed it, pouring out
its blood upon the altar, and according to the legend
immediately after the sacrifice he was changed from
a man to a wolf (*lycos*). I for my part believe this

γε ὁ λόγος οὗτος πείθει, λέγεται δὲ ὑπὸ Ἀρκάδων
ἐκ παλαιοῦ, καὶ τὸ εἰκὸς αὐτῷ πρόσεστιν. οἱ
γὰρ δὴ τότε ἄνθρωποι ξένοι καὶ ὁμοτράπεζοι
θεοῖς ἦσαν ὑπὸ δικαιοσύνης καὶ εὐσεβείας, καί
σφισιν ἐναργῶς ἀπήντα παρὰ τῶν θεῶν τιμή τε
οὖσιν ἀγαθοῖς καὶ ἀδικήσασιν ὡσαύτως ἡ ὀργή,
ἐπεί τοι καὶ θεοὶ τότε ἐγίνοντο ἐξ ἀνθρώπων, οἳ
γέρα καὶ ἐς τόδε ἔτι ἔχουσιν ὡς Ἀρισταῖος καὶ
Βριτόμαρτις ἡ Κρητικὴ καὶ Ἡρακλῆς ὁ Ἀλκ-
μήνης καὶ Ἀμφιάραος ὁ Ὀικλέους, ἐπὶ δὲ αὐτοῖς
5 Πολυδεύκης τε καὶ Κάστωρ. οὕτω πείθοιτο ἄν
τις καὶ Λυκάονα θηρίον καὶ τὴν Ταντάλου
Νιόβην γενέσθαι λίθον. ἐπ᾽ ἐμοῦ δὲ—κακία
γὰρ δὴ ἐπὶ πλεῖστον ηὔξετο καὶ γῆν τε ἐπενέμετο
πᾶσαν καὶ πόλεις πάσας—οὔτε θεὸς ἐγίνετο
οὐδεὶς ἔτι ἐξ ἀνθρώπου, πλὴν ὅσον λόγῳ καὶ
κολακείᾳ πρὸς τὸ ὑπερέχον, καὶ ἀδίκοις τὸ μήνιμα
τὸ ἐκ τῶν θεῶν ὀψέ τε καὶ ἀπελθοῦσιν ἐνθένδε
6 ἀπόκειται. ἐν δὲ τῷ παντὶ αἰῶνι πολλὰ μὲν
πάλαι συμβάντα, τὰ δὲ καὶ ἔτι γινόμενα ἄπιστα
εἶναι πεποιήκασιν ἐς τοὺς πολλοὺς οἱ τοῖς ἀληθέ-
σιν ἐποικοδομοῦντες ἐψευσμένα. λέγουσι γὰρ
δὴ ὡς Λυκάονος ὕστερον ἀεί τις ἐξ ἀνθρώπου
λύκος γίνοιτο ἐπὶ τῇ θυσίᾳ τοῦ Λυκαίου Διός,
γίνοιτο δὲ οὐκ ἐς ἅπαντα τὸν βίον· ὁπότε δὲ εἴη
λύκος, εἰ μὲν κρεῶν ἀπόσχοιτο ἀνθρωπίνων,
ὕστερον ἔτει δεκάτῳ φασὶν αὐτὸν αὖθις ἄνθρωπον
ἐκ λύκου γίνεσθαι, γευσάμενον δὲ ἐς ἀεὶ μένειν
7 θηρίον. ὡσαύτως δὲ καὶ Νιόβην λέγουσιν ἐν
Σιπύλῳ τῷ ὄρει θέρους ὥρᾳ κλαίειν. ἤδη δὲ καὶ
ἄλλα ἤκουσα, τοῖς γρυψὶ στίγματα ὁποῖα καὶ
ταῖς παρδάλεσιν εἶναι, καὶ ὡς οἱ Τρίτωνες

story; it has been a legend among the Arcadians from of old, and it has the additional merit of probability. For the men of those days, because of their righteousness and piety, were guests of the gods, eating at the same board ; the good were openly honoured by the gods, and sinners were openly visited with their wrath. Nay, in those days men were changed to gods, who down to the present day have honours paid to them—Aristaeüs, Britomartis of Crete, Heracles the son of Alcmena, Amphiaraüs the son of Oicles, and besides these Polydeuces and Castor. So one might believe that Lycaon was turned into a beast, and Niobe, the daughter of Tantalus, into a stone. But at the present time, when sin has grown to such a height and has been spreading over every land and every city, no longer do men turn into gods, except in the flattering words addressed to despots, and the wrath of the gods is reserved until the sinners have departed to the next world. All through the ages, many events that have occurred in the past, and even some that occur to-day, have been generally discredited because of the lies built up on a foundation of fact. It is said, for instance, that ever since the time of Lycaon a man has changed into a wolf at the sacrifice to Lycaean Zeus, but that the change is not for life ; if, when he is a wolf, he abstains from human flesh, after nine years he becomes a man again, but if he tastes human flesh he remains a beast for ever. Similarly too it is said that Niobe on Mount Sipylus sheds tears in the season of summer. I have also heard that the griffins have spots like the leopard, and that the

ἀνθρώπου φωνῇ φθέγγοιντο· οἱ δὲ καὶ φυσᾶν διὰ
κόχλου τετρυπημένης φασὶν αὐτούς. ὁπόσοι δὲ
μυθολογήμασιν ἀκούοντες ἥδονται, πεφύκασι καὶ
αὐτοί τι ἐπιτερατεύεσθαι· καὶ οὕτω τοῖς ἀληθέσιν
ἐλυμήναντο, συγκεραννύντες αὐτὰ ἐψευσμένοις.

III. Τρίτῃ δὲ ὕστερον γενεᾷ μετὰ Πελασγὸν ἔς
τε πόλεων καὶ ἐς ἀνθρώπων πλῆθος ἐπέδωκεν
ἡ χώρα. Νύκτιμος μὲν γὰρ πρεσβύτατός τε ἦν
καὶ εἶχε τὸ πᾶν κράτος· οἱ δὲ ἄλλοι παῖδες τοῦ
Λυκάονος πόλεις ἐνταῦθα ἔκτιζον ἔνθα ἑκάστῳ
μάλιστα ἦν κατὰ γνώμην. Πάλλας μὲν καὶ Ὀρεσ-
θεὺς καὶ Φίγαλος Παλλάντιον, Ὀρεσθεὺς δὲ Ὀρεσ-
2 θάσιον, Φιγαλίαν δὲ οἰκίζει Φίγαλος. Παλλαντίου
μὲν δὴ καὶ Στησίχορος ὁ Ἱμεραῖος ἐν Γηρυονηίδι
ἐποιήσατο μνήμην· Φιγαλία δὲ καὶ Ὀρεσθάσιον
χρόνῳ μεταβάλλουσι τὰ ὀνόματα, Ὀρέστειόν τε
ἀπὸ Ὀρέστου κληθεῖσα τοῦ Ἀγαμέμνονος καὶ
Φιαλία ἀπὸ τοῦ Βουκολίωνος παιδὸς Φιάλου.
Τραπεζεὺς δὲ καὶ Δασεάτας καὶ Μακαρεὺς καὶ
Ἑλισσῶν καὶ Ἄκακός τε καὶ Θῶκνος Θωκνίαν
πόλιν, ὁ δὲ Ἀκακήσιον ἔκτισεν· ἀπὸ τούτου δὲ
τοῦ Ἀκάκου καὶ Ὅμηρος λόγῳ τῷ Ἀρκάδων ἐς
3 Ἑρμῆν ἐποίησεν ἐπίκλησιν· ἀπὸ δὲ Ἑλισσόντος
ἥ τε πόλις καὶ ὁ ποταμὸς Ἑλισσῶν τὰ ὀνόματα
ἐσχήκασιν, ὡσαύτως δὲ καὶ Μακαρία τε καὶ
Δασέα καὶ Τραπεζοῦς ἀπὸ τῶν Λυκάονος ἐκλή-
θησαν καὶ αὗται παίδων. Ὀρχομενὸς δὲ ἐγένετο
οἰκιστὴς Μεθυδρίου τε καλουμένης καὶ Ὀρχο-
μενίων, οὓς ἐν τοῖς ἔπεσι πολυμήλους ὠνόμασεν
Ὅμηρος. ὑπὸ δὲ Ὑψοῦντος καὶ * * Μελαινεαί
τε ἐκτίσθησαν καὶ Ὑψοῦς, ἔτι δὲ Θυραῖόν τε καὶ
Αἱμονιαί· δόξῃ δὲ τῇ Ἀρκάδων καὶ ἡ Θυρέα ἡ ἐν

Tritons speak with human voice, though others say that they blow through a shell that has been bored. Those who like to listen to the miraculous are themselves apt to add to the marvel, and so they ruin truth by mixing it with falsehood.

III. In the third generation after Pelasgus the land increased in the number both of its cities and of its population. For Nyctimus, who was the eldest son of Lycaon, possessed all the power, while the other sons founded cities on the sites they considered best. Thus Pallantium was founded by Pallas, Oresthasium by Orestheus and Phigalia by Phigalus. Pallantium is mentioned by Stesichorus of Himera in his *Geryoneid*; Phigalia and Oresthasium in course of time changed their names, Oresthasium to Oresteium after Orestes, the son of Agamemnon, Phigalia to Phialia after Phialus, the son of Bucolion. Cities were founded by Trapezeus also, and by Daseatas, Macareus, Helisson, Acacus and Thocnus. The last founded Thocnia, and Acacus Acacesium. It was after this Acacus, according to the Arcadian account, that Homer[1] made a surname for Hermes. Helisson has given a name to both the town and the river so called, and similarly Macaria, Dasea, and Trapezus were named after the sons of Lycaon. Orchomenus became founder of both the town called Methydrium and of Orchomenus, styled by Homer[2] "rich in sheep." Hypsus and . . .[3] founded Melaeneae and Hypsus, and also Thyraeum and Haemoniae. The Arcadians are of opinion that both the Thyrea in Argolis and

[1] *Iliad*, xvi. 185.   [2] *Iliad*, ii. 605.
[3] The gap in the MSS. has not yet been filled by any satisfactory emendation.

τῇ Ἀργολίδι γῇ καὶ ὁ Θυρεάτης καλούμενος
κόλπος ἀπὸ τοῦ Θυραίου τούτου τὰ ὀνόματα
4 ἐσχήκασι. Μαντινεὺς δὲ καὶ Τεγεάτης καὶ
Μαίναλος, ὁ μὲν τῶν ἐν Ἀρκαδίᾳ πόλεων ὀνομασ-
τοτάτην τὸ ἀρχαῖον Μαίναλον, Τεγεάτης δὲ καὶ
Μαντινεὺς Τεγέαν κτίζουσι καὶ Μαντίνειαν.
ὠνομάσθησαν δὲ καὶ ἀπὸ Κρώμου Κρῶμοι, καὶ
Χαρισία Χαρίσιον ἔχουσα οἰκιστήν, Τρικόλωνοι
δὲ ἀπὸ Τρικολώνου, καὶ ἀπὸ μὲν Περαίθου
Περαιθεῖς, Ἀσέα δὲ ἀπὸ Ἀσεάτα καὶ . . . Λυκόα
καὶ Σουματία ἀπὸ Σουματέως· Ἀλίφηρος δὲ καὶ
Ἡραιεὺς ἐπώνυμοι καὶ οὗτοι πόλεσίν εἰσιν ἀμφό-
5 τεροι. Οἴνωτρος δὲ ὁ τῶν παίδων νεώτατος
Λυκάονι ἀρσένων Νύκτιμον τὸν ἀδελφὸν χρήματα
καὶ ἄνδρας αἰτήσας ἐπεραιώθη ναυσὶν ἐς Ἰταλίαν,
καὶ ἡ Οἰνωτρία χώρα τὸ ὄνομα ἔσχεν ἀπὸ
Οἰνώτρου βασιλεύοντος. οὗτος ἐκ τῆς Ἑλλάδος
ἐς ἀποικίαν στόλος πρῶτος ἐστάλη· ἀναριθμου-
μένῳ δὲ ἐς τὸ ἀκριβέστατον οὐδὲ ἐκ τῶν βαρ-
βάρων οὐδένες πρότερον ἢ Οἴνωτρος ἀφίκοντο ἐς
τὴν ἀλλοδαπήν.
6   Ἐπὶ δὲ τῷ γένει παντὶ τῷ ἄρσενι θυγάτηρ
Λυκάονι ἐγένετο Καλλιστώ. ταύτῃ τῇ Καλλισ-
τοῖ—λέγω δὲ τὰ λεγόμενα ὑπὸ Ἑλλήνων—
συνεγένετο ἐρασθεὶς Ζεύς· Ἥρα δὲ ὡς ἐφώρασεν,
ἐποίησεν ἄρκτον τὴν Καλλιστώ, Ἄρτεμις δὲ ἐς
χάριν τῆς Ἥρας κατετόξευσεν αὐτήν. καὶ ὁ Ζεὺς
Ἑρμῆν πέμπει σῶσαι τὸν παῖδά οἱ προστάξας,
7 ὃν ἐν τῇ γαστρὶ εἶχεν ἡ Καλλιστώ· Καλλιστὼ
δὲ αὐτὴν ἐποίησεν ἀστέρας καλουμένην ἄρκτον
μεγάλην, ἧς καὶ Ὅμηρος ἐν Ὀδυσσέως ἀνάπλῳ
παρὰ Καλυψοῦς μνήμην ἔσχε·

also the Thyrean gulf were named after this
Thyraeüs. Maenalus founded Maenalus, which was
in ancient times the most famous of the cities of
Arcadia, Tegeates founded Tegea and Mantineus
Mantineia. Cromi was named after Cromus, Charisia
after Charisius, its founder, Tricoloni after Tri-
colonus, Peraethenses after Peraethus, Asea after
Aseatas, Lycoa after . . .[1], and Sumatia after
Sumateus. Alipherus also and Heraeus both gave
their names to cities. But Oenotrus, the youngest
of the sons of Lycaon, asked his brother Nyctimus
for money and men and crossed by sea to Italy;
the land of Oenotria received its name from
Oenotrus who was its king. This was the first
expedition despatched from Greece to found a
colony, and if a man makes the most careful
calculation possible he will discover that no
foreigners either emigrated to another land before
Oenotrus.

In addition to all this male issue, Lycaon had a
daughter Callisto. This Callisto (I repeat the
current Greek legend) was loved by Zeus and
mated with him. When Hera detected the intrigue
she turned Callisto into a bear, and Artemis to
please Hera shot the bear. Zeus sent Hermes with
orders to save the child that Callisto bore in her
womb, and Callisto herself he turned into the con-
stellation known as the Great Bear, which is men-
tioned by Homer[2] in the return voyage of Odysseus
from Calypso :—

---

[1] There is apparently a gap here in the MSS. Musurus
wished to fill it by the words ἀπὸ Λυκέως, "after Lyceus."

[2] *Odyssey*, v. 272.

Πληιάδας τ' ἐσορῶντα καὶ ὀψὲ δύοντα Βοώτην
ἄρκτον θ', ἣν καὶ ἄμαξαν ἐπίκλησιν καλέουσιν.

ἔχοιεν δ' ἂν καὶ ἄλλως τὸ ὄνομα οἱ ἀστέρες ἐπὶ
τιμῇ τῇ Καλλιστοῦς, ἐπεὶ τάφον γε αὐτῆς ἀπο-
φαίνουσιν οἱ Ἀρκάδες.

IV. Μετὰ δὲ Νύκτιμον ἀποθανόντα Ἀρκὰς
ἐξεδέξατο ὁ Καλλιστοῦς τὴν ἀρχήν· καὶ τόν τε
ἥμερον καρπὸν ἐσηγάγετο οὗτος παρὰ Τριπτολέ-
μου καὶ τὴν ποίησιν ἐδίδαξε τοῦ ἄρτου καὶ ἐσθῆτα
ὑφαίνεσθαι καὶ ἄλλα, τὰ ἐς ταλασίαν μαθὼν
παρ' Ἀδρίστα.[1] ἀπὸ τούτου δὲ βασιλεύσαντος
Ἀρκαδία τε ἀντὶ Πελασγίας ἡ χώρα καὶ ἀντὶ
2 Πελασγῶν Ἀρκάδες ἐκλήθησαν οἱ ἄνθρωποι. συν-
οικῆσαι δὲ οὐ θνητῇ γυναικὶ αὐτόν, ἀλλὰ νύμφῃ
Δρυάδι ἔλεγον· Δρυάδας γὰρ δὴ καὶ Ἐπιμηλιάδας,
τὰς δὲ αὐτῶν ἐκάλουν Ναΐδας, καὶ Ὁμήρῳ γε ἐν
τοῖς ἔπεσι Ναΐδων νυμφῶν μάλιστά ἐστι μνήμη.
τὴν δὲ νύμφην ταύτην καλοῦσιν Ἐρατω, καὶ ἐκ
ταύτης φασὶν Ἀρκάδι Ἀζᾶνα καὶ Ἀφείδαντα
γενέσθαι καὶ Ἔλατον· ἐγεγόνει δὲ αὐτῷ πρότερον
3 ἔτι Αὐτόλαος νόθος. τοῖς δὲ παισίν, ὡς ηὐξήθη-
σαν, διένειμεν Ἀρκὰς τριχῇ τὴν χώραν, καὶ ἀπὸ
μὲν Ἀζᾶνος ἡ Ἀζανία μοῖρα ὠνομάσθη· παρὰ
τούτων δὲ ἀποικισθῆναι λέγουσιν, ὅσοι περὶ τὸ
ἄντρον ἐν Φρυγίᾳ τὸ καλούμενον Στεῦνος καὶ
Πέγκαλαν ποταμὸν οἰκοῦσιν. Ἀφείδας δὲ Τεγέαν
καὶ τὴν προσεχῆ ταύτης ἔλαχεν· ἐπὶ τούτῳ δὲ
καὶ ποιηταὶ καλοῦσιν Ἀφειδάντειον κλῆρον τὴν
4 Τεγέαν. Ἔλατος δὲ ἔσχε τὸ ὄρος τὴν Κυλλήνην,
ἔτι τότε οὖσαν ἀνώνυμον· χρόνῳ δὲ ὕστερον
μετῴκησεν ὁ Ἔλατος ἐς τὴν νῦν καλουμένην

Gazing at the Pleiades and late-setting Boötes,
And the Bear, which they also call the Wain.

But it may be that the constellation is merely named
in honour of Callisto, since her grave is pointed out
by the Arcadians.

IV. After the death of Nyctimus, Arcas the son
of Callisto came to the throne. He introduced the
cultivation of crops, which he learned from Tripto-
lemus, and taught men to make bread, to weave
clothes, and other things besides, having learned the
art of spinning from Adristas. After this king
the land was called Arcadia instead of Pelasgia and
its inhabitants Arcadians instead of Pelasgians. His
wife, according to the legend, was no mortal woman
but a Dryad nymph. For they used to call some
nymphs Dryads, others Epimeliads, and others
Naiads, and Homer in his poetry talks mostly of
Naiad nymphs. This nymph they call Erato, and
by her they say that Arcas had Azan, Apheidas and
Elatus. Previously he had had Autolaüs, an illegiti-
mate son. When his sons grew up, Arcas divided
the land between them into three parts, and one
district was named Azania after Azan ; from Azania,
it is said, settled the colonists who dwell about the
cave in Phrygia called Steunos and the river Pen-
calas. To Apheidas fell Tegea and the land adjoin-
ing, and for this reason poets too call Tegea "the
lot of Apheidas." Elatus got Mount Cyllene, which
down to that time had received no name. After-
wards Elatus migrated to what is now called Phocis,

---

[1] So the MSS.: παρ' Ἀρισταίου Sylburg: παρὰ Δρίστα
Spiro.

Φωκίδα, καὶ τοῖς τε Φωκεῦσιν ἤμυνεν ὑπὸ
Φλεγυῶν πολέμῳ πιεζομένοις καὶ Ἐλατείας
πόλεως ἐγένετο οἰκιστής. παῖδα δὲ Ἀζᾶνι μὲν
Κλείτορα, Ἀφείδαντι δὲ Ἄλεον, Ἐλάτῳ δέ
φασιν εἶναι πέντε, Αἴπυτον Περέα Κυλλῆνα
5 Ἴσχυν Στύμφηλον. ἐπὶ δὲ Ἀζᾶνι τῷ Ἀρκάδος
τελευτήσαντι ἆθλα ἐτέθη πρῶτον· εἰ μὲν καὶ
ἄλλα, οὐκ οἶδα, ἱπποδρομίας δὲ ἐτέθη. Κλείτωρ
μὲν δὴ ὁ Ἀζᾶνος ἐν Λυκοσώρᾳ τε ᾤκει καὶ ἦν τῶν
βασιλέων δυνατώτατος καὶ Κλείτορα ᾤκισεν ἀφ'
αὑτοῦ πόλιν, Ἄλεος δὲ εἶχε τὴν πατρῴαν λῆξιν·
6 ἀπὸ δὲ Ἐλάτου τῶν παίδων Κυλλήνην τὸ ὄρος
καλοῦσιν ἀπὸ Κυλλῆνος, καὶ ἀπὸ Στυμφήλου
πηγή τε ὀνομάζεται καὶ πόλις Στύμφηλος ἐπὶ τῇ
πηγῇ. τὰ δὲ ἐς τὸν θάνατον Ἴσχυος τοῦ Ἐλά-
του πρότερον ἔτι ἐν τῇ συγγραφῇ τῇ Ἀργολίδι
ἐδήλωσα. παῖδα δὲ Περεῖ ἄρρενα μέν φασιν
οὐδένα, Νέαιραν δὲ γενέσθαι θυγατέρα· ταύτην
γυναῖκα ἔσχεν Αὐτόλυκος, οἰκῶν μὲν ἐν τῷ ὄρει
τῷ Παρνασσῷ, λεγόμενος δὲ Ἑρμοῦ παῖς εἶναι,
Δαιδαλίωνος δὲ ὢν τῷ ἀληθεῖ λόγῳ.

7 Κλείτορι δὲ τῷ Ἀζᾶνος οὐ γενομένων παίδων,
ἐς Αἴπυτον Ἐλάτου περιεχώρησεν ἡ Ἀρκάδων
βασιλεία· τὸν δὲ Αἴπυτον ἐξελθόντα ἐς ἄγραν
θηρίων μὲν τῶν ἀλκιμωτέρων οὐδέν, σῆψ δὲ οὐ
προϊδόμενον ἀποκτίννυσι. τὸν δὲ ὄφιν τοῦτον
καὶ αὐτός ποτε εἶδον· κατὰ ἔχιν ἐστὶ τὸν
μικρότατον, τέφρᾳ ἐμφερής, στίγμασιν οὐ συν-
εχέσι πεποικιλμένος· κεφαλὴ δέ ἐστιν αὐτῷ
πλατεῖα καὶ τράχηλος στενός, γαστέρα δὲ ἔχει
μείζονα καὶ οὐρὰν βραχεῖαν· βαδίζει δὲ οὗτός
τε καὶ ὄφις ἕτερος ὁ κεράστης καλούμενος

helped the Phocians when hard pressed in war by the Phlegyans, and became the founder of the city Elateia. It is said that Azan had a son Cleitor, Apheidas a son Aleüs, and that Elatus had five sons, Aepytus, Pereus, Cyllen, Ischys, and Stymphalus. On the death of Azan, the son of Arcas, athletic contests were held for the first time; horse-races were certainly held, but I cannot speak positively about other contests. Now Cleitor the son of Azan dwelt in Lycosura, and was the most powerful of the kings, founding Cleitor, which he named after himself; Aleüs held his father's portion. Of the sons of Elatus, Cyllen gave his name to Mount Cyllene, and Stymphalus gave his to the spring and to the city Stymphalus near the spring. The story of the death of Ischys, the son of Elatus, I have already told in my history of Argolis.[1] Pereus, they say, had no male child, but only a daughter, Neaera. She married Autolycus, who lived on Mount Parnassus, and was said to be a son of Hermes, although his real father was Daedalion.

Cleitor, the son of Azan, had no children, and the sovereignty of the Arcadians devolved upon Aepytus, the son of Elatus. While out hunting, Aepytus was killed, not by any of the more powerful beasts, but by a *seps* that he failed to notice. This species of snake I have myself seen. It is like the smallest kind of adder, of the colour of ash, with spots dotted here and there. It has a broad head and a narrow neck, a large belly and a short tail. This snake, like another called *cerastes* ("the horned snake"), walks

---

[1] See Book II. xxvi. 6.

ἐνδιδόντες ἐς τὰ πλάγια, ὥσπερ οἱ καρκίνοι.
8 μετὰ δὲ Αἴπυτον ἔσχεν Ἄλεος τὴν ἀρχήν·
Ἀγαμήδης μὲν γὰρ καὶ Γόρτυς οἱ Στυμφήλου
τέταρτον γένος ἦσαν ἀπὸ Ἀρκάδος, Ἄλεος δὲ
τρίτον ὁ Ἀφείδαντος. Ἄλεος δὲ τῇ τε Ἀθηνᾷ
τῇ Ἀλέᾳ τὸ ἱερὸν ᾠκοδόμησεν ἐν Τεγέᾳ τὸ
ἀρχαῖον καὶ αὑτῷ κατεσκεύαστο αὐτόθι ἡ βασι-
λεία· Γόρτυς δὲ ὁ Στυμφήλου πόλιν Γόρτυνα
ᾤκισεν ἐπὶ ποταμῷ· καλεῖται δὲ Γορτύνιος καὶ ὁ
ποταμός. Ἀλέῳ δὲ ἄρσενες μὲν παῖδες Λυ-
κοῦργός τε καὶ Ἀμφιδάμας καὶ Κηφεύς, θυγάτηρ
9 δὲ ἐγένετο Αὔγη. ταύτῃ τῇ Αὔγῃ τῷ Ἑκαταίου
λόγῳ συνεγίνετο Ἡρακλῆς, ὁπότε ἀφίκοιτο ἐς
Τεγέαν· τέλος δὲ καὶ ἐφωράθη τετοκυῖα ἐκ τοῦ
Ἡρακλέους, καὶ αὐτὴν ὁ Ἄλεος ἐσθέμενος ὁμοῦ
τῷ παιδὶ ἐς λάρνακα ἀφῆκεν ἐς θάλασσαν, καὶ
ἡ μὲν ἀφίκετο ἐς Τεύθραντα δυνάστην ἄνδρα
ἐν Καΐκου πεδίῳ καὶ συνῴκησεν ἐρασθέντι τῷ
Τεύθραντι· καὶ νῦν ἔστι μὲν Αὔγης μνῆμα ἐν
Περγάμῳ τῇ ὑπὲρ τοῦ Καΐκου, γῆς χῶμα λίθου
περιεχόμενον κρηπῖδι, ἔστι δὲ ἐν τῷ μνήματι
10 ἐπίθημα χαλκοῦ πεποιημένον, γυνὴ γυμνή. μετὰ
δὲ Ἄλεον τελευτήσαντα Λυκοῦργος ὁ Ἀλέου τὴν
βασιλείαν πρεσβείᾳ ἔσχε· παρέσχετο δὲ ἐς
μνήμην Ἀρηίθοον ἄνδρα πολεμικὸν δόλῳ καὶ οὐ
σὺν τῷ δικαίῳ κτείνας. γενομένων δὲ αὐτῷ
παίδων Ἀγκαίου τε καὶ Ἐπόχου, τὸν μὲν
νοσήσαντα ἐπιλαμβάνει τὸ χρεών, Ἀγκαῖος δὲ
Ἰάσονί τε τοῦ πλοῦ μετέσχεν ἐς Κόλχους καὶ
ὕστερον ὁμοῦ Μελεάγρῳ τὸ ἐν Καλυδῶνι κατ-
εργαζόμενος θηρίον ἀπέθανεν ὑπὸ τοῦ ὑός.

V. Λυκοῦργος μὲν δὴ πορρωτάτω γήρως

with a sidelong motion, as do crabs. After Aepytus Aleüs came to the throne. For Agamedes and Gortys, the sons of Stymphalus, were three generations removed from Arcas, and Aleüs, the son of Apheidas, two generations. Aleüs built the old sanctuary in Tegea of Athena Alea, and made Tegea the capital of his kingdom. Gortys the son of Stymphalus founded the city Gortys on a river which is also called after him. The sons of Aleüs were Lycurgus, Amphidamas and Cepheus; he also had a daughter Auge. Hecataeüs says that this Auge used to have intercourse with Heracles when he came to Tegea. At last it was discovered that she had borne a child to Heracles, and Aleüs, putting her with her infant son in a chest, sent them out to sea. She came to Teuthras, lord of the plain of the Caïcus, who fell in love with her and married her. The tomb of Auge still exists at Pergamus above the Caïcus; it is a mound of earth surrounded by a basement of stone and surmounted by a figure of a naked woman in bronze. After the death of Aleüs Lycurgus his son got the kingdom as being the eldest; he is notorious for killing, by treachery and not in fair fight, a warrior called Areïthoüs. Of his two sons, Ancaeüs and Epochus, the latter fell ill and died, while the former joined the expedition of Jason to Colchis; afterwards, while hunting down with Meleager the Calydonian boar, he was killed by the brute.

V. So Lycurgus outlived both his sons, and reached

ἀφίκετο ἐπιδὼν τοὺς παῖδας ἀμφοτέρους τελευ-
τήσαντας· Λυκούργου δὲ ἀποθανόντος Ἔχεμος
ὁ Ἀερόπου τοῦ Κηφέως τοῦ Ἀλέου τὴν Ἀρκάδων
ἔσχεν ἀρχήν. ἐπὶ τούτου Δωριεῖς κατιόντας ἐς
Πελοπόννησον ὑπὸ ἡγεμόνι Ὕλλῳ τῷ Ἡρακλέους
Ἀχαιοὶ περὶ ἰσθμὸν τὸν Κορινθίων κρατοῦσι
μάχῃ, καὶ Ἔχεμος ἀποκτίννυσιν Ὕλλον μονο-
μαχήσαντά οἱ κατὰ πρόκλησιν. τάδε γὰρ
ἐφαίνετο εἰκότα εἶναί μοι μᾶλλον ἢ ὁ πρότερος
λόγος, ἐν ᾧ βασιλεύειν τε Ἀχαιῶν τηνικαῦτα
Ὀρέστην ἔγραψα καὶ Ὕλλον Ὀρέστου
βασιλεύοντος ἀποπειρᾶσαι καθόδου τῆς ἐς Πελο-
πόννησον. φαίνοιτο δ' ἂν τῷ ὑστέρῳ τῶν λόγων
καὶ Τιμάνδρα συνοικήσασα ἡ Τυνδάρεω τῷ
2 ἀποκτείναντι Ὕλλον Ἐχέμῳ. Ἀγαπήνωρ δὲ ὁ
Ἀγκαίου τοῦ Λυκούργου μετὰ Ἔχεμον βασι-
λεύσας ἐς Τροίαν ἡγήσατο Ἀρκάσιν. Ἰλίου δὲ
ἁλούσης ὁ τοῖς Ἕλλησι κατὰ τὸν πλοῦν τὸν
οἴκαδε ἐπιγενόμενος χειμὼν Ἀγαπήνορα καὶ τὸ
Ἀρκάδων ναυτικὸν κατήνεγκεν ἐς Κύπρον, καὶ
Πάφου τε Ἀγαπήνωρ ἐγένετο οἰκιστὴς καὶ τῆς
Ἀφροδίτης κατεσκευάσατο ἐν Παλαιπάφῳ τὸ
ἱερόν· τέως δὲ ἡ θεὸς παρὰ Κυπρίων τιμὰς εἶχεν
3 ἐν Γολγοῖς καλουμένῳ χωρίῳ. χρόνῳ δὲ ὕστερον
Λαοδίκη γεγονυῖα ἀπὸ Ἀγαπήνορος ἔπεμψεν ἐς
Τεγέαν τῇ Ἀθηνᾷ τῇ Ἀλέᾳ πέπλον· τὸ δὲ ἐπὶ τῷ
ἀναθήματι ἐπίγραμμα καὶ αὐτῆς Λαοδίκης ἅμα
ἐδήλου τὸ γένος·

Λαοδίκης ὅδε πέπλος· ἑᾷ δ' ἀνέθηκεν Ἀθηνᾷ
πατρίδ' ἐς εὐρύχορον Κύπρου ἀπὸ ζαθέας.

4 Ἀγαπήνορος δὲ οὐκ ἀνασωθέντος οἴκαδε ἐξ

an extreme old age. On his death, Echemus, son of
Aëropus, son of Cepheus, son of Aleüs, became king
of the Arcadians. In his time the Dorians, in their
attempt to return to the Peloponnesus under the
leadership of Hyllus, the son of Heracles, were
defeated by the Achaeans at the Isthmus of Corinth,
and Echemus killed Hyllus, who had challenged
him to single combat. I have come to the conclusion
that this is a more probable story than the one I
gave before,[1] that on this occasion Orestes was king
of the Achaeans, and that it was during his reign
that Hyllus attempted to return to the Peloponnesus.
If the second account be accepted, it would appear
that Timandra, the daughter of Tyndareus, married
Echemus, who killed Hyllus. Agapenor, the son of
Ancaeüs, the son of Lycurgus, who was king after
Echemus, led the Arcadians to Troy. After the
capture of Troy the storm that overtook the Greeks
on their return home carried Agapenor and the
Arcadian fleet to Cyprus, and so Agapenor became
the founder of Paphos, and built the sanctuary of
Aphrodite at Palaepaphos (*Old Paphos*). Up to
that time the goddess had been worshipped by the
Cyprians in the district called Golgi. Afterwards
Laodice, a descendant of Agapenor, sent to Tegea a
robe as a gift for Athena Alea. The inscription on
the offering told as well the race of Laodice :—

This is the robe of Laodice ; she offered it to her
    Athena,
Sending it to her broad fatherland from divine
    Cyprus.

When Agapenor did not return home from Troy,

[1] See Book I. xli. 2.

Ἰλίου, παρέλαβε τὴν ἀρχὴν Ἱππόθους Κερκυόνος τοῦ Ἀγαμήδους τοῦ Στυμφήλου. καὶ τῷ μὲν ἐπιφανὲς συμβῆναι παρὰ τὸν βίον φασὶν οὐδέν, πλὴν ὅσον οὐκ ἐν Τεγέᾳ τὴν βασιλείαν κατεστήσατο ἀλλὰ ἐν Τραπεζοῦντι· Αἴπυτος δὲ ὁ Ἱππόθου μετὰ τὸν πατέρα ἔσχε τὴν ἀρχήν, καὶ Ὀρέστης ὁ Ἀγαμέμνονος κατὰ μαντείαν τοῦ ἐν Δελφοῖς Ἀπόλλωνος μετῴκησεν ἐς Ἀρκαδίαν ἐκ
5 Μυκηνῶν. Αἰπύτῳ δὲ τῷ Ἱππόθου παρελθεῖν ἐς τὸ ἱερὸν τοῦ Ποσειδῶνος τὸ ἐν Μαντινείᾳ τολμήσαντι—ἔσοδος δὲ ἀνθρώποις οὔτε τότε ἐς αὐτὸ ἦν οὔτε ἄχρι ἡμῶν ἔστιν— ἐς τοῦτο ἐσελθόντι τυφλωθῆναι καὶ οὐ μετὰ πολὺ τῆς συμφορᾶς τελευτῆσαί οἱ τὸν βίον ἐγένετο.

6 Κυψέλου δὲ τοῦ Αἰπύτου βασιλεύοντος μετὰ Αἴπυτον, ὁ Δωριέων στόλος οὐ διὰ τοῦ Κορινθίων ἰσθμοῦ, καθὰ ἐπὶ τρεῖς τὰς πρότερον γενεάς, ναυσὶ δὲ κατὰ τὸ ὀνομαζόμενον Ῥίον κάτεισιν ἐς Πελοπόννησον· πυνθανόμενός τε τὰ [1] ἐς αὑτοὺς ὁ Κύψελος, ὃν τῶν Ἀριστομάχου παίδων οὐκ ἔχοντά [2] πω γυναῖκα εὕρισκε, τούτῳ τὴν θυγατέρα ἐκδοὺς καὶ οἰκειωσάμενος τὸν Κρεσφόντην αὐτός τε καὶ οἱ Ἀρκάδες ἐκτὸς ἐστήκεσαν δεί-
7 ματος. Ὀλαίας δὲ ἦν Κυψέλου παῖς, ὃς καὶ τῆς ἀδελφῆς τὸν παῖδα Αἴπυτον, σὺν δὲ αὐτῷ καὶ οἱ ἐκ Λακεδαίμονος καὶ Ἄργους Ἡρακλεῖδαι κατάγουσιν ἐς Μεσσήνην. τοῦ δὲ ἦν Βουκολίων, τοῦ δὲ Φίαλος, ὃς τὸν Λυκάονος Φίγαλον οἰκιστὴν ὄντα ἀφελόμενος τὴν τιμὴν Φιαλίαν τὸ ὄνομα τῇ πόλει μετέθετο ἀφ' ἑαυτοῦ· οὐ μὴν καὶ ἐς

---

[1] τά is not in the MSS., but was added to the text by Schubart.

the kingdom devolved upon Hippothoüs, the son of
Cercyon, the son of Agamedes, the son of Stym-
phalus. No remarkable event is recorded of his
life, except that he established as the capital of his
kingdom not Tegea but Trapezus. Aepytus, the
son of Hippothoüs, succeeded his father to the
throne, and Orestes, the son of Agamemnon, in
obedience to an oracle of the Delphic Apollo, moved
his home from Mycenae to Arcadia. Aepytus, the
son of Hippothoüs, dared to enter the sanctuary of
Poseidon at Mantineia, into which no mortal was,
just as no mortal to-day is, allowed to pass; on
entering it he was struck blind, and shortly after
this calamity he died.

Aepytus was succeeded as king by his son
Cypselus, and in his reign the Dorian expedition
returned to the Peloponnesus, not, as three genera-
tions before, across the Corinthian Isthmus, but by
sea to the place called Rhium. Cypselus, learning
about the expedition, married his daughter to the son
of Aristomachus whom he found without a wife, and
so winning over Cresphontes he himself and the
Arcadians had nothing at all to fear. Holaeas was
the son of Cypselus, who, aided by the Heracleidae
from Lacedaemon and Argos, restored to Messene
his sister's son Aepytus. Holaeas had a son Bucolion,
and he a son Phialus, who robbed Phigalus, the son
of Lycaon, the founder of Phigalia, of the honour of
giving his name to the city; Phialus changed it to
Phialia, after his own name, but the change did not

---

8 ἅπαν γε ἐξενίκησεν. ἐπὶ δὲ Σίμου τοῦ Φιάλου
βασιλεύοντος ἠφανίσθη Φιγαλεῦσιν ὑπὸ πυρὸς
τῆς Μελαίνης Δήμητρος τὸ ἀρχαῖον ξόανον·
ἐσήμαινε δὲ ἄρα οὐ μετὰ πολὺ ἔσεσθαι καὶ αὐτῷ
Σίμῳ τοῦ βίου τὴν τελευτήν. Πόμπου δὲ ἐκδεξα-
μένου τοῦ Σίμου τὴν ἀρχήν, Αἰγινῆται κατὰ
ἐμπορίαν ἐσέπλεον ναυσὶν ἐς Κυλλήνην, ἐκεῖθεν
δὲ ὑποζυγίοις τὰ φορτία ἀνῆγον παρὰ τοὺς
Ἀρκάδας. ἀντὶ τούτου ἐτίμησεν ὁ Πόμπος
μεγάλως, καὶ δὴ καὶ ὄνομα Αἰγινήτην τῷ παιδὶ
9 ἔθετο ἐπὶ τῶν Αἰγινητῶν τῇ φιλίᾳ. μετὰ δὲ
Αἰγινήτην Πολυμήστωρ ἐγένετο ὁ Αἰγινήτου
βασιλεὺς Ἀρκάδων, καὶ Λακεδαιμόνιοι καὶ
Χάριλλος πρῶτον τότε ἐς τὴν Τεγεατῶν ἐσβάλ-
λουσι στρατιᾷ· καὶ σφᾶς αὐτοί τε οἱ Τεγεᾶται
καὶ γυναῖκες ὅπλα ἐνδῦσαι μάχῃ νικῶσι, καὶ
τόν τε ἄλλον στρατὸν καὶ αὐτὸν Χάριλλον ζῶντα
αἱροῦσι. Χαρίλλου μὲν δὴ καὶ τῆς σὺν αὐτῷ
στρατιᾶς ἐς πλέον μνήμην ποιησόμεθα ἐν τοῖς
10 Τεγεατικοῖς· Πολυμήστορι δὲ οὐ γενομένων
παίδων παρέλαβεν Αἶχμις τὴν ἀρχήν, Βριάκα
μὲν παῖς, Πολυμήστορος δὲ ἀδελφιδοῦς· Αἰγινή-
του γὰρ ἦν καὶ Βριάκας, νεώτερος δὲ ἦν Πολυμή-
στορος. Αἴχμιδος δὲ βασιλεύσαντος Λακεδαι-
μονίοις ἐγένετο ὁ πρὸς Μεσσηνίους πόλεμος· τοῖς
δὲ Ἀρκάσιν ὑπῆρχε μὲν ἐς τοὺς Μεσσηνίους
εὔνοια ἐξ ἀρχῆς, τότε δὲ καὶ ἐκ τοῦ φανεροῦ
πρὸς Λακεδαιμονίους ἐμαχέσαντο μετὰ Ἀριστο-
11 δήμου βασιλεύοντος ἐν Μεσσήνῃ. Ἀριστοκράτης
δὲ ὁ Αἴχμιδος τάχα μέν που καὶ ἄλλα ἐς τοὺς
Ἀρκάδας ὕβρισεν· ἃ δὲ ἀνοσιώτατα ἔργων ἐς

win universal acceptance. In the reign of Simus, the son of Phialus, the people of Phigalia lost by fire the ancient wooden image of Black Demeter. This loss proved to be a sign that Simus himself also was soon to meet his end. Simus was succeeded as king by Pompus his son, in whose reign the Aeginetans made trading voyages as far as Cyllene, from which place they carried their cargoes up country on pack-animals to the Arcadians. In return for this Pompus honoured the Arcadians greatly, and furthermore gave the name Aeginetes to his son out of friendship for the Aeginetans. After Aeginetes his son Polymestor became king of the Arcadians, and it was then that Charillus and the Lacedaemonians for the first time invaded the land of Tegea with an army. They were defeated in battle by the people of Tegea, who, men and women alike, flew to arms; the whole army, including Charillus himself, were taken prisoners. Charillus and his army I shall mention at greater length in my account of Tegea.[1] Polymestor had no children, and Aechmis succeeded to the throne, who was the son of Briacas, and the nephew of Polymestor. For Briacas too was a son of Aeginetes, but younger than Polymestor. After Aechmis came to the throne occurred the war between the Lacedaemonians and the Messenians. The Arcadians had from the first been friendly to the Messenians, and on this occasion they openly fought against the Lacedaemonians on the side of Aristodemus, the king of Messenia. Aristocrates, the son of Aechmis, may have been guilty of outrages against the Arcadians; of his most

---

[1] See chap. xlviii. of this Book, § 4.

θεοὺς ἐργασάμενον οἶδα αὐτόν, ἐπέξεισί μοι ταῦτα
ὁ λόγος. ἔστιν Ἀρτέμιδος ἱερὸν Ὑμνίας ἐπίκλη-
σιν. τοῦτο ἐν ὅροις μέν ἐστιν Ὀρχομενίων,
πρὸς δὲ τῇ Μαντινικῇ· σέβουσιν ἐκ παλαιοτά-
του καὶ οἱ πάντες Ἀρκάδες Ὑμνίαν Ἄρτεμιν.
ἐλάμβανε δὲ τὴν ἱερωσύνην τῆς θεοῦ τότε ἔτι
12 κόρη παρθένος. Ἀριστοκράτης δέ, ὡς οἱ πειρ-
ρῶντι τὴν παρθένον ἀντέβαινεν ἀεὶ τὰ παρ᾽
αὐτῆς, τέλος καταφυγοῦσαν ἐς τὸ ἱερὸν παρὰ
τῇ Ἀρτέμιδι ᾔσχυνεν. ὡς δὲ ἐς ἅπαντας ἐξηγ-
γέλθη τὸ τόλμημα, τὸν μὲν καταλιθοῦσιν οἱ
Ἀρκάδες, μετεβλήθη δὲ ἐξ ἐκείνου καὶ ὁ νόμος·
ἀντὶ γὰρ παρθένου διδόασι τῇ Ἀρτέμιδι ἱέρειαν
γυναῖκα ὁμιλίας ἀνδρῶν ἀποχρώντως ἔχουσαν.
13 τούτου δὲ υἱὸς ἐγένετο Ἱκέτας, Ἱκέτα δὲ Ἀριστο-
κράτης ἄλλος ὁμώνυμός τε τῷ προγόνῳ καὶ δὴ
καὶ τοῦ βίου τὴν αὐτὴν ἔσχεν ἐκείνῳ τελευτήν·
κατελίθωσαν γὰρ καὶ τοῦτον οἱ Ἀρκάδες,
φωράσαντες δῶρα ἐκ Λακεδαίμονος εἰληφότα καὶ
Μεσσηνίοις τὸ ἐπὶ τῇ Μεγάλῃ τάφρῳ πταῖσμα
προδοσίαν τοῦ Ἀριστοκράτους οὖσαν. αὕτη δὲ
ἡ ἀδικία καὶ τῷ γένει τῷ ἀπὸ Κυψέλου παντὶ
παρέσχεν αἰτίαν παυσθῆναι τῆς ἀρχῆς.

VI. Τὰ μὲν δὴ ἐς τοὺς βασιλεῖς πολυπραγμο-
νήσαντί μοι κατὰ ταῦτα ἐγενεαλόγησαν οἱ
Ἀρκάδες· κοινῇ δὲ Ἀρκάσιν ὑπῆρχεν ἐς μνήμην
τὰ μὲν ἀρχαιότατα ὁ πρὸς Ἰλίῳ πόλεμος,
δεύτερα δὲ ὁπόσα ἀμύνοντες Μεσσηνίοις Λακε-
δαιμονίων ἐναντία ἐμαχέσαντο· μέτεστι δὲ καὶ
πρὸς Μήδους σφίσιν ἔργου τοῦ ἐν Πλαταιαῖς.
2 Λακεδαιμονίοις δὲ ἀνάγκῃ πλέον καὶ οὐ μετ᾽
εὐνοίας ἐπί τε Ἀθηναίους συνεστρατεύσαντο καὶ

impious acts, however, against the gods I have sure
knowledge, and I will proceed to relate them.
There is a sanctuary of Artemis, surnamed Hymnia,
standing on the borders of Orchomenus, near the
territory of Mantineia. Artemis Hymnia has been
worshipped by all the Arcadians from the most
remote period. At that time the office of priestess
to the goddess was still always held by a girl who
was a virgin. The maiden persisted in resisting the
advances of Aristocrates, but at last, when she had
taken refuge in the sanctuary, she was outraged by
him near the image of Artemis. When the crime
came to be generally known, the Arcadians stoned the
culprit, and also changed the rule for the future ; as
priestess of Artemis they now appoint, not a virgin,
but a woman who has had enough of intercourse
with men. This man had a son Hicetas, and
Hicetas had a son Aristocrates the second, named
after his grandfather and also meeting with a death
like his. For he too was stoned by the Arcadians,
who discovered that he had received bribes from
Lacedaemon, and that the Messenian disaster at
the Great Ditch was caused by the treachery of
Aristocrates. This sin explains why the kingship
was taken from the whole house of Cypselus.

VI. I spent much care upon the history of the
Arcadian kings, and the genealogy as given above
was told me by the Arcadians themselves. Of their
memorable achievements the oldest is the Trojan
war ; then comes the help they gave the Messenians
in their struggle against Lacedaemon, and they also
took part in the action at Plataea against the Per- 479 B.C.
sians. It was compulsion rather than sympathy that
made them join the Lacedaemonians in their war

371

ἐς τὴν Ἀσίαν μετὰ Ἀγησιλάου διέβησαν, καὶ
δὴ καὶ ἐς Λεῦκτρα αὐτοῖς τὰ Βοιωτικὰ ἠκολού-
θησαν. τὸ δὲ ὕποπτον τὸ ἐς τοὺς Λακεδαιμο-
νίους ἀλλαχοῦ τε ἐπεδείξαντο καὶ μετὰ τὸ
ἀτύχημα Λακεδαιμονίων τὸ ἐν Λεύκτροις παρὰ
Θηβαίους αὐτίκα ἀπ᾽ αὐτῶν μετέστησαν.
Φιλίππῳ δὲ καὶ Μακεδόσιν ἐν Χαιρωνείᾳ καὶ
ὕστερον ἐν Θεσσαλίᾳ πρὸς Ἀντίπατρον οὐκ
ἐμαχέσαντο μετὰ Ἑλλήνων, οὐ μὴν οὐδὲ τοῖς
3 Ἕλλησιν ἐναντία ἐτάξαντο. πρὸς Γαλάτας δὲ
τοῦ ἐν Θερμοπύλαις κινδύνου φασὶ Λακεδαι-
μονίων ἕνεκα οὐ μετασχεῖν, ἵνα μή σφισιν οἱ
Λακεδαιμόνιοι κακουργοῖεν τὴν γῆν ἀπόντων
τῶν ἐν ἡλικίᾳ· συνεδρίου δὲ τῶν Ἀχαιῶν
μετέσχον οἱ Ἀρκάδες προθυμότατα Ἑλλήνων.
ὁπόσα δὲ αὐτοῖς οὐχὶ ἐν κοινῷ, κατὰ πόλεις δὲ
ἰδίᾳ συμβεβηκότα εὕρισκον, ἀποθησόμεθα αὐτῶν
ἕκαστον ἐς τὸ οἰκεῖον τοῦ λόγου.

4   Εἰσὶν οὖν ἐς Ἀρκαδίαν ἐσβολαὶ κατὰ τὴν
Ἀργείαν πρὸς μὲν Ὑσιῶν καὶ ὑπὲρ τὸ ὄρος τὸ
Παρθένιον ἐς τὴν Τεγεατικήν, δύο δὲ ἄλλαι κατὰ
Μαντίνειαν διά τε Πρίνου καλουμένης καὶ διὰ
Κλίμακος. αὕτη δὲ εὐρυτέρα τέ ἐστι καὶ ἡ
κάθοδος εἶχεν αὕτη βασμίδας ποτὲ ἐμπεποιη-
μένας· ὑπερβαλόντων δὲ τὴν Κλίμακα χωρίον
ἐστὶν ὀνομαζόμενον Μελαγγεῖα, καὶ τὸ ὕδωρ
αὐτόθεν τὸ πότιμον Μαντινεῦσι κάτεισιν ἐς τὴν
5 πόλιν.   προελθόντι δὲ ἐκ τῶν Μελαγγείων,
ἀπέχοντι τῆς πόλεως στάδια ὡς ἑπτά ἐστι
κρήνη καλουμένη Μελιαστῶν· οἱ Μελιασταὶ δὲ
οὗτοι δρῶσι τὰ ὄργια τοῦ Διονύσου, καὶ Διονύ-
σου τε μέγαρον πρὸς τῇ κρήνῃ καὶ Ἀφροδίτης

against Athens and in crossing over to Asia with 396 B.C.
Agesilaüs; they also followed the Lacedaemonians
to Leuctra in Boeotia. Their distrust of the 371 B.C.
Lacedaemonians was shown on many occasions; in
particular, immediately after the Lacedaemonian
reverse at Leuctra they seceded from them and
joined the Thebans. Though they did not fight on
the Greek side against Philip and the Macedonians 338 B.C.
at Chaeroneia, nor later in Thessaly against Anti-
pater, yet they did not actually range themselves
against the Greeks. It was because of the Lace-
daemonians, they say, that they took no part in
resisting the Gallic threat to Thermopylae; they
feared that their land would be laid waste in the
absence of their men of military age. As members
of the Achaean League the Arcadians were more
enthusiastic than any other Greeks. The fortunes
of each individual city, as distinct from those of the
Arcadian people as a whole, I shall reserve for their
proper place in my narrative.

There is a pass into Arcadia on the Argive side in
the direction of Hysiae and over Mount Parthenius
into Tegean territory. There are two others on
the side of Mantineia: one through what is called
Prinus and one through the Ladder. The latter is
the broader, and its descent had steps that were
once cut into it. Crossing the Ladder you come
to a place called Melangeia, from which the drink-
ing water of the Mantineans flows down to their
city. Farther off from Melangeia, about seven
stades distant from Mantineia, there is a well called
the Well of the Meliasts. These Meliasts celebrate
the orgies of Dionysus. Near the well is a hall of

ἐστὶν ἱερὸν Μελαινίδος. ἐπίκλησιν δὲ ἡ θεὸς
ταύτην κατ᾽ ἄλλο μὲν ἔσχεν οὐδέν, ὅτι δὲ
ἀνθρώπων μὴ τὰ πάντα αἱ μίξεις ὥσπερ τοῖς
κτήνεσι μεθ᾽ ἡμέραν, τὰ πλείω δέ εἰσιν ἐν νυκτί.
6 ἡ δὲ ὑπολειπομένη τῶν ὁδῶν στενωτέρα ἐστὶ
τῆς προτέρας καὶ ἄγει διὰ τοῦ Ἀρτεμισίου.
τούτου δὲ ἐπεμνήσθην καὶ ἔτι πρότερον τοῦ
ὄρους, ὡς ἔχοι μὲν ναὸν καὶ ἄγαλμα Ἀρτέμιδος,
ἔχοι δὲ καὶ τοῦ Ἰνάχου τὰς πηγάς. ὁ δὲ Ἴναχος
ἐφ᾽ ὅσον μὲν πρόεισι κατὰ τὴν ὁδὸν τὴν διὰ τοῦ
ὄρους, τοῦτό ἐστιν Ἀργείοις καὶ Μαντινεῦσιν
ὅρος τῆς χώρας· ἀποστρέψας δὲ ἐκ τῆς ὁδοῦ τὸ
ὕδωρ διὰ τῆς Ἀργείας ἤδη τὸ ἀπὸ τούτου κάτεισι,
καὶ ἐπὶ τούτῳ τὸν Ἴναχον ἄλλοι τε καὶ Αἰσχύλος
ποταμὸν καλοῦσιν Ἀργεῖον.

VII. Ὑπερβαλόντα δὲ ἐς τὴν Μαντινικὴν διὰ
τοῦ Ἀρτεμισίου πεδίον ἐκδέξεταί σε Ἀργὸν καλ-
ούμενον, καθάπερ γε καὶ ἔστι· τὸ γὰρ ὕδωρ τὸ
ἐκ τοῦ θεοῦ κατερχόμενον ἐς αὐτὸ ἐκ τῶν ὁρῶν
ἀργὸν εἶναι τὸ πεδίον ποιεῖ, ἐκώλυέ τε οὐδὲν
ἂν τὸ πεδίον τοῦτο εἶναι λίμνην, εἰ μὴ τὸ ὕδωρ
2 ἠφανίζετο ἐς χάσμα γῆς. ἀφανισθὲν δὲ ἐνταῦθα
ἄνεισι κατὰ τὴν Δίνην· ἔστι δὲ ἡ Δίνη κατὰ τὸ
Γενέθλιον καλούμενον τῆς Ἀργολίδος, ὕδωρ
γλυκὺ ἐκ θαλάσσης ἀνερχόμενον. τὸ δὲ ἀρχαῖον
καὶ καθίεσαν ἐς τὴν Δίνην τῷ Ποσειδῶνι ἵππους
οἱ Ἀργεῖοι κεκοσμημένους χαλινοῖς. γλυκὺ δὲ
ὕδωρ ἐν θαλάσσῃ δῆλόν ἐστιν ἐνταῦθά τε ἀνιὸν
ἐν τῇ Ἀργολίδι καὶ ἐν τῇ Θεσπρωτίδι κατὰ τὸ
3 Χειμέριον καλούμενον. θαύματος δὲ ἔτι πλέονός
ἐστιν ἐν Μαιάνδρῳ ζέον ὕδωρ, τὸ μὲν ἐκ πέτρας,
περιέχοντος τοῦ ῥεύματος τὴν πέτραν, τὸ δὲ καὶ

374

Dionysus and a sanctuary of Black Aphrodite. This surname of the goddess is simply due to the fact that men do not, as the beasts do, have sexual intercourse always by day, but in most cases by night. The second road is less broad than the other, and leads over Mount Artemisius. I have already made mention of this mountain,[1] noting that on it are a temple and image of Artemis, and also the springs of the Inachus. The river Inachus, so long as it flows by the road across the mountain, is the boundary between the territory of Argos and that of Mantineia. But when it turns away from the road the stream flows through Argolis from this point on, and for this reason Aeschylus among others calls the Inachus an Argive river.

VII. After crossing into Mantinean country over Mount Artemisius you will come to a plain called the Untilled Plain, whose name well describes it, for the rain-water coming down into it from the mountains prevents the plain from being tilled; nothing indeed could prevent it from being a lake, were it not that the water disappears into a chasm in the earth. After disappearing here it rises again at Dine (*Whirlpool*). Dine is a stream of fresh water rising out of the sea by what is called Genethlium in Argolis. In olden times the Argives cast horses adorned with bridles down into Dine as an offering to Poseidon. Not only here in Argolis, but also by Cheimerium in Thesprotis, is there unmistakably fresh water rising up in the sea. A greater marvel still is the water that boils in the Maeander, which comes partly from a rock surrounded by the stream,

[1] See Book II. xxv. 3.

ἐκ τῆς ἰλύος ἄνεισι τοῦ ποταμοῦ. πρὸ Δι-
καιαρχίας δὲ τῆς Τυρσηνῶν ὕδωρ τε ἐν θαλάσσῃ
ζέον καὶ νῆσος δι' αὐτό ἐστι χειροποίητος, ὡς
μηδὲ τοῦτο τὸ ὕδωρ ἀργὸν εἶναι[1] ἀλλά σφισι
λουτρὰ θερμά.

4 Τοῦ δὲ Ἀργοῦ καλουμένου πεδίου Μαντινεῦσιν
ὄρος ἐστὶν ἐν ἀριστερᾷ, σκηνῆς τε Φιλίππου τοῦ
Ἀμύντου καὶ κώμης ἐρείπια ἔχον Νεστάνης·
πρὸς ταύτῃ γὰρ στρατοπεδεύσασθαι τῇ Νεστάνῃ
Φίλιππον λέγουσι καὶ τὴν πηγὴν αὐτόθι ὀνο-
μάζουσιν ἔτι ἀπὸ ἐκείνου Φιλίππιον. ἀφίκετο
δὲ ἐς Ἀρκαδίαν Φίλιππος οἰκειωσόμενός τε
Ἀρκάδας καὶ ἀπὸ τοῦ Ἑλληνικοῦ σφᾶς τοῦ
5 ἄλλου διαστήσων. Φίλιππον δὲ βασιλέων μὲν
τῶν πρὸ αὐτοῦ καὶ ὅσοι Μακεδόσι γεγόνασιν
ὕστερον, τούτων μὲν πείθοιτο ἄν τις μέγιστα
αὐτὸν ἔργα ἐπιδείξασθαι· στρατηγὸν δὲ ἀγαθὸν
οὐκ ἄν τις φρονῶν ὀρθὰ καλέσειεν αὐτόν, ὅς γε
καὶ ὅρκους θεῶν κατεπάτησεν ἀεὶ καὶ σπονδὰς
ἐπὶ παντὶ ἐψεύσατο πίστιν τε ἠτίμασε μάλιστα
6 ἀνθρώπων. καί οἱ τὸ ἐκ τοῦ θεοῦ μήνιμα
ἀπήντησεν οὐκ ὀψέ, πρῶτα δὲ ὧν ἴσμεν.
Φίλιππος μὲν οὐ πρόσω βιώσας ἕξ τε καὶ τεσσα-
ράκοντα ἐτῶν τὸ μάντευμα ἐξετέλεσε τὸ ἐκ
Δελφῶν, ὃ δὴ χρωμένῳ οἱ περὶ τοῦ Πέρσου
γενέσθαι λέγουσιν,

ἔστεπται μὲν ὁ ταῦρος, ἔχει τέλος, ἔστιν ὁ
θύσων·

τοῦτο μὲν δὴ οὐ μετὰ πολὺ ἐδήλωσεν οὐκ ἐς τὸν
7 Μῆδον, ἀλλὰ ἐς αὐτὸν ἔχον Φίλιππον· ἐπὶ δὲ

---

[1] εἶναι is not in the MSS.

and partly rises from the mud of the river. In front of Dicaearchia also, in the land of the Etruscans, there is water boiling in the sea, and an artificial island has been made through it, so that this water is not "untilled," [1] but serves for hot baths.

In the territory of the Mantineans on the left of the plain called Untilled is a mountain, on which are the ruins of a camp of Philip, the son of Amyntas, and of a village called Nestane. For it is said that by this Nestane Philip made an encampment, and the spring here they still call Philippium after the king. Philip came to Arcadia to bring over the Arcadians to his side, and to separate them from the rest of the Greek people. Philip may be supposed to have accomplished exploits greater than those of any Macedonian king who reigned either before or after. But nobody of sound mind would call him a good general, for no man has so sinned by continually trampling on oaths to heaven, and by breaking treaties and dishonouring his word on every occasion. The wrath of heaven was not late in visiting him; never in fact have we known it more speedy. When he was but forty-six years old, Philip fulfilled the oracle that it is said was given him when he inquired of Delphi about the Persians:—

The bull is crowned; the consummation is at hand; the sacrificer is ready.

Very soon afterwards events showed that this oracle pointed, not to the Persians, but to Philip himself.

[1] That is, "idle" or "useless." The allusion, of course, is to the Untilled Plain.

Φιλίππῳ τελευτήσαντι Φιλίππου παῖδα νήπιον,
γεγονότα δὲ ἐκ Κλεοπάτρας ἀδελφιδῆς Ἀττάλου,
τοῦτον τὸν παῖδα ὁμοῦ τῇ μητρὶ Ὀλυμπιὰς ἐπὶ
σκεύους χαλκοῦ πυρὸς ὑποβεβλημένου διέφθειρεν
ἕλκουσα· χρόνῳ δὲ ὕστερον καὶ Ἀριδαῖον ἀπέκ-
τεινεν. ἔμελλε δὲ ἄρα ὁ δαίμων καὶ τὸ γένος τὸ
Κασσάνδρου κακῶς ἐξαμήσειν· Κασσάνδρῳ δὲ
οἱ παῖδες ἐκ Θεσσαλονίκης γεγόνασι τῆς Φιλίπ-
που, Θεσσαλονίκη δὲ ἦσαν καὶ Ἀριδαίῳ μητέρες
Θεσσαλαί. τὰ δὲ ἐς Ἀλέξανδρον καὶ τοῖς πᾶσιν
8 ὁμοίως δῆλά ἐστιν.[1] εἰ δὲ τῶν ἐς Γλαῦκον τὸν
Σπαρτιάτην ἐποιήσατο ὁ Φίλιππος λόγον καὶ
τὸ ἔπος ἐφ' ἑκάστου τῶν ἔργων ἀνεμίμνησκεν
αὐτόν,

ἀνδρὸς δ' εὐόρκου γενεὴ μετόπισθεν ἀρείων,

οὐκ ἂν οὕτω δίχα λόγου δοκεῖ μοι θεῶν τις
Ἀλεξάνδρου τε ὁμοῦ τὸν βίον καὶ ἀκμὴν τὴν
Μακεδόνων σβέσαι.

VIII. Τόδε μὲν ἡμῖν ἐγένετο ἐπεισόδιον τῷ λόγῳ·
μετὰ δὲ τὰ ἐρείπια τῆς Νεστάνης ἱερὸν Δήμητρός
ἐστιν ἅγιον, καὶ αὐτῇ καὶ ἑορτὴν ἀνὰ πᾶν ἔτος
ἄγουσιν οἱ Μαντινεῖς. καὶ κατὰ τὴν Νεστάνην
ὑπόκειται μάλιστα * *,[2] μοῖρα μὲν καὶ αὐτὴ τοῦ
πεδίου τοῦ Ἀργοῦ, χορὸς δὲ ὀνομάζεται Μαιρᾶς.
τοῦ πεδίου δέ ἐστιν ἡ διέξοδος τοῦ Ἀργοῦ σταδίων
δέκα. ὑπερβὰς δὲ οὐ πολὺ ἐς ἕτερον καταβήσῃ
πεδίον· ἐν τούτῳ δὲ παρὰ τὴν λεωφόρον ἐστὶν
2 Ἄρνη καλουμένη κρήνη. λέγεται δὲ καὶ τοιάδε ὑπὸ

---

[1] After ἐστιν· the MSS. have Ἀλεξάνδρου θάνατος—a fairly
obvious gloss.
[2] The subject of ὑπόκειται seems to have fallen out.

On the death of Philip, his infant son by Cleopatra, the niece of Attalus, was along with his mother dragged by Olympias on to a bronze vessel and burned to death. Afterwards Olympias killed Aridaeüs also. It turned out that the god intended to mow down to destruction the family of Cassander as well. Cassander's sons were by Thessalonice, the daughter of Philip, and both Thessalonice and Aridaeüs had Thessalian women for their mothers. The fate of Alexander is familiar to everybody alike. But if Philip had taken to heart the fate of the Spartan Glaucus,[1] and at each of his acts had bethought himself of the verse :— [2]

> If a man keeps his oath his family prospers
>   hereafter ;

then, I believe, some god would not have extinguished so relentlessly the life of Alexander and, at the same time, the Macedonian supremacy.

VIII. So much by way of a digression. After the ruins of Nestane is a holy sanctuary of Demeter, and every year the Mantineans hold a festival in her honour. By Nestane there lies, on lower ground, about . . . itself too forming part of the Untilled Plain, and it is called the Dancing Floor of Maera. The road across the Untilled Plain is about ten stades. After crossing it you will descend, a little farther on, into another plain. On it, alongside the highway, is a well called Lamb. The following

---

[1] See Herodotus vi. 86.
[2] See Hesiod, *Works and Days*, 285.

Ἀρκάδων, Ῥέα ἡνίκα Ποσειδῶνα ἔτεκε, τὸν μὲν
ἐς ποίμνην καταθέσθαι δίαιταν ἐνταῦθα ἕξοντα
μετὰ τῶν ἀρνῶν, ἐπὶ τούτῳ δὲ ὀνομασθῆναι καὶ
τὴν πηγήν, ὅτι περὶ αὐτὴν ἐποιμαίνοντο οἱ ἄρνες·
φάναι δὲ αὐτὴν πρὸς τὸν Κρόνον τεκεῖν ἵππον
καὶ οἱ πῶλον ἵππου καταπιεῖν ἀντὶ τοῦ παιδὸς
δοῦναι, καθὰ καὶ ὕστερον ἀντὶ τοῦ Διὸς λίθον
3 ἔδωκεν αὐτῷ κατειλημένον σπαργάνοις. τούτοις
Ἑλλήνων ἐγὼ τοῖς λόγοις ἀρχόμενος μὲν τῆς
συγγραφῆς εὐηθίας ἔνεμον πλέον, ἐς δὲ τὰ
Ἀρκάδων προεληλυθὼς πρόνοιαν περὶ αὐτῶν
τοιάνδε ἐλάμβανον· Ἑλλήνων τοὺς νομιζομένους
σοφοὺς δι' αἰνιγμάτων πάλαι καὶ οὐκ ἐκ τοῦ
εὐθέος λέγειν τοὺς λόγους, καὶ τὰ εἰρημένα οὖν
ἐς τὸν Κρόνον σοφίαν εἶναί τινα εἴκαζον
Ἑλλήνων. τῶν μὲν δὴ ἐς τὸ θεῖον ἡκόντων τοῖς
4 εἰρημένοις χρησόμεθα· Μαντινέων δὲ ἡ πόλις
σταδίους μάλιστά που δώδεκά ἐστιν ἀπωτέρω
τῆς πηγῆς ταύτης. Μαντινεὺς μὲν οὖν ὁ Λυκά-
ονος ἑτέρωθι φαίνεται οἰκίσας τὴν πόλιν, ἣν
ὀνομάζουσι καὶ ἐς ἡμᾶς ἔτι Πτόλιν[1] οἱ Ἀρκάδες·
ἐκεῖθεν δὲ Ἀντινόη Κηφέως τοῦ Ἀλέου θυγάτηρ
κατὰ μάντευμα ἀναστήσασα τοὺς ἀνθρώπους
ἤγαγεν ἐς τοῦτο τὸ χωρίον, ὄφιν—ὁποῖον, οὐ
μνημονεύουσιν—ἡγεμόνα ποιησαμένη τῆς ὁδοῦ·
καὶ διὰ τοῦτο ὁ παρὰ τὴν πόλιν ῥέων τὴν νῦν
5 ποταμὸς Ὄφις ὄνομα ἔσχηκεν. εἰ δὲ Ὁμήρου
χρὴ τεκμαιρόμενον τοῖς ἔπεσι συμβαλέσθαι
γνώμην, τὸν ὄφιν τοῦτον δράκοντα εἶναι πείθομαι.
περὶ Φιλοκτήτου μὲν ἐν νεῶν καταλόγῳ ποιήσας
ὡς ἀπολίποιεν αὐτὸν οἱ Ἕλληνες ἐν Λήμνῳ
ταλαιπωροῦντα ὑπὸ τοῦ ἕλκους, ἐπίκλησιν οὐκ

380

story is told by the Arcadians. When Rhea had given birth to Poseidon, she laid him in a flock for him to live there with the lambs, and the spring too received its name just because the lambs pastured around it. Rhea, it is said, declared to Cronus that she had given birth to a horse, and gave him a foal to swallow instead of the child, just as later she gave him in place of Zeus a stone wrapped up in swaddling clothes. When I began to write my history I was inclined to count these legends as foolishness, but on getting as far as Arcadia I grew to hold a more thoughtful view of them, which is this. In the days of old those Greeks who were considered wise spoke their sayings not straight out but in riddles, and so the legends about Cronus I conjectured to be one sort of Greek wisdom. In matters of divinity, therefore, I shall adopt the received tradition. The city of the Mantineans is about twelve stades farther away from this spring. Now there are plain indications that it was in another place that Mantineus the son of Lycaon founded his city, which even to-day is called Ptolis (*City*) by the Arcadians. From here, in obedience to an oracle, Antinoë, the daughter of Cepheus, the son of Aleüs, removed the inhabitants to the modern site, accepting as a guide for the pilgrimage a snake; the breed of snake is not recorded. It is for this reason that the river, which flows by the modern city, has received the name Ophis (*Snake*). If we may base a conjecture on the verses of Homer, we are led to believe that this snake was a dragon. When in the list of ships he tells how the Greeks abandoned Philoctetes in Lemnos suffering from his wound,

---

[1] Πτόλιν is not in the MSS.

ἔθετο ὄφιν τῷ ὕδρῳ· τὸν δράκοντα δέ, ὃν ἐς τοὺς
Τρῶας ἀφῆκεν ὁ ἀετός, ἐκάλεσεν ὄφιν. οὕτω τὸ
εἰκὸς ἔχει καὶ τῇ Ἀντινόῃ τὸν ἡγεμόνα γενέσθαι
δράκοντα.

6   Μαντινεῖς δὲ μάχην μὲν τὴν ἐν Διπαιεῦσιν οὐκ
ἐμαχέσαντο πρὸς Λακεδαιμονίους μετὰ Ἀρκάδων
τῶν ἄλλων, ἐν δὲ τῷ Πελοποννησίων καὶ
Ἀθηναίων πολέμῳ συνέστησαν ἐπὶ Λακεδαι-
μονίους μετὰ Ἠλείων, καὶ παραγενομένου συμ-
μαχικοῦ σφισιν ἐξ Ἀθηνῶν Λακεδαιμονίων
ἐναντία ἐμαχέσαντο· μετέσχον δὲ καὶ τοῦ ἐς
7 Σικελίαν στόλου κατὰ Ἀθηναίων φιλίαν. χρόνῳ
δὲ ὕστερον Λακεδαιμονίων στρατιὰ καὶ Ἀγησί-
πολις ὁ Παυσανίου βασιλεὺς ἐσέβαλον ἐς τὴν
Μαντινικήν. ὡς δὲ ἐκράτησεν ὁ Ἀγησίπολις τῇ
μάχῃ καὶ ἐς τὸ τεῖχος κατέκλεισε τοὺς Μαντινέας,
εἷλεν οὐ μετὰ πολὺ τὴν πόλιν, οὐ πολιορκίᾳ κατὰ
τὸ ἰσχυρόν, τὸν δὲ Ὄφιν ποταμὸν ἀποστρέψας
σφίσιν ἐς τὸ τεῖχος ὠμῆς ᾠκοδομημένον τῆς
8 πλίνθου. ἐς μὲν δὴ μηχανημάτων ἐμβολὴν
ἀσφάλειαν ἡ πλίνθος παρέχεται μᾶλλον ἢ ὁπόσα
λίθου πεποιημένα ἐστίν· οἱ μὲν γὰρ κατάγνυνταί
τε καὶ ἐκπηδῶσιν ἐκ τῶν ἁρμονιῶν, ἡ δὲ πλίνθος
ἐκ μηχανημάτων μὲν οὐχ ὁμοίως πονεῖ, διαλύεται
δὲ ὑπὸ τοῦ ὕδατος οὐχ ἧσσον ἢ ὑπὸ τοῦ ἡλίου
9 κηρός. τοῦτο οὐκ Ἀγησίπολις τὸ στρατήγημα
ἐς τὸ τεῖχος τῶν Μαντινέων ἐστὶν ὁ συνείς, ἀλλὰ
πρότερον ἔτι Κίμωνι ἐξευρέθη τῷ Μιλτιάδου
Βόγην πολιορκοῦντι ἄνδρα Μῆδον καὶ ὅσοι
Περσῶν Ἠιόνα τὴν ἐπὶ Στρυμόνι εἶχον· Ἀγησί-
πολις δὲ καθεστηκὸς καὶ ἀδόμενον ὑπὸ Ἑλλήνων
ἐμιμήσατο. ὡς δὲ εἷλε τὴν Μαντίνειαν, ὀλίγον

he does not style the water-serpent a snake. But the dragon that the eagle dropped among the Trojans he does call a snake. So it is likely that Antinoë's guide also was a dragon.[1]

The Mantineans did not fight on the side of the other Arcadians against the Lacedaemonians at Dipaea, but in the Peloponnesian war they rose with the Eleans against the Lacedaemonians, and joined 418 B.C. in battle with them after the arrival of reinforcements from Athens. Their friendship with the Athenians led them to take part also in the Sicilian expedition. Later on a Lacedaemonian army under 385 B.C. Agesipolis, the son of Pausanias, invaded their territory. Agesipolis was victorious in the battle and shut up the Mantineans within their walls, capturing the city shortly after. He did not take it by storm, but turned the river Ophis against its fortifications, which were made of unburnt brick. Now against the blows of engines brick brings greater security than fortifications built of stone. For stones break and are dislodged from their fittings; brick, however, does not suffer so much from engines, but it crumbles under the action of water just as wax is melted by the sun. This method of demolishing the fortifications of the Mantineans was not discovered by Agesipolis. It was a stratagem invented at an earlier date by Cimon, the son of Miltiades, when he was besieging Boges and the other Persians 476 or who were holding Eion on the Strymon. Agesipolis 477 B.C. only copied an established custom, and one celebrated among the Greeks. After taking Mantineia,

---

[1] See Homer, *Iliad*, ii. 723 and xii. 203 and 208.

μέν τι κατέλιπεν οἰκεῖσθαι, τὸ πλεῖστον δὲ ἐς
ἔδαφος καταβαλὼν αὐτῆς κατὰ κώμας τοὺς
10 ἀνθρώπους διῴκισε. Μαντινέας δὲ ἐκ τῶν
κωμῶν κατάξειν ἐς τὴν πατρίδα ἔμελλον Θηβαῖοι
μετὰ τὸ ἔργον τὸ ἐν Λεύκτροις. κατελθόντες δὲ
οὐ τὰ πάντα ἐγένοντο δίκαιοι· περιληφθέντες δὲ
ἐπικηρυκευόμενοι Λακεδαιμονίοις καὶ εἰρήνην ἰδίᾳ
πρὸς αὐτοὺς ἄνευ τοῦ Ἀρκάδων κοινοῦ πράσ-
σοντες, οὕτω διὰ τὸ δέος τῶν Θηβαίων ἐς τὴν
Λακεδαιμονίων συμμαχίαν μετεβάλοντο ἐκ τοῦ
φανεροῦ, καὶ τῆς Μαντινικῆς πρὸς Ἐπαμινώνδαν
καὶ Θηβαίους μάχης Λακεδαιμονίων γινομένης
ὁμοῦ τοῖς Λακεδαιμονίοις ἐτάξαντο οἱ Μαντινεῖς.
11 τούτων δὲ ὕστερον διαφορὰ ἐγένετο Μαντινεῦσιν
ἐς τοὺς Λακεδαιμονίους, καὶ ἀπ᾽ αὐτῶν μετέστη-
σαν ἐς τὸ Ἀχαϊκόν· καὶ Ἆγιν τὸν Εὐδαμίδου
βασιλεύοντα ἐν Σπάρτῃ νικῶσιν ἀμύνοντες τῇ
σφετέρᾳ, νικῶσι δὲ προσλαβόντες Ἀχαιῶν στρα-
τιὰν καὶ Ἄρατον ἡγεμόνα ἐπ᾽ αὐτῇ. μετέσχον
δὲ καὶ πρὸς Κλεομένην τοῦ ἔργου τοῖς Ἀχαιοῖς
καὶ συγκαθεῖλον Λακεδαιμονίων τὴν ἰσχύν.
Ἀντιγόνου δὲ ἐν Μακεδονίᾳ Φίλιππον τὸν Περ-
σέως πατέρα ἔτι παῖδα ἐπιτροπεύοντος καὶ
Ἀχαιοῖς ἐς τὰ μάλιστα ὄντος ἐπιτηδείου, ἄλλα
τε ἐς τιμὴν αὐτοῦ Μαντινεῦσιν ἐποιήθη καὶ ὄνομα
12 τῇ πόλει μετέθεντο Ἀντιγόνειαν. χρόνῳ δὲ
ὕστερον Αὐγούστου πρὸς τῇ ἄκρᾳ τοῦ Ἀπόλ-
λωνος τοῦ Ἀκτίου ναυμαχήσειν μέλλοντος
Μαντινεῖς ἐμαχέσαντο ὁμοῦ Ῥωμαίοις, τὸ δὲ
ἄλλο Ἀρκαδικὸν συνετάχθησαν Ἀντωνίῳ, κατ᾽
ἄλλο μὲν ἐμοὶ δοκεῖν οὐδέν, ὅτι δὲ ἐφρόνουν οἱ
Λακεδαιμόνιοι τὰ Αὐγούστου. δέκα δὲ ὕστερον

384

he left a small part of it inhabited, but by far the greater part he razed to the ground, settling the inhabitants in villages. Fate decreed that the Thebans should restore the Mantineans from the villages to their own country after the engagement at Leuctra, but when restored they proved far 371 B.C. from grateful. They were caught treating with the Lacedaemonians and intriguing for a peace with them privately without reference to the rest of the Arcadian people. So through their fear of the Thebans they openly changed sides and joined the Lacedaemonian confederacy, and when the battle took place at Mantineia between the Lacedae- 362 B.C. monians and the Thebans under Epaminondas, the Mantineans joined the ranks of the Lacedaemonians. Subsequently the Mantineans quarrelled with the Lacedaemonians, and seceded from them to the Achaean League. They defeated Agis, the son of Eudamidas, king of Sparta, in defence of their own country, with the help of an Achaean army under the leadership of Aratus. They also joined the Achaeans in their struggle against Cleomenes and helped to destroy the Lacedaemonian power. Antigonus of Macedonia, who was guardian of Philip, the father of Perseus, before he came of age, was an ardent supporter of the Achaeans, and so the Mantineans, among other honours, changed the name of their city to Antigoneia. Afterwards, when Augustus was about to fight the naval engagement off the cape of Actian Apollo, the Mantineans fought on the side of the Romans, while the rest of Arcadia joined the ranks of Antonius, for no other reason, so it seems to me, except that the Lacedaemonians favoured the cause of Augustus. Ten

385

γενεαῖς ἐβασίλευσέ τε Ἀδριανὸς καὶ ἀφελὼν
Μαντινεῦσι τὸ ὄνομα τὸ ἐκ Μακεδονίας ἐπακτὸν
ἀπέδωκεν αὖθις Μαντίνειαν καλεῖσθαί σφισι τὴν
πόλιν.

IX. Ἔστι δὲ Μαντινεῦσι ναὸς διπλοῦς μάλιστά
που κατὰ μέσον τοίχῳ διειργόμενος· τοῦ ναοῦ δὲ
τῇ μὲν ἄγαλμά ἐστιν Ἀσκληπιοῦ, τέχνη Ἀλκα-
μένους, τὸ δὲ ἕτερον Λητοῦς ἐστιν ἱερὸν καὶ τῶν
παίδων· Πραξιτέλης δὲ τὰ ἀγάλματα εἰργάσατο
τρίτῃ μετὰ Ἀλκαμένην ὕστερον γενεᾷ. τούτων
πεποιημένα ἐστὶν ἐπὶ τῷ βάθρῳ Μοῦσαι καὶ
Μαρσύας αὐλῶν. ἐνταῦθα ἀνὴρ ἐπείργασται
2 στήλῃ Πολύβιος ὁ Λυκόρτα· καὶ τοῦ μὲν ἐπι-
μνησθησόμεθα καὶ ἐν τοῖς ἔπειτα, Μαντινεῦσι δέ
ἐστι καὶ ἄλλα ἱερά, τὸ μὲν Σωτῆρος Διός, τὸ δὲ
Ἐπιδώτου καλουμένου· ἐπιδιδόναι γὰρ δὴ ἀγαθὰ
αὐτὸν ἀνθρώποις. ἔστι δὲ καὶ Διοσκούρων καὶ
ἑτέρωθι Δήμητρος καὶ Κόρης ἱερόν· πῦρ δὲ ἐνταῦθα
καίουσι, ποιούμενοι φροντίδα μὴ λάθῃ σφίσιν
ἀποσβεσθέν. καὶ Ἥρας πρὸς τῷ θεάτρῳ ναὸν
3 ἐθεασάμην· Πραξιτέλης δὲ τὰ ἀγάλματα αὐτήν
τε καθημένην ἐν θρόνῳ καὶ παρεστώσας ἐποίησεν
Ἀθηνᾶν καὶ Ἥβην παῖδα Ἥρας. πρὸς δὲ τῆς
Ἥρας τῷ βωμῷ καὶ Ἀρκάδος τάφος τοῦ Καλλισ-
τοῦς ἐστι· τὰ δὲ ὀστᾶ τοῦ Ἀρκάδος ἐπηγάγοντο ἐκ
Μαινάλου, χρησμοῦ σφισιν ἐλθόντος ἐκ Δελφῶν·

4 ἔστι δὲ Μαιναλίη δυσχείμερος, ἔνθα τε κεῖται
Ἀρκάς, ἀφ᾽ οὗ δὴ πάντες ἐπίκλησιν καλέονται,
οὗ τρίοδος καὶ τετράοδος καὶ πεντακέλευθος.
ἔνθα σ᾽ ἐγὼ κέλομαι στείχειν καὶ εὔφρονι θυμῷ
Ἀρκάδ᾽ ἀειραμένους κατάγειν εἰς ἄστυ ἐραννόν·
ἔνθα τε δὴ τέμενός τε θυηλάς τ᾽ Ἀρκάδι τεύχειν.

generations afterwards, when Hadrian became Emperor, he took away from the Mantineans the name imported from Macedonia, and gave back to their city its old name of Mantineia.

IX. The Mantineans possess a temple composed of two parts, being divided almost exactly at the middle by a wall. In one part of the temple is an image of Asclepius, made by Alcamenes; the other part is a sanctuary of Leto and her children, and their images were made by Praxiteles two generations after Alcamenes. On the pedestal of these are figures of Muses together with Marsyas playing the flute. Here there is a figure of Polybius, the son of Lycortas, carved in relief upon a slab, of whom I shall make fuller mention later on.[1] The Mantineans have other sanctuaries also, one of Zeus Saviour, and one of Zeus Giver of Gifts, in that he gives good things to men. There is also a sanctuary of the Dioscuri, and in another place one of Demeter and the Maid. Here they keep a fire, taking anxious care not to let it go out. Near the theatre I saw a temple of Hera. Praxiteles made the images; Hera is sitting, while Athena and Hera's daughter Hebe are standing by her side. Near the altar of Hera is the grave of Arcas, the son of Callisto. The bones of Arcas they brought from Maenalus, in obedience to an oracle delivered to them from Delphi :—

Maenalia is storm-swept, where lies
Arcas, from whom all Arcadians are named,
In a place where meet three, four, even five roads ;
Thither I bid you go, and with kind heart
Take up Arcas and bring him back to your lovely
    city.
There make Arcas a precinct and sacrifices.

[1] See chapters xxx.–xlviii. of this Book.

τὸ δὲ χωρίον τοῦτο, ἔνθα ὁ τάφος ἐστὶ τοῦ
5 Ἀρκάδος, καλοῦσιν Ἡλίου βωμούς. τοῦ θεά-
τρου δὲ οὐ πόρρω μνήματα προήκοντά ἐστιν ἐς
δόξαν, τὸ μὲν Ἑστία καλουμένη κοινή, περιφερὲς
σχῆμα ἔχουσα· Ἀντινόην δὲ αὐτόθι ἐλέγετο
κεῖσθαι τὴν Κηφέως· τῷ δὲ στήλη τε ἐφέστηκε
καὶ ἀνὴρ ἱππεὺς ἐπειργασμένος ἐστὶν ἐπὶ τῇ
6 στήλῃ, Γρύλος ὁ Ξενοφῶντος. τοῦ θεάτρου δὲ
ὄπισθεν ναοῦ τε Ἀφροδίτης ἐπίκλησιν Συμμα-
χίας ἐρείπια καὶ ἄγαλμα ἐλείπετο· τὸ δὲ ἐπί-
γραμμα τὸ ἐπὶ τῷ βάθρῳ τὴν ἀναθεῖσαν τὸ
ἄγαλμα ἐδήλου θυγατέρα εἶναι Πασέου Νικίππην.
τὸ δὲ ἱερὸν κατεσκευάσαντο τοῦτο οἱ Μαντινεῖς
ὑπόμνημα ἐς τοὺς ἔπειτα τῆς ὁμοῦ Ῥωμαίοις
ἐπ᾽ Ἀκτίῳ ναυμαχίας. σέβουσι δὲ καὶ Ἀθηνᾶν
Ἀλέαν, καὶ ἱερόν τε καὶ ἄγαλμα Ἀθηνᾶς ἐστιν
7 Ἀλέας αὐτοῖς. ἐνομίσθη δὲ καὶ Ἀντίνους σφίσιν
εἶναι θεός· ναῶν δὲ ἐν Μαντινείᾳ νεώτατός ἐστιν
ὁ τοῦ Ἀντίνου ναός. οὗτος ἐσπουδάσθη περισσῶς
δή τι ὑπὸ βασιλέως Ἀδριανοῦ· ἐγὼ δὲ μετ᾽
ἀνθρώπων μὲν ἔτι αὐτὸν ὄντα οὐκ εἶδον, ἐν δὲ
ἀγάλμασιν εἶδον καὶ ἐν γραφαῖς. ἔχει μὲν δὴ
γέρα καὶ ἑτέρωθι, καὶ ἐπὶ τῷ Νείλῳ πόλις
Αἰγυπτίων ἐστὶν ἐπώνυμος Ἀντίνου· τιμὰς δὲ
ἐν Μαντινείᾳ κατὰ τοιόνδε ἔσχηκε. γένος ἦν ὁ
Ἀντίνους ἐκ Βιθυνίου τῆς ὑπὲρ Σαγγαρίου ποτα-
μοῦ· οἱ δὲ Βιθυνιεῖς Ἀρκάδες τέ εἰσι καὶ Μαντι-
8 νεῖς τὰ ἄνωθεν. τούτων ἕνεκα ὁ βασιλεὺς κατε-
στήσατο αὐτῷ καὶ ἐν Μαντινείᾳ τιμάς, καὶ
τελετή τε κατὰ ἔτος ἕκαστον καὶ ἀγών ἐστιν
αὐτῷ διὰ ἔτους πέμπτου. οἶκος δέ ἐστιν ἐν τῷ
γυμνασίῳ Μαντινεῦσιν ἀγάλματα ἔχων Ἀντίνου

This place, where the grave of Arcas is, they call Altars of the Sun. Not far from the theatre are famous tombs, one called Common Hearth, round in shape, where, they told me, lies Antinoë, the daughter of Cepheus. On it stands a slab, on which is carved in relief a horseman, Grylus, the son of Xenophon. Behind the theatre I found the remains, with an image, of a temple of Aphrodite surnamed Ally. The inscription on the pedestal announced that the image was dedicated by Nicippe, the daughter of Paseas. This sanctuary was made by the Mantineans to remind posterity of their fighting on the side of the Romans at the battle of Actium. They also worship Athena Alea, of whom they have a sanctuary and an image. Antinoüs too was deified by them; his temple is the newest in Mantineia. He was a great favourite of the Emperor Hadrian. I never saw him in the flesh, but I have seen images and pictures of him. He has honours in other places also, and on the Nile is an Egyptian city named after Antinoüs. He has won worship in Mantineia for the following reason. Antinoüs was by birth from Bithynium beyond the river Sangarius, and the Bithynians are by descent Arcadians of Mantineia. For this reason the Emperor established his worship in Mantineia also; mystic rites are celebrated in his honour each year, and games every four years. There is a building in the gymnasium of Mantineia containing statues of Antinoüs, and remarkable for the

389

καὶ ἐς τἆλλα θέας ἄξιος λίθων ἕνεκα οἷς κεκόσ-
μηται καὶ ἀπιδόντι ἐς τὰς γραφάς· αἱ δὲ Ἀντίνου
εἰσὶν αἱ πολλαί, Διονύσῳ μάλιστα εἰκασμέναι.
καὶ δὴ καὶ τῆς ἐν Κεραμεικῷ γραφῆς, ἣ τὸ ἔργον
εἶχε τὸ Ἀθηναίων ἐν Μαντινείᾳ, καὶ ταύτης
9 αὐτόθι ἐστὶ μίμημα. Μαντινεῦσι δὲ ἐν τῇ ἀγορᾷ
γυναικός τε ἡ εἰκὼν χαλκῆ—καὶ Μαντινεῖς καλοῦσι
Διομένειαν Ἀρκάδος—καὶ ἡρῷόν ἐστι Ποδάρου·
φασὶ δὲ ἀποθανεῖν αὐτὸν ἐν τῇ πρὸς Ἐπαμινών-
δαν καὶ Θηβαίους μάχῃ. γενεαῖς δὲ τρισὶν ἐμοῦ
πρότερον μετέθεσαν τοῦ τάφου τὸ ἐπίγραμμα ἐς
ἄνδρα ἀπόγονον μὲν ἐκείνου Ποδάρου καὶ ὁμώνυ-
μον, γεγονότα δὲ καθ᾽ ἡλικίαν ὡς πολιτείας ἤδη
10 Ῥωμαίων μετειληφέναι. Ποδάρην δὲ ἐπ᾽ ἐμοῦ
τὸν ἀρχαῖον ἐτίμων οἱ Μαντινεῖς, λέγοντες ὡς
ἄριστος μὲν καὶ αὐτῶν καὶ τῶν συμμάχων γένοιτο
ἐν τῇ μάχῃ Γρύλος ὁ Ξενοφῶντος, ἐπὶ δὲ τῷ
Γρύλῳ Κηφισόδωρος Μαραθώνιος, οὗτος δὲ
τηνικαῦτα Ἀθηναίοις ἐτύγχανεν ἱππαρχῶν· τρίτα
δὲ ἀνδραγαθίας Ποδάρῃ νέμουσιν.

X. Ἐς Ἀρκαδίαν δὲ τὴν ἄλλην εἰσὶν ἐκ
Μαντινείας ὁδοί· ὁπόσα δὲ ἐφ᾽ ἑκάστης αὐτῶν
μάλιστα ἦν θέας ἄξια, ἐπέξειμι καὶ ταῦτα. ἰόντι
ἐς Τεγέαν ἐστὶν ἐν ἀριστερᾷ τῆς λεωφόρου παρὰ
τοῖς Μαντινέων τείχεσι χωρίον ἐς τῶν ἵππων τὸν
δρόμον καὶ οὐ πόρρω τούτου στάδιον, ἔνθα ἐπὶ
τῷ Ἀντίνῳ τὸν ἀγῶνα τιθέασιν. ὑπὲρ δὲ τοῦ
σταδίου τὸ ὄρος ἐστὶ τὸ Ἀλήσιον, διὰ τὴν ἄλην
ὥς φασι καλούμενον τὴν Ῥέας, καὶ Δήμητρος
2 ἄλσος ἐν τῷ ὄρει. παρὰ δὲ τοῦ ὄρους τὰ ἔσχατα
τοῦ Ποσειδῶνός ἐστι τοῦ Ἱππίου τὸ ἱερόν, οὐ
πρόσω ἐξ σταδίων[1] Μαντινείας. τὰ δὲ ἐς τὸ

stones with which it is adorned, and especially so for
its pictures. Most of them are portraits of Antinoüs,
who is made to look just like Dionysus. There is
also a copy here of the painting in the Cerameicus
which represented the engagement of the Athenians
at Mantineia. In the market-place is a bronze
portrait-statue of a woman, said by the Mantineans
to be Diomeneia, the daughter of Arcas, and a hero-
shrine of Podares, who was killed, they say, in the
battle with the Thebans under Epaminondas. Three
generations ago they changed the inscription on the
grave and made it apply to a descendant of this
Podares with the same name, who was born late
enough to have Roman citizenship. In my time
the elder Podares was honoured by the Man-
tineans, who said that he who proved the bravest in
the battle, of themselves and of their allies, was
Grylus, the son of Xenophon; next to Grylus was
Cephisodorus of Marathon, who at the time com-
manded the Athenian horse. The third place for
valour they give to Podares.

X. There are roads leading from Mantineia into
the rest of Arcadia, and I will go on to describe the
most noteworthy objects on each of them. On the
left of the highway leading to Tegea there is,
beside the walls of Mantineia, a place where horses
race, and not far from it is a race-course, where they
celebrate the games in honour of Antinoüs. Above
the race-course is Mount Alesium, so called from the
wandering (*alë*) of Rhea, on which is a grove of
Demeter. By the foot of the mountain is the
sanctuary of Horse Poseidon, not more than six
stades distant from Mantineia. About this sanctuary

---

[1] ἐξ (ϛ´) σταδίων is Schaefer's emendation of the MS.
reading σταδίου.

ἱερὸν τοῦτο ἐγώ τε ἀκοὴν γράφω καὶ ὅσοι
μνήμην ἄλλοι περὶ αὐτοῦ πεποίηνται. τὸ μὲν
δὴ ἱερὸν τὸ ἐφ' ἡμῶν ᾠκοδομήσατο Ἀδριανὸς
βασιλεὺς ἐπιστήσας τοῖς ἐργαζομένοις ἐπόπτας
ἄνδρας, ὡς μήτε ἐνίδοι τις ἐς τὸ ἱερὸν τὸ ἀρχαῖον
μήτε τῶν ἐρειπίων τι αὐτοῦ μετακινοῖτο· πέριξ
δὲ ἐκέλευε τὸν ναὸν σφᾶς οἰκοδομεῖσθαι τὸν
καινόν. τὰ δὲ ἐξ ἀρχῆς τῷ Ποσειδῶνι τὸ ἱερὸν
τοῦτο Ἀγαμήδης λέγονται καὶ Τροφώνιος ποιῆσαι,
δρυῶν ξύλα ἐργασάμενοι καὶ ἁρμόσαντες πρὸς
3 ἄλληλα· ἐσόδου δὲ ἐς αὐτὸ εἴργοντες ἀνθρώπους
ἔρυμα μὲν πρὸ τῆς ἐσόδου προεβάλοντο οὐδέν,
μίτον δὲ διατείνουσιν ἐρεοῦν, τάχα μέν που τοῖς
τότε ἄγουσι τὰ θεῖα ἐν τιμῇ δεῖμα καὶ τοῦτο
ἔσεσθαι νομίζοντες, τάχα δ' ἄν τι μετείη καὶ
ἰσχύος τῷ μίτῳ. φαίνεται δὲ καὶ Αἴπυτος ὁ
Ἱπποθου μήτε πηδήσας ὑπὲρ τὸν μίτον μήτε
ὑποδύς, διακόψας δὲ αὐτὸν ἐσελθὼν ἐς τὸ ἱερόν·
καὶ ποιήσας οὐχ ὅσια ἐτυφλώθη τε ἐμπεσόντος
ἐς τοὺς ὀφθαλμοὺς αὐτῷ τοῦ κύματος καὶ αὐτίκα
4 ἐπιλαμβάνει τὸ χρεὼν αὐτόν. θαλάσσης δὲ
ἀναφαίνεσθαι κῦμα ἐν τῷ ἱερῷ λόγος ἐστὶν
ἀρχαῖος· ἐοικότα δὲ καὶ Ἀθηναῖοι λέγουσιν ἐς
τὸ κῦμα τὸ ἐν ἀκροπόλει καὶ Καρῶν οἱ Μύλασα
ἔχοντες ἐς τοῦ θεοῦ τὸ ἱερόν, ὃν φωνῇ τῇ ἐπιχωρίᾳ
καλοῦσιν Ὀσογῶα. Ἀθηναίοις μὲν δὴ σταδίους
μάλιστα εἴκοσιν ἀφέστηκε τῆς πόλεως ἡ πρὸς
Φαληρῷ θάλασσα, ὡσαύτως δὲ καὶ Μυλασεῦσιν
ἐπίνειον σταδίους ὀγδοήκοντα ἀπέχον ἐστὶν ἀπὸ
τῆς πόλεως· Μαντινεῦσι δὲ ἐκ μακροτάτων τε ἡ
θάλασσα ἄνεισι καὶ ἐκφανέστατα δὴ κατὰ τοῦ
θεοῦ γνώμην.

I, like everyone else who has mentioned it, can write only what I have heard. The modern sanctuary was built by the Emperor Hadrian, who set overseers over the workmen, so that nobody might look into the old sanctuary, and none of the ruins be removed. He ordered them to build around the new temple. Originally, they say, this sanctuary was built for Poseidon by Agamedes and Trophonius,[1] who worked oak logs and fitted them together. They set up no barrier at the entrance to prevent men going inside; but they stretched across it a thread of wool. Perhaps they thought that even this would strike fear into the religious people of that time, and perhaps there was also some power in the thread. It is notorious that even Aepytus, the son of Hippothoüs, entered the sanctuary neither by jumping over the thread nor by slipping under it, but by cutting it through. For this sin he was blinded by a wave that dashed on to his eyes, and forthwith his life left him. There is an old legend that a wave of sea-water rises up in the sanctuary. A like story is told by the Athenians about the wave on the Acropolis, and by the Carians living in Mylasa about the sanctuary of the god called in the native tongue Osogoa. But the sea at Phalerum is about twenty stades distant from Athens, and the port of Mylasa is eighty stades from the city. But at Mantineia the sea rises after a very long distance, and quite plainly through the divine will.

[1] See IX. xi. § 1 and IX. xxxvii. § 4.

5 Πέραν δὲ τοῦ ἱεροῦ τοῦ Ποσειδῶνος τρόπαιόν
ἐστι λίθου πεποιημένον ἀπὸ Λακεδαιμονίων καὶ
Ἄγιδος· λέγεται δὲ καὶ ὁ τρόπος τῆς μάχης.
τὸ μὲν δεξιὸν εἶχον οἱ Μαντινεῖς αὐτοί, στρατιάν
τε ἀπὸ πάσης ἡλικίας καὶ στρατηγὸν παρεχό-
μενοι Ποδάρην ἀπόγονον τρίτον Ποδάρου τοῦ
Θηβαίοις ἐναντία ἀγωνισαμένου, παρῆν δέ σφισι
καὶ μάντις Ἠλεῖος Θρασύβουλος Αἰνέου τῶν
Ἰαμιδῶν—οὗτος ὁ ἀνὴρ νίκην τε τοῖς Μαντινεῦσι
προηγόρευσε καὶ αὐτὸς σφισι τοῦ ἔργου μετέ-
6 σχεν—ἐπὶ δὲ τῷ εὐωνύμῳ πᾶν τὸ ἄλλο Ἀρκα-
δικὸν ἐτάσσοντο, ἄρχοντες δὲ κατὰ πόλεις τε
ἦσαν καὶ Μεγαλοπολιτῶν Λυδιάδης καὶ Λεω-
κύδης· Ἀράτῳ δὲ ἐπετέτραπτο καὶ Σικυωνίοις τε
καὶ Ἀχαιοῖς τὸ μέσον. Λακεδαιμόνιοι δὲ καὶ
Ἄγις ἐπεξέτειναν τὴν φάλαγγα, ὡς τῶν ἐναντίων
τῷ στρατεύματι ἀντιπαρήκοιεν· τὸ μέσον δὲ
7 Ἄγις καὶ οἱ περὶ τὸν βασιλέα εἶχον. Ἄρατος
δὲ ἀπὸ συγκειμένου πρὸς τοὺς Ἀρκάδας ὑπέφευ-
γεν αὐτός τε καὶ ὁ σὺν αὐτῷ στρατὸς οἷα δὴ
τῶν Λακεδαιμονίων σφίσιν ἐγκειμένων· ὑποφεύ-
γοντες δὲ ἅμα τὸ σύνταγμα σφῶν ἠρέμα ἐποίουν
μηνοειδές. Λακεδαιμόνιοι δὲ καὶ Ἄγις νίκην τε
ἤλπιζον καὶ τοῖς περὶ τὸν Ἄρατον ἐνέκειντο
ἀθρόοι μᾶλλον· ἐπηκολούθουν δέ σφισι καὶ οἱ
ἀπὸ τῶν κεράτων, Ἀράτου καὶ τὴν σὺν αὐτῷ
στρατιὰν τρέψασθαι μέγα ἀγώνισμα ἡγούμενοι.
8 ἔλαθόν τε δὴ κατὰ νώτου γενόμενοί σφισιν οἱ
Ἀρκάδες καὶ οἱ Λακεδαιμόνιοι κυκλωθέντες τῆς
τε ἄλλης στρατιᾶς τὸ πολὺ ἀποβάλλουσι καὶ

Beyond the sanctuary of Poseidon is a trophy made of stone commemorating the victory over the Lacedaemonians under Agis. The course of the battle was, it is said, after this wise. The right wing was held by the Mantineans themselves, who put into the field all of military age under the command of Podares, the grandson of the Podares who fought against the Thebans. They had with them also the Elean seer Thrasybulus, the son of Aeneas, one of the Iamids. This man foretold a victory for the Mantineans and took a personal part in the fighting. On the left wing was stationed all the rest of the Arcadian army, each city under its own leader, the contingent of Megalopolis being led by Lydiades and Leocydes. The centre was entrusted to Aratus, with the Sicyonians and the Achaeans. The Lacedaemonians under Agis, who with the royal staff officers were in the centre, extended their line so as to make it equal in length to that of their enemies. Aratus, acting on an arrangement with the Arcadians, fell back with his command, as though the pressure of the Lacedaemonians was too severe. As they gave way they gradually[1] made their formation crescent-shaped. The Lacedaemonians under Agis, thinking that victory was theirs, pressed in close order yet harder on Aratus and his men. They were followed by those on the wings, who thought it a great achievement to put to flight Aratus and his host. But the Arcadians got in their rear unperceived, and the Lacedaemonians were surrounded, losing the greater part of their army, while King Agis himself fell, the

---

[1] Or, taking ἠρέμα with μηνοειδές, "slightly crescent-shaped."

βασιλεὺς ἔπεσεν Ἄγις Εὐδαμίδου. φανῆναι δὲ
καὶ τὸν Ποσειδῶνα ἀμύνοντά σφισιν ἔφασαν οἱ
Μαντινεῖς, καὶ τοῦδε ἕνεκα τρόπαιον ἐποιήσαντο
9 ἀνάθημα τῷ Ποσειδῶνι. πολέμῳ δὲ καὶ ἀνθρώ-
πων φόνοις παρεῖναι θεοὺς ἐποίησαν μὲν ὅσοις
τὰ ἡρώων ἐμέλησεν ἐν Ἰλίῳ παθήματα, ᾄδεται
δὲ ὑπὸ Ἀθηναίων ὡς θεοί σφισιν ἐν Μαραθῶνι
καὶ ἐν Σαλαμῖνι τοῦ ἔργου μετάσχοιεν· ἐκδη-
λότατα δὲ ὁ Γαλατῶν στρατὸς ἀπώλετο ἐν
Δελφοῖς ὑπὸ τοῦ θεοῦ καὶ ἐναργῶς ὑπὸ δαιμόνων.
οὕτω καὶ Μαντινεῦσιν ἕπεται οὐκ ἄνευ τοῦ
Ποσειδῶνος τὸ κράτος γενέσθαι σφίσι. Λεω-
κύδους δὲ τοῦ Μεγαλοπολιτῶν ὁμοῦ Λυδιάδῃ
στρατηγήσαντος πρόγονον ἔνατον Ἀρκεσίλαον
οἰκοῦντα ἐν Λυκοσούρᾳ λέγουσιν οἱ Ἀρκάδες ὡς
ἴδοι τὴν ἱερὰν τῆς καλουμένης Δεσποίνης ἔλαφον
πεπονηκυῖαν ὑπὸ γήρως· τῇ δὲ ἐλάφῳ ταύτῃ
ψάλιόν τε εἶναι περὶ τὸν τράχηλον καὶ γράμματα
ἐπὶ τῷ ψαλίῳ,

νεβρὸς ἐὼν ἑάλων, ὅτ' ἐς Ἴλιον ἦλθ'[1] Ἀγα-
πήνωρ.

Οὗτος μὲν δὴ ἐπιδείκνυσιν ὁ λόγος ἔλαφον εἶναι
πολλῷ καὶ ἐλέφαντος μακροβιώτερον θηρίον.

XI. Μετὰ δὲ τὸ ἱερὸν τοῦ Ποσειδῶνος χωρίον
ὑποδέξεταί σε δρυῶν πλῆρες, καλούμενον Πέλα-
γος, καὶ ἐκ Μαντινείας ἡ ἐς Τεγέαν ὁδὸς φέρει διὰ
τῶν δρυῶν. Μαντινεῦσι δὲ ὅροι πρὸς Τεγεάτας
εἰσὶν ὁ περιφερὴς ἐν τῇ λεωφόρῳ βωμός. εἰ δὲ
ἀπὸ τοῦ ἱεροῦ τοῦ Ποσειδῶνος ἐς ἀριστερὰν
ἐκτραπῆναι θελήσειας, σταδίους τε ἥξεις μάλιστά
που πέντε καὶ ἐπὶ τῶν Πελίου θυγατέρων ἀφίξῃ

son of Eudamidas. The Mantineans affirmed that
Poseidon too manifested himself in their defence,
and for this reason they erected a trophy as an
offering to Poseidon. That gods were present at
war and slaughter of men has been told by the poets
who have treated of the sufferings of heroes at Troy,
and the Athenians relate in song how gods sided
with them at Marathon and at the battle of Salamis.
Very plainly the host of the Gauls was destroyed at
Delphi by the god, and manifestly by demons. So
there is precedent for the story of the Mantineans
that they won their victory by the aid of Poseidon.
Arcesilaüs, an ancestor, ninth in descent, of
Leocydes, who with Lydiades was general of the
Megalopolitans, is said by the Arcadians to have
seen, when dwelling in Lycosura, the sacred deer,
enfeebled with age, of the goddess called Lady.
This deer, they say, had a collar round its neck, with
writing on the collar :—

I was a fawn when captured, at the time when
    Agapenor went to Troy.

This story proves that the deer is an animal much
longer-lived even than the elephant.

XI. After the sanctuary of Poseidon you will
come to a place full of oak trees, called Sea,
and the road from Mantineia to Tegea leads
through the oaks. The boundary between Man-
tineia and Tegea is the round altar on the high-
road. If you will turn aside to the left from
the sanctuary of Poseidon, you will reach, after
going just about five stades, the graves of the

---

¹ ἦλθ' Kayser : ἦν MSS.

τοὺς τάφους· ταύτας φασὶν οἱ Μαντινεῖς μετ-
οικῆσαι παρὰ σφᾶς, τὰ ἐπὶ τῷ θανάτῳ τοῦ
2 πατρὸς ὀνείδη φευγούσας. ὡς γὰρ δὴ ἀφίκετο
ἡ Μήδεια ἐς Ἰωλκόν, αὐτίκα ἐπεβούλευε τῷ
Πελίᾳ, τῷ ἔργῳ μὲν συμπράσσουσα τῷ Ἰάσονι,
τῷ λόγῳ δὲ ἀπεχθανομένη. ἐπαγγέλλεται τοῦ
Πελίου ταῖς θυγατράσιν ὡς τὸν πατέρα αὐταῖς,
ἢν ἐθέλωσιν, ἀποφανοῖ νέον ἀντὶ γέροντος
παλαιοῦ· κατασφάξασα δὲ ὅτῳ δὴ τρόπῳ κριὸν
τὰ κρέα ὁμοῦ φαρμάκοις ἐν λέβητι ἥψησεν, οἷς
3 ἐκ τοῦ λέβητος[1] ἄρνα ἐξήγαγε ζῶντα· παρα-
λαμβάνει τε δὴ τὸν Πελίαν κατακόψασα ἑψῆσαι,
καὶ αὐτὸν ἐκομίσαντο αἱ θυγατέρες οὐδὲ ἐς
ταφὴν ἔτι ἐπιτήδειον. τοῦτο ἠνάγκασε τὰς
γυναῖκας ἐς Ἀρκαδίαν μετοικῆσαι, καὶ ἀποθα-
νούσαις τὰ μνήματα ἐχώσθη σφίσιν αὐτοῦ·
ὀνόματα δὲ αὐταῖς ποιητὴς μὲν ἔθετο οὐδείς,
ὅσα γε ἐπελεξάμεθα ἡμεῖς, Μίκων δὲ ὁ ζωγράφος
Ἀστερόπειάν τε εἶναι καὶ Ἀντινόην ἐπὶ ταῖς
εἰκόσιν αὐτῶν ἐπέγραψεν.
4 Χωρίον δὲ ὀνομαζόμενον Φοίζων περὶ εἴκοσί
που σταδίους τῶν τάφων ἐστὶν ἀπωτέρω τούτων·
ὁ[2] δὲ Φοίζων μνῆμά ἐστι λίθου περιεχόμενον
κρηπῖδι, ἀνέχον δὲ οὐ πολὺ ὑπὲρ τῆς γῆς. κατὰ
τοῦτο ἥ τε ὁδὸς μάλιστα στενὴ γίνεται καὶ τὸ
μνῆμα Ἀρηιθόου λέγουσιν εἶναι, Κορυνήτου διὰ
5 τὸ ὅπλον ἐπονομασθέντος. κατὰ δὲ τὴν ἐς
Παλλάντιον ἐκ Μαντινείας ἄγουσαν προελθόντι
ὡς τριάκοντά που σταδίους, παρήκει κατὰ τοῦτο
ἐς τὴν λεωφόρον ὁ τοῦ Πελάγους καλουμένου
δρυμός, καὶ τὰ ἱππικὰ τὸ Ἀθηναίων τε καὶ
Μαντινέων ἐνταῦθα ἐμαχέσαντο ἐναντία τῆς

daughters of Pelias. These, the Mantineans say, came to live with them when they were fleeing from the scandal at their father's death. Now when Medea reached Iolcus, she immediately began to plot against Pelias; she was really conspiring with Jason, while pretending to be at variance with him. She promised the daughters of Pelias that, if they wished, she would restore his youth to their father, now a very old man. Having butchered in some way a ram, she boiled his flesh with drugs in a pot, by the aid of which she took out of the pot a live lamb. So she took Pelias and cut him up to boil him, but what the daughters received was not enough to bury. This result forced the women to change their home to Arcadia, and after their death mounds were made there for their tombs. No poet, so far as I have read, has given them names, but the painter Micon inscribed on their portraits Asteropeia and Antinoë.

A place called Phoezon is about twenty stades distant from these graves. Phoezon is a tomb of stone surrounded with a basement, raised only a little above the ground. At this point the road becomes very narrow, and here, they say, is the tomb of Areïthoüs, surnamed Corynetes (*Clubman*) because of his weapon. As you go along the road leading from Mantineia to Pallantium, at a distance of about thirty stades, the highway is skirted by the grove of what is called the Ocean, and here the cavalry of the Athenians and Man-

---

[1] After λέβητος the MSS. have τὸν κριὸν τὸν ἐψόμενον. The words were deleted by Porson.

[2] ὁ is not in the MSS.

Βοιωτίας ἵππου. Ἐπαμινώνδαν δὲ ἀποθανεῖν
Μαντινεῖς μὲν ὑπὸ Μαχαιρίωνος Μαντινέως
φασὶν ἀνδρός· ὡσαύτως δὲ καὶ Λακεδαιμόνιοι
Σπαρτιάτην λέγουσιν εἶναι τὸν ἀποκτείναντα
Ἐπαμινώνδαν, τίθενται δὲ Μαχαιρίωνα ὄνομα
6 καὶ οὗτοι τῷ ἀνδρί. ὁ δὲ Ἀθηναίων ἔχει λόγος
—ὁμολογοῦσι δὲ αὐτῷ καὶ Θηβαῖοι—τρωθῆναι
τὸν Ἐπαμινώνδαν ὑπὸ Γρύλου· παραπλήσια δέ
σφισίν ἐστι καὶ τὰ ἐν τῇ γραφῇ τῇ[1] τὸ ἔργον
ἐχούσῃ τὸ ἐν Μαντινείᾳ. φαίνονται δὲ οἱ
Μαντινεῖς Γρύλον μὲν δημοσίᾳ τε θάψαντες καὶ
ἔνθα ἔπεσεν ἀναθέντες εἰκόνα ἐπὶ στήλης ὡς
ἀνδρὸς ἀρίστου τῶν συμμάχων· Μαχαιρίωνα
δὲ λόγῳ μὲν καὶ αὐτοὶ καὶ[2] οἱ Λακεδαιμόνιοι
λέγουσιν, ἔργῳ δὲ οὔτε ἐν Σπάρτῃ Μαχαιρίων
ἐστὶν οὐδείς, οὐ μὴν οὐδὲ παρὰ Μαντινεῦσιν,
7 ὅτῳ γεγόνασιν ὡς ἀνδρὶ ἀγαθῷ τιμαί. ὡς δὲ
ἐτέτρωτο ὁ Ἐπαμινώνδας, ἐκκομίζουσιν ἔτι
ζῶντα ἐκ τῆς παρατάξεως αὐτόν· ὁ δὲ τέως μὲν
τὴν χεῖρα ἔχων ἐπὶ τῷ τραύματι ἐταλαιπώρει
καὶ ἐς τοὺς μαχομένους ἀφέωρα—ὁπόθεν δὲ
ἀπέβλεπεν ἐς αὐτούς, ὠνόμαζον Σκοπὴν οἱ
ἔπειτα—λαβόντος δὲ ἴσον τοῦ ἀγῶνος πέρας,
οὕτω τὴν χεῖρα ἀπέσχεν ἀπὸ τοῦ τραύματος·
καὶ αὐτὸν ἀφέντα τὴν ψυχὴν ἔθαψαν ἔνθα
8 σφίσιν ἐγένετο ἡ συμβολή. τῷ τάφῳ δὲ κίων
τε ἐφέστηκε καὶ ἀσπὶς ἐπ᾽ αὐτῷ δράκοντα ἔχουσα
ἐπειργασμένον· ὁ μὲν δὴ δράκων ἐθέλει σημαί-
νειν γένους τῶν Σπαρτῶν καλουμένων εἶναι τὸν
Ἐπαμινώνδαν, στῆλαι δέ εἰσιν ἐπὶ τῷ μνήματι,
ἡ μὲν ἀρχαία καὶ ἐπίγραμμα ἔχουσα Βοιώτιον,
τὴν δὲ αὐτήν τε ἀνέθηκεν Ἀδριανὸς βασιλεὺς

tineans fought against the Boeotian horse. Epaminondas, the Mantineans say, was killed by Machaerion, a man of Mantineia. The Lacedaemonians on their part say that a Spartan killed Epaminondas, but they too give Machaerion as the name of the man. The Athenian account, with which the Theban agrees, makes out that Epaminondas was wounded by Grylus. Similar is the story on the picture portraying the battle of Mantineia. All can see that the Mantineans gave Grylus a public funeral and dedicated where he fell his likeness on a slab in honour of the bravest of their allies. The Lacedaemonians also speak of Machaerion as the slayer, but actually at Sparta there is no Machaerion, nor is there at Mantineia, who has received honours for bravery. When Epaminondas was wounded, they carried him still living from the ranks. For a while he kept his hand to the wound in agony, with his gaze fixed on the combatants, the place from which he looked at them being called Scope (*Look*) by posterity. But when the combat came to an indecisive end, he took his hand away from the wound and died, being buried on the spot where the armies met. On the grave stands a pillar, and on it is a shield with a dragon in relief. The dragon means that Epaminondas belonged to the race of those called the Sparti, while there are slabs on the tomb, one old, with a Boeotian inscription, the other dedicated by the

---

[1] τῇ is not in the MSS.   [2] καί is not in the MSS.

9 καὶ ἐποίησε τὸ ἐπίγραμμα τὸ ἐπ᾽ αὐτῇ. τὸν δὲ
Ἐπαμινώνδαν τῶν παρ᾽ Ἕλλησι στρατηγίας
ἕνεκα εὐδοκιμησάντων μάλιστα ἐπαινέσαι τις ἂν
ἢ ὕστερόν γε οὐδενὸς ποιήσαιτο· Λακεδαιμονίων
μὲν γὰρ καὶ Ἀθηναίων τοῖς ἡγεμόσι πόλεών τε
ἀξίωμα ὑπῆρχεν ἐκ παλαιοῦ καὶ οἱ στρατιῶται
φρονήματός τι ἦσαν ἔχοντες, Θηβαίους δὲ
Ἐπαμινώνδας ἀθύμους τὰς γνώμας καὶ ἄλλων
ἀκούειν εἰωθότας ἀπέφηνεν ἐν¹ οὐ πολλῷ
πρωτεύοντας.

10 Ἐγεγόνει δὲ τῷ Ἐπαμινώνδᾳ μαντεῖα πρότερον
ἔτι ἐκ Δελφῶν πέλαγος αὐτὸν φυλάσσεσθαι· καὶ
ὁ μὲν τριήρους τε μὴ ἐπιβῆναι μηδὲ ἐπὶ νεὼς
φορτίδος πλεῦσαι δεῖμα εἶχε, τῷ δὲ ἄρα Πέλαγος
δρυμὸν καὶ οὐ θάλασσαν προέλεγεν ὁ δαίμων.
χωρία δὲ τὰ ὁμώνυμα καὶ Ἀννίβαν ὕστερον τὸν
Καρχηδόνιον καὶ πρότερον ἔτι Ἀθηναίους

11 ἠπάτησεν. Ἀννίβᾳ γὰρ χρησμὸς ἀφίκετο παρὰ
Ἄμμωνος ὡς ἀποθανὼν γῇ καλυφθήσεται τῇ
Λιβύσσῃ. ὁ μὲν δὴ ἤλπιζεν ἀρχήν τε τὴν
Ῥωμαίων καθαιρήσειν καὶ οἴκαδε ἐς τὴν Λιβύην
ἐπανελθὼν τελευτήσειν γήρᾳ τὸν βίον. Φλα-
μινίου δὲ τοῦ Ῥωμαίου ποιουμένου σπουδὴν
ἑλεῖν ζῶντα αὐτόν, ἀφικόμενος παρὰ Προυσίαν
ἱκέτης καὶ ἀπωσθεὶς ὑπ᾽ αὐτοῦ ἀνεπήδα τε ἐπὶ
τὸν ἵππον καὶ γυμνωθέντος τοῦ ξίφους τιτρώσ-
κεται τὸν δάκτυλον. προελθόντι δέ οἱ στάδια
οὐ πολλὰ πυρετός τε ἀπὸ τοῦ τραύματος καὶ ἡ
τελευτὴ τριταίῳ συνέβη· τὸ δὲ χωρίον ἔνθα
ἀπέθανε καλοῦσιν οἱ Νικομηδεῖς Λίβυσσαν.

12 Ἀθηναίοις δὲ μάντευμα ἐκ Δωδώνης Σικελίαν
ἦλθεν οἰκίζειν, ἡ δὲ οὐ πόρρω τῆς πόλεως ἡ

Emperor Hadrian, who wrote the inscription on it. Everybody must praise Epaminondas for being the most famous Greek general, or at least consider him second to none other. For the Lacedaemonian and the Athenian leaders enjoyed the ancient reputation of their cities, while their soldiers were men of a spirit, but the Thebans, whom Epaminondas raised to the highest position, were a disheartened people, accustomed to obey others.

Epaminondas had been told before by an oracle from Delphi to beware of "ocean." So he was afraid to step on board a man-of-war or to sail in a merchant-ship, but by "ocean" the god indicated the grove "Ocean" and not the sea. Places with the same name misled Hannibal the Carthaginian, and before him the Athenians also. Hannibal received an oracle from Ammon that when he died he would be buried in Libyan earth. So he hoped to destroy the Roman empire, to return to his home in Libya, and there to die of old age. But when Flamininus the Roman was anxious to take him alive, Hannibal came to Prusias as a suppliant. Repulsed by Prusias he jumped upon his horse, but was wounded in the finger by his drawn sword. When he had proceeded only a few stades his wound caused a fever, and he died on the third day. The place where he died is called Libyssa by the Nicomedians. The Athenians received an oracle from Dodona ordering them to colonise Sicily, and Sicily is a

---

[1] ἐν is not in the MSS., but was added by Porson.

Σικελία λόφος ἐστὶν οὐ μέγας· οἱ δὲ οὐ συμφρο-
νήσαντες τὸ εἰρημένον ἔς τε ὑπερορίους στρατείας
προήχθησαν καὶ ἐς τὸν Συρακοσίων πόλεμον.
ἔχοι δ᾽ ἄν τις καὶ πλέονα τοῖς εἰρημένοις ἐοικότα
ἄλλα ἐξευρεῖν.

XII. Τοῦ τάφου δὲ τοῦ Ἐπαμινώνδα μάλιστά
που σταδίου μῆκος Διὸς ἀφέστηκεν ἱερὸν ἐπίκλη-
σιν Χάρμωνος. Ἀρκάδων δὲ ἐν τοῖς δρυμοῖς
εἰσιν αἱ δρῦς διάφοροι, καὶ τὰς μὲν πλατυφύλ-
λους αὐτῶν, τὰς δὲ φηγοὺς καλοῦσιν· αἱ τρίται
δὲ ἀραιὸν τὸν φλοιὸν καὶ οὕτω δή τι παρέχονται
κοῦφον, ὥστε ἀπ᾽ αὐτοῦ καὶ ἐν θαλάσσῃ ποιοῦνται
σημεῖα ἀγκύραις καὶ δικτύοις· ταύτης τῆς δρυὸς
τὸν φλοιὸν ἄλλοι τε Ἰώνων καὶ Ἑρμησιάναξ ὁ τὰ
ἐλεγεῖα ποιήσας φελλὸν ὀνομάζουσιν.

2 Ἐς Μεθύδριον δὲ πόλιν μὲν οὐκέτι, κώμην δὲ
ἐς τὸ Μεγαλοπολιτικὸν συντελοῦσαν, ἐς τοῦτό
ἐστι τὸ Μεθύδριον ἐκ Μαντινείας ὁδός. προελ-
θόντι δὲ σταδίους τριάκοντα πεδίον τε ὀνομαζό-
μενον Ἀλκιμέδων καὶ ὑπὲρ τοῦ πεδίου τὸ ὄρος
ἐστὶν ἡ Ὀστρακίνα, ἐν δὲ αὐτῷ σπήλαιον, ἔνθα
ᾤκησεν Ἀλκιμέδων, ἀνὴρ τῶν καλουμένων ἡρώων.
3 τούτου τοῦ Ἀλκιμέδοντος θυγατρὶ συγγενέσθαι
Φιαλοῖ[1] Φιγαλεῖς λέγουσιν Ἡρακλέα· ὡς δὲ ᾔσθετο
αὐτὴν ὁ Ἀλκιμέδων τεκοῦσαν, ἐκτίθησιν ἀπολου-
μένην ἐς τὸ ὄρος, σὺν δὲ αὐτῇ καὶ τὸν παῖδα ὃν
ἔτεκε· καλοῦσι δὲ Αἰχμαγόραν αὐτὸν οἱ Ἀρκάδες.
ἀνακλαίοντος δὲ ὡς ἐξέκειτο τοῦ παιδός, κίσσα ἡ
ὄρνις ἐπήκουέ τε ὀδυρομένου καὶ ἀπεμιμεῖτο τὰ
4 κλαύματα· καί πως ὁ Ἡρακλῆς ἐρχόμενος τὴν
ὁδὸν ταύτην ἐπήκουσε τῆς κίσσης καὶ—ἐνόμισε
γὰρ παιδὸς εἶναι καὶ οὐκ ὄρνιθος τὸν κλαυθμόν—

small hill not far from Athens. But they, not under-
standing the order, were persuaded to undertake
expeditions overseas, especially the Syracusan war.
More examples could be found similar to those I
have given.

XII. Just about a stade from the grave of Epami-
nondas is a sanctuary of Zeus surnamed Charmon.
The oaks in the groves of the Arcadians are of
different sorts; some of them are called "broad-
leaved," others "edible oaks." A third kind have
a porous bark, which is so light that they actually
make from it floats for anchors and nets. The bark
of this oak is called "cork" by the Ionians, for
example by Hermesianax, the elegiac poet.

From Mantineia there is a road leading to Methy-
drium, which to-day is not a city, but only a village
belonging to Megalopolis. Thirty stades farther is
a plain called Alcimedon, and beyond the plain is
Mount Ostracina, in which is a cave where dwelt
Alcimedon, one of those called heroes. This man's
daughter, Phialo, had connection, say the Phigalians,
with Heracles. When Alcimedon realised that she
had a child, he exposed her to perish on the
mountain, and with her the baby boy she had
borne, whom the Arcadians call Aechmagoras. On
being exposed the babe began to cry, and a jay
heard him wailing and began to imitate his cries.
It happened that Heracles, passing along that road,
heard the jay, and, thinking that the crying was
that of a baby and not of a bird, turned straight to

---

[1] Here the MSS. have ὡς.

ἐτράπετο εὐθὺ τῆς φωνῆς· γνωρίσας δὲ αὐτήν
τε ἔλυσεν ἀπὸ τῶν δεσμῶν καὶ τὸν παῖδα ἀνεσώ-
σατο. ἐξ ἐκείνου δὲ ἡ πλησίον πηγὴ Κίσσα
ἀπὸ τῆς ὄρνιθος ὀνομάζεται. τεσσαράκοντα δὲ
ἀπὸ τῆς πηγῆς στάδια ἀφέστηκε Πετροσάκα
καλούμενον χωρίον· Μεγαλοπολιτῶν δὲ καὶ
Μαντινέων ὅρος ἐστὶν ἡ Πετροσάκα.

5   Ἐπὶ δὲ ὁδοῖς ταῖς κατειλεγμέναις δύο ἐς
Ὀρχομενόν εἰσιν ἄλλαι, καὶ τῇ μέν ἐστι καλού-
μενον Λάδα στάδιον, ἐς ὃ ἐποιεῖτο Λάδας μελέτην
δρόμου, καὶ παρ' αὐτὸ ἱερὸν Ἀρτέμιδος καὶ ἐν
δεξιᾷ τῆς ὁδοῦ γῆς χῶμα ὑψηλόν· Πηνελόπης
δὲ εἶναι τάφον φασίν, οὐχ ὁμολογοῦντες τὰ ἐς
6 αὐτὴν ποιήσει τῇ¹ Θεσπρωτίδι ὀνομαζομένῃ. ἐν
ταύτῃ μέν γέ ἐστι τῇ ποιήσει ἐπανήκοντι ἐκ
Τροίας Ὀδυσσεῖ τεκεῖν τὴν Πηνελόπην Πτολι-
πόρθην παῖδα· Μαντινέων δὲ ὁ ἐς αὐτὴν λόγος
Πηνελόπην φησὶν ὑπ' Ὀδυσσέως καταγνωσθεῖσαν
ὡς ἐπισπαστοὺς ἐσαγάγοιτο ἐς τὸν οἶκον, καὶ
ἀποπεμφθεῖσαν ὑπ' αὐτοῦ, τὸ μὲν παραυτίκα ἐς
Λακεδαίμονα ἀπελθεῖν, χρόνῳ δὲ ὕστερον ἐκ τῆς
Σπάρτης ἐς Μαντίνειαν μετοικῆσαι, καί οἱ τοῦ
7 βίου τὴν τελευτὴν ἐνταῦθα συμβῆναι. τοῦ
τάφου δὲ ἔχεται τούτου πεδίον οὐ μέγα, καὶ
ὅρος ἐστὶν ἐν τῷ πεδίῳ τὰ ἐρείπια ἔτι Μαντι-
νείας ἔχον τῆς ἀρχαίας· καλεῖται δὲ τὸ χωρίον
τοῦτο ἐφ' ἡμῶν Πτόλις. κατὰ δὲ τὸ πρὸς ἄρκτον
αὐτῆς προελθόντι ὁδὸν οὐ μακρὰν Ἀλαλκομενείας
ἐστὶ πηγή, τῆς Πτόλεως δὲ μετὰ σταδίους τριά-
κοντα κώμης τε ἐρείπια καλουμένης Μαιρᾶς καὶ
τάφος Μαιρᾶς,² εἰ δὴ ἐνταῦθα καὶ μὴ ἐν τῇ
Τεγεατῶν ἐτάφη· Τεγεάταις γὰρ τοῦ λόγου τὸ

the voice. Recognising Phialo he loosed her from
her bonds and saved the baby. Wherefore the
spring hard by is named Cissa (*Jay*) after the bird.
Forty stades distant from the spring is the place
called Petrosaca, which is the boundary between
Megalopolis and Mantineia.

In addition to the roads mentioned there are two
others, leading to Orchomenus. On one is what is
called the stadium of Ladas, where Ladas practised
his running, and by it a sanctuary of Artemis, and
on the right of the road is a high mound of earth.
It is said to be the grave of Penelope, but the
account of her in the poem called *Thesprotis* is
not in agreement with this saying. For in it the
poet says that when Odysseus returned from Troy
he had a son Ptoliporthes by Penelope. But the
Mantinean story about Penelope says that Odysseus
convicted her of bringing paramours to his home,
and being cast out by him she went away at first
to Lacedaemon, but afterwards she removed from
Sparta to Mantineia, where she died. Adjoining
this grave is a plain of no great size, and on the
plain is a mountain whereon still stand the ruins
of old Mantineia. To-day the place is called Ptolis.
Advancing a little way to the north of it you come
to the spring of Alalcomeneia, and thirty stades
from Ptolis are the ruins of a village called
Maera, with the grave of Maera, if it be really the
case that Maera was buried here and not in Tegean
land. For probably the Tegeans, and not the

---

¹ τῇ is not in the MSS.
² καὶ τάφος Μαιρᾶς is not in the MSS., but was added by
Madvig.

εἰκὸς καὶ οὐ Μαντινεῦσιν ἔπεται, Μαιρὰν τὴν
Ἄτλαντος παρὰ σφίσι ταφῆναι. τάχα δ᾽ ἂν καὶ
ἀπόγονος τῆς Ἄτλαντος Μαιρᾶς ἑτέρα Μαιρὰ
ἀφίκοιτο ἐς τὴν Μαντινικήν.

8 Λείπεται δὲ ἔτι τῶν ὁδῶν ἡ ἐς Ὀρχομενόν,
καθ᾽ ἥντινα Ἀγχισία τε ὄρος καὶ Ἀγχίσου
μνῆμά ἐστιν ὑπὸ τοῦ ὄρους τοῖς ποσίν. ὡς γὰρ
δὴ ἐκομίζετο ἐς Σικελίαν ὁ Αἰνείας, ἔσχε ταῖς
ναυσὶν ἐς τὴν Λακωνικήν, καὶ πόλεών τε Ἀφρο-
δισιάδος καὶ Ἤτιδος ἐγένετο οἰκιστὴς καὶ τὸν
πατέρα Ἀγχίσην κατὰ πρόφασιν δή τινα παρα-
γενόμενον ἐς τοῦτο τὸ χωρίον καὶ αὐτόθι τοῦ
βίου τῇ τελευτῇ χρησάμενον ἔθαψεν ἐνταῦθα·
καὶ τὸ ὄρος τοῦτο ἀπὸ τοῦ Ἀγχίσου καλοῦσιν
9 Ἀγχισίαν. τούτου δὲ συντελοῦσιν ἐς πίστιν
Αἰολέων οἱ Ἴλιον ἐφ᾽ ἡμῶν ἔχοντες, οὐδαμοῦ τῆς
σφετέρας ἀποφαίνοντες μνῆμα Ἀγχίσου. πρὸς
δὲ τοῦ Ἀγχίσου τῷ τάφῳ ἐρείπιά ἐστιν Ἀφροδίτης
ἱεροῦ, καὶ Μαντινέων ὅροι πρὸς Ὀρχομενίους καὶ
ἐν ταῖς Ἀγχισίαις εἰσίν.

XIII. Ἐν δὲ τῇ χώρᾳ τῇ Ὀρχομενίων, ἐν
ἀριστερᾷ τῆς ὁδοῦ τῆς ἀπὸ Ἀγχισιῶν, ἐν ὑπτίῳ
τοῦ ὄρους τὸ ἱερόν ἐστι τῆς Ὑμνίας Ἀρτέμιδος·
μέτεστι δὲ αὐτοῦ καὶ Μαντινεῦσι * * καὶ
ἱέρειαν καὶ ἄνδρα ἱερέα. τούτοις οὐ μόνον τὰ ἐς
τὰς μίξεις ἀλλὰ καὶ ἐς τὰ ἄλλο ἁγιστεύειν
καθέστηκε τὸν χρόνον τοῦ βίου πάντα, καὶ οὔτε
λουτρὰ οὔτε δίαιτα λοιπὴ κατὰ τὰ αὐτά σφισι
καθὰ καὶ τοῖς πολλοῖς ἐστιν, οὐδὲ ἐς οἰκίαν
παρίασιν ἀνδρὸς ἰδιώτου. τοιαῦτα οἶδα ἕτερα
ἐνιαυτὸν καὶ οὐ πρόσω Ἐφεσίων ἐπιτηδεύοντας
τοὺς τῇ Ἀρτέμιδι ἱστιάτορας τῇ Ἐφεσίᾳ γινο-

Mantineans, are right when they say that Maera, the daughter of Atlas, was buried in their land. Perhaps, however, the Maera who came to the land of Mantineia was another, a descendant of Maera, the daughter of Atlas.

There still remains the road leading to Orchomenus, on which are Mount Anchisia and the tomb of Anchises at the foot of the mountain. For when Aeneas was voyaging to Sicily, he put in with his ships to Laconia, becoming the founder of the cities Aphrodisias and Etis; his father Anchises for some reason or other came to this place and died there, where Aeneas buried him. This mountain they call Anchisia after Anchises. The probability of this story is strengthened by the fact that the Aeolians who to-day occupy Troy nowhere point out a tomb of Anchises in their own land. Near the grave of Anchises are the ruins of a sanctuary of Aphrodite, and at Anchisiae is the boundary between Mantineia and Orchomenus.

XIII. In the territory of Orchomenus, on the left of the road from Anchisiae, there is on the slope of the mountain the sanctuary of Artemis Hymnia. The Mantineans, too, share it . . . a priestess also and a priest. It is the custom for these to live their whole lives in purity, not only sexual but in all respects, and they neither wash nor spend their lives as do ordinary people, nor do they enter the home of a private man. I know that the "entertainers" of the Ephesian Artemis live in a similar fashion, but for a year only, the

μένους, καλουμένους δὲ ὑπὸ τῶν πολιτῶν Ἐσσῆ-
νας. τῇ δὲ Ἀρτέμιδι τῇ Ὑμνίᾳ καὶ ἑορτὴν
ἄγουσιν ἐπέτειον.

2 Ὀρχομενίοις δὲ ἡ προτέρα πόλις ἐπὶ ὄρους ἦν
ἄκρα τῇ κορυφῇ, καὶ ἀγορᾶς τε καὶ τειχῶν
ἐρείπια λείπεται· τὴν δὲ ἐφ' ἡμῶν πόλιν ὑπὸ τὸν
περίβολον οἰκοῦσι τοῦ ἀρχαίου τείχους. θέας
δὲ αὐτόθι ἄξια πηγή τε, ἀφ' ἧς ὑδρεύονται, καὶ
Ποσειδῶνός ἐστι καὶ Ἀφροδίτης ἱερά, λίθου δὲ
τὰ ἀγάλματα. πρὸς δὲ τῇ πόλει ξόανόν ἐστιν
Ἀρτέμιδος· ἵδρυται δὲ ἐν κέδρῳ μεγάλῃ, καὶ τὴν
θεὸν ὀνομάζουσιν ἀπὸ τῆς κέδρου Κεδρεᾶτιν.

3 σωροὶ δὲ ὑπὸ τὴν πόλιν λίθων εἰσὶ διεστηκότες
ἀπὸ ἀλλήλων, ἐπενήθησαν [1] δὲ ἐν πολέμῳ πε-
σοῦσιν ἀνδράσιν. οἷς τισι δὲ Πελοποννησίων
ἐπολέμησαν τῶν ἄλλων ἢ Ἀρκάδων αὐτῶν, οὔτε
ἐπιγράμματα ἐπὶ τοῖς τάφοις ἐσήμαινεν οὔτε οἱ
Ὀρχομένιοι μνημονεύουσιν.

4 Ἔστι δὲ ἀπαντικρὺ τῆς πόλεως ὄρος Τραχύ.
τὸ δὲ ὕδωρ τὸ ἐκ τοῦ θεοῦ διὰ χαράδρας ῥέον
κοίλης μεταξὺ τῆς τε πόλεως καὶ τοῦ Τραχέος
ὄρους κάτεισιν ἐς ἄλλο Ὀρχομένιον πεδίον, τὸ δὲ
πεδίον τοῦτο μεγέθει μὲν μέγα, τὰ πλείω δέ
ἐστιν αὐτοῦ λίμνη. ἰόντι δὲ ἐξ Ὀρχομενοῦ καὶ
σταδίους προελθόντι ὅσον τρεῖς, ἡ μὲν εὐθεῖα
ἐπὶ πόλιν Καφυὰν ἄγει παρά τε αὐτὴν τὴν
χαράδραν καὶ μετὰ ταύτην ἐν ἀριστερᾷ παρὰ τὸ
ὕδωρ τὸ λιμνάζον· ἡ δὲ ἑτέρα τῶν ὁδῶν διαβάντι
τὸ ὕδωρ τὸ διὰ τῆς χαράδρας ῥέον ὑπὸ τὸ Τραχύ

5 ἐστιν ὄρος. κατὰ δὲ τὴν ὁδὸν ταύτην πρῶτον
μὲν μνῆμά ἐστιν Ἀριστοκράτους, ὃς βίᾳ ποτὲ
ᾔσχυνε τὴν ἱερωμένην τῇ Ὑμνίᾳ θεῷ παρθένον

Ephesians calling them Essenes. They also hold an annual festival in honour of Artemis Hymnia.

The former city of Orchomenus was on the peak of a mountain, and there still remain ruins of a market-place and of walls. The modern, inhabited city lies under the circuit of the old wall. Worth seeing here is a spring, from which they draw water, and there are sanctuaries of Poseidon and of Aphrodite, the images being of stone. Near the city is a wooden image of Artemis. It is set in a large cedar tree, and after the tree they call the goddess the Lady of the Cedar. Beneath the city are heaps of stones at intervals, which were piled over men who fell in war. With what Peloponnesians, whether Arcadians or other, the war was fought, was set forth neither by inscriptions on the graves nor in Orchomenian tradition.

Opposite the city is Mount Trachy (*Rough*). The rain-water, flowing through a deep gully between the city and Mount Trachy, descends to another Orchomenian plain, which is very considerable in extent, but the greater part of it is a lake. As you go out of Orchomenus, after about three stades, the straight road leads you to the city Caphya, along the side of the gully and afterwards along the water of the lake on the left. The other road, after you have crossed the water flowing through the gully, goes under Mount Trachy. On this road the first thing is the tomb of Aristocrates, who once outraged the virgin priestess of the goddess Hymnia,

---

[1] ἐπενήθησαν Bekker: ἐγενήθησαν MSS.

μετὰ δὲ τοῦ Ἀριστοκράτους τὸν τάφον πηγαί τέ
εἰσι καλούμεναι Τενεῖαι καὶ ἀπέχει τῶν πηγῶν
στάδια ὡς ἑπτὰ Ἄμιλος χωρίον· πόλιν δὲ τὴν
Ἄμιλόν ποτε εἶναι λέγουσι. κατὰ τοῦτο αὖθις
τὸ χωρίον δίχα ἡ ὁδὸς τέμνεται, καὶ ἡ μὲν ἐπὶ
6 Στύμφηλον, ἡ δὲ ἐς Φενεὸν αὐτῶν ἄγει. κατὰ
δὲ τὴν ἐς Φενεὸν ἐκδέξεταί σε ὄρος· ἐν δὲ τῷ
ὄρει τούτῳ συνάπτουσιν Ὀρχομενίων καὶ Φενεα-
τῶν τε καὶ Καφυατῶν ὅροι τῆς γῆς. ἀνατείνει
δὲ ὑπὲρ τοὺς ὅρους κρημνὸς ὑψηλός· πέτραν
Καφυατικὴν ὀνομάζουσι τὸν κρημνόν. μετὰ δὲ
τοὺς ὅρους ταῖς κατειλεγμέναις πόλεσι φάραγξ
τε ὑπόκειται καὶ φέρει δι᾽ αὐτῆς ἡ ἐς Φενεὸν
ὁδός· κατὰ μέσην δέ που μάλιστα τὴν φάραγγα
ὕδωρ ἄνεισιν ἐκ πηγῆς, καὶ ἐπὶ τῷ πέρατι τῆς
φάραγγος Καρναὶ χωρίον.

XIV. Φενεατῶν δὲ τὸ πεδίον κεῖται μὲν ὑπὸ
ταῖς Καρναῖς, πλεονάσαντος δέ ποτε αὐτῷ τοῦ
ὕδατος κατακλυσθῆναί φασι τὴν ἀρχαίαν Φενεόν,
ὥστε καὶ ἐφ᾽ ἡμῶν σημεῖα ἐλείπετο ἐπὶ τῶν
ὀρῶν ἐς ἃ ἐπαναβῆναι τὸ ὕδωρ λέγουσι. Καρυῶν
δὲ στάδια πέντε ἀφέστηκεν ἥ τε Ὄρυξις καλου-
μένη καὶ ἕτερον ὄρος Σκίαθις· ὑφ᾽ ἑκατέρῳ δέ
ἐστι τῷ ὄρει βάραθρον τὸ ὕδωρ καταδεχόμενον
2 τὸ ἐκ τοῦ πεδίου. τὰ δὲ βάραθρα οἱ Φενεᾶται
ταῦτά φασιν εἶναι χειροποίητα, ποιῆσαι δὲ αὐτὰ
Ἡρακλέα τηνικαῦτα ἐν Φενεῷ παρὰ Λαονόμῃ τῇ
Ἀμφιτρύωνος μητρὶ οἰκοῦντα· γενέσθαι γὰρ
Ἀμφιτρύωνα ἐκ Λαονόμης Ἀλκαίῳ τῆς Γούνεως,[1]
γυναικὸς Φενεάτιδος, καὶ οὐκ ἐκ τῆς Πέλοπος
Λυσιδίκης. εἰ δὲ Ἡρακλῆς ἀληθεῖ λόγῳ παρὰ
τοὺς Φενεάτας μετῴκησε, πείθοιτο ἄν τις διωχ-

and after the grave of Aristocrates are springs called Teneiae, and about seven stades distant from the springs is a place Amilus, which once, they say, was a city. Here the road forks again, one way leading to Stymphalus, the other to Pheneüs. On the road to Pheneüs you will come to a mountain. On this mountain meet the boundaries of Orchomenus, Pheneüs and Caphya. Over the boundaries extends a high crag, called the Caphyatic Rock. After the boundaries of the cities I have mentioned lies a ravine, and the road to Pheneüs leads through it. Just about the middle of the ravine water rises up from a spring, and at the end of the ravine is a place called Caryae.

XIV. The plain of Pheneüs lies below Caryae, and they say that once the water rose on it and flooded the ancient city of Pheneüs, so that even to-day there remain on the mountains marks up to which, it is said, the water rose. Five stades distant from Caryae is a mountain called Oryxis, and another, Mount Sciathis. Under each mountain is a chasm that receives the water from the plain. These chasms according to the people of Pheneüs are artificial, being made by Heracles when he lived in Pheneüs with Laonome, the mother of Amphitryo, who was, it is said, the son of Alcaeüs by Laonome, the daughter of Guneus,[1] a woman of Pheneüs, and not by Lysidice, the daughter of Pelops. Now if Heracles really migrated to Pheneüs, one might

---

[1] The MSS. have Γούνεω.

θέντα ἐκ Τίρυνθος ὑπὸ Εὐρυσθέως αὐτὸν οὐκ
αὐτίκα ἐς Θήβας, πρότερον δὲ ἐς Φενεὸν ἀφι-
3 κέσθαι. διὰ μέσου δὲ ὤρυξεν Ἡρακλῆς τοῦ
Φενεατῶν πεδίου, ῥεῦμα εἶναι τῷ ποταμῷ τῷ
Ὀλβίῳ, ὅν τινα Ἀροάνιον Ἀρκάδων καλοῦσιν
ἕτεροι καὶ οὐκ Ὄλβιον· μῆκος μὲν τοῦ ὀρύγματος
στάδιοι πεντήκοντά εἰσι, βάθος δέ, ὅσον μὴ
πεπτωκός ἐστιν αὐτοῦ, καὶ ἐς τριάκοντα καθήκει
πόδας. οὐ μὴν ταύτῃ γε ἔτι κάτεισιν ὁ ποταμός,
ἀλλὰ ἐς τὸ ῥεῦμα ἀπεχώρησεν αὖθις τὸ ἀρχαῖον,
καταλιπὼν[1] τοῦ Ἡρακλέους τὸ ἔργον.

4 Τῶν βαράθρων δὲ τῶν ἐν τοῖς εἰρημένοις
πεποιημένων ὄρεσιν ἀπωτέρω πεντήκοντά που
σταδίοις ἐστὶν ἡ πόλις· οἰκιστὴν δὲ οἱ Φενεᾶται
λέγουσιν ἄνδρα αὐτόχθονα εἶναι Φενεόν. ἔστι
δέ σφισιν ἀκρόπολις ἀπότομος πανταχόθεν, τὰ
μὲν πολλὰ ἔχουσα οὕτως, ὀλίγα δὲ αὐτῆς καὶ
ὠχυρώσαντο ὑπὲρ ἀσφαλείας. ἐνταῦθα ἐν τῇ
ἀκροπόλει ναός ἐστιν Ἀθηνᾶς ἐπίκλησιν Τριτω-
5 νίας, ἐρείπια δὲ ἐλείπετο αὐτοῦ μόνα· καὶ
Ποσειδῶν χαλκοῦς ἕστηκεν ἐπωνυμίαν Ἵππιος,
ἀναθεῖναι δὲ τὸ ἄγαλμα τοῦ Ποσειδῶνος Ὀδυσσέα
ἔφασαν· ἀπολέσθαι γὰρ ἵππους τῷ Ὀδυσσεῖ, καὶ
αὐτὸν γῆν τὴν Ἑλλάδα κατὰ ζήτησιν ἐπιόντα
τῶν ἵππων ἱδρύσασθαι μὲν ἱερὸν ἐνταῦθα Ἀρτέ-
μιδος καὶ Εὐρίππαν ὀνομάσαι τὴν θεόν, ἔνθα
τῆς Φενεατικῆς χώρας εὗρε τὰς ἵππους, ἀναθεῖναι
δὲ καὶ τοῦ Ποσειδῶνος τὸ ἄγαλμα τοῦ Ἱππίου.
6 τῷ δὲ Ὀδυσσεῖ λέγουσιν εὑρόντι τὰς ἵππους
γενέσθαι οἱ κατὰ γνώμην ἐν χώρᾳ τῇ Φενεατῶν
ἔχειν ἵππους, καθάπερ γε καὶ τὰς βοῦς ἐν τῇ
ἠπείρῳ τῆς Ἰθάκης ἀπαντικρὺ τρέφειν αὐτόν·

believe that when expelled by Eurystheus from
Tiryns he did not go at once to Thebes, but went
first to Pheneüs. Heracles dug a channel through
the middle of the plain of Pheneüs for the river
Olbius, which some Arcadians call, not Olbius but
Aroanius. The length of the cutting is fifty stades,
its depth, where it has not fallen in, is as much as
thirty feet. The river, however, no longer flows
along it, but it has gone back to its old bed, having
left the work of Heracles.

About fifty stades from the chasms made in the
mountains I have mentioned is the city, founded,
say the Pheneatians, by Pheneüs, an aboriginal.
Their acropolis is precipitous on all sides, mostly
so naturally, but a few parts have been artifically
strengthened, to make it more secure. On the
acropolis here is a temple of Athena surnamed
Tritonia, but of it I found ruins only remaining.
There stands also a bronze Poseidon, surnamed
Horse, whose image, it is said, was dedicated by
Odysseus. The legend is that Odysseus lost his
mares, traversed Greece in search of them, and on
the site in the land of Pheneüs where he found his
mares founded a sanctuary of Artemis, calling the
goddess Horse-finder, and also dedicated the image
of Horse Poseidon. When Odysseus found his mares
he was minded, it is said, to keep horses in the land
of Pheneüs, just as he reared his cows, they say, on
the mainland opposite Ithaca. On the base of the

---

[1] Here the MSS. have ἔλυτρον. Some editors retain with
τὸ prefixed. Hitzig transposes to after πεδίου § 3.

καί μοι καὶ γράμματα οἱ Φενεᾶται παρείχοντο
ἐπὶ τοῦ ἀγάλματος γεγραμμένα τῷ βάθρῳ, τοῦ
Ὀδυσσέως δή τι πρόσταγμα τοῖς ποιμαίνουσι
7 τὰς ἵππους. τὰ μὲν δὴ ἄλλα ἑπομένοις ἡμῖν τῷ
Φενεατῶν λόγῳ εἰκὸς προσέσται, τὸ δὲ ἄγαλμα
Ὀδυσσέα ἀναθεῖναι τὸ χαλκοῦν οὐκ ἔχω πεί-
θεσθαί σφισιν· οὐ γάρ πω τότε τοῦ χαλκοῦ τὰ
ἀγάλματα διὰ παντὸς ἠπίσταντο ἐργάσασθαι
καθάπερ ἐσθῆτα ἐξυφαίνοντες. τρόπον δὲ ὅστις
ἦν αὐτοῖς ἐς τὰ χαλκᾶ ἐργασίας, ἔδειξεν ἤδη μοι
τοῦ ἐς Σπαρτιάτας λόγου τὰ ἐπὶ τοῦ ἀγάλματος
8 τοῦ Ὑπάτου Διός. διέχεαν δὲ χαλκὸν πρῶτοι καὶ
ἀγάλματα ἐχωνεύσαντο Ῥοῖκός τε Φιλαίου καὶ
Θεόδωρος Τηλεκλέους Σάμιοι. Θεοδώρου δὲ ἔργον
ἦν καὶ ἡ ἐπὶ τοῦ λίθου τῆς σμαράγδου σφραγίς,
ἣν Πολυκράτης ὁ Σάμου τυραννήσας ἐφόρει τε τὰ
μάλιστα καὶ ἐπ' αὐτῇ περισσῶς δή τι ἠγάλλετο.
9 Φενεατῶν δὲ ἐκ τῆς ἀκροπόλεως καταβαίνοντι
ἔστι μὲν στάδιον, ἔστι δὲ ἐπὶ λόφου μνῆμα
Ἰφικλέους ἀδελφοῦ τε Ἡρακλέους καὶ Ἰολάου
πατρός. Ἰόλαον μὲν δὴ τὰ πολλὰ Ἡρακλεῖ
συγκάμνειν λέγουσιν Ἕλληνες· Ἰφικλῆς δὲ ὁ
Ἰολάου πατήρ, ἡνίκα ἐμαχέσατο Ἡρακλῆς πρὸς
Ἠλείους τε καὶ Αὐγέαν τὴν προτέραν μάχην,
τότε ὑπὸ τῶν παίδων ἐτρώθη τῶν Ἄκτορος,
καλουμένων δὲ ἀπὸ Μολίνης τῆς μητρός. καὶ
ἤδη κάμνοντα κομίζουσιν οἱ προσήκοντες ἐς
Φενεόν· ἐνταῦθα ἀνὴρ Φενεάτης αὐτὸν Βουφάγος
καὶ ἡ τοῦ Βουφάγου γυνὴ Πρώμνη περιεῖπόν τε
εὖ καὶ ἀποθανόντα ἐκ τοῦ τραύματος ἔθαψαν.
10 Ἰφικλεῖ μὲν δὴ καὶ ἐς τόδε ἔτι ἐναγίζουσιν ὡς
ἥρωι, θεῶν δὲ τιμῶσιν Ἑρμῆν Φενεᾶται μάλιστα
416

image the people of Pheneüs pointed out to me writing, purporting to be instructions of Odysseus to those tending his mares. The rest of the account of the people of Pheneüs it will be reasonable to accept, but I cannot believe their statement that Odysseus dedicated the bronze image. For men had not yet learned how to make bronze images in one piece, after the manner of those weaving a garment. Their method of working bronze statues I have already described when speaking of the image of Zeus Most High in my history of the Spartans.[1] The first men to melt bronze and to cast images were the Samians Rhoecus the son of Philaeüs and Theodorus the son of Telecles. Theodorus also made the emerald signet, which Polycrates, the tyrant of Samos, constantly wore, being exceedingly proud of it.

As you go down from the acropolis of Pheneüs you come to a stadium, and on a hill stands a tomb of Iphicles, the brother of Heracles and the father of Iolaüs. Iolaüs, according to the Greek account, shared most of the labours of Heracles, but his father Iphicles, in the first battle fought by Heracles against the Eleans and Augeas, was wounded by the sons of Actor, who were called after their mother Moline. In a fainting condition he was carried by his relatives to Pheneüs, where he was carefully nursed by Buphagus, a citizen of Pheneüs, and by his wife Promne, who also buried him when he died of his wound. They still sacrifice to Iphicles as to a hero, and of the gods the people of Pheneüs worship most Hermes, in whose honour

[1] See Book III. xvii. § 6.

καὶ ἀγῶνα ἄγουσιν Ἕρμαια, καὶ ναός ἐστιν
Ἑρμοῦ σφισι καὶ ἄγαλμα λίθου· τοῦτο ἐποίησεν
ἀνὴρ Ἀθηναῖος Εὔχειρ Εὐβουλίδου. ὄπισθεν δέ
ἐστι τοῦ ναοῦ τάφος Μυρτίλου. τοῦτον Ἑρμοῦ
παῖδα εἶναι Μυρτίλον λέγουσιν Ἕλληνες, ἡνιο-
χεῖν δὲ αὐτὸν Οἰνομάῳ· καὶ ὁπότε ἀφίκοιτό τις
μνώμενος τοῦ Οἰνομάου τὴν θυγατέρα, ὁ μὲν
ἠπείγετο ὁ Μυρτίλος σὺν τέχνῃ τοῦ Οἰνομάου
τὰς ἵππους, ὁ δὲ ἐν τῷ δρόμῳ τὸν μνηστῆρα,
11 ὁπότε ἐγγὺς γένοιτο, κατηκόντιζεν. Ἱπποδα-
μείας δὲ ἤρα μὲν καὶ αὐτὸς ὁ Μυρτίλος, ἐς
δὲ τὸν ἀγῶνα ἀτόλμως ἔχων ὑπεῖκε καὶ ἡνιόχει
τῷ Οἰνομάῳ. τέλος δὲ καὶ ἀναφανῆναι τοῦ
Οἰνομάου προδότην φασὶν αὐτὸν ὑπαχθέντα
ὅρκοις, ὡς οἱ νύκτα ὁ Πέλοψ μίαν Ἱπποδαμείᾳ
συγγενέσθαι παρήσει. ἀναμιμνήσκοντα οὖν τῶν
ὅρκων ὁ Πέλοψ ἐξέβαλεν ἐκ τῆς νεώς· Φενεᾶται
δὲ τοῦ Μυρτίλου τὸν νεκρὸν ἐκβληθέντα ὑπὸ τοῦ
κλύδωνος λέγουσιν ἀνελόμενοι θάψαι, καὶ νύκτωρ
12 κατὰ ἔτος ἐναγίζουσιν αὐτῷ. ἔστι δὲ ὁ Πέλοψ
δῆλος οὐ πολλήν τινα παραπλεύσας θάλασσαν,
ἀλλὰ ὅσον ἀπὸ τοῦ Ἀλφειοῦ τῶν ἐκβολῶν ἐς τὸ
ἐπίνειον τὸ Ἠλείων. οὐκ ἂν οὖν τό γε πέλαγος τὸ
Μυρτῷον ἀπὸ Μυρτίλου τοῦ Ἑρμοῦ φαίνοιτο
κεκλημένον, ἀρχόμενόν τε ἀπὸ Εὐβοίας καὶ παρ᾽
Ἑλένην ἔρημον νῆσον καθῆκον ἐς τὸ Αἰγαῖον·
ἀλλά μοι δοκοῦσιν Εὐβοέων οἱ τὰ ἀρχαῖα μνημο-
νεύοντες εἰκότα εἰρηκέναι, λέγοντες ἀπὸ γυναικὸς
Μυρτοῦς τῷ πελάγει γεγονέναι τὸ ὄνομα τῷ
Μυρτῴῳ.

XV. Φενεάταις δὲ καὶ Δήμητρός ἐστιν ἱερὸν
ἐπίκλησιν Ἐλευσινίας, καὶ ἄγουσι τῇ θεῷ τελε-

they celebrate the games called Hermaea; they
have also a temple of Hermes, and a stone image,
made by an Athenian, Eucheir the son of Eubulides.
Behind the temple is the grave of Myrtilus. The
Greeks say that he was the son of Hermes, and
that he served as charioteer to Oenomaüs. When-
ever a man arrived to woo the daughter of Oeno-
maüs, Myrtilus craftily drove on the mares, while
Oenomaüs on the course shot down the wooer when
he came near. Myrtilus himself, too, was in love
with Hippodameia, but his courage failing him he
shrank from the competition and served Oenomaüs
as his charioteer. At last, it is said, he proved a
traitor to Oenomaüs, being induced thereto by an
oath sworn by Pelops that he would let him be
with Hippodameia for one night. So when re-
minded of his oath Pelops threw him out of the
ship. The people of Pheneüs say that the body
of Myrtilus was cast ashore by the tide, that they
took it up and buried it, and that every year they
sacrifice to him by night as to a hero. It is plain
that Pelops did not make a long coasting voyage,
but only sailed from the mouth of the Alpheius to
the harbour of Elis. So the Sea of Myrto is
obviously not named after Myrtilus, the son of
Hermes, as it begins at Euboea and reaches the
Aegaean by way of the uninhabited island of
Helene. I think that a probable account is given
by the antiquarians of Euboea, who say that the sea
is named after a woman called Myrto.

XV. The people of Pheneüs have also a sanctuary
of Demeter, surnamed Eleusinian, and they perform

τήν, τὰ Ἐλευσῖνι δρώμενα καὶ παρὰ σφίσι τὰ
αὐτὰ φάσκοντες καθεστηκέναι· ἀφικέσθαι γὰρ
αὐτοῖς Ναὸν κατὰ μάντευμα ἐκ Δελφῶν, τρίτον
δὲ ἀπόγονον Εὐμόλπου τοῦτον εἶναι τὸν Ναόν.
παρὰ δὲ τῆς Ἐλευσινίας τὸ ἱερὸν πεποίηται
Πέτρωμα καλούμενον, λίθοι δύο ἡρμοσμένοι πρὸς
2 ἀλλήλους μεγάλοι. ἄγοντες δὲ παρὰ ἔτος ἥντινα
τελετὴν μείζονα ὀνομάζουσι, τοὺς λίθους τούτους
τηνικαῦτα ἀνοίγουσι· λαβόντες γράμματα ἐξ
αὐτῶν ἔχοντα ἐς τὴν τελετὴν καὶ ἀναγνόντες
ἐς ἐπήκοον τῶν μυστῶν, κατέθεντο ἐν νυκτὶ
αὖθις τῇ αὐτῇ. Φενεατῶν δὲ οἶδα τοὺς πολλοὺς
καὶ ὀμνύντας ὑπὲρ μεγίστων τῷ Πετρώματι.
3 καὶ ἐπίθεμα ἐπ᾽ αὐτῷ περιφερές ἐστιν, ἔχον
ἐντὸς Δήμητρος πρόσωπον Κιδαρίας· τοῦτο ὁ
ἱερεὺς περιθέμενος τὸ πρόσωπον ἐν τῇ μείζονι
καλουμένῃ τελετῇ ῥάβδοις κατὰ λόγον δή τινα
τοὺς ὑποχθονίους παίει. Φενεατῶν δέ ἐστι
λόγος, καὶ πρὶν ἢ Ναὸν ἀφικέσθαι καὶ ἐνταῦθα
Δήμητρα πλανωμένην· ὅσοι δὲ Φενεατῶν οἴκῳ
τε καὶ ξενίοις ἐδέξαντο αὐτήν, τούτοις τὰ ὄσπρια
ἡ θεὸς τὰ ἄλλα, κύαμον δὲ οὐκ ἔδωκέ σφισι.
4 κύαμον μὲν οὖν ἐφ᾽ ὅτῳ μὴ καθαρὸν εἶναι νομί-
ζουσιν ὄσπριον, ἔστιν ἱερὸς ἐπ᾽ αὐτῷ λόγος· οἱ
δὲ τῷ Φενεατῶν λόγῳ δεξάμενοι τὴν θεόν, Τρι-
σαύλης καὶ Δαμιθάλης, ἐποιήσαντο μὲν Δήμητρος
ναὸν Θεσμίας ὑπὸ τῷ ὄρει τῇ Κυλλήνῃ, κατεστή-
σαντο δὲ αὐτῇ καὶ τελετήν, ἥντινα καὶ νῦν
ἄγουσιν. ὁ δὲ ναὸς οὗτος τῆς Θεσμίας σταδίους
πέντε μάλιστά που καὶ δέκα ἐστὶν ἀπωτέρω τῆς
πόλεως.
5 Ἐς δὲ Πελλήνην ἐκ Φενεοῦ καὶ ἐς Αἴγειραν

a ritual to the goddess, saying that the ceremonies at Eleusis are the same as those established among themselves. For Naüs, they assert, came to them because of an oracle from Delphi, being a grandson of Eumolpus. Beside the sanctuary of the Eleusinian has been set up Petroma, as it is called, consisting of two large stones fitted one to the other. When every other year they celebrate what they call the Greater Rites, they open these stones. They take from out them writings that refer to the rites, read them in the hearing of the initiated, and return them on the same night. Most Pheneatians, too, I know, take an oath by the Petroma in the most important affairs. On the top is a sphere, with a mask inside of Demeter Cidaria. This mask is put on by the priest at the Greater Rites, who for some reason or other beats with rods the Folk Underground. The Pheneatians have a story that even before Naüs arrived the wanderings of Demeter brought her to their city also. To those Pheneatians who received her with hospitality into their homes the goddess gave all sorts of pulse save the bean only. There is a sacred story to explain why the bean in their eyes is an impure kind of pulse. Those who, the Pheneatians say, gave the goddess a welcome, Trisaules and Damithales, had a temple of Demeter Thesmia (*Law-goddess*) built under Mount Cyllene, and they established for her rites also, which they celebrate even to this day. This temple of the goddess Thesmia is just about fifteen stades away from the city.

As you go from Pheneüs to Pellene and Aegeira,

ἰόντι Ἀχαιῶν πόλιν, πέντε που προεληλυθότι
καὶ δέκα σταδίους, Ἀπόλλωνός ἐστι Πυθίου
ναός· ἐρείπια δὲ ἐλείπετο αὐτοῦ μόνα καὶ βωμὸς
μέγας λίθου λευκοῦ. ἐνταῦθα ἔτι καὶ νῦν Ἀπόλ-
λωνι Φενεᾶται καὶ Ἀρτέμιδι θύουσιν, Ἡρακλέα
ἑλόντα Ἦλιν τὸ ἱερὸν λέγοντες ποιῆσαι. ἔστι
δὲ αὐτόθι καὶ ἡρώων μνήματα, ὅσοι σὺν Ἡρακλεῖ
στρατείας ἐπὶ Ἠλείους μετασχόντες οὐκ ἀπεσώ-
6 θησαν οἴκαδε ἐκ τῆς μάχης. τέθαπται δὲ Τελα-
μῶν ἐγγύτατα τοῦ ποταμοῦ τοῦ Ἀροανίου,
ἀπωτέρω μικρὸν ἢ ἔστι τὸ ἱερὸν τοῦ Ἀπόλλωνος,
Χαλκώδων δὲ οὐ πόρρω κρήνης καλουμένης Οἰνόης.
τὸν μὲν δὴ Ἐλεφήνορος τοῦ Εὐβοεῦσιν[1] ἐς Ἴλιον
ἡγησαμένου καὶ τὸν Αἴαντός τε καὶ Τεύκρου,
τούτων μὲν τοὺς πατέρας οὐκ ἀποδέξαιτο ἄν τις
ἐν τούτῳ πεσεῖν τῷ ἀγῶνι· πῶς μὲν γὰρ ἂν συν-
επελάβετο Ἡρακλεῖ τοῦ ἔργου Χαλκώδων, ὃν
πρότερον ἔτι ἀποκτεῖναι Ἀμφιτρύωνα καὶ μαρ-
τυρεῖται καὶ πιστεύειν ἄξιά ἐστιν ἐν Θήβαις;
7 πῶς δὲ Τεῦκρος ᾤκισεν ἂν Σαλαμῖνα ἐν Κύπρῳ
πόλιν, μηδενὸς ὡς ἀνέστρεψεν ἐκ Τροίας ἐκβαλόν-
τος ἐκ τῆς οἰκείας; τίς δ' ἂν ἐξήλασεν ἄλλος πλὴν
ὁ Τελαμὼν αὐτόν; δῆλα οὖν ἐστι Χαλκώδοντα οὐ
τὸν ἐξ Εὐβοίας καὶ Τελαμῶνα οὐ τὸν Αἰγινήτην ἐπὶ
Ἠλείους Ἡρακλεῖ μετεσχηκέναι τῆς στρατείας·
ὁμώνυμοι δὲ ἐπιφανέσιν ἄνδρες ἀφανέστεροι καὶ
ἐφ' ἡμῶν ἔτι καὶ τὸν ἅπαντα ἐγίνοντο ὁμοίως
χρόνον.
8 Φενεάταις δὲ πρὸς τὸ Ἀχαϊκὸν τὸ ὅμορον οὐ
καθ' ἓν ὅροι τῆς γῆς εἰσιν, ἀλλὰ πρὸς μὲν

---

[1] The MSS. have νηυσὶν. The emendation is due to
Schubart-Walz. Compare Homer, *Iliad*, ii. 540.

an Achaean city, after about fifteen stades you come
to a temple of Pythian Apollo. I found there only
its ruins, which include a large altar of white
marble. Here even now the Pheneatians still
sacrifice to Apollo and Artemis, and they say that
the sanctuary was made by Heracles after capturing
Elis. Here also are tombs of heroes, those who
joined the campaign of Heracles against Elis and
lost their lives in the fighting. They are Telamon,
buried quite near the river Aroanius, a little farther
away than is the sanctuary of Apollo, and Chal-
codon, not far from the spring called Oenoë.
Nobody could admit that there fell in this battle
the Chalcodon who was the father of the Elephenor
who led the Euboeans to Troy, and the Telamon
who was the father of Ajax and Teucer. For how
could Heracles have been helped in his task by
a Chalcodon who, according to trustworthy tradition,
had before this been killed in Thebes by Amphi-
tryon? And how would Teucer have founded the
city of Salamis in Cyprus if nobody had expelled
him from his native city after his return from Troy?
And who else would have driven him out except
Telamon? So it is plain that those who helped
Heracles in his campaign against Elis were not the
Chalcodon of Euboea and the Telamon of Aegina.
It is, and always has been, not unknown that
undistinguished persons have had the same names
as distinguished heroes.

The borders of Pheneüs and Achaia meet in more
places than one; for towards Pellene the boundary

Πελλήνην ὁ καλούμενος Πωρίνας, πρὸς δὲ τὴν
Αἰγειρᾶτιν τὸ ἐπ᾽ Ἄρτεμιν.[1] ἐν δὲ αὐτῶν
Φενεατῶν τῇ χώρᾳ μετὰ τὸ ἱερὸν τοῦ Ἀπόλ-
λωνος τοῦ Πυθίου προήξεις τε οὐκ ἐπὶ πολὺ
καὶ ἐντὸς ἔσῃ τῆς ὁδοῦ τῆς ἐπὶ τὸ ὄρος
9 ἀγούσης τὴν Κράθιν. ἐν τούτῳ τῷ ὄρει τοῦ
ποταμοῦ τοῦ Κράθιδός εἰσιν αἱ πηγαί· ῥεῖ δὲ ἐς
θάλασσαν παρὰ Αἰγάς, ἔρημον τὰ ἐπ᾽ ἐμοῦ
χωρίον, τὰ δὲ παλαιότερα Ἀχαιῶν πόλιν. ἀπὸ
τούτου δὲ καλεῖται τοῦ Κράθιδος καὶ ἐν Ἰταλίᾳ
ποταμὸς ἐν γῇ τῇ Βρεττίων· ἐν δὲ τῇ Κράθιδι
τῷ ὄρει Πυρωνίας ἱερόν ἐστιν Ἀρτέμιδος, καὶ
τὰ ἔτι ἀρχαιότερα παρὰ τῆς θεοῦ ταύτης ἐπήγοντο
Ἀργεῖοι πῦρ ἐς τὰ Λερναῖα.

XVI. Ἐκ δὲ Φενεοῦ πρὸς ἥλιον ἰόντι ἀνίσ-
χοντα ὄρους ἐστὶν ἄκρα Γερόντειον καὶ κατὰ
ταύτην ὁδός· Φενεάταις δὲ ὅροι πρὸς Στυμφαλίους
τῆς γῆς τοῦτό ἐστι τὸ Γερόντειον. τοῦ Γεροντείου
δὲ ἐν ἀριστερᾷ διὰ τῆς Φενεατικῆς ὁδεύοντι ὄρη
Φενεατῶν ἐστι Τρίκρηνα καλούμενα, καὶ εἰσὶν
αὐτόθι κρῆναι τρεῖς· ἐν ταύταις λοῦσαι τεχθέντα
Ἑρμῆν αἱ περὶ τὸ ὄρος λέγονται νύμφαι, καὶ ἐπὶ
2 τούτῳ τὰς πηγὰς ἱερὰς Ἑρμοῦ νομίζουσιν. Τρι-
κρήνων δὲ οὐ πόρρω ἄλλο ἐστὶν ὄρος Σηπία, καὶ
Αἰπύτῳ τῷ Ἐλάτου λέγουσιν ἐνταῦθα γενέσθαι
τὴν τελευτὴν ἐκ τοῦ ὄφεως, καί οἱ καὶ τὸν τάφον
ἐποίησαν αὐτόθι· οὐ γὰρ οἷά τε ἦν σφισιν ἐς τὸ
πρόσω φέρειν τὸν νεκρόν. τούτους οἱ Ἀρκάδες
τοὺς ὄφεις γίνεσθαι καὶ ἐφ᾽ ἡμῶν ἔτι ἐν τῷ ὄρει
φασίν, οὐ μέντοι πολλούς γε ἀλλὰ καὶ μάλιστα
σπανίους· ἅτε γὰρ τοῦ ἔτους τὸ πολὺ νειφομένου

[1] Kayser suggests ὁ ποταμὸς ὁ Ἀροάνιος.

is the river called Porinas, and towards Aegeira the
"road to Artemis." [1] Within the territory of the
Pheneatians themselves, shortly after passing the
sanctuary of the Pythian Apollo you will be on
the road that leads to Mount Crathis. On this
mountain is the source of the river Crathis, which
flows into the sea by the side of Aegae, now a
deserted spot, though in earlier days it was a
city of the Achaeans. After this Crathis is named
the river in Bruttium in Italy. On Mount Crathis
is a sanctuary of Artemis Pyronia (*Fire-goddess*), and
in more ancient days the Argives used to bring
from this goddess fire for their Lernaean cere-
monies.

XVI. Going east from Pheneüs you come to a
mountain peak called Geronteium and a road by
it. This mountain is the boundary between the
territories of Pheneüs and Stymphalus. On the
left of it, as you travel through the land of Pheneüs,
are mountains of the Pheneatians called Tricrena
(*Three Springs*), and here are three springs. In
them, says the legend, Hermes was washed after
birth by the nymphs of the mountain, and for this
reason they are considered sacred to Hermes. Not
far from Tricrena is another mountain called Sepia,
where they say that Aepytus, the son of Elatus,
was killed by the snake, and they also made his
grave on the spot, for they could not carry the
body away. These snakes are still to be found, the
Arcadians say, on the mountain, even at the present
day; not many, however, for they are very scarce.
The reason is that, as for the greater part of the

[1] Or, adopting Kayser's emendation, "the river Aroa-
nius."

τοῦ ὄρους, οἵ τε ἀποληφθέντες τῶν φωλεῶν ἐκτὸς
ὑπὸ τῆς χιόνος διαφθείρονται, καὶ ἢν πρότερον
καταφυγόντες τύχωσιν ἐς τὰ φωλεά, ὅμως ἡ
χιὼν μέρος τι αὐτῶν ἀπόλλυσιν, ἅτε καὶ ἐς αὐτὰ
3 τὰ φωλεὰ καθικνουμένου τοῦ κρυμοῦ. τὸν δὲ τοῦ
Αἰπύτου τάφον σπουδῇ μάλιστα ἐθεασάμην, ὅτι
ἐν τοῖς ἐς τοὺς Ἀρκάδας ἔπεσιν ἔσχεν Ὅμηρος
λόγον τοῦ Αἰπύτου μνήματος. ἔστι μὲν οὖν γῆς
χῶμα οὐ μέγα, λίθου κρηπῖδι ἐν κύκλῳ περιεχό-
μενον· Ὁμήρῳ δὲ—οὐ γὰρ εἶδεν ἀξιολογώτερον
μνῆμα—εἰκότως παρέξειν ἔμελλε θαῦμα, ἐπεὶ
καὶ Ἡφαίστου τὸν χορὸν ἐπὶ τῇ Ἀχιλλέως
ἀσπίδι εἰργασμένον εἰκάζει χορῷ Δαιδάλου ποιη-
4 θέντι, σοφώτερα οὐ θεασάμενος. τάφους δὲ
ἀξίους θαύματος ἐπιστάμενος πολλοὺς δυοῖν ἐξ
αὐτῶν ἐπιμνησθήσομαι, τοῦ τε ἐν Ἁλικαρνασσῷ
καὶ ἐν τῇ Ἑβραίων. ὁ μὲν δὴ ἐν Ἁλικαρνασσῷ
Μαυσώλῳ βασιλεύσαντι Ἁλικαρνασσέων πε-
ποίηται, μέγεθος δὲ οὕτω δή τί ἐστι μέγας καὶ ἐς
κατασκευὴν περίβλεπτος τὴν πᾶσαν, ὥστε καὶ
Ῥωμαῖοι μεγάλως δή τι αὐτὸν θαυμάζοντες τὰ
παρὰ σφίσιν ἐπιφανῆ μνήματα Μαυσώλεια
5 ὀνομάζουσιν· Ἑβραίοις δὲ Ἑλένης γυναικὸς
ἐπιχωρίας τάφος ἐστὶν ἐν πόλει Σολύμοις, ἢν
ἐς ἔδαφος κατέβαλεν ὁ Ῥωμαίων βασιλεύς.
μεμηχάνηται δὲ ἐν τῷ τάφῳ τὴν θύραν, ὁμοίως
παντὶ οὖσαν τῷ τάφῳ λιθίνην, μὴ πρότερον
ἀνοίγεσθαι, πρὶν ἂν ἡμέραν τε ἀεὶ καὶ ὥραν τὸ
ἔτος ἐπαγάγῃ τὴν αὐτήν· τότε δὲ ὑπὸ μόνου τοῦ
μηχανήματος ἀνοιχθεῖσα καὶ οὐ πολὺ ἐπισχοῦσα
συνεκλείσθη δι' ἑαυτῆς. τοῦτον μὲν δὴ οὕτω,
τὸν δὲ ἄλλον χρόνον ἀνοῖξαι πειρώμενος ἀνοίξαις

year snow falls on the mountain, the snakes die
that are cut off by the snow from their holes, while
should any make good their escape to the holes,
nevertheless some of them are killed by the snow,
as the frost penetrates even into the very holes
themselves. The grave of Aepytus I was especially
anxious to see, because Homer [1] in his verses about
the Arcadians makes mention of the tomb of
Aepytus. It is a mound of earth of no great size,
surrounded by a circular base of stone. Homer
naturally was bound to admire it, as he had never
seen a more noteworthy tomb, just as he compares
the dance worked by Hephaestus on the shield of
Achilles to a dance made by Daedalus, because he
had never seen more clever workmanship. I know
many wonderful graves, and will mention two of
them, the one at Halicarnassus and one in the land
of the Hebrews. The one at Halicarnassus was
made for Mausolus, king of the city, and it is of
such vast size, and so notable for all its ornament,
that the Romans in their great admiration of it
call remarkable tombs in their country " Mausolea."
The Hebrews have a grave, that of Helen, a native
woman, in the city of Jerusalem, which the Roman
Emperor razed to the ground. There is a contrivance
in the grave whereby the door, which like all the
grave is of stone, does not open until the year
brings back the same day and the same hour. Then
the mechanism, unaided, opens the door, which,
after a short interval, shuts itself. This happens
at that time, but should you at any other try to

[1] See *Iliad* ii. 592.

μὲν οὐκ ἄν, κατάξεις δὲ αὐτὴν πρότερον βιαζό-
μενος.

XVII. Μετὰ δὲ τοῦ Αἰπύτου τὸν τάφον ὄρος
τε ὑψηλότατον ὁρῶν τῶν ἐν Ἀρκαδίᾳ Κυλλήνη
καὶ Ἑρμοῦ Κυλληνίου κατερριμμένος ναός ἐστιν
ἐπὶ κορυφῆς τοῦ ὄρους· δῆλα δέ ἐστιν ἀπὸ
Κυλλῆνος τοῦ Ἐλάτου τῷ τε ὄρει τὸ ὄνομα καὶ ἡ
2 ἐπίκλησις γεγενημένη τῷ θεῷ. τοῖς δὲ ἀνθρώποις
τὸ ἀρχαῖον, ὁπόσα καὶ ἡμεῖς καταμαθεῖν ἐδυνή-
θημεν, τοσάδε ἦν ἀφ' ὧν τὰ ξόανα ἐποιοῦντο,
ἔβενος, κυπάρισσος, αἱ κέδροι, τὰ δρύινα, ἡ
μῖλαξ, ὁ λωτός· τῷ δὲ Ἑρμῇ τῷ Κυλληνίῳ
τούτων μὲν ἀπὸ οὐδενός, θύου δὲ πεποιημένον τὸ
ἄγαλμά ἐστιν, ὀκτὼ δὲ εἶναι ποδῶν μάλιστα
3 αὐτὸ εἰκάζομεν. παρέχεται δὲ καὶ θαῦμα τοιόνδε
ἡ Κυλλήνη· κόσσυφοι γὰρ οἱ ὄρνιθες ὁλόλευ-
κοί εἰσιν ἐν αὐτῇ· οἱ δὲ ὑπὸ Βοιωτῶν καλούμενοι
γένος ἄλλο πού τί εἰσιν ὀρνίθων, οὐκ ᾠδικόν.
ἀετοὺς μὲν οὖν ὀνομαζομένους κυκνίας μάλιστα
ἐοικότας κύκνῳ λευκότητα οἶδα ἐν Σιπύλῳ
θεασάμενος περὶ λίμνην καλουμένην Ταντάλου·
ὗς δὲ ἀγρίους λευκοὺς καὶ ἄρκτους τῶν Θρακίων
λευκὰς ἤδη που καὶ ἄνδρες ἐκτήσαντο ἰδιῶται·
4 λαγὼ δὲ καὶ ἔλαφοι, τὸ μὲν Λιβυκὸν θρέμμα οἱ
λαγῴ εἰσιν οἱ λευκοί, ἐλάφους δὲ ἐν Ῥώμῃ
λευκὰς εἶδόν τε καὶ ἰδὼν θαῦμα ἐποιησάμην,
ὁπόθεν δὲ ἢ τῶν ἠπείρων οὖσαι ἢ νησιώτιδες
ἐκομίσθησαν, οὐκ ἐπῆλθεν ἐρέσθαι μοι. τάδε
μὲν ἡμῖν λελέχθω τῶν ἐν Κυλλήνῃ κοσσύφων
ἕνεκα, ὡς μὴ τοῖς ῥηθεῖσιν ἐς τὴν χρόαν αὐτῶν
5 ἀπιστοίη μηδείς· ἔχεται δὲ ἄλλο ὄρος Κυλλήνης
Χελυδόρεα, ἔνθα εὑρὼν χελώνην Ἑρμῆς ἐκδεῖραι

open the door you cannot do so ; force will not open
it, but only break it down.

XVII. After the grave of Aepytus you come to
the highest mountain in Arcadia, Cyllene, on the
top of which is a dilapidated temple of Cyllenian
Hermes. It is clear that Cyllen, the son of
Elatus, gave the mountain its name and the god
his surname. In days of old, men made wooden
images, so far as I have been able to discover, from
the following trees : ebony, cypress, cedar, oak, yew,
lotus. But the image of Cyllenian Hermes is made
of none of these, but of juniper wood. Its height,
I conjecture, is about eight feet. Cyllene can
show also the following marvel. On it the
blackbirds are entirely white. The birds so called
by the Boeotians are a somewhat different breed,
which does not sing. Eagles called swan-eagles,
very like to swans for whiteness, I am acquainted
with, as I have seen them on Mount Sipylus round
the lake called the Lake of Tantalus. White wild
boars and Thracian white bears have been known
to be acquired by private individuals. White hares
are bred in Libya, and white deer I have seen
in Rome to my great astonishment, though it never
occurred to me to ask from what continent or island
they had been brought. I have made these few
remarks concerning the blackbirds in Cyllene that
nobody may disbelieve what has been said about
their colour. Adjoining Cyllene is another mountain,
Chelydorea,[1] where Hermes is said to have found

---

[1] Chelydorea means "Mountain of the flayed tortoise."

τὸ θηρίον καὶ ἀπ' αὐτῆς λέγεται ποιήσασθαι
λύραν. ἐνταῦθα Φενεάταις καὶ Πελληνεῦσιν
ὅροι τῆς γῆς εἰσι, καὶ τοῦ ὄρους τῶν Χελυδορέων
οἱ Ἀχαιοὶ τὸ πλέον νέμονται.

6 Ἐκ Φενεοῦ δὲ ἰόντι ἐπὶ ἑσπέρας καὶ ἡλίου
δυσμῶν ἡ μὲν ἀριστερὰ τῶν ὁδῶν ἐς πόλιν
ἄγει Κλείτορα, ἐν δεξιᾷ δὲ ἐπὶ Νώνακριν καὶ τὸ
ὕδωρ τῆς Στυγός. τὸ μὲν δὴ ἀρχαῖον ἡ Νώνακρις
πόλισμα ἦν Ἀρκάδων καὶ ἀπὸ τῆς Λυκάονος
γυναικὸς τὸ ὄνομα εἰλήφει· τὰ δὲ ἐφ' ἡμῶν
ἐρείπια ἦν, οὐδὲ τούτων τὰ πολλὰ ἔτι δῆλα.
τῶν δὲ ἐρειπίων οὐ πόρρω κρημνός ἐστιν ὑψηλός,
οὐχ ἕτερον δ' ἐς τοσοῦτον ἀνήκοντα ὕψους οἶδα·
καὶ ὕδωρ κατὰ τοῦ κρημνοῦ στάζει, καλοῦσι δὲ
Ἕλληνες αὐτὸ ὕδωρ Στυγός.

XVIII. Εἶναι δὲ τὴν Στύγα Ἡσίοδος μὲν ἐν
Θεογονίᾳ πεποίηκεν—Ἡσιόδου γὰρ δὴ ἔπη τὴν
Θεογονίαν εἰσὶν οἳ νομίζουσι—, πεποιημένα οὖν
ἐστιν ἐνταῦθα Ὠκεανοῦ θυγατέρα τὴν Στύγα,
γυναῖκα δὲ αὐτὴν εἶναι Πάλλαντος. ἐοικότα δὲ
πεποιηκέναι τούτοις καὶ Λίνον φασίν· ἐμοὶ δὲ
ἐπιλεγομένῳ παντάπασιν ἐφαίνετο ταῦτά γε
2 εἶναι κίβδηλα. Ἐπιμενίδης δὲ ὁ Κρὴς εἶναι μὲν
καὶ οὗτος θυγατέρα Ὠκεανοῦ τὴν Στύγα ἐποίησε,
συνοικεῖν δὲ αὐτὴν οὐ Πάλλαντι, ἀλλὰ ἐκ
Πείραντος Ἔχιδναν τεκεῖν, ὅστις δὴ ὁ Πείρας
ἐστί. μάλιστα δὲ τῆς Στυγὸς τὸ ὄνομα ἐς τὴν
ποίησιν ἐπεισηγάγετο Ὅμηρος. ἐν μέν γε Ἥρας
ἐποίησεν ὅρκῳ

ἴστω νῦν τόδε γαῖα καὶ οὐρανὸς εὐρὺς ὕπερθεν
καὶ τὸ κατειβόμενον Στυγὸς ὕδωρ·

a tortoise, taken the shell from the beast, and to have made therefrom a harp. Here is the boundary between Pheneüs and Pellene, and the greater part of Mount Chelydorea is inhabited by the Achaeans.

As you go from Pheneüs to the west, the left road leads to the city Cleitor, while on the right is the road to Nonacris and the water of the Styx. Of old Nonacris was a town of the Arcadians that was named after the wife of Lycaon. When I visited it, it was in ruins, and most of these were hidden. Not far from the ruins is a high cliff; I know of none other that rises to so great a height. A water trickles down the cliff, called by the Greeks the water of the Styx.

XVIII. Hesiod in the *Theogony* [1]—for there are some who assign this hexameter poem to Hesiod—speaks of Styx as the daughter of Ocean and the wife of Pallas. Men say that Linus too gives a like account in his verses, though when I read these they struck me as altogether spurious. Epimenides of Crete, also, represented Styx as the daughter of Ocean, not, however, as the wife of Pallas, but as bearing Echidna to Peiras, whoever Peiras may be. But it is Homer who introduces most frequently the name of Styx into his poetry. In the oath of Hera [2] he says :—

Witness now to this be Earth, and broad Heaven above,
And the water of Styx down-flowing.

[1] See l. 383. Compare also ll. 776, 785 foll., 805, 806.
[2] *Iliad*, xv. 36, 37.

ταῦτα μὲν δὴ ἐποίησεν ὡς ἂν ἰδὼν ἐς τὸ ὕδωρ
τῆς Στυγὸς στάζον· βούλεται δὲ καὶ ἐν κατα-
λόγῳ τῶν μετὰ Γουνέως Τιταρησίῳ ποταμῷ ῥεῖν
3 τὸ ὕδωρ ἀπὸ τῆς Στυγός. ἐποίησε δὲ καὶ ἐν
"Αιδου ὕδωρ εἶναι, καὶ Ἀθηνᾶ τὸν Δία οὐ μεμνῆσ-
θαί φησιν ὅτι δι᾽ αὐτῆς Ἡρακλέα ἔσωζεν ἐκ τῶν
Εὐρυσθέως ἄθλων·

εἰ γὰρ ἐγὼ τόδε ᾔδη ἐνὶ φρεσὶ πευκαλίμῃσιν,
εὖτέ μιν εἰς Ἀίδαο πυλάρταο προΰπεμψεν
ἐξ Ἐρέβευς ἄξοντα κύνα στυγεροῦ Ἀίδαο,
οὐκ ἂν ὑπεξέφυγε Στυγὸς ὕδατος αἰπὰ ῥέεθρα.

4 τὸ δὲ ὕδωρ τὸ ἀπὸ τοῦ κρημνοῦ τοῦ παρὰ τὴν
Νώνακριν στάζον ἐσπίπτει μὲν πρῶτον ἐς πέτραν
ὑψηλήν, διεξελθὸν δὲ διὰ τῆς πέτρας ἐς τὸν
Κρᾶθιν ποταμὸν κάτεισι· θάνατον δὲ τὸ ὕδωρ
φέρει τοῦτο καὶ ἀνθρώπῳ καὶ ἄλλῳ ζῴῳ παντί.
λέγεται δὲ ὅτι γένοιτό ποτε ὄλεθρος ἀπ᾽ αὐτοῦ
καὶ αἰξίν, αἳ τοῦ ὕδατος ἔπιον πρῶτον· χρόνῳ
δὲ ὕστερον ἐγνώσθη καὶ εἰ δή τι ἄλλο πρόσεστι
5 τῷ ὕδατι τῶν ἐς θαῦμα ἡκόντων. ὕαλος μέν γε
καὶ κρύσταλλος καὶ μόρρια καὶ ὅσα ἐστὶν
ἀνθρώποις ἄλλα λίθου ποιούμενα καὶ τῶν σκευῶν
τὰ κεραμεᾶ, τὰ μὲν ὑπὸ τῆς Στυγὸς τοῦ ὕδατος
ῥήγνυται· κεράτινα δὲ καὶ ὀστέινα σίδηρός τε
καὶ χαλκός, ἔτι δὲ μόλιβδός τε καὶ κασσίτερος
καὶ ἄργυρος καὶ τὸ ἤλεκτρον ὑπὸ τούτου σήπεται
τοῦ ὕδατος. τὸ δὲ αὐτὸ μετάλλοις τοῖς πᾶσι καὶ
ὁ χρυσὸς πέπονθε· καίτοι καθαρεύειν γε τὸν
χρυσὸν ἀπὸ τοῦ ἰοῦ ἥ τε ποιήτρια μάρτυς ἐστὶν ἡ
Λεσβία καὶ αὐτὸς ὁ χρυσὸς ἐπιδείκνυσιν.
6 ἔδωκε δὲ ἄρα ὁ θεὸς τοῖς μάλιστα ἀπερριμμένοις

These verses suggest that the poet had seen the water of the Styx trickling down. Again in the list of those who came with Guneus[1] he makes the river Titaresius receive its water from the Styx. He also represents the Styx as a river in Hades, and Athena says that Zeus does not remember that because of her he kept Heracles safe throughout the labours imposed by Eurystheus.

> For if I had known this in my shrewd heart
> When he sent him to Hades the gate-keeper,
> To fetch out of Erebus the hound of hateful
>   Hades,
> He would never have escaped the sheer streams
>   of the river Styx.

The water trickling down the cliff by the side of Nonacris falls first to a high rock, through which it passes and then descends into the river Crathis. Its water brings death to all, man and beast alike. It is said too that it once brought death even upon goats, which drank of the water first; later on all the wonderful properties of the water were learnt. For glass, crystal, murrhine vessels, other articles men make of stone, and pottery, are all broken by the water of the Styx, while things of horn or of bone, with iron, bronze, lead, tin, silver and electrum, are all corroded by this water. Gold too suffers just like all the other metals, and yet gold is immune to rust, as the Lesbian poetess bears witness and is shown by the metal itself. So heaven has assigned to the most lowly things the mastery over things far

[1] *Iliad*, ii. 751.

κρατεῖν τῶν ὑπερηρκότων τῇ δόξῃ. τοῦτο μὲν
γὰρ τὰ μάργαρα ἀπόλλυσθαι πέφυκεν ὑπὸ τοῦ
ὄξους, τοῦτο δὲ τὸν ἀδάμαντα λίθων ὄντα
ἰσχυρότατον τοῦ τράγου κατατήκει τὸ αἷμα· καὶ
δὴ καὶ τὸ ὕδωρ οὐ δύναται τῆς Στυγὸς ὁπλὴν
ἵππου βιάσασθαι μόνην, ἀλλὰ ἐμβληθὲν κατ-
έχεταί τε ὑπ' αὐτῆς καὶ οὐ διεργάζεται τὴν
ὁπλήν. εἰ δὲ καὶ Ἀλεξάνδρου τοῦ Φιλίππου
συνέβη τὴν τελευτὴν διὰ τοῦ φαρμάκου γενέσθαι
τούτου, σαφῶς μὲν οὐκ οἶδα, λεγόμενον δὲ οἶδα.

7 Ὑπὲρ δὲ τὴν Νώνακριν ὄρη τε καλούμενα
Ἀροάνια καὶ σπήλαιόν ἐστιν ἐν αὐτοῖς. ἐς
τοῦτο ἀναφυγεῖν τὸ σπήλαιον τὰς θυγατέρας τὰς
Προίτου μανείσας λέγουσιν, ἃς ὁ Μελάμπους
θυσίαις τε ἀπορρήτοις καὶ καθαρμοῖς κατήγαγεν
ἐς χωρίον καλούμενον Λουσούς. τοῦ μὲν δὴ
ὄρους τῶν Ἀροανίων Φενεᾶται τὰ πολλὰ ἐνέ-
μοντο· οἱ δὲ ἐν ὅροις ἤδη Κλειτορίων εἰσὶν οἱ
8 Λουσοί. πόλιν μὲν δή ποτε εἶναι λέγουσι τοὺς
Λουσούς, καὶ Ἀγησίλας ἀνὴρ Λουσεὺς ἀνηγο-
ρεύθη κέλητι ἵππῳ νικῶν, ὅτε πρώτην ἐπὶ ταῖς
δέκα ἐτίθεσαν πυθιάδα Ἀμφικτύονες· τὰ δὲ ἐφ'
ἡμῶν οὐδὲ ἐρείπια ἔτι λειπόμενα ἦν Λουσῶν.
τὰς δ' οὖν θυγατέρας τοῦ Προίτου κατήγαγεν ὁ
Μελάμπους ἐς τοὺς Λουσοὺς καὶ ἠκέσατο τῆς
μανίας ἐν Ἀρτέμιδος ἱερῷ· καὶ ἀπ' ἐκείνου τὴν
Ἄρτεμιν ταύτην Ἡμερασίαν καλοῦσιν οἱ Κλει-
τόριοι.

XIX. Εἰσὶ δέ τινες γένους μὲν καὶ οὗτοι τῶν
Ἀρκάδων, ὄνομα δὲ σφίσι Κυναιθαεῖς, οἳ καὶ
ἐν Ὀλυμπίᾳ τὸ ἄγαλμα ἀνέθεσαν τοῦ Διός,
κεραυνὸν ἐν ἑκατέρᾳ ἔχοντα τῇ χειρί· οὗτοι

more esteemed than they. For pearls are dissolved by vinegar, while diamonds, the hardest of stones, are melted by the blood of the he-goat. The only thing that can resist the water of the Styx is a horse's hoof. When poured into it the water is retained, and does not break up the hoof. Whether Alexander, the son of Philip, met his end by this poison I do not know for certain, but I do know that there is a story to this effect.

Above Nonacris are the Aroanian Mountains, in which is a cave. To this cave, legend says, the daughters of Proetus fled when struck with madness; Melampus by secret sacrifices and purifications brought them down to a place called Lusi. Most of the Aroanian mountain belongs to Pheneüs, but Lusi is on the borders of Cleitor. They say that Lusi was once a city, and Agesilas was proclaimed as a man of Lusi when victor in the horse-race at the eleventh Pythian festival held by 546 B.C. the Amphictyons; but when I was there not even ruins of Lusi remained. Well, the daughters of Proetus were brought down by Melampus to Lusi, and healed of their madness in a sanctuary of Artemis. Wherefore [1] this Artemis is called Hemerasia (*She who soothes*) by the Cleitorians.

XIX. There is a clan of the Arcadians, called the Cynaetheans, the same folk who dedicated the image of Zeus at Olympia with a thunderbolt in either

---

[1] Or, "Since that time."

οἱ Κυναιθαεῖς τεσσαράκοντα ἀπωτέρω . . . . .[1]
σταδίοις μᾶλλον[2] οἰκοῦσι, καί σφισιν ἐν ἀγορᾷ
πεποίηνται μὲν θεῶν βωμοί, πεποίηται δὲ
2 Ἀδριανοῦ βασιλέως εἰκών. τὰ δὲ μάλιστα
ἥκοντα ἐς μνήμην Διονύσου ἐστὶν ἐνταῦθα
ἱερόν, καὶ ἑορτὴν ὥρᾳ ἄγουσι χειμῶνος, ἐν
ᾗ λίπα ἀληλιμμένοι ἄνδρες ἐξ ἀγέλης βοῶν
ταῦρον, ὃν ἄν σφισιν ἐπὶ νοῦν αὐτὸς ὁ θεὸς
ποιήσῃ, ἀράμενοι κομίζουσι πρὸς τὸ ἱερόν.
θυσία μὲν τοιαύτη σφίσι καθέστηκε· πηγὴ δέ
ἐστιν αὐτόθι ὕδατος ψυχροῦ, δύο μάλιστα ἀπὸ
τοῦ ἄστεως ἀπωτέρω σταδίοις, καὶ ὑπὲρ αὐτῆς
3 πλάτανος πεφυκυῖα. ὃς δ᾽ ἂν ὑπὸ κυνὸς κατ-
ασχέτου λύσσῃ ἤτοι ἕλκος ἢ καὶ ἄλλως κίνδυ-
νον εὕρηται, τὸ ὕδωρ οἱ πίνοντι ἴαμα· καὶ
Ἄλυσσον τοῦδε ἕνεκα ὀνομάζουσι τὴν πηγήν·
καὶ οὕτω φαίνοιτο ἂν Ἀρκάσι τὸ μὲν πρὸς
Φενεῷ ὕδωρ, ὃ Στύγα ὀνομάζουσιν, ἐπ᾽ ἀνθρώπου
συμφορᾷ ἀνευρημένον, ἡ δὲ πηγὴ ἡ ἐν Κυ-
ναιθαεῦσιν ἀγαθὸν οὖσα ἀντίρροπον τῷ ἐκεῖ
πήματι.

4 Λείπεται δὲ ἐκ Φενεοῦ τῶν ὁδῶν, αἵ εἰσι πρὸς
ἡλίου δυσμῶν, ἡ ἐν ἀριστερᾷ. αὕτη δὲ ἡ ὁδὸς
ἄγει μὲν ἐς Κλείτορα, καθήκει δὲ παρὰ τοῦ
Ἡρακλέους τὸ ἔργον, ὃ τῷ ποταμῷ ῥεῦμα ἐποίη-
σεν εἶναι τῷ Ἀροανίῳ. παρὰ τοῦτο ἡ ὁδὸς
κάτεισιν ἐπὶ χωρίον Λυκουρίαν, καὶ ἔστι Φενεά-
ταις ἡ Λυκουρία πρὸς Κλειτορίους ὅροι τῆς γῆς.

XX. Προελθόντων δὲ σταδίους ὡς πεντήκοντα
ἐκ Λυκουρίας, ἐπὶ τοῦ Λάδωνος ἀφίξῃ τὰς πηγάς·
ἤκουσα δὲ ὡς τὸ ὕδωρ[3] λιμνάζον ἐν τῇ Φενεατικῇ,
κατερχόμενον ἐς τὰ βάραθρα τὰ ἐν τοῖς ὄρεσιν,

hand. These Cynaetheans live more than forty stades from . . . . . and in their market-place have been made altars of the gods and a statue of the Emperor Hadrian. The most notable things here include a sanctuary of Dionysus, to whom they hold a feast in the winter, at which men smeared with grease take up from a herd of cattle a bull, which-ever one the god suggest to them, and carry it to the sanctuary. This is the manner of their sacrifice. Here there is a spring of cold water, about two stades away from the city, and above it grows a plane-tree. If a rabid dog turn a man mad, or wound or otherwise endanger him, to drink this water is a cure. For this reason they call the spring Alyssus (*Curer of madness*). So it would appear that the Arcadians have in the water near Pheneüs, called the Styx, a thing made to be a mischief to man, while the spring among the Cynaetheans is a boon to make up for the bane in the other place.

One of the roads from Pheneüs, which go west-ward, remains, the one on the left. This road leads to Cleitor, and extends by the side of the work of Heracles, which made a course for the river Aroanius. By it the road goes down to a place called Lycuria, which is the boundary between Pheneüs and Cleitor.

XX. Advancing about fifty stades from Lycuria, you will come to the source of the Ladon. I heard that the water making a lake in the territory of Pheneüs, descending into the chasms in the moun-

---

[1] Spiro fills the gap with Λουσῶν.
[2] μάλιστα has been suggested for μᾶλλον.
[3] Schubart would add here τὸ.

ἄνεισιν ἐνταῦθα καὶ ποιεῖ τῷ Λάδωνι τὰς πηγάς.
τοῦτο μὲν δὴ οὐκ ἔχω σαφῶς εἰπεῖν, εἴτε οὕτως
εἴτε ἄλλως ἐστὶν ἔχον· ὁ δὲ Λάδων ποταμῶν τῶν
ἐν Ἑλλάδι ὕδωρ παρέχεται κάλλιστον, ἔχει δὲ
καὶ ἄλλως ἐς ἀνθρώπους φήμην Δάφνης τε εἴνεκα
2 καὶ[1] τὰ ἀδόμενα ἐς τὴν Δάφνην. τοῦ λόγου δὲ τοῦ
ἐς Δάφνην τὰ μὲν Σύροις τοῖς οἰκοῦσιν ἐπὶ Ὀρόντῃ
ποταμῷ παρίημι, λέγεται δὲ καὶ ἄλλα τοιάδε
ὑπὸ Ἀρκάδων καὶ Ἠλείων. Οἰνομάῳ τῷ δυνασ-
τεύσαντι ἐν Πίσῃ Λεύκιππος ἦν υἱός. οὗτος
ἐρασθεὶς Δάφνης ὁ Λεύκιππος ἐκ μὲν τοῦ εὐθέος
μνώμενος γυναῖκα ἔξειν ἀπεγίνωσκεν αὐτὴν ἅτε
ἅπαν τὸ ἄρσεν γένος φεύγουσαν· παρέστη δέ
3 οἱ τοιόνδε ἐς αὐτὴν σόφισμα. ἔτρεφεν ὁ Λεύκ-
ιππος κόμην τῷ Ἀλφειῷ· ταύτην οἷα δὴ παρ-
θένος πλεξάμενος τὴν κόμην καὶ ἐσθῆτα ἐνδὺς
γυναικείαν ἀφίκετο ὡς τὴν Δάφνην, ἐλθὼν δὲ
Οἰνομάου τε ἔλεγεν εἶναι θυγάτηρ καὶ ὡς
συνθηρᾶν ἐθέλοι τῇ Δάφνῃ. ἅτε δὲ εἶναι παρ-
θένος νομιζόμενος, καὶ τὰς ἄλλας ὑπερβεβλη-
μένος παρθένους γένους τε ἀξιώματι καὶ σοφίᾳ
τῇ ἐς τὰ κυνηγέσια, πρὸς δὲ καὶ τῇ θεραπείᾳ
περισσῇ χρώμενος, ἐς φιλίαν ἰσχυρὰν ἐπάγεται
4 τὴν Δάφνην. οἱ δὲ τὸν Ἀπόλλωνος ἔρωτα ἐς
αὐτὴν ᾄδοντες καὶ τάδε ἐπιλέγουσιν, Ἀπόλλωνα
Λευκίππῳ νεμεσῆσαι τῆς ἐς τὸν ἔρωτα εὐδαι-
μονίας. αὐτίκα δὲ ἐπεθύμησεν ἐν τῷ Λάδωνι ἡ
Δάφνη καὶ αἱ λοιπαὶ παρθένοι νήχεσθαι, καὶ τὸν
Λεύκιππον ἀποδύουσιν ἄκοντα· ἰδοῦσαι δὲ οὐ
παρθένον τοῖς τε ἀκοντίοις αὐτὸν καὶ ἐγχειριδίοις
τύπτουσαι διέφθειραν.

XXI. Ταῦτα μὲν δὴ οὕτω λέγουσι· τοῦ Λάδωνος

tains, rises here and forms the source of the
Ladon, but I cannot say for certain whether this
is true or not. The Ladon is the most lovely
river in Greece, and is also famous for the legend of
Daphne that the poets tell. I pass over the story
current among the Syrians who live on the river
Orontes, and give the account of the Arcadians and
Eleans. Oenomaüs, prince of Pisa, had a son Leu-
cippus. Leucippus fell in love with Daphne, but
despaired of winning her to be his wife by an open
courtship, as she avoided all the male sex. The
following trick occurred to him by which to get her.
Leucippus was growing his hair long for the river
Alpheius. Braiding his hair as though he were a
maiden, and putting on woman's clothes, he came to
Daphne and said that he was a daughter of Oenomaüs,
and would like to share her hunting. As he was
thought to be a maiden, surpassed the other maidens
in nobility of birth and skill in hunting, and was
besides most assiduous in his attentions, he drew
Daphne into a deep friendship. The poets who
sing of Apollo's love for Daphne make an addition
to the tale ; that Apollo became jealous of Leucippus
because of his success in his love. Forthwith Daphne
and the other maidens conceived a longing to swim
in the Ladon, and stripped Leucippus in spite of his
reluctance. Then, seeing that he was no maid, they
killed him with their javelins and daggers.

XXI. Such is the tale. From the source of the

---

[1] The text here is corrupt.

δὲ τῶν πηγῶν ἀπέχει στάδια ἑξήκοντα ἡ Κλει-
τορίων πόλις, ἡ δὲ ὁδὸς ἡ ἀπὸ τῶν πηγῶν τοῦ
Λάδωνός ἐστιν αὐλὼν στενὸς παρὰ τὸν Ἀροάνιον
ποταμόν. πρὸς δὲ τῇ πόλει διαβήσῃ ποταμὸν
καλούμενον Κλείτορα. ἐκδίδωσιν οὖν ὁ Κλείτωρ
ἐς τὸν Ἀροάνιον, οὐ πλέον τῆς πόλεως σταδίους
2 ἀπέχοντα ἑπτά. εἰσὶ δὲ ἰχθῦς ἐν τῷ Ἀροανίῳ
καὶ ἄλλοι καὶ οἱ ποικιλίαι καλούμενοι· τούτους
λέγουσι τοὺς ποικιλίας φθέγγεσθαι κίχλῃ τῇ
ὄρνιθι ἐοικός. ἐγὼ δὲ ἀγρευθέντας μὲν εἶδον,
φθεγγομένων δὲ ἤκουσα οὐδὲν καταμείνας πρὸς
τῷ ποταμῷ καὶ ἐς ἡλίου δυσμάς, ὅτε δὴ φθέγγεσ-
θαι μάλιστα ἐλέγοντο οἱ ἰχθῦς.

3   Τῇ δὲ Κλειτορίων πόλει τὸ μὲν ὄνομα ἀπὸ
τοῦ παιδὸς ἐτέθη τοῦ Ἀζᾶνος, οἰκεῖται δ᾽ ἐν
ὁμαλῷ, κύκλῳ δὲ ὄρη περιέχοντά ἐστιν οὐ
μεγάλα. Κλειτορίοις δὲ ἱερὰ τὰ ἐπιφανέστατα
Δήμητρος τό τε Ἀσκληπιοῦ, τρίτον δέ ἐστιν
Εἰλειθυίας * * * εἶναι, καὶ ἀριθμὸν ἐποίησεν
οὐδένα ἐπ᾽ αὐτοῖς· Λύκιος δὲ Ὠλὴν ἀρχαιότερος
τὴν ἡλικίαν, Δηλίοις ὕμνους καὶ ἄλλους ποιήσας
καὶ ἐς Εἰλείθυιαν, εὔλινόν τε αὐτὴν ἀνακαλεῖ—
δῆλον ὡς τῇ πεπρωμένῃ τὴν αὐτήν—καὶ Κρόνου
4 πρεσβυτέραν φησὶν εἶναι. Κλειτορίοις δὲ καὶ
Διοσκούρων, καλουμένων δὲ θεῶν Μεγάλων ἐστὶν
ἱερὸν ὅσον τέσσαρα ἀπέχον στάδια ἀπὸ τῆς
πόλεως· καὶ ἀγάλματά ἐστιν αὐτοῖς χαλκᾶ.
πεποίηται δὲ καὶ ἐπὶ ὄρους κορυφῆς σταδίοις
τριάκοντα ἀπωτέρω τῆς πόλεως ναὸς καὶ ἄγαλμα
Ἀθηνᾶς Κορίας.

Ladon, Cleitor is sixty stades away, and the road from the source of the Ladon is a narrow gorge alongside the river Aroanius. Near the city you will cross the river called the Cleitor. The Cleitor flows into the Aroanius, at a point not more than seven stades from the city. Among the fish in the Aroanius is one called the dappled fish. These dappled fish, it is said, utter a cry like that of the thrush. I have seen fish that have been caught, but I never heard their cry, though I waited by the river even until sunset, at which time the fish were said to cry most.

Cleitor got its name from the son of Azan, and is situated on a level spot surrounded by low hills. The most celebrated sanctuaries of the Cleitorians are those of Demeter, Asclepius and, thirdly, Eileithyia . . . to be, and gave no number for them. The Lycian Olen, an earlier poet, who composed for the Delians, among other hymns, one to Eileithyia, styles her "the clever spinner," clearly identifying her with fate, and makes her older than Cronus. Cleitor has also, at a distance of about four stades from the city, a sanctuary of the Dioscuri, under the name of the Great Gods. There are also images of them in bronze. There is also built upon a mountain-top, thirty stades away from the city, a temple of Athena Coria with an image of the goddess.

Printed in Great Britain by
Richard Clay and Company, Ltd.,
Bungay, Suffolk.

THE LOEB CLASSICAL LIBRARY

VOLUMES ALREADY PUBLISHED

Latin Authors

AMMIANUS MARCELLINUS. Translated by J. C. Rolfe. 3 Vols.

APULEIUS: THE GOLDEN ASS (METAMORPHOSES). W. Adlington (1566). Revised by S. Gaselee. (*6th Imp.*)

AULUS GELLIUS. J. C. Rolfe. 3 Vols.

AUSONIUS. H. G. Evelyn White. 2 Vols.

BEDE. J. E. King. 2 Vols.

BOETHIUS: TRACTS AND DE CONSOLATIONE PHILOSOPHIAE. Rev. H. F. Stewart and E. K. Rand. (*3rd Imp.*)

CAESAR: CIVIL WARS. A. G. Peskett. (*4th Imp.*)

CAESAR: GALLIC WAR. H. J. Edwards. (*7th Imp.*)

CATO AND VARRO: DE RE RUSTICA. H. B. Ash and W. D. Hooper. (*2nd Imp.*)

CATULLUS. F. W. Cornish; TIBULLUS. J. B. Postgate; AND PERVIGILIUM VENERIS. J. W. Mackail. (*11th Imp.*)

CELSUS: DE MEDICINA. W. G. Spencer. 3 Vols.

CICERO: BRUTUS, AND ORATOR. G. L. Hendrickson and H. M. Hubbell.

CICERO: DE FINIBUS. H. Rackham. (*3rd Imp. revised.*)

CICERO: DE NATURA DEORUM AND ACADEMICA. H. Rackham.

CICERO: DE OFFICIIS. Walter Miller. (*4th Imp.*)

CICERO: DE REPUBLICA AND DE LEGIBUS. Clinton W. Keyes.

CICERO: DE SENECTUTE, DE AMICITIA, DE DIVINATIONE. W. A. Falconer. (*4th Imp.*)

CICERO: IN CATILINAM, PRO FLACCO, PRO MURENA, PRO SULLA. Louis E. Lord.

CICERO: LETTERS TO ATTICUS. E. O. Winstedt. 3 Vols. (Vol. I. *5th Imp.*, Vol. II. *3rd Imp.* and Vol. III. *2nd Imp.*)

CICERO: LETTERS TO HIS FRIENDS. W. Glynn Williams. 3 Vols.

CICERO: PHILIPPICS. W. C. A. Ker. (*2nd Imp.*)

CICERO: PRO ARCHIA, POST REDITUM, DE DOMO, DE HARUSPICUM RESPONSIS, PRO PLANCIO. N. H. Watts. (*2nd Imp.*)

CICERO: PRO CAECINA, PRO LEGE MANILIA, PRO CLUENTIO, PRO RABIRIO. H. Grose Hodge.
CICERO: PRO MILONE, IN PISONEM, PRO SCAURO, PRO FONTEIO, PRO RABIRIO POSTUMO, PRO MARCELLO, PRO LIGARIO, PRO REGE DEIOTARO. N. H. Watts.
CICERO: PRO QUINCTIO, PRO ROSCIO AMERINO, PRO ROSCIO COMOEDO, CONTRA RULLUM. J. H. Freese.
CICERO: TUSCULAN DISPUTATIONS. J. E. King.
CICERO: VERRINE ORATIONS. L. H. G. Greenwood. 2 Vols.
CLAUDIAN. M. Platnauer. 2 Vols.
FLORUS. E. S. Forster, and CORNELIUS NEPOS; J. C. Rolfe.
FRONTINUS: STRATAGEMS AND AQUEDUCTS. C. E. Bennett and M. B. McElwain.
FRONTO: CORRESPONDENCE. C. R. Haines. 2 Vols.
HORACE: ODES AND EPODES. C. E. Bennett. (10th Imp. revised.)
HORACE: SATIRES, EPISTLES, ARS POETICA. H. R. Fairclough. (5th Imp. revised.)
JEROME: SELECTED LETTERS. F. A. Wright.
JUVENAL AND PERSIUS. G. G. Ramsay. (6th Imp.)
LIVY. B. O. Foster, Evan T. Sage and A. C. Schlesinger. 13 Vols. Vols. I.–V., IX.–XII. (Vol. I. 3rd Imp., Vols. II. and IX. 2nd Imp. revised.)
LUCAN. J. D. Duff.
LUCRETIUS. W. H. D. Rouse. (4th Imp. revised.)
MARTIAL. W. C. A. Ker. 2 Vols. (3rd Imp. revised.)
MINOR LATIN POETS: from PUBLILIUS SYRUS to RUTILIUS NAMATIANUS, including GRATTIUS, CALPURNIUS SICULUS, NEMESIANUS, AVIANUS, and others with " Aetna " and the " Phoenix." J. Wight Duff and Arnold M. Duff. (2nd Imp.)
OVID: THE ART OF LOVE AND OTHER POEMS. J. H. Mozley. (2nd Imp.)
OVID: FASTI. Sir James G. Frazer.
OVID: HEROIDES AND AMORES. Grant Showerman. (3rd Imp.)
OVID: METAMORPHOSES. F. J. Miller. 2 Vols. (Vol. I. 6th Imp., Vol. II. 5th Imp.)
OVID: TRISTIA AND EX PONTO. A. L. Wheeler. (2nd Imp.)
PETRONIUS. M. Heseltine; SENECA: APOCOLOCYNTOSIS. W. H. D. Rouse. (7th Imp. revised.)
PLAUTUS. Paul Nixon. 5 Vols. (Vol. I. 4th Imp., Vols. II. and III. 3rd Imp.)

2

PLINY: LETTERS. Melmoth's Translation revised by
W. M. L. Hutchinson. 2 Vols. (*4th Imp.*)
PLINY: NATURAL HISTORY. H. Rackham and
W. H. S. Jones. 10 Vols. Vol. I.
PROPERTIUS. H. E. Butler. (*5th Imp.*)
QUINTILIAN. H. E. Butler. 4 Vols. (Vols. I., II. and IV.
2nd Imp.)
REMAINS OF OLD LATIN. E. H. Warmington. 4 Vols.
Vol. I. (ENNIUS AND CAECILIUS.) Vol. II.
(LIVIUS, NAEVIUS, PACUVIUS, ACCIUS.) Vol. III.
(LUCILIUS AND LAWS OF XII TABLES.)
ST. AUGUSTINE, CONFESSIONS OF. W. Watts
(1631). 2 Vols. (Vol. I. *4th Imp.*, Vol. II. *3rd Imp.*)
ST. AUGUSTINE, SELECT LETTERS. J. H. Baxter.
SALLUST. J. Rolfe. (*2nd Imp. revised.*)
SCRIPTORES HISTORIAE AUGUSTAE. D. Magie.
3 Vols. (Vol. I. *2nd Imp. revised.*)
SENECA: APOCOLOCYNTOSIS. Cf. PETRONIUS.
SENECA: EPISTULAE MORALES. R. M. Gummere.
3 Vols. (Vol. I. *3rd Imp.*, Vol. II. *2nd Imp. revised.*)
SENECA: MORAL ESSAYS. J. W. Basore. 3 Vols.
(Vol. II. *2nd Imp. revised.*)
SENECA: TRAGEDIES. F. J. Miller. 2 Vols. (Vol. I.
3rd Imp., Vol. II. *2nd Imp. revised.*)
SIDONIUS: POEMS AND LETTERS. W. B. Anderson.
2 Vols. Vol. I.
SILIUS ITALICUS. J. D. Duff. 2 Vols. (Vol. II. *2nd
Imp.*)
STATIUS. J. H. Mozley. 2 Vols.
SUETONIUS. J. C. Rolfe. 2 Vols. (*5th Imp. revised.*)
TACITUS: DIALOGUS. Sir Wm. Peterson and AGRI-
COLA AND GERMANIA. Maurice Hutton. (*4th Imp.*)
TACITUS: HISTORIES AND ANNALS. C. H. Moore
and J. Jackson. 4 Vols. (Vol. I. *2nd Imp.*)
TERENCE. John Sargeaunt. 2 Vols. (Vol. I. *6th Imp.*,
II. *5th Imp.*)
TERTULLIAN: APOLOGIA AND DE SPECTACULIS.
T. R. Glover. MINUCIUS FELIX. G. H. Rendall.
VALERIUS FLACCUS. J. H. Mozley. (*2nd Imp. revised.*)
VARRO: DE LINGUA LATINA. R. G. Kent. 2 Vols.
VELLEIUS PATERCULUS AND RES GESTAE DIVI
AUGUSTI. F. W. Shipley.
VIRGIL. H. R. Fairclough. 2 Vols. (Vol. I. *13th Imp.*,
Vol. II. *10th Imp. revised.*)
VITRUVIUS: DE ARCHITECTURA. F. Granger.
2 Vols.

3

Greek Authors

ACHILLES TATIUS. S. Gaselee.

AENEAS TACTICUS: ASCLEPIODOTUS AND ONA-
SANDER. The Illinois Greek Club.

AESCHINES. C. D. Adams.

AESCHYLUS. H. Weir Smyth. 2 Vols. (Vol. I. *4th
Imp.*, Vol. II. *3rd Imp.*)

APOLLODORUS. Sir James G. Frazer. 2 Vols. (Vol. I.
2nd Imp.)

APOLLONIUS RHODIUS. R. C. Seaton. (*4th Imp.*)

THE APOSTOLIC FATHERS. Kirsopp Lake. 2 Vols.
(Vol. I. *5th Imp.*, Vol. II. *4th Imp.*)

APPIAN'S ROMAN HISTORY. Horace White. 4 Vols.
(Vol. I. *3rd Imp.*, Vols. II., III. and IV. *2nd Imp.*)

ARATUS. Cf. CALLIMACHUS.

ARISTOPHANES. Benjamin Bickley Rogers. 3 Vols.
Verse trans. (Vols. I. and II. *4th Imp.*, Vol. III. *3rd Imp.*)

ARISTOTLE: ART OF RHETORIC. J. H. Freese.
(*2nd Imp.*)

ARISTOTLE: ATHENIAN CONSTITUTION, EUDE-
MIAN ETHICS, VICES AND VIRTUES. H. Rackham.
(*2nd Imp.*)

ARISTOTLE: METAPHYSICS. H. Tredennick. 2 Vols.
(*2nd Imp.*)

ARISTOTLE: MINOR WORKS. W. S. Hett. On
Colours, On Things Heard, On Physiognomies, On Plants,
On Marvellous Things Heard, Mechanical Problems,
On Indivisible Lines, On Position and Names of Winds.

ARISTOTLE: NICOMACHEAN ETHICS. H. Rackham.
(*2nd Imp. revised.*)

ARISTOTLE: OECONOMICA AND MAGNA MORALIA.
G. C. Armstrong; with Metaphysics, Vol. II. (*2nd Imp.*)

ARISTOTLE: ON THE HEAVENS. W. K. C. Guthrie.

ARISTOTLE: ON THE SOUL, PARVA NATURALIA,
ON BREATH. W. S. Hett. (*2nd Imp. revised.*)

ARISTOTLE: ORGANON. H. P. Cooke and H. Treden-
nick. 2 Vols. Vol. I.

ARISTOTLE: PARTS OF ANIMALS. A. L. Peck;
MOTION AND PROGRESSION OF ANIMALS. E. S.
Forster.

ARISTOTLE: PHYSICS. Rev. P. Wicksteed and F. M.
Cornford. 2 Vols. (Vol. II. *2nd Imp.*)

ARISTOTLE: POETICS AND LONGINUS. W. Hamil-
ton Fyfe; DEMETRIUS ON STYLE. W. Rhys
Roberts. (*3rd Imp. revised.*)

ARISTOTLE: POLITICS. H. Rackham.

ARISTOTLE: PROBLEMS. W. S. Hett. 2 Vols.

ARISTOTLE: RHETORICA AD ALEXANDRUM
(with PROBLEMS, Vol. II.). H. Rackham.

4

ARRIAN : HISTORY OF ALEXANDER AND INDICA.
Rev. E. Iliffe Robson. 2 Vols.
ATHENAEUS : DEIPNOSOPHISTAE. C. B. Gulick.
7 Vols.
CALLIMACHUS AND LYCOPHRON. A. W. Mair;
ARATUS. G. R. Mair.
CLEMENT OF ALEXANDRIA. Rev. G. W. Butter-
worth. (2nd Imp.)
COLLUTHUS. Cf. OPPIAN.
DAPHNIS AND CHLOE. Thornley's Translation revised
by J. M. Edmonds; AND PARTHENIUS. S. Gaselee.
(3rd Imp.)
DEMOSTHENES : DE CORONA AND DE FALSA
LEGATIONE. C. A. Vince and J. H. Vince.
DEMOSTHENES : MEIDIAS, ANDROTION, ARISTO-
CRATES, TIMOCRATES AND ARISTOGEITON : I.
AND II. Translated by J. H. Vince.
DEMOSTHENES : OLYNTHIACS, PHILIPPICS AND
MINOR ORATIONS : I.–XVII. AND XX. J. H. Vince.
DEMOSTHENES : PRIVATE ORATIONS. A. T. Murray.
4 Vols. Vols. I., II and III.
DIO CASSIUS : ROMAN HISTORY. E. Cary. 9 Vols.
(Vols. I and II. 2nd Imp.)
DIO CHRYSOSTOM. J. W. Cohoon. 5 Vols. Vols. I.
and II.
DIODORUS SICULUS. C. H. Oldfather. In 12 Volumes.
Vols. I.–III.
DIOGENES LAERTIUS. R. D. Hicks. 2 Vols. (Vol. I.
3rd Imp.)
DIONYSIUS OF HALICARNASSUS : ROMAN ANTI-
QUITIES. Spelman's translation revised by E. Cary.
7 Vols. Vols. I and II.
EPICTETUS. W. A. Oldfather. 2 Vols.
EURIPIDES. A. S. Way. 4 Vols. (Vol. II. 6th Imp.,
Vols. I and IV. 5th Imp., Vol. III. 3rd Imp.) Verse trans.
EUSEBIUS : ECCLESIASTICAL HISTORY. Kirsopp
Lake and J. E. L. Oulton. 2 Vols. (Vol. II. 2nd
Imp.)
GALEN : ON THE NATURAL FACULTIES. A. J.
Brock. (2nd Imp.)
THE GREEK ANTHOLOGY. W. R. Paton. 5 Vols.
(Vol. I. 4th Imp., Vols. II. and III. 2nd Imp.)
GREEK ELEGY AND IAMBUS WITH THE ANACRE-
ONTEA. J. M. Edmonds. 2 Vols.
THE GREEK BUCOLIC POETS (THEOCRITUS,
BION, MOSCHUS). J. M. Edmonds. (6th Imp. revised.)
GREEK MATHEMATICAL WORKS. Ivor Thomas.
2 Vols. Vol. I. (Thales to Buclid.)
HERODES. Cf. THEOPHRASTUS : CHARACTERS.

HERODOTUS. A. D. Godley. 4 Vols. (Vols. I.–III. 3rd Imp., Vol. IV. 2nd Imp.)

HESIOD AND THE HOMERIC HYMNS. H. G. Evelyn White. (5th Imp. revised and enlarged.)

HIPPOCRATES AND THE FRAGMENTS OF HERA-CLEITUS. W. H. S. Jones and E. T. Withington. 4 Vols. (Vol. I. 2nd Imp.)

HOMER: ILIAD. A. T. Murray. 2 Vols. (4th Imp.)

HOMER: ODYSSEY. A. T. Murray. 2 Vols. (Vol. I. 5th Imp., Vol. II. 4th Imp.)

ISAEUS. E. W. Forster.

ISOCRATES. George Norlin. 3 Vols. Vols. I. and II.

JOSEPHUS. H. St. J. Thackeray and Ralph Marcus. 9 Vols. Vols. I.–VI. (Vol. V. 2nd Imp.)

JULIAN. Wilmer Cave Wright. 3 Vols. (Vols. I. and II. 2nd Imp.)

LUCIAN. A. M. Harmon. 8 Vols. Vols. I.–V. (Vols. I. and II. 3rd Imp.)

LYCOPHRON. Cf. CALLIMACHUS.

LYRA GRAECA. J. M. Edmonds. 3 Vols. (Vol. I. 3rd Imp., Vol. II. 2nd Ed. revised and enlarged, Vol. III. 2nd Imp. revised).

LYSIAS. W. R. M. Lamb.

MARCUS AURELIUS. C. R. Haines. (3rd Imp. revised.)

MENANDER. F. G. Allinson. (2nd Imp. revised.)

MINOR ATTIC ORATORS (ANTIPHON, ANDOCIDES, DEMADES, DEINARCHUS, HYPEREIDES). K. J. Maidment. 2 Vols. Vol. I.

OPPIAN, COLLUTHUS, TRYPHIODORUS. A. W. Mair.

PAPYRI (SELECTIONS). A. S. Hunt and C. C. Edgar. 4 Vols. Vols. I. and II.

PARTHENIUS. Cf. DAPHNIS AND CHLOE.

PAUSANIAS: DESCRIPTION OF GREECE. W. H. S. Jones. 5 Vols. and Companion Vol. (Vols. I. and III. 2nd Imp.)

PHILO. 10 Vols. Vols. I.–V.; F. H. Colson and Rev. G. H. Whitaker. Vols. VI.–VIII. (Vol. IV. 2nd Imp.); F. H. Colson.

PHILOSTRATUS: THE LIFE OF APOLLONIUS OF TYANA. F. C. Conybeare. 2 Vols. (Vol. I. 3rd Imp., Vol. II. 2nd Imp.)

PHILOSTRATUS: IMAGINES; CALLISTRATUS: DESCRIPTIONS. A. Fairbanks.

PHILOSTRATUS AND EUNAPIUS: LIVES OF THE SOPHISTS. Wilmer Cave Wright.

PINDAR. Sir J. E. Sandys. (6th Imp. revised.)

PLATO: CHARMIDES, ALCIBIADES, HIPPARCHUS, THE LOVERS, THEAGES, MINOS AND EPINOMIS. W. R. M. Lamb.

PLATO : CRATYLUS, PARMENIDES, GREATER HIP-
PIAS, LESSER HIPPIAS. H. N. Fowler. (*2nd Imp.*)
PLATO : EUTHYPHRO, APOLOGY, CRITO, PHAEDO,
PHAEDRUS. H. N. Fowler. (*8th Imp.*)
PLATO : LACHES, PROTAGORAS, MENO, EUTHY-
DEMUS. W. R. M. Lamb. (*2nd Imp. revised.*)
PLATO : LAWS. Rev. R. G. Bury. 2 Vols.
PLATO : LYSIS, SYMPOSIUM, GORGIAS. W. R. M.
Lamb. (*2nd Imp. revised.*)
PLATO : REPUBLIC. Paul Shorey. 2 Vols. (Vol. I.
2nd Imp. revised.)
PLATO : STATESMAN, PHILEBUS. H. N. Fowler;
ION. W. R. M. Lamb. (*2nd Imp.*)
PLATO : THEAETETUS AND SOPHIST. H. N. Fowler.
(*2nd Imp.*)
PLATO : TIMAEUS, CRITIAS, CLITOPHO, MENEXE-
NUS, EPISTULAE. Rev. R. G. Bury.
PLUTARCH : MORALIA. 14 Vols. Vols. I.–V. F. C.
Babbitt ; Vol. VI. W. C. Helmbold ; Vol. X. H. N. Fowler.
PLUTARCH : THE PARALLEL LIVES. B. Perrin.
11 Vols. (Vols. I., II., III. and VII. *2nd Imp.*)
POLYBIUS. W. R. Paton. 6 Vols.
PROCOPIUS : HISTORY OF THE WARS. H. B.
Dewing. 7 Vols. (Vol. I. *2nd Imp.*)
QUINTUS SMYRNAEUS. A. S. Way. Verse trans.
ST. BASIL : LETTERS. R. J. Deferrari. 4 Vols.
ST. JOHN DAMASCENE : BARLAAM AND IOASAPH.
Rev. G. R. Woodward and Harold Mattingly. (*2nd
Imp. revised.*)
SEXTUS EMPIRICUS. Rev. R. G. Bury. 3 Vols. (Vol. I.
2nd Imp.)
SOPHOCLES. F. Storr. 2 Vols. (Vol. I. *6th Imp.*, Vol.
II. *5th Imp.*) Verse trans.
STRABO : GEOGRAPHY. Horace L. Jones. 8 Vols.
(Vols. I. and VIII. *2nd Imp.*)
THEOPHRASTUS : CHARACTERS. J. M. Edmonds;
HERODES, etc. A. D. Knox.
THEOPHRASTUS : ENQUIRY INTO PLANTS. Sir
Arthur Hort, Bart. 2 Vols.
THUCYDIDES. C. F. Smith. 4 Vols. (Vol. I. *3rd Imp.*,
Vols. II., III. and IV. *2nd Imp. revised.*)
TRYPHIODORUS. Cf. OPPIAN.
XENOPHON : CYROPAEDIA. Walter Miller. 2 Vols.
(*2nd Imp.*)
XENOPHON : HELLENICA, ANABASIS, APOLOGY,
AND SYMPOSIUM. C. L. Brownson and O. J. Todd.
3 Vols. (*2nd Imp.*)
XENOPHON : MEMORABILIA AND OECONOMICUS.
E. C. Marchant. (*2nd Imp.*)
XENOPHON : SCRIPTA MINORA. E. C. Marchant.

IN PREPARATION

Greek Authors

ALCIPHRON. A. R. Benner.

ARISTOTLE: DE MUNDO. W. K. C. Guthrie.

ARISTOTLE: HISTORY AND GENERATION OF ANIMALS. A. L. Peck.

ARISTOTLE: METEOROLOGICA. H. P. Lee.

MANETHO. W. G. Waddell.

NONNUS. W. H. D. Rouse.

PAPYRI: LITERARY PAPYRI, Selected and Translated by C. H. Roberts.

PTOLEMY: TETRABIBLUS. F. E. Robbins.

Latin Authors

ST. AUGUSTINE: CITY OF GOD. J. H. Baxter.

[CICERO]: AD HERENNIUM. H. Caplan.

CICERO: DE ORATORE. Charles Stuttaford, E. W. Sutton and H. Rackham.

CICERO: PRO SESTIO, IN VATINIUM, PRO CAELIO, DE PROVINCIIS CONSULARIBUS, PRO BALBO. J. H. Freese.

COLUMELLA: DE RE RUSTICA. H. B. Ash.

PRUDENTIUS. J. H. Thomson.

QUINTUS CURTIUS: HISTORY OF ALEXANDER. J. C. Rolfe.

DESCRIPTIVE PROSPECTUS ON APPLICATION

London - - - - WILLIAM HEINEMANN LTD
Cambridge, Mass. - - - HARVARD UNIVERSITY PRESS